W9-BBE-612

Deutsche Novellen des 19. Jahrhunderts

Robert O. Röseler
University of Wisconsin

NEW YORK
HENRY HOLT AND COMPANY

October, 1959

37569-0111

PRINTED IN THE
UNITED STATES OF AMERICA

PREFACE

In response to a demand for modern prose fiction of a high order, suitable for students who have passed the elementary stages of their language study — for the third or fourth semester of college work, for undergraduate survey courses in German literature, or for the last year of high school German — five of the best German *Novellen* of the most outstanding writers of German fiction of the nineteenth century are presented in this volume.

In the biographical sketches an effort has been made to acquaint the student with the life, work, and literary significance of these masters of German prose fiction. The notes will aid the student in gaining a clear conception of the historical, economic, cultural, and geographical situations described in these stories and will give him also some information on subjects of general interest. The notes also offer translations of the more difficult passages and of words or idiomatic expressions of rare occurrence. Frequently the student is referred to books which stand in direct or indirect relation to the text; this practice may prove helpful to teachers who encourage their students to do supplementary reading.

In the preparation of the notes of *Kleider machen Leute, Gustav Adolfs Page,* and *Das Heidedorf,* the editions of Lambert, D. C. Heath and Co., Roulston, Henry Holt and Co., Heller, D. C. Heath and Co., and Lentz, D. C. Heath and Co. have been consulted. For the critical examination of the manuscript and for many invaluable suggestions the editor is indebted to the reader of Henry Holt and Company.

It is hoped that this collection will afford enjoyable reading material and that it will arouse in our students of German a lasting interest in the great masterpieces of German prose fiction.

R. O. R.

Madison, Wisconsin, 1941.

CONTENTS

THE GERMAN *NOVELLE*

The *Novelle* is a more recently developed artistic form in German literature. Although it has been a part of Italian, Spanish, and French literature since the end of the Middle Ages, the genre was so completely foreign to the well-read Lessing that he translated the title of Cervantes' *Novelas ejemplares* as "*Neue Beispiele*". Goethe and the early Romanticists, who held the literature of past centuries and foreign countries in high regard, were the first to introduce the *Novelle* into German literature, where it soon became a favorite form of poetic expression. The Old Italian Novella was a short story which presented something new or startling in an artless manner: an anecdote about a great noble, the love story of one's neighbor, some rascally prank or a scheme for escape from a difficult situation, a fantastic account of far lands or any of those innumerable tales, serious or gay, which had originated in the Orient and were now told over and over again.

Many of these Italian stories were long current among the people when finally collections of them were made. Such a collection was undertaken by Giovanni Boccaccio (1313–75) in his *Decamerone* in 1353. Boccaccio tells of the fury of the plague in Florence and of a group of young people who fled to a country estate, where they passed their time in dancing and playing and jesting. When the weather became too hot, they told stories, ten each day; and because this lasted ten days, the collection is called *Il Decamerone*, the work of ten days. The charm of the *Decamerone* lies not merely in the rich variety of subject matter, but also in the grace and ease of presentation. Each individual story, told in perfect prose, is complete in itself, although they all have a common theme. These stories — one hundred in all — are included within a graceful frame (*Rahmenerzählung*) effectively contrasting with the gloomy background. This tradition of telling stories within the story came with "The Arabian Nights" from the Orient and has remained popular up till the present time. The *Novelle* has been a favorite art form in all Romance lands. In Spain it reached a new peak when Miguel de Cervantes (1547–1616) wrote his *Novelas ejemplares* and the short tales which he scattered throughout *Don Quixote.*

In Germany, too, at a time when knighthood together with the appreciation for the great court epics was disappearing, shorter tales in verse and later in prose became popular. They were often closely related to the Romance stories and were frequently held together by a framework (*Rahmenerzählung*) as, for example, in the *Seven Wise Masters.* This type of prose fiction, which had become popular in the sixteenth century, reached a wider circle of readers in the subsequent era without becoming a distinct type in itself. The name *Novelle* first appears around 1800, when the Schlegel brothers in connection with their study of Romance literatures, attempted to formulate a clear definition of the genre. They interpreted it as a type of tale to be told and enjoyed at social gatherings, in which an actual but hitherto unknown and remarkable occurrence from private life was related in an entertaining and interesting manner. Meanwhile, the poet who was to create the *Novelle* for German literature had appeared. In Schiller's *Horen* Goethe published the *Unterhaltungen deutscher Ausgewanderten* (1795). In this collection a group of men and women who were forced to flee because of the French Revolution tell stories of both foreign and native origin, within a conversational framework. But this was not the only place where Goethe cultivated the new artistic form, which according to him should present something new, an unheard-of episode, a particular incident, in contrast with the more discursive *Roman.* After 1807 he included in *Wilhelm Meisters Wanderjahre* shorter tales, as "*Der Mann von fünfzig Jahren*" and "*Die pilgernde Torin*" just as "*Die wunderlichen Nachbarskinder*" found a place in *Die Wahlverwandtschaften.* In 1827 Goethe carried out a plan of many years' standing in a story in the select style of his later years, which told of a company of nobles who were forced to pursue some wild animals which had escaped from a fair. Goethe called this not impossible yet unique story, which represents one of the favorite motives of his old age, that of self-mastery, simply the *Novelle,* just as Wieland had already entitled a story in the *Hexameron von Rosenhain* (1805) "*Novelle ohne Titel*". Both authors wished to give this name only to stories of a very definite character, not indiscriminately to any short tale.

Kleist, too, wrote several *Novellen* (*Michael Kohlhaas* among others) but it was Tieck who first followed successfully the trail which Goethe, Wieland, and Kleist had blazed. As became the Romanticist, he turned back to the great Romance sources, more especially to Boccaccio and Cervantes, and adapted the lessons drawn from these masters to the needs and tastes of the modern reader. He demanded for the *Novelle* an exposition different from that of an event, tale or story. The *Novelle* should deal with an incident which might or might not be of great import, and which, even though it could conceivably take place, would yet appear strange and perhaps unique and which should emphasize a striking, central idea. Accordingly, he wrote a series of new stories, which he allowed to appear under the title of *Novellen* — among others "*Die Verlobung*", "*Musikalische Leiden und Freuden*", "*Dichterleben*", "*Der Aufruhr in den Cevennen*", "*Der junge Tischlermeister*", "*Des Lebens Überfluß*, — to be kept distinct from his older Romantic tales which he had included within the framework of *Phantasus.* Although Tieck was very successful in his use of material and in the exposition of his many *Novellen,* which comprised in all twelve volumes, nevertheless they are often wanting in compactness and too often burdened with irrelevant thoughts and opinions of the author, and many of them show too strong a tendency toward the discussion of important questions of their time by the characters of the story, whereby the purely artistic effect is overshadowed.

Thus in the first half of the nineteenth century the *Novelle* was clarified in both theory and practice. But only since the fifties can it be regarded as belonging to the realm of German classics, for at this time Theodor Storm (*Immensee,* 1852), Gottfried Keller (*Die Leute von Seldwyla,* First Part, 1856), and Paul Heyse (*L'Arrabbiata,* 1853) appeared on the scene.

Heyse, not unlike his great predecessors and contemporaries in German literature, had thought much about the theory of his art and early formulated his ideas of the artistic requisites of the *Novelle.* His memoirs (*Jugenderinnerungen und Bekenntnisse,* 1900) in which among other things Heyse gives an account of his long literary stewardship, speak thus of qualities essential to a successful *Novelle:* "To attribute artistic value to a *Novelle,* we demand, — just as we do of every real poetic creation — that it should bring before us some significant phase of human destiny (ein bedeutendes Menschenschicksal), a spiritual, mental or moral conflict, — that it should reveal to us by a procedure out of the ordinary a new side of human nature". According to Heyse, in his choice of material the author should not limit himself, as his Italian predecessors did, to a certain confined territory, to the presentation of a remarkable incident, or of an ingenious, eventful story. The *Novelle* must be introspective, like all modern literature. It includes every human emotion; it ought to show us a human fate, a spiritual or moral conflict; it should reveal to us through an event not from the every-day world a new side of human nature. It may, therefore, make use of exceptional happenings; the individual and personal, the unique, or even the capricious. The *Novelle* is not simply a short novel (*Roman*) — the relation of the two is analogous to that existing between the ballad and the epic. It is not sufficient to eliminate the wide horizon, the multiplicity of characters, the extended descriptions and conversations of the novel — the essence and charm of the *Novelle* consists rather in isolating and developing some strange and interesting theme. Its motives should, therefore, be few and simple, its characters sparse and clearly drawn. The narrative should be straightforward and without unnecessary descriptive detail.

Heyse accordingly requires of the *Novelle* that it should have a clearly defined "silhouette" or outline; that the story, if condensed into a half dozen lines, shall not lose its essential character and charm or fail to leave a distinct impression on the mind of the reader. To illustrate, he cites one of Boccaccio's tales, "*Frederick of the Alberighi and his Falcon*": A noble knight had sacrificed all his possessions to win the heart of his lady-love. He has nothing left but a precious falcon. When the lady comes to his ruined castle he sacrifices this last treasure to make a meal for her. This final proof of his devotion wins his lady's heart and she rewards his love with her hand and fortune. Each *Novelle* must have a "*falcon*", some clearly defined important feature or event about which the story naturally centers and in which it culminates.

Since its revival by Heyse, Keller, and Storm, the *Novelle* has been up to the present the subject of much theoretical discussion. We hear again and again that the *Novelle* differs from the *Roman* not only in length but in its very essence, and that it differs too from the presentation of any incident in just any short story. What the name originally means and what the Schlegel brothers, Goethe, Tieck, and Heyse stress is that the *Novelle* must present an event which attracts the reader by its novelty and which, after a tense situation, moves to a quick solution. No episodes or sub-plots, such as are to be found in a *Roman*, may disturb the complete unity of the plot. The interest in outward events has to give way to the presentation of character development, and the exciting story of adventure is replaced by that which is psychologically remarkable and gripping. Spielhagen says: "The *Novelle* deals with fully developed characters that, because of some peculiar chain of circumstances, are involved in an interesting conflict and are thus forced to reveal their own innermost natures." While the *Roman* unfolds before us a whole world, the *Novelle* can only suggest circumstances of time and place; it can only bring out a few outstanding features which must suffice to evoke in the imagination of the reader more complete pictures.

Kleider machen Leute

Gottfried Keller

Gottfried Keller

The author of *Kleider machen Leute* ranks as the greatest master of German prose since Goethe. At once realistic and imaginative, philosophic and simple, tragic and humorous, his works are the expression of a strong, rugged, yet gentle personality. Original to the point of being eccentric, Keller whose every written word bears his individual stamp, was a man of stern integrity and independence. He belongs to no faction of literary craftsmen, no school of thought. His debt to his predecessors, though admittedly a debt can be traced to Goethe, Jean Paul, and Jeremias Gotthelf, is slight and of little significance. His works are simple in structure, written apparently without effort, and remarkably unified because of their secure foundation in the author's kindly, noble individuality.

Keller's greatness consists in his achieving the complete expression of his strong and sensitive artistic genius. He was a highly artistic nature, who struggled long to find a fitting medium of expression. The most distinct feature of his technique is his acuteness of observation. This great poetic realist was long attracted to the career of a painter, and when he turned to writing his talent found its expression in word-painting which is comparable in its effect to work in oil. He looked on the world with sympathy and with sharpness of vision; and the things he saw and recorded were new to literature, giving the reader a direct, sensuous experience, a contact with reality which no one before Keller had so fully achieved.

Keller wrote slowly and without the slightest trace of mannerism or self-consciousness. His work has a resultant trueness to life that often called up a reaction of shock and surprise among readers accustomed to romance and the glibness of trite conventionalities. His stories are based on actual events; the scenes, characters, and backgrounds are drawn from life down to the finest details; material is the every-day, humdrum existence of the common people whom he loved. But in his hands this material is quickened and given vivid coloring by the sure hands and the shaping imagination of the artist, for besides his gift for description, Keller had great skill in drawing characters and in presenting their emotions and their life problems. His artistic creed is the portrayal of life not only as it is, but also as it should be, — the search for the elements of the ideal and the perfect in our every-day experiences. Keller conceived his mission to be the revelation of the oneness of life, — that vast single process of which no part to him was meaningless or mean beyond hope. Because he had a great human sympathy and an all-embracing poetical imagination, he was able to give significance and artistic unity to the disparate fragments of human experience.

Gottfried Keller was born in Zürich, Switzerland, on July 19, 1819. The house where he was born, named *Zum goldenen Winkel,* still stands today. Here the boy, whose father had died when Gottfried was but five years old, was reared and given his first training by his mother. She sent him to the schools of his native town, but he attended these only until he reached the age of fifteen. After 1834 Keller, who showed an interest in and aptitude for painting, received instruction in art from local artists, and in 1840 he went to Munich to continue his study of art.

In Munich the young student soon became despondent over the difficulties of making progress in his calling. Not sure of the bent of his genius, he was afraid that he had overestimated his talents. Troubled as he was by the lack of money and by illness, he squandered much time and neglected his opportunities. For two years he endured this joyless existence, returning to his mother with the feeling that he had wasted her money and that he had gotten himself off to a bad start altogether. At the end of this period he was unsure of himself, unable to settle down to serious work, broken in spirit, and still vaguely ambitious of somehow realizing an artistic career.

For the next six years Keller depended largely on his mother's support, though his landscapes brought him a little money. Until he was almost thirty years old he continued this dependent and demeaning existence, "stretching", as he puts it, "his legs under his mother's table." Months and years rolled by, increasing his dissatisfaction and bitterness. Fortunately for him and for posterity, Keller finally turned away from painting and took up writing. He wrote verse in support of the democratic principles which in the years before 1848 were receiving so much attention in Germany. In this early period as well as later Keller wrote significant non-political lyrics, among which are to be found some of the finest short poems in all German literature.

In June, 1848, Keller's native canton awarded him a travelling scholarship, so that in October of that year he was able to go to Heidelberg.

From his fifteenth year a self-taught man, Keller now had the opportunity to make up for some of the "lost years" by studying at a university. He heard Ludwig Feuerbach in Heidelberg, and, being of serious and philosophic turn of mind, was greatly influenced by the lectures of this famous freethinker. He attended lectures on history, German literature, and esthetics at the University. Here he met Hermann Hettner, the literary historian, who gave him guidance and insight into literature, and who encouraged him in his literary projects.

Keller remained in Heidelberg two years and then moved to Berlin, his home for the next five years. Instead of studying the drama as he had planned, he now devoted much of his time to writing, and this period turned out to be one of the most fruitful of his whole career. Here he wrote his first prose work, the autobiographical novel *Der grüne Heinrich,* a work which combined much poetic beauty with a romantic vagueness of form and content.

The novel is a faithful portrayal of the character of Keller, who claimed that „sogar das Anekdotische darin so gut wie wahr ist.“ A book of striking originality, full of delicate, poetically conceived autobiographical sketches and episodes of beauty and charm, this work is one of the outstanding German novels of the nineteenth century. In 1878–80 Keller revised it, yielding to criticism of the hero's tragic death in the first version.

Die Leute von Seldwyla is Keller's next work, written largely at the request of a publisher for a series of stories with Swiss locale and local color. Keller wrote most of the stories in Berlin, and published them in 1856, the year following his departure from that city. In this work we find some of Keller's best and most characteristic writing; there we meet his bizarre and grotesque humor, his depiction of the commonplace and every-day experience couched in simple and direct language and transformed by the magic of his imagination into immortal pictures. The stories exploit the odd and the extravagant; they appear — as one critic says — to be the work of generations of humorists, because they contain such prodigious quantities of foolishness and invention. They are disconnected stories given a kind of unity by being laid in a common scene of action — the imaginary Swiss town Seldwyla. Keller created out of thin air a whole living town as his background. He envisioned for Seldwyla medieval walls and watch-towers, told with dry solemnity how the town lies half a league from the nearest navigable river, — and this planned with foresight by the founders to make sure that the town could not possibly prosper and grow. The town is situated on a southern slope where there are rich vineyards. Higher up on the slope are extensive municipal forests. Thus the inhabitants can supply their daily needs with little trouble; they are secure against want and have a dependable source of income. As a result, the people of Seldwyla are extravagant and improvident. They are good-natured folk, fond of tavern life and ale-house politics, given to practical jokes, to idling and interminable conversation, engaging in endless law-suits; they are the type who will go bankrupt and then spend their energies in fishing, yet keeping withal a strong sense of superiority over their neighbors. They are, in short, a naturally lively, lovable, impractical, happy-go-lucky lot.

For the last thirty-five years of his life Keller lived in Zürich. From 1861 to 1876 he held the position of Secretary of the Canton, earning thereby a comfortable living. During this period of official service Keller did little writing, but kept up his acquaintance with his literary friends, among whom were Paul Heyse and Hettner. Wagner and Liszt were among his friends of these years, as was also the famous architect Semper. After fifteen years of public life, Keller retired on a modest pension, which was sufficient to supply his needs for the rest of his days.

In 1872 the *Sieben Legenden,* sketched and begun in Berlin, were finished and published, meeting with great success. In 1872 there appeared the second volume of the *Leute von Seldwyla,* some of the stories of which had been completed at the time of the appearance of the first volume. This collection of stories had achieved such popularity that a third edition was published in 1876 and a fourth in 1882. The *Züricher Novellen,* which contain some of his best work and which were likewise very favorably received by the public, appeared in 1877. *Das Sinngedicht,* considered as perhaps his most finished work from an artistic standpoint, appeared in 1881. In 1885 Keller published an edition of his collected works, and followed this in the next year with *Martin Salander,* a political novel usually adjudged less successful than his other writings. In addition to his prose writings Keller composed a number of great lyrical poems throughout these years. Of these the most famous is undoubtedly his *Abendlied,* which Storm called das reinste Gold der Lyrik. Written in 1879, it represents the poet's last and noblest praise of life:

Abendlied

Augen, meine lieben Fensterlein,
Gebt mir schon so lange holden Schein,
Lasset freundlich Bild um Bild herein:
Einmal werdet ihr verdunkelt sein!

Fallen einst die müden Lider zu,
Löscht ihr aus, dann hat die Seele Ruh';
Tastend streift sie ab die Wanderschuh'.
Legt sich auch in ihre finstre Truh'.

Noch zwei Fünklein sieht sie glimmend stehn
Wie zwei Sternlein, innerlich zu sehn,
Bis sie schwanken und dann auch vergehn,
Wie von eines Falters Flügelwehn.

Doch noch wandl' ich auf dem Abendfeld,
Nur dem sinkenden Gestirn gesellt;
Trinkt, o Augen, was die Wimper hält,
Von dem goldnen Überfluß der Welt!

Kleider machen Leute

I

An einem unfreundlichen Novembertage wanderte ein armes Schneiderlein [1] auf der Landstraße nach Goldach,[2] einer kleinen reichen Stadt, die nur wenige Stunden von Seldwyla entfernt ist. Der Schneider trug in seiner Tasche nichts als einen Fingerhut, welchen er, in Ermangelung irgendeiner Münze, unablässig zwischen den Fingern drehte, wenn er der Kälte wegen die Hände in die Hosen steckte, und die Finger schmerzten ihm ordentlich von diesem Drehen und Reiben, denn er hatte wegen des Fallimentes irgendeines Seldwyler Schneidermeisters seinen Arbeitslohn mit der Arbeit zugleich verlieren und auswandern müssen. Er hatte noch nichts gefrühstückt als einige Schneeflocken, die ihm in den Mund geflogen, und er sah noch weniger ab,[3] wo das geringste Mittagsbrot herwachsen sollte. Das Fechten [4] fiel ihm äußerst schwer, ja schien ihm gänzlich unmöglich, weil er

---

Title: „Kleider machen Leute," is a proverb: "Fine feathers make fine birds."

1. Schneiderlein: should not be translated by "little tailor"; the diminutive suffix –lein has a patronizing effect.

2. Goldach and Seldwyla are imaginary towns.

3. er sah noch weniger ab = er hatte nicht die geringste Idee.

4. Das Fechten, (begging). The expressions: fechten, (begging), Fechtbruder, (beggar), fechten gehen, (to go begging), originated in the seventeenth century. It may first have been used of mercenary soldiers who were forced to eke out an existence through begging.

über seinem schwarzen Sonntagskleide, welches sein einziges war, einen weiten dunkelgrauen Radmantel trug, mit schwarzem Samt ausgeschlagen, der seinem Träger ein edles und romantisches Aussehen verlieh, zumal dessen lange 5 schwarze Haare und Schnurrbärtchen sorgfältig gepflegt waren, und er sich blasser, aber regelmäßiger Gesichtszüge erfreute.

Solcher Habitus war ihm zum Bedürfnis geworden, ohne daß er etwas Schlimmes oder Betrügerisches dabei im 10 Schilde führte[1]; vielmehr war er zufrieden, wenn man ihn nur gewähren und im stillen seine Arbeit verrichten ließ; aber lieber wäre er verhungert, als daß er sich von seinem Radmantel und von seiner polnischen Pelzmütze getrennt hätte, die er ebenfalls mit großem Anstand zu tragen 15 wußte.

Er konnte deshalb nur in größeren Städten arbeiten, wo solches nicht zu sehr auffiel; wenn er wanderte und keine Ersparnisse mitführte, geriet er in die größte Not. Näherte er sich einem Hause, so betrachteten ihn die Leute mit Ver- 20 wunderung und Neugierde und erwarteten eher alles an- dere,[2] als daß er betteln würde; so erstarben ihm, da er überdies nicht beredt war, die Worte im Munde, also daß er der Märtyrer seines Mantels war und Hunger litt, so schwarz[3] wie des letzteren Sammetfutter.

25 Als er bekümmert und geschwächt eine Anhöhe hinaufging, stieß er auf einen neuen und bequemen Reisewagen, welchen ein herrschaftlicher Kutscher in Basel abgeholt hatte und seinem Herrn überbrachte, einem fremden Grafen, der irgendwo in der Ostschweiz auf einem gemieteten oder 30 angekauften alten Schlosse saß.[4] Der Wagen war mit allerlei

---

1. ohne daß er etwas Schlimmes dabei im Schilde führte, (without being bent on mischief, or meaning harm). The expression traces its origin to the arms and emblems borne by knights on their shields.

2. eher alles andere, als, (anything but).

3. schwarz, (dark, extreme).

4. saß, (resided).

Vorrichtungen zur Aufnahme des Gepäckes versehen und schien deswegen schwer bepackt zu sein, obgleich alles leer war. Der Kutscher ging wegen des steilen Weges neben den Pferden, und als er oben angekommen den Bock wieder bestieg, fragte er den Schneider, ob er sich nicht in 5 den leeren Wagen setzen wolle. Denn es fing eben an zu regnen, und er hatte mit einem Blicke gesehen, daß der Fußgänger sich matt und kümmerlich durch die Welt schlug.[1]

Derselbe nahm das Anerbieten dankbar und bescheiden an, worauf der Wagen rasch mit ihm von dannen rollte 10 und in einer kleinen Stunde stattlich und donnernd durch den Torbogen von Goldach fuhr. Vor dem ersten Gasthofe, „Zur Wage"[2] genannt, hielt das vornehme Fuhrwerk plötzlich, und alsogleich zog der Hausknecht so heftig an der Glocke, daß der Draht beinahe entzweiging. Da stürzten 15 Wirt und Leute herunter und rissen den Schlag auf; Kinder und Nachbarn umringten schon den prächtigen Wagen, neugierig,[3] welch ein Kern sich aus so unerhörter Schale enthülsen werde, und als der verdutzte Schneider endlich hervorsprang in seinem Mantel, blaß und schön und schwer- 20 mütig zur Erde blickend, schien er ihnen wenigstens ein geheimnisvoller Prinz oder Grafensohn zu sein. Der Raum zwischen dem Reisewagen und der Pforte des Gasthauses war schmal und im übrigen der Weg durch die Zuschauer ziemlich gesperrt. Mochte[4] es nun der Mangel an Gei- 25 stesgegenwart oder an Mut sein, den Haufen zu durchbrechen und einfach seines Weges zu gehen, — er tat dieses nicht, sondern ließ sich willenlos in das Haus und die Treppe

---

1. sich ... durch die Welt schlug, (was making his way through the world).

2. „Zur Wage," ("at the sign of the scales.") In Germany, hotels, restaurants, etc. are frequently named after a sign displayed on the front of the house: zum roten Ochsen, zum schwarzen Schwan, zur Krone.

3. neugierig, (curious to see), i.e. was für ein vornehmer Herr aus diesem schönen Wagen aussteigen würde.

4. Mochte es nun ... sein, ... er, (whether it was ... he).

hinangeleiten und bemerkte seine neue seltsame Lage erst recht,[1] als er sich in einen wohnlichen Speisesaal versetzt sah und ihm sein ehrwürdiger Mantel dienstfertig abgenommen wurde.

2

5 „Der Herr wünscht zu speisen?" hieß es,[2] „gleich wird serviert werden, es ist eben gekocht!"

Ohne eine Antwort abzuwarten, lief der Wagwirt in die Küche und rief: „In drei Teufels Namen![3] Nun haben wir nichts als Rindfleisch und die Hammelkeule! 10 Die Rebhuhnpastete darf ich nicht anschneiden, da sie für die Abendherren bestimmt und versprochen ist. So geht es! Den einzigen Tag, wo wir keinen solchen Gast erwarten und nichts da ist, muß ein solcher Herr kommen! Und der Kutscher hat ein Wappen auf den Knöpfen und der Wagen 15 ist wie der eines Herzogs, und der junge Mann mag kaum den Mund öffnen vor Vornehmheit!"

Doch die ruhige Köchin sagte: „Nun, was ist denn da zu lamentieren, Herr? Die Pastete tragen Sie nur kühn auf, die wird er doch[4] nicht aufessen! Die Abendherren bekom- 20 men sie dann portionenweise, sechs Portionen wollen wir schon noch[5] herausbringen!"

„Sechs Portionen? Ihr[6] vergeßt wohl, daß die Herren

1. erst recht, als, (not . . . fully, until).
2. hieß es, (" it was said," he was asked).
3. In drei Teufels Namen! (Confound it!) An emphatic form of the more usual: in Teufels Namen.
4. doch, (after all).
5. schon noch, (readily enough).
6. Ihr, the plural of du is here used in addressing inferiors. It is now replaced by Sie. Notice that the cook uses Sie toward the host.

sich sattzuessen gewohnt sind!“ meinte der Wirt, allein die Köchin fuhr unerschüttert fort: „Das sollen sie auch! Man läßt noch schnell ein halbes Dutzend Kotelette holen, die brauchen wir sowieso für den Fremden, und was er übrigläßt, schneide ich in kleine Stückchen und menge sie unter die Pastete, da lassen Sie nur mich machen!“[1]

Doch der wackere Wirt sagte ernsthaft: „Köchin, ich habe Euch schon einmal gesagt, daß dergleichen in dieser Stadt und in diesem Hause nicht angeht! Wir leben hier solid und ehrenfest und vermögen es!“

„Ei der Tausend,[2] ja, ja!“ rief die Köchin endlich etwas aufgeregt, „wenn man sich dann nicht zu helfen weiß, so opfere man die Sache! Hier sind zwei Schnepfen, die ich den Augenblick[3] vom Jäger gekauft habe, die kann man am Ende der Pastete zusetzen! Eine mit Schnepfen gefälschte Rebhuhnpastete werden die Leckermäuler nicht beanstanden! Sodann sind auch die Forellen da, die größte habe ich in das siedende Wasser geworfen, wie der merkwürdige Wagen kam, und da kocht auch schon die Brühe im Pfännchen; so haben wir also einen Fisch, das Rindfleisch, das Gemüse mit den Koteletten, den Hammelbraten und die Pastete; geben Sie nur den Schlüssel, daß man das Eingemachte und das Dessert herausnehmen kann! Und den Schlüssel könnten Sie, Herr, mir mit Ehren und Zutrauen übergeben, damit man Ihnen nicht allerorten nachspringen muß und oft in die größte Verlegenheit gerät!“

„Liebe Köchin! Das braucht Ihr nicht übelzunehmen, ich habe meiner seligen Frau am Totenbette versprechen müssen, die Schlüssel immer in Händen zu behalten; sonach geschieht es grundsätzlich und nicht aus Mißtrauen. Hier sind die Gurken und hier die Kirschen, hier die Birnen und hier die

---

1. da lassen Sie nur mich machen, (just leave that to me).
2. Ei der Tausend (Teufel), (the dickens, you say). Tausend is euphemistic for Teufel.
3. den Augenblick, (this very moment).

Aprikosen; aber das alte Konfekt darf man nicht mehr aufstellen; geschwind soll die Lise zum Zuckerbeck laufen und frisches Backwerk holen, drei Teller, und wenn er eine gute Torte hat, soll er sie auch gleich mitgeben!"

5 „Aber Herr! Sie können ja dem einzigen Gast das nicht alles aufrechnen, das schlägt's beim besten Willen nicht heraus!" [1]

„Tut nichts, es ist um die Ehre! Das bringt mich nicht um; dafür soll ein großer Herr, wenn er durch unsere Stadt 10 reist, sagen können, er habe ein ordentliches Essen gefunden, obgleich er ganz unerwartet und im Winter gekommen sei! Es soll nicht heißen wie [2] von den Wirten zu Seldwyla, die alles Gute selber fressen und den Fremden die Knochen vorsetzen! Also frisch, munter, sputet Euch allerseits!" [3]

15 Während dieser umständlichen Zubereitungen befand sich der Schneider in der peinlichsten Angst, da der Tisch mit glänzendem Zeuge gedeckt wurde, und so heiß sich der ausgehungerte Mann vor kurzem noch nach einiger Nahrung gesehnt hatte, so ängstlich wünschte er jetzt, der drohen-20 den Mahlzeit zu entfliehen. Endlich faßte er sich einen Mut, nahm seinen Mantel um, setzte die Mütze auf und begab sich hinaus, um den Ausweg zu gewinnen. In seiner Verwirrung konnte er aber in dem weitläufigen Hause die Treppe nicht gleich finden; so wanderte er durch einen 25 langen Gang, der nirgends anders endigte, als vor einer verschlossenen Tür.

Unterdessen schrie der Wirt, der ihn gesehen hatte im Mantel dahingehen: „Der Herr friert! Heizt mehr ein im Saal! Wo ist die Lise, wo ist die Anne? Rasch einen Korb 30 Holz in den Ofen und einige Hände voll Späne, daß es

---

1. Sie können einem einzigen Gast das nicht alles auf die Rechnung setzen; beim besten Willen werden Sie keinen Profit dabei herausschlagen.

2. Es soll nicht heißen wie, (They shall not talk (about me) as about).

3. Also frisch, munter, sputet Euch allerseits! (So hurry and scurry around!)

brennt! Zum Teufel, sollen die Leute in der ‚Wage' im Mantel zu Tisch sitzen?"

Und als der Schneider wieder aus dem langen Gange hervorgewandelt kam, melancholisch wie der umgehende Ahnherr eines Stammschlosses, begleitete er ihn mit hundert Komplimenten und Handreibungen wiederum in den verwünschten Saal hinein. Dort wurde er ohne ferneres Verweilen an den Tisch gebeten, der Stuhl zurechtgerückt, und da der Duft der kräftigen Suppe, dergleichen er lange nicht gerochen, ihn vollends seines Willens beraubte, so ließ er sich in Gottes Namen[1] nieder und tauchte sofort den schweren Löffel in die braungoldene Brühe. In tiefem Schweigen erfrischte er seine matten Lebensgeister und wurde mit achtungsvoller Stille und Ruhe bedient.

Als er den Teller geleert hatte und der Wirt sah, daß es ihm so wohl schmeckte, munterte er ihn höflich auf, noch einen Löffel voll zu nehmen, das sei gut bei dem rauhen Wetter. Nun wurde die Forelle aufgetragen, mit Grünem bekränzt, und der Wirt legte ein schönes Stück vor. Doch der Schneider, von Sorgen gequält, wagte in seiner Blödigkeit nicht, das blanke Messer zu brauchen, sondern hantierte schüchtern und zimperlich mit der silbernen Gabel daran herum. Das bemerkte die Köchin, welche zur Tür hineinguckte, den großen Herrn zu sehen, und sie sagte zu den Umstehenden: „Gelobt sei Jesus Christ![2] Der weiß noch einen feinen Fisch zu essen, wie es sich gehört,[3] der sägt nicht mit dem Messer in dem zarten Wesen herum, wie wenn er ein Kalb schlachten wollte. Das ist ein Herr von großem Hause, darauf wollt' ich schwören, wenn es nicht verboten wäre! Und wie schön und traurig er ist! Gewiß ist er in ein armes Fräulein

---

1. in Gottes Namen: not like the corresponding English phrase, but indicating resignation to what is unalterable: (so be it, "let events take their course").
2. Gelobt sei Jesus Christ! (Heaven be praised!)
3. wie es sich gehört = wie er (der Fisch) gegessen werden soll.

verliebt, das man ihm nicht lassen will! Ja, ja, die vornehmen Leute haben auch ihre Leiden!"

Inzwischen sah der Wirt, daß der Gast nicht trank, und
sagte ehrerbietig: „Der Herr mögen[1] den Tischwein nicht,
5 befehlen Sie vielleicht ein Glas guten Bordeaux,[2] den ich
bestens empfehlen kann?"

Da beging der Schneider den zweiten Fehler, indem er aus
Gehorsam ja statt nein sagte, und alsobald verfügte sich der
Wagwirt persönlich in den Keller, um eine ausgesuchte
10 Flasche zu holen; denn es lag ihm alles daran,[3] daß man
sagen könne, es sei etwas Rechtes im Ort zu haben. Als
der Gast von dem eingeschenkten Wein wiederum aus bösem
Gewissen ganz kleine Schlücklein nahm, lief der Wirt voll
Freuden in die Küche, schnalzte mit der Zunge und rief:
15 „Hol' mich der Teufel, der versteht's, der schlürft meinen
guten Wein auf die Zunge, wie man einen Dukaten auf die
Goldwage legt!"

„Gelobt sei Jesus Christ!" sagte die Köchin, „ich hab's
behauptet, daß er's versteht!"

20 So nahm die Mahlzeit denn ihren Verlauf und zwar sehr
langsam, weil der arme Schneider immer zimperlich und
unentschlossen aß und trank und der Wirt, um ihm Zeit zu
lassen, die Speisen genugsam stehen ließ. Trotzdem war es
nicht der Rede wert, was der Gast bis jetzt zu sich genommen;
25 vielmehr begann der Hunger, der immerfort so gefährlich
gereizt wurde, nun den Schrecken zu überwinden, und als
die Pastete von Rebhühnern erschien, schlug die Stimmung
des Schneiders gleichzeitig um, und ein fester Gedanke
begann sich in ihm zu bilden. „Es ist nun einmal, wie es
30 ist,"[4] sagte er sich, von einem neuen Tröpflein Weines

1. mögen: a plural verb with a singular subject, expression of deference.

2. Bordeaux: wine grown in the vicinity of the city Bordeaux, France.

3. es lag ihm alles daran, (it was all-important to him).

4. „Es ist nun einmal, wie es ist", (Matters are as they are and cannot be changed.)

erwärmt und aufgestachelt; „nun wäre ich ein Tor, wenn ich die kommende Schande und Verfolgung ertragen wollte, ohne mich dafür sattgegessen zu haben! Also vorgesehen, weil es noch Zeit ist! Das Türmchen, was sie da aufgestellt haben, dürfte leichtlich die letzte Speise sein, daran will ich 5 mich halten,[1] komme was da wolle![2] Was ich einmal im Leibe habe, kann mir kein König wieder rauben!"

Gesagt, getan[3]; mit dem Mute der Verzweiflung hieb er in die leckere Pastete, ohne an ein Aufhören zu denken, so daß sie in weniger als fünf Minuten zur Hälfte geschwunden war 10 und die Sache für die Abendherren sehr bedenklich zu werden begann. Fleisch, Trüffeln, Klößchen, Boden, Deckel, alles schlang er ohne Ansehen der Person[4] hinunter, nur besorgt, sein Ränzchen vollzupacken, ehe das Verhängnis hereinbräche; dazu trank er den Wein in tüchtigen Zügen und steckte 15 große Brotbissen in den Mund; kurz, es war eine so hastig belebte Einfuhr, wie wenn bei aufsteigendem Gewitter das Heu von der nahen Wiese gleich auf der Gabel in die Scheune geflüchtet wird. Abermals lief der Wirt in die Küche und rief: „Köchin! Er ißt die Pastete auf, während er den 20 Braten kaum berührt hat! Und den Bordeaux trinkt er in halben Gläsern!"

„Wohl bekomm' es ihm,"[5] sagte die Köchin, „lassen Sie ihn nur machen, der weiß, was Rebhühner sind! Wär' er ein gemeiner Kerl, so hätte er sich an den Braten gehalten!" 25

„Ich sag's auch," meinte der Wirt, „es sieht sich zwar nicht ganz elegant an; aber so hab' ich, als ich zu meiner Ausbildung reiste, nur Generale und Kapitelsherren essen sehen!"

Unterdessen hatte der Kutscher die Pferde füttern lassen 30

1. daran will ich mich halten, (I'll 'go in' for that).
2. komme was da wolle! (come what may!)
3. Gesagt, getan, (No sooner said than done).
4. ohne Ansehen der Person, (without respect of persons), a Biblical phrase, here meaning that he devoured everything indiscriminately.
5. Wohl bekomm' es ihm, (May it agree with him!)

und selbst ein handfestes Essen eingenommen in der Stube für das untere Volk, und da er Eile hatte, ließ er bald wieder anspannen. Die Angehörigen des Gasthofes „Zur Wage" konnten sich nun nicht länger enthalten und fragten, ehe es 5 zu spät wurde, den herrschaftlichen Kutscher geradezu, wer sein Herr da oben sei und wie er heiße? Der Kutscher, ein schalkhafter und durchtriebener Kerl, versetzte: „Hat er es noch nicht selbst gesagt?"

„Nein," hieß es, und er erwiderte: „Das glaub' ich wohl, 10 der spricht nicht viel in einem Tage; nun, es ist der Graf Strapinski! Er wird aber heut und vielleicht einige Tage hier bleiben, denn er hat mir befohlen, mit dem Wagen vorauszufahren."

Er machte diesen schlechten Spaß, um sich an dem Schnei- 15 derlein zu rächen, das, wie er glaubte, statt ihm für seine Gefälligkeit ein Wort des Dankes und des Abschiedes zu sagen, sich ohne Umsehen in das Haus begeben hatte und den Herrn spielte. Seine Eulenspiegelei[1] aufs äußerste treibend, bestieg er auch den Wagen, ohne nach der Zeche 20 für sich und die Pferde zu fragen, schwang die Peitsche und fuhr aus der Stadt, und alles ward so in der Ordnung befunden und dem guten Schneider aufs Kerbholz gebracht.[2]

Nun mußte es sich aber fügen, daß dieser, ein geborener Schlesier, wirklich Strapinski hieß, Wenzel Strapinski, mochte

---

1. Eu'lenspiegelei', (waggery). A trick, such as Till Eulenspiegel, a well-known German joker, who lived in the fourteenth century, would play.

2. aufs Kerbholz gebracht, (charged up to his bill). This was a primitive form of charge-account in which the Kerbholz, a notched stick, was used instead of the ledger to record the debt. When, for example, a customer opened an account with a storekeeper, such a stick was employed as a tally and split lengthwise, so that the two parts matched exactly. When a purchase was made the two halves were fitted together and a notch was cut across the junction. The storekeeper kept his half, and the customer took the other half home. At the time of settlement, the two halves were fitted together. If the notches corresponded, the bill was accepted and paid.

es nun ein Zufall sein, oder mochte der Schneider sein Wanderbuch[1] im Wagen hervorgezogen, es dort vergessen und der Kutscher es zu sich genommen haben. Genug, als der Wirt freudestrahlend und händereibend vor ihn hintrat und fragte, ob der Herr Graf[2] Strapinski zum Nachtisch ein Glas alten Tokaier[3] oder ein Glas Champagner nehme, und ihm meldete, daß die Zimmer soeben zubereitet würden, da erblaßte der arme Strapinski, verwirrte sich von neuem und erwiderte gar nichts.

„Höchst interessant!" brummte der Wirt für sich, indem er abermals in den Keller eilte und aus besonderem Verschlage nicht nur ein Fläschchen Tokaier, sondern auch ein Krügelchen Bocksbeutel[4] holte und eine Champagnerflasche schlechthin unter den Arm nahm. Bald sah Strapinski einen kleinen Wald von Gläsern vor sich, aus welchem der Champagnerkelch wie eine Pappel emporragte. Das glänzte, klingelte und duftete gar seltsam vor ihm, und was noch seltsamer war, der arme, aber zierliche Mann griff nicht ungeschickt in das Wäldchen hinein und goß, als er sah, daß der Wirt etwas Rotwein in seinen Champagner tat, einige Tropfen Tokaier in den seinigen. Inzwischen war der Stadtschreiber und der Notar gekommen, um den Kaffee zu trinken und das tägliche Spielchen um denselben zu machen[5]; bald kam auch der ältere Sohn des Hauses Häberlein & Co., der jüngere des

1. Wanderbuch: a kind of passport, used by traveling journeymen in going from one employer to another and used as a certificate of character and record of service.

2. Herr Graf Strapinski: Germans place Herr before the name of the title, as before nouns of relationship when used by outsiders: Ihr Herr Vater, Herr Professor Schmidt, Herr Oberst.

3. Tokaier: an Hungarian wine, named from the city of Tokay.

4. Bocksbeutel: a wine sold in short, bulging bottles, and grown near Würzburg in Germany.

5. das tägliche Spielchen um denselben zu machen: refers to the custom, common in certain districts in Germany, of meeting in the afternoon in a café to drink a cup of coffee and to determine by a game of cards who is to pay for the coffee of the party.

Hauses Pütschli-Nievergelt, der Buchhalter einer großen Spinnerei, Herr Melchior Böhni; allein statt ihre Partie zu spielen, gingen sämtliche Herren in weitem Bogen hinter dem polnischen Grafen herum, die Hände in den hinteren
5 Rocktaschen, mit den Augen blinzelnd und auf den Stockzähnen lächelnd.[1] Denn es waren diejenigen Mitglieder guter Häuser, welche ihr Leben lang zu Hause blieben, deren Verwandte und Genossen aber in aller Welt saßen,[2] weswegen sie selbst die Welt sattsam zu kennen glaubten.
10 Also das sollte ein polnischer Graf sein? Den Wagen hatten sie freilich von ihrem Kontorstuhl aus gesehen; auch wußte man nicht, ob der Wirt den Grafen oder dieser jenen bewirte; doch hatte der Wirt bis jetzt noch keine dummen Streiche gemacht; er war vielmehr als ein ziemlich
15 schlauer Kopf bekannt, und so wurden denn die Kreise, welche die neugierigen Herren um den Fremden zogen, immer kleiner, bis sie sich zuletzt vertraulich an den gleichen Tisch setzten und sich auf gewandte Weise zu dem Gelage aus dem Stegreif[3] einluden, indem sie ohne weiteres um eine
20 Flasche zu würfeln begannen.

Doch tranken sie nicht zu viel, da es noch früh war; dagegen galt es,[4] einen Schluck trefflichen Kaffee zu nehmen und dem Polacken,[5] wie sie den Schneider bereits heimlich nannten, mit gutem Rauchzeug aufzuwarten,
25 damit er immer mehr röche, wo er eigentlich wäre.[6]

„Darf ich dem Herrn Grafen eine ordentliche Zigarre anbieten? Ich habe sie von meinem Bruder auf Kuba direkt bekommen!" sagte der eine.

---

1. auf den Stockzähnen (Backenzähnen, molars) lächelnd, ("laughing up one's sleeve").

2. saßen: see page 10 note 4.

3. aus dem Stegreif, lit. ("out of the stirrup"), i.e. without dismounting, in an off-hand manner.

4. galt es, (the important thing was)

5. Polacken: a derogatory name for the Poles.

6. wo er eigentlich wäre, i.e. trying to impress him with the town and its people.

„Die Herren Polen lieben auch eine gute Zigarette, hier ist echter Tabak aus Smyrna,[1] mein Kompagnon hat ihn gesandt," rief der andere, indem er ein rotseidenes Beutelchen hinschob.

„Dieser aus Damaskus ist feiner, Herr Graf," rief der dritte, „unser dortiger Prokurist selbst hat ihn für mich besorgt!" 5

Der vierte streckte einen ungefügen Zigarrenbengel dar, indem er schrie: „Wenn Sie etwas ganz Ausgezeichnetes wollen, so versuchen Sie diese Pflanzerzigarre aus Virginien, selbstgezogen, selbstgemacht und durchaus nicht käuflich!" 10

Strapinski lächelte sauersüß, sagte nichts und ward bald in feine Duftwolken gehüllt, welche von der hervorbrechenden Sonne lieblich versilbert wurden. Der Himmel entwölkte sich in weniger als einer Viertelstunde, der schönste Herbstnachmittag trat ein; es hieß,[2] der Genuß der günstigen Stunde sei sich zu gönnen, da das Jahr vielleicht nicht viele solcher Tage mehr brächte; und es wurde beschlossen, auszufahren, den fröhlichen Amtsrat[3] auf seinem Gute zu besuchen, der erst vor wenigen Tagen gekeltert hatte, und seinen neuen Wein, den roten Sauser,[4] zu kosten. Pütschli-Nievergelt, Sohn, sandte nach seinem Jagdwagen, und bald schlugen seine jungen Eisenschimmel das Pflaster vor der „Wage". Der Wirt selbst ließ ebenfalls anspannen, man lud den Grafen zuvorkommend ein, sich anzuschließen und die Gegend etwas kennenzulernen. 15 20 25

Der Wein hatte seinen Witz erwärmt; er überdachte schnell, daß er bei dieser Gelegenheit am besten sich unbemerkt entfernen und seine Wanderung fortsetzen könne; 30

---

1. Smyrna: Turkish city in Asia Minor.

2. es hieß . . . sich (dative) zu gönnen: they all said that advantage should be taken of such a favorable hour.

3. Amtsrat: superintendent of a state domain.

4. Sauser: a name for the wine produced during the stage of first fermentation, called Most in Germany.

den Schaden sollten die törichten und zudringlichen Herren an sich selbst behalten. Er nahm daher die Einladung mit einigen höflichen Worten an und bestieg mit dem jungen Pütschli den Jagdwagen.

Nun war es eine weitere Fügung, daß der Schneider, nachdem er auf seinem Dorfe schon als junger Bursch dem Gutsherrn zuweilen Dienste geleistet, seine Militärzeit bei den Husaren abgedient hatte und demnach genugsam mit Pferden umzugehen verstand. Wie daher sein Gefährte höflich fragte, ob er vielleicht fahren möge, ergriff er sofort Zügel und Peitsche und fuhr in schulgerechter Haltung in raschem Trabe durch das Tor und auf der Landstraße dahin, so daß die Herren einander ansahen und flüsterten: „Es ist richtig, es ist jedenfalls ein Herr!“

3

In einer halben Stunde war das Gut des Amtsrates erreicht, Strapinski fuhr in einem prächtigen Halbbogen auf und ließ die feurigen Pferde aufs beste anprallen; man sprang von den Wagen, der Amtsrat kam herbei und führte die Gesellschaft ins Haus. und alsobald war auch der Tisch mit einem halben Dutzend Karaffen voll karneolfarbigen Sausers besetzt. Das heiße, gärende Getränk wurde vorerst geprüft, gelobt und sodann fröhlich in Angriff genommen, während der Hausherr im Hause die Kunde herumtrug, es sei ein vornehmer Graf da, ein Polacke, und eine feinere Bewirtung vorbereitete.

Mittlerweile teilte sich die Gesellschaft in zwei Partien, um das versäumte Spiel nachzuholen, da in diesem Lande keine Männer zusammen sein konnten, ohne zu spielen, wahrscheinlich aus angeborenem Tätigkeitstriebe. Strapinski, welcher die Teilnahme aus verschiedenen Gründen ablehnen mußte, wurde eingeladen, zuzusehen, denn das schien ihnen immerhin der Mühe wert, da sie so viel Klugheit und Geistesgegenwart bei den Karten zu entwickeln pflegten. Er mußte sich zwischen beide Partien setzen, und sie legten es nun darauf an,[1] geistreich und gewandt zu spielen und den Gast zu gleicher Zeit zu unterhalten. So saß er denn wie ein kränkelnder Fürst, vor welchem die Hofleute ein angenehmes Schauspiel aufführen und den Lauf der Welt darstellen. Sie erklärten ihm die bedeutendsten Wendungen, Handstreiche und Ereignisse, und wenn die eine Partei für einen Augenblick ihre Aufmerksamkeit ausschließlich dem Spiele zuwenden mußte, so führte die andere dafür um so angelegentlicher die Unterhaltung mit dem Schneider. Der beste Gegenstand dünkte sie[2] hierfür Pferde, Jagd und dergleichen; Strapinski wußte hier auch am besten Bescheid, denn er brauchte nur die Redensarten hervorzuholen, welche er einst in der Nähe von Offizieren und Gutsherren gehört und die ihm schon dazumal ausnehmend wohl gefallen hatten. Wenn er diese Redensarten auch nur sparsam, mit einer gewissen Bescheidenheit und stets mit einem schwermütigen Lächeln vorbrachte, so erreichte er damit nur eine größere Wirkung; wenn zwei oder drei von den Herren aufstanden und etwa zur Seite traten, so sagten sie: „Es ist ein vollkommener Junker!"

Nur Melchior Böhni, der Buchhalter, als ein geborener Zweifler, rieb sich vergnügt die Hände und sagte zu sich selbst: „Ich sehe es kommen, daß es wieder einen Goldacher Putsch[3] gibt, ja, er ist gewissermaßen schon da! Es war aber auch Zeit, denn schon sind's zwei Jahre seit dem letzten!

---

1. sie legten es nun darauf an, (their aim was to . . .).
2. dünkte sie, (seemed to them).
3. Putsch: a Swiss word signifying a sudden but short-lived riot, usually political in nature. Here used in the more general sense of quixotic outburst.

Der Mann dort hat mir so wunderlich zerstochene Finger, vielleicht von Praga oder Ostrolenka[1] her! Nun, ich werde mich hüten, den Verlauf zu stören!"

Die beiden Partien waren nun zu Ende, auch das Sausergelüste der Herren gebüßt, und sie zogen nun vor, sich an den alten Weinen des Amtsrates ein wenig abzukühlen, die jetzt gebracht wurden; doch war die Abkühlung etwas leidenschaftlicher Natur, indem sofort, um nicht in schnöden Müßiggang zu verfallen, ein allgemeines Hasardspiel[2] vorgeschlagen wurde. Man mischte die Karten, jeder warf einen Brabantertaler[3] hin, und als die Reihe an Strapinski war, konnte er nicht wohl seinen Fingerhut auf den Tisch setzen. „Ich habe nicht ein solches Geldstück," sagte er errötend; aber schon hatte Melchior Böhni, der ihn beobachtet, für ihn eingesetzt, ohne daß jemand darauf achtgab, denn alle waren viel zu behaglich, als daß sie auf den Argwohn geraten wären, jemand in der Welt könne kein Geld haben. Im nächsten Augenblicke wurde dem Schneider, der gewonnen hatte, der ganze Einsatz zugeschoben; verwirrt ließ er das Geld liegen, und Böhni besorgte für ihn das zweite Spiel, welches ein anderer gewann, sowie das dritte. Doch das vierte und fünfte gewann wiederum der Polacke, der allmählich aufwachte und sich in die Sache fand.[4] Indem er sich still und ruhig verhielt, spielte er mit abwechselndem Glücke; einmal kam er bis auf einen Taler herunter, den er setzen mußte, gewann wieder, und zuletzt, als man das Spiel satt bekam, besaß er einige Louisdor, mehr als er jemals in

---

1. Praga: Praga, Ostrolen'ka, the scenes of bloody encounters between Poles and Russians in 1794 and 1831. Praga is a suburb of Warsaw.

2. Hasard'spiel: a general name for games of chance for money.

3. Braban'tertaler: also known as Kronentaler, was named after Brabant', once a duchy belonging to Austria, now a part of the Netherlands and Belgium. It was originally coined by Austria for use in its provinces in the Netherlands and was later adopted by several South-German states.

4. sich in die Sache fand, (found his bearings).

seinem Leben besessen, welche er, als er sah, daß jedermann
sein Geld einsteckte, ebenfalls zu sich nahm, nicht ohne Furcht,
daß alles ein Traum sei. Böhni, welcher ihn fortwährend
scharf betrachtete, war jetzt im klaren über ihn und dachte:
den Teufel fährt der in einem vierspännigen Wagen![1] 5

Weil er aber zugleich bemerkte, daß der rätselhafte Fremde
keine Gier nach dem Gelde gezeigt, sich überhaupt bescheiden
und nüchtern verhalten hatte, so war er nicht übel gegen ihn
gesinnt, sondern beschloß, die Sache durchaus gehen zu lassen.

Aber der Graf Strapinski, als man sich vor dem Abendessen 10
im Freien erging, nahm jetzt seine Gedanken zusammen und
hielt den rechten Zeitpunkt einer geräuschlosen Beurlaubung
für gekommen. Er hatte ein artiges Reisegeld und nahm
sich vor, dem Wirt „Zur Wage" von der nächsten Stadt aus
sein aufgedrungenes Mittagsmahl zu bezahlen. Also schlug 15
er seinen Radmantel malerisch um, drückte die Pelzmütze
tiefer in die Augen und schritt unter einer Reihe von hohen
Akazien in der Abendsonne langsam auf und nieder, das
schöne Gelände betrachtend, oder vielmehr den Weg er-
spähend, den er einschlagen wollte. Er nahm sich[2] mit seiner 20
bewölkten Stirne, seinem lieblichen, aber schwermütigen
Mundbärtchen, seinen glänzenden schwarzen Locken, seinen
dunkeln Augen, im Wehen seines faltigen Mantels vortrefflich aus; der Abendschein und das Säuseln der Bäume über
ihm erhöhte den Eindruck, so daß die Gesellschaft ihn von 25
ferne mit Aufmerksamkeit und Wohlwollen betrachtete. Allmählich ging er immer etwas weiter vom Hause hinweg,
schritt durch ein Gebüsch, hinter welchem ein Feldweg vor-
überging, und als er sich vor den Blicken der Gesellschaft
gedeckt sah, wollte er eben mit festem Schritt ins Feld rücken,[3] 30

---

1. den Teufel fährt der ..., (the devil you say that ...), Meaning: You can't make me believe that this fellow is used to drive in a coach and four.
2. Er nahm sich ... vortrefflich aus, (He looked distinguished).
3. ins Feld rücken, (march off).

als um eine Ecke herum plötzlich der Amtsrat mit seiner Tochter Nettchen ihm entgegentrat. Nettchen war ein hübsches Fräulein, äußerst prächtig, etwas stutzerhaft[1] gekleidet und mit Schmuck reichlich verziert.

5 „Wir suchen Sie, Herr Graf!" rief der Amtsrat, „damit ich Sie erstens hier meinem Kinde vorstelle und zweitens, um Sie zu bitten, daß Sie uns die Ehre erweisen möchten, einen Bissen Abendbrot mit uns zu nehmen; die andern Herren sind bereits im Hause."

10 Der Wanderer nahm schnell seine Mütze vom Kopfe und machte ehrfurchtsvolle, ja furchtsame Verbeugungen, von Rot übergossen. Denn eine neue Wendung war eingetreten, ein Fräulein beschritt den Schauplatz der Ereignisse. Doch schadete ihm seine Blödigkeit und übergroße Ehrerbietung 15 nicht bei der Dame; im Gegenteil, die Schüchternheit, Demut und Ehrerbietung eines so vornehmen und interessanten jungen Edelmanns erschien ihr wahrhaft rührend, ja hinreißend. Da sieht man, fuhr es ihr durch den Sinn, je nobler, desto bescheidener und unverdorbener; merkt es euch, 20 ihr Herren Wildfänge[2] von Goldach, die ihr vor den jungen Mädchen kaum mehr den Hut berührt!

Sie grüßte den Ritter daher auf das holdseligste, indem sie auch lieblich errötete, und sprach sogleich hastig und schnell und vieles mit ihm, wie es die Art behaglicher Kleinstäd- 25 terinnen ist, die sich den Fremden zeigen wollen. Strapinski hingegen wandelte sich in kurzer Zeit um; während er bisher nichts getan hatte, um im geringsten in die Rolle einzugehen, die man ihm aufbürdete, begann er nun unwillkürlich etwas gesuchter zu sprechen und mischte allerhand

---

1. stutzerhaft, (ostentatiously); usually of men, (foppishly, like a dandy) (Stutzer).

2. Wildfänge: The word originally applied to falcons that had been caught wild and were, therefore, difficult to train. From falconry (and untamed animals in general) it was extended to human beings. It is frequently used of girls in the sense of 'tomboy,' 'hoiden.'

polnische Brocken in die Rede, kurz, das Schneiderblütchen [1] fing in der Nähe des Frauenzimmers [2] an, seine Sprünge zu machen und seinen Reiter davonzutragen.[3]

Am Tisch erhielt er den Ehrenplatz neben der Tochter des Hauses; denn die Mutter war gestorben. Er wurde zwar bald wieder melancholisch, da er bedachte, nun müsse er mit den andern wieder in die Stadt zurückkehren oder gewaltsam in die Nacht hinaus entrinnen, und da er ferner überlegte, wie vergänglich das Glück sei, welches er jetzt genoß. Aber dennoch empfand er dies Glück und sagte sich zum voraus: „Ach, einmal wirst du doch in deinem Leben etwas vorgestellt und neben einem solchen höheren Wesen gesessen haben."

Es war in der Tat keine Kleinigkeit, eine Hand neben sich glänzen zu sehen, die von drei oder vier Armbändern klirrte, und bei einem flüchtigen Seitenblick jedesmal einen abenteuerlich reizend frisierten Kopf, ein holdes Erröten, einen vollen Augenaufschlag zu sehen. Denn er mochte tun oder lassen, was er wollte, alles wurde als ungewöhnlich und nobel ausgelegt und die Ungeschicklichkeit selbst als merkwürdige Unbefangenheit liebenswürdig befunden von der jungen Dame, welche sonst stundenlang über gesellschaftliche Verstöße zu plaudern wußte. Da man guter Dinge [4] war, sangen ein paar Gäste Lieder, die in den dreißiger Jahren Mode waren. Der Graf wurde gebeten, ein polnisches Lied zu singen. Der Wein überwand seine Schüchternheit endlich, obschon nicht seine Sorgen; er hatte einst einige Wochen im Polnischen [5] gearbeitet und wußte einige polnische Worte, sogar ein Volksliedchen auswendig, ohne

---

1. Schneiderblütchen: in this compound Blut is the equivalent of "temperament," "nature."

2. Frauenzimmer, (woman, lady), originally meant 'lady's apartment,' its present meaning dating from the seventeenth century.

3. Sprünge zu machen und seinen Reiter davonzutragen, (to become frisky and to run away with its rider).

4. guter Dinge, (in high spirits).

5. im Polnischen = in Polen.

ihres Inhaltes bewußt zu sein, gleich einem Papagei. Also sang er mit edlem Wesen, mehr zaghaft als laut und mit einer Stimme, welche wie von einem geheimen Kummer leise zitterte, auf polnisch:

„Hunderttausend Schweine pferchen
Von der Desna bis zur Weichsel,
Und Kathinka, dieses Saumensch,
Geht im Schmutz bis an die Knöchel!

Hunderttausend Ochsen brüllen
Auf Wolhyniens grünen Weiden,
Und Kathinka, ja Kathinka,
Glaubt, ich sei in sie verliebt!"

„Bravo! Bravo!" riefen alle Herren, mit den Händen klatschend, und Nettchen sagte gerührt: „Ach, das Nationale ist immer so schön!" Glücklicherweise verlangte niemand die Übersetzung dieses Gesanges.

4

Mit dem Überschreiten solchen Höhepunktes der Unterhaltung brach die Gesellschaft auf; der Schneider wurde wieder eingepackt und sorgfältig nach Goldach zurückgebracht; vorher hatte er versprechen müssen, nicht ohne Abschied davonzureisen. Im Gasthof „Zur Wage" wurde noch ein Glas Punsch genommen; jedoch Strapinski war erschöpft und verlangte nach dem Bette.[1] Der Wirt selbst führte ihn auf seine Zimmer, deren Stattlichkeit er kaum mehr beachtete, obgleich er nur gewohnt war, in dürftigen

1. verlangte nach dem Bette, (desired to retire).

Herbergskammern zu schlafen. Er stand ohne alle und jede Habseligkeit mitten auf einem schönen Teppich, als der Wirt plötzlich den Mangel an Gepäck entdeckte und sich vor die Stirne schlug.[1] Dann lief er schnell hinaus, schellte, rief Kellner und Hausknechte herbei, wortwechselte mit ihnen, kam wieder und beteuerte: „Es ist richtig, Herr Graf, man hat vergessen, Ihr Gepäck abzuladen! Auch das Notwendigste fehlt!"

„Auch das kleine Paketchen, das im Wagen lag?" fragte Strapinski ängstlich, weil er an ein handgroßes Bündelein dachte, welches er auf dem Sitze hatte liegen lassen, und das ein Schnupftuch, eine Haarbürste, einen Kamm, ein Büchschen Pomade und einen Stengel Bartwichse enthielt.

„Auch dieses fehlt, es ist gar nichts da," sagte der gute Wirt erschrocken, weil er darunter etwas sehr Wichtiges vermutete. „Man muß dem Kutscher sogleich einen Expressen nachschicken," rief er eifrig, „ich werde das besorgen!"

Doch der Herr Graf fiel ihm ebenso erschrocken in den Arm[2] und sagte bewegt: „Lassen Sie, es darf nicht sein! Man muß meine Spur verlieren für einige Zeit," setzte er hinzu, selbst betreten über diese Erfindung.

Der Wirt ging erstaunt zu den Punsch trinkenden Gästen, erzählte ihnen den Fall und schloß mit dem Ausspruche, daß der Graf unzweifelhaft ein Opfer politischer oder Familienverfolgung sein müsse; denn um eben diese Zeit wurden viele Polen und andere Flüchtlinge wegen gewaltsamer Unternehmungen des Landes verwiesen; andere wurden von fremden Agenten beobachtet und umgarnt.

Strapinski aber tat einen guten Schlaf,[3] und als er spät erwachte, sah er zunächst den prächtigen Sonntagsschlafrock des Wagwirtes über einen Stuhl gehängt, ferner ein Tischchen mit allem möglichen Toilettenwerkzeug bedeckt.

---

1. sich ... schlug: in view of his thoughtlessness.
2. fiel ihm ... in den Arm, (stopped him).
3. tat einen guten Schlaf, (slept soundly).

Sodann harrte eine Anzahl Dienstboten, um Körbe und Koffer, angefüllt mit feiner Wäsche, mit Kleidern, mit Zigarren, mit Büchern, mit Stiefeln, mit Schuhen, mit Sporen, mit Reitpeitschen, mit Pelzen, mit Mützen, mit Hüten, 5 mit Socken, mit Strümpfen, mit Pfeifen, mit Flöten und Geigen abzugeben von seiten der gestrigen Freunde, mit der angelegentlichen Bitte, sich dieser Bequemlichkeiten einstweilen bedienen zu wollen.[1] Da sie die Vormittagsstunden unabänderlich in ihren Geschäften verbrachten, lie- 10 ßen sie ihre Besuche auf die Zeit nach Tisch [2] ansagen.

Diese Leute waren nichts weniger als [3] lächerlich oder einfältig, sondern umsichtige Geschäftsmänner, mehr schlau als vernagelt [4]; allein da ihre wohlbesorgte Stadt klein war und es ihnen manchmal langweilig darin vorkam, waren sie 15 stets begierig auf eine Abwechslung, ein Ereignis, einen Vorgang, dem sie sich ohne Rückhalt hingaben. Der vierspännige Wagen, das Aussteigen des Fremden, sein Mittagessen, die Aussage des Kutschers waren so einfache und natürliche Dinge, daß die Goldacher, welche keinem müßigen 20 Argwohn nachzuhängen pflegten, ein Ereignis darauf aufbauten, wie auf einen Felsen.

Als Strapinski das Warenlager sah, das sich vor ihm ausbreitete, war seine erste Bewegung, daß er in seine Tasche griff, um zu erfahren, ob er träume oder wache. 25 Wenn sein Fingerhut dort noch in seiner Einsamkeit weilte, so träumte er. Aber nein, der Fingerhut wohnte traulich zwischen dem gewonnenen Spielgelde und scheuerte sich freundschaftlich an den Talern; so ergab sich auch sein Gebieter wiederum in das Ding und stieg von seinen Zim- 30 mern herunter auf die Straße, um sich die Stadt zu besehen,

---

1. bedienen zu wollen, (that he make use of).
2. nach Tisch, (after dinner).
3. nichts weniger als, (anything but).
4. vernagelt, (stupid, lit.: 'nailed up,' dull). A man of strictly limited understanding, a dullard, is said to be vernagelt (im Kopfe).

in welcher es ihm so wohl erging. Unter der Küchentüre stand die Köchin, welche ihm einen tiefen Knicks machte und ihm mit neuem Wohlgefallen nachsah; auf dem Flur und an der Haustüre standen andere Hausgeister, alle mit der Mütze in der Hand, und Strapinski schritt mit gutem Anstand und doch bescheiden heraus, seinen Mantel sittsam zusammennehmend. Das Schicksal machte ihn mit jeder Minute größer.

Mit ganz anderer Miene besah er sich die Stadt, als wenn er um Arbeit darin ausgegangen wäre. Dieselbe bestand größtenteils aus schönen, festgebauten Häusern, welche alle mit steinernen oder gemalten Sinnbildern [1] geziert und mit einem Namen versehen waren. In diesen Benennungen war die Sitte der Jahrhunderte deutlich zu erkennen. Das Mittelalter spiegelte sich ab in den ältesten Häusern oder in den Neubauten, welche an deren Stelle getreten, aber den alten Namen behalten aus der Zeit der kriegerischen Schultheiße und der Märchen. Da hieß es [2]: zum Schwert, zum Eisenhut, zum Harnisch, zur Armbrust, zum blauen Schild, zum Schweizerdegen, zum Ritter, zum Büchsenstein, zum Türken, zum Meerwunder, zum goldenen Drachen, zur Linde, zum Pilgerstab, zur Wasserfrau, zum Paradiesvogel, zum Granatbaum, zum Kämbel, zum Einhorn und dergleichen. Die Zeit der Aufklärung und der Philanthropie war deutlich zu lesen in den moralischen Begriffen, welche in schönen Goldbuchstaben über den Haustüren erglänzten,

1. Sinnbildern, (emblems): their character may be gathered from the lines that follow.
2. Da hieß es, (There one found such inscriptions as).

wie: zur Eintracht, zur Redlichkeit, zur alten Unabhängigkeit, zur neuen Unabhängigkeit, zur Bürgertugend a, zur Bürgertugend b, zum Vertrauen, zur Liebe, zur Hoffnung, zum Wiedersehen 1 und 2, zum Frohsinn, zur inneren
5 Rechtlichkeit, zur äußeren Rechtlichkeit, zum Landeswohl (ein reinliches Häuschen, in welchem hinter einem Kanarienkäfig, ganz mit Kresse behängt, eine freundliche alte Frau saß mit einer weißen Zipfelhaube und Garn haspelte), zur Verfassung (unten hauste ein Böttcher, welcher eifrig
10 und mit großem Geräusch kleine Eimer und Fäßchen mit Reifen einfaßte und unablässig klopfte)[1]; ein Haus hieß schauerlich: zum Tod! ein verwaschenes Gerippe erstreckte sich von unten bis oben zwischen den Fenstern; hier wohnte der Friedensrichter. Im Hause zur Geduld wohnte der
15 Schuldenschreiber, ein ausgehungertes Jammerbild, da in dieser Stadt keiner dem andern etwas schuldig blieb.

Endlich verkündete sich an den neuesten Häusern die Poesie der Fabrikanten, Bankiers und Spediteure und ihrer Nachahmer in den wohlklingenden Namen: Rosental,
20 Morgental, Sonnenberg, Veilchenburg, Jugendgarten, Freudenberg, Henriettental, zur Camellia, Wilhelminenburg und so weiter. Die an Frauennamen gehängten[2] Täler und Burgen bedeuteten für den Kundigen immer ein schönes Weibergut.

25 An jeder Straßenecke stand ein alter Turm mit reichem Uhrwerk, buntem Dach und zierlich vergoldeter Windfahne. Diese Türme waren sorgfältig erhalten; denn die Goldacher erfreuten sich der Vergangenheit und der Gegenwart und taten auch recht daran.[3] Die ganze Herrlichkeit war aber
30 von der alten Ringmauer eingefaßt, welche, obwohl nichts

---

1. The sentence in parenthesis after the word, Verfassung, contains a play upon the word Verfassung, in its use of the words Fäßchen, einfaßte.

2. gehängten, (attached to).

3. taten auch recht daran = hatten ein gutes Recht dazu.

mehr nütze, dennoch zum Schmucke beibehalten wurde, da sie ganz mit dichtem altem Efeu überwachsen war und so die kleine Stadt mit einem immergrünen Kranze umschloß.

Alles dieses machte einen wunderbaren Eindruck auf Strapinski; er glaubte, sich in einer andern Welt zu be- 5 finden. Denn als er die Aufschriften der Häuser las, dergleichen er noch nicht gesehen, war er der Meinung, sie bezögen sich auf die besonderen Geheimnisse und Lebensweisen jedes Hauses, und es sehe hinter jeder Haustüre wirklich so aus, wie die Überschrift angab, so daß er in eine 10 Art moralisches Utopien[1] hineingeraten wäre. So war er geneigt zu glauben, die wunderliche Aufnahme, welche er gefunden, hänge hiermit im Zusammenhang, so daß zum Beispiel das Sinnbild der Wage, in welcher er wohnte, bedeute, daß dort das ungleiche Schicksal abgewogen und 15 ausgeglichen und zuweilen ein reisender Schneider zum Grafen gemacht würde.

Er geriet auf seiner Wanderung auch vor das Tor und wie er nun so über das freie Feld hinblickte, meldete sich zum letzten Male der pflichtgemäße Gedanke, seinen Weg un- 20 verweilt fortzusetzen. Die Sonne schien, die Straße war schön, fest, nicht zu trocken und auch nicht naß, zum Wandern wie gemacht. Reisegeld hatte er nun auch, so daß er angenehm einkehren konnte, wo er Lust dazu verspürte, und kein Hindernis war zu erspähen. 25

Da stand er nun, gleich dem Jüngling am Scheidewege,[2] auf einer wirklichen Kreuzstraße; aus dem Lindenkranze, welcher die Stadt umgab, stiegen gastliche Rauchsäulen, die goldenen Turmknöpfe funkelten lockend aus den Baumwipfeln; Glück, Genuß und Verschuldung, ein geheimnis- 30

---

1. Uto'pien, lit.: ('Nowhere'); Utopia, a place of ideal perfection. Sir Thomas More's masterpiece 'Utopia' (1516) is universally known.

2. am Scheidewege, (at the cross-road). The allusion is to Hercules, who had to choose between a path of virtue or vice. Strapinski has come to a similar parting of the ways.

volles Schicksal winkten dort; von der Feldseite her aber glänzte die freie Ferne; Arbeit, Entbehrung, Armut, Dunkelheit harrten dort, aber auch ein gutes Gewissen und ein ruhiger Wandel; dieses fühlend, wollte er denn auch
5 entschlossen ins Feld abschwenken. Im gleichen Augenblicke rollte ein rasches Fuhrwerk heran; es war das Fräulein von gestern, welches mit wehendem blauem Schleier ganz allein in einem schmucken leichten Fuhrwerke saß, ein schönes Pferd regierte und nach der Stadt fuhr. Sobald Strapinski nur an
10 seine Mütze griff und dieselbe demütig vor seine Brust nahm in seiner Überraschung, verbeugte sich das Mädchen rasch errötend gegen ihn, aber überaus freundlich, und fuhr in großer Bewegung, das Pferd zum Galopp antreibend, davon.

15 Strapinski aber machte unwillkürlich ganze Wendung[1] und kehrte getrost nach der Stadt zurück. Noch an demselben Tage galoppierte er auf dem besten Pferde der Stadt, an der Spitze einer ganzen Reitergesellschaft, durch die Allee, welche um die grüne Ringmauer führte, und die
20 fallenden Blätter der Linden tanzten wie ein goldener Regen um sein verklärtes Haupt.

6

Nun war der Geist in ihn gefahren.[2] Mit jedem Tage wandelte er sich, gleich einem Regenbogen, der zusehends bunter wird an der vorbrechenden Sonne. Er lernte in
25 Stunden, in Augenblicken, was andere nicht in Jahren, da es in ihm gesteckt hatte, wie das Farbenwesen im Regentrop-

1. machte . . . ganze Wendung, (faced about).
2. Nun war der Geist in ihn gefahren, (Now a new spirit has taken possession of him).

fen. Er beachtete wohl die Sitten seiner Gastfreunde und bildete sie während des Beobachtens zu einem Neuen und Fremdartigen um; besonders suchte er abzulauschen, was sie sich eigentlich unter ihm dächten [1] und was für ein Bild sie sich von ihm gemacht. Dies Bild arbeitete er weiter aus 5 nach seinem eigenen Geschmacke, zur vergnüglichen Unterhaltung der einen,[2] welche gern etwas Neues sehen wollten, und zur Bewunderung der andern, besonders der Frauen, welche nach erbaulicher Anregung dürsteten. So ward er rasch zum Helden eines artigen Romanes, an welchem er 10 gemeinsam mit der Stadt und liebevoll arbeitete, dessen Hauptbestandteil aber immer noch das Geheimnis war.

Bei alledem verlebte Strapinski, was er in seiner Dunkelheit früher nie gekannt, eine schlaflose Nacht um die andere,[3] und es ist mit Tadel hervorzuheben, daß es ebensoviel 15 die Furcht vor der Schande, als armer Schneider entdeckt zu werden und dazustehen, als das ehrliche Gewissen war, was ihm den Schlaf raubte. Sein angeborenes Bedürfnis, etwas Zierliches und Außergewöhnliches vorzustellen, wenn auch nur in der Wahl der Kleider, hatte ihn in diesen 20 Konflikt geführt und brachte jetzt auch jene Furcht hervor, und sein Gewissen war nur insoweit mächtig, daß er beständig den Vorsatz nährte, bei guter Gelegenheit einen Grund zur Abreise zu finden und dann durch Lotteriespiel und dergleichen die Mittel zu gewinnen, aus geheimnis- 25 voller Ferne zu vergüten, um was er die gastfreundlichen Goldacher gebracht hatte.[4] Er ließ sich auch schon aus allen Städten, wo es Lotterien oder Agenten derselben gab, Lose kommen mit mehr oder weniger bescheidenem Einsatze, und

---

1. unter ihm dächten, (what they really thought of him); sich is a dative.

2. der einen, ... der andern, (of the ones, ... of the others); einen and andern are genitives plural.

3. eine ... um die andere, (one ... after another).

4. um was er die Goldacher gebracht hatte = was die Goldacher für ihn ausgegeben hatten.

die daraus entstehende Korrespondenz, der Empfang der Briefe wurde wiederum als ein Zeichen wichtiger Beziehungen und Verhältnisse vermerkt.

Schon hatte er mehr als einmal ein paar Gulden gewonnen und dieselben sofort wieder zum Erwerb neuer Lose verwendet, als er eines Tages von einem fremden Kollekteur, der sich aber Bankier nannte, eine namhafte Summe empfing, welche hinreichte, jenen Rettungsgedanken auszuführen. Er war bereits nicht mehr erstaunt über sein Glück, das sich von selbst zu verstehen schien, fühlte sich aber doch erleichtert und besonders dem guten Wagwirt gegenüber beruhigt, welchen er seines guten Essens wegen sehr wohl leiden mochte. Anstatt aber kurz abzubinden, seine Schulden geradeaus zu bezahlen und abzureisen, gedachte er, wie er sich vorgenommen, eine kurze Geschäftsreise vorzugeben, dann aber von irgendeiner großen Stadt aus zu melden, daß das unerbittliche Schicksal ihm verbiete, je wiederzukehren; dabei wollte er seinen Verbindlichkeiten nachkommen, ein gutes Andenken hinterlassen und seinem Schneiderberufe sich aufs neue und mit mehr Umsicht und Glück widmen, oder auch sonst einen anständigen Lebensweg erspähen. Am liebsten wäre er freilich auch als Schneidermeister in Goldach geblieben und hätte jetzt die Mittel gehabt, sich da ein bescheidenes Auskommen zu begründen; allein es war klar, daß er hier nur als Graf leben konnte.

Wegen des sichtlichen Vorzuges und Wohlgefallens, dessen er sich bei jeder Gelegenheit von seiten des schönen Nettchens zu erfreuen hatte, waren schon manche Redensarten im Umlauf, und er hatte sogar bemerkt, daß das Fräulein hin und wieder die Gräfin genannt wurde. Wie konnte er diesem Wesen nun eine solche Entwicklung bereiten? Wie konnte er das Schicksal, das ihn gewaltsam so erhöht hatte, so frevelhaft Lügen strafen [1] und sich selbst beschämen?

---

1. frevelhaft Lügen strafen, (so wantonly give the lie to).

Er hatte von seinem Lotteriemann, genannt Bankier, einen Wechsel bekommen, welchen er bei einem Goldacher Hause einkassierte; diese Verrichtung bestärkte abermals die günstigen Meinungen über seine Person und Verhältnisse, da die soliden Handelsleute nicht im entferntesten an einen Lotterieverkehr dachten. An demselben Tage nun begab sich Strapinski auf einen stattlichen Ball, zu dem er geladen war. In tiefes, einfaches Schwarz gekleidet erschien er und verkündete sogleich den ihn Begrüßenden, daß er genötigt sei, zu verreisen.

In zehn Minuten war die Nachricht der ganzen Versammlung bekannt, und Nettchen, deren Anblick Strapinski suchte, schien, wie erstarrt, seinen Blicken auszuweichen, bald rot, bald blaß werdend. Dann tanzte sie mehrmals hintereinander mit jungen Herren, setzte sich zerstreut und schnell atmend und schlug eine Einladung des Polen, der endlich herangetreten war, mit einer kurzen Verbeugung aus, ohne ihn anzusehen.

Seltsam aufgeregt und bekümmert ging er hinweg, nahm seinen famosen Mantel um und schritt mit wehenden Locken in einem Gartenwege auf und nieder. Es wurde ihm nun klar, daß er eigentlich nur dieses Wesens halber[1] so lange dageblieben sei, daß die unbestimmte Hoffnung, doch wieder in ihre Nähe zu kommen, ihn unbewußt belebte, daß aber der ganze Handel eben eine Unmöglichkeit darstelle von der verzweifeltsten Art.

Wie er so dahinschritt, hörte er rasche Tritte hinter sich, leichte, doch unruhig bewegte. Nettchen ging an ihm vorüber und schien, nach einigen ausgerufenen Worten zu urteilen, nach ihrem Wagen zu suchen, obgleich derselbe auf der andern Seite des Hauses stand und hier nur Winterkohlköpfe und eingewickelte Rosenbäumchen den Schlaf der Gerechten verträumten. Dann kam sie wieder zurück, und

1. halber, (for the sake of); halber follows the noun (genitive) it governs.

da er jetzt mit klopfendem Herzen ihr im Wege stand und bittend die Hände nach ihr ausstreckte, fiel sie ihm ohne weiteres um den Hals und fing jämmerlich an zu weinen. Er bedeckte ihre glühenden Wangen mit seinen fein duftenden 5 dunklen Locken und sein Mantel umschlug die schlanke, stolze, schneeweiße Gestalt des Mädchens wie mit schwarzen Adlersflügeln; es war ein wahrhaft schönes Bild, das seine Berechtigung ganz allein in sich selbst zu tragen schien.

Strapinski aber verlor in diesem Abenteuer seinen Ver- 10 stand und gewann das Glück, das öfter den Unverständigen hold ist. Nettchen eröffnete ihrem Vater noch in selbiger Nacht beim Nachhausefahren, daß kein anderer als der Graf der Ihrige sein werde; dieser erschien am Morgen in aller Frühe, um bei dem Vater liebenswürdig schüchtern und 15 melancholisch, wie immer, um sie zu werben, und der Vater hielt folgende Rede: „So hat sich denn das Schicksal und der Wille dieses törichten Mädchens erfüllt! Schon als Schulkind behauptete sie fortwährend, nur einen Italiener oder einen Polen, einen großen Pianisten oder einen Räuber- 20 hauptmann mit schönen Locken heiraten zu wollen, und nun haben wir die Bescherung![1] Alle inländischen wohlmeinenden Anträge hat sie ausgeschlagen, noch neulich mußte ich den gescheiten und tüchtigen Melchior Böhni heimschicken, der noch große Geschäfte machen wird,[2] und sie hat ihn noch 20 schrecklich verhöhnt, weil er nur ein rötliches Backenbärtchen trägt und aus einem silbernen Döschen schnupft! Nun, Gott sei Dank, ist ein polnischer Graf da aus wildester Ferne![3] Nehmen Sie die Gans, Herr Graf, und schicken Sie mir dieselbe wieder, wenn sie in ihrer Polackei friert und einst 30 unglücklich wird und heult! Ach, was würde die selige

---

1. nun haben wir die Bescherung, (now we are in for it). Bescherung, (a gift), used ironically in this idiom.

2. der noch große Geschäfte machen wird = der noch ein großer Geschäftsmann werden wird.

3. aus wildester Ferne, (from a most out-of-the-way place).

Mutter für ein Entzücken genießen, wenn sie noch erlebt hätte, daß das verzogene Kind eine Gräfin geworden ist!“

Nun gab es große Bewegung; in wenig Tagen sollte rasch die Verlobung gefeiert werden, denn der Amtsrat behauptete, daß der künftige Schwiegersohn sich in seinen Geschäften und vorhabenden Reisen nicht durch Heiratssachen dürfe aufhalten lassen, sondern diese [1] durch die Beförderung jener beschleunigen müsse.

Strapinski brachte zur Verlobung Brautgeschenke, welche ihn die Hälfte seines zeitlichen Vermögens kosteten; die andere Hälfte verwandte er zu einem Feste, das er seiner Braut geben wollte. Es war eben Fastnachtszeit [2] und bei hellem Himmel ein verspätetes glänzendes Winterwetter. Die Landstraßen boten die prächtigste Schlittenbahn, wie sie nur selten entsteht und sich hält, und Herr von Strapinski veranstaltete darum eine Schlittenfahrt und einen Ball in dem für solche Feste beliebten stattlichen Gasthause, welches auf einer Hochebene mit der schönsten Aussicht gelegen war, etwa zwei gute Stunden entfernt und genau in der Mitte zwischen Goldach und Seldwyla.

7

Um diese Zeit geschah es, daß Herr Melchior Böhni in der letzteren Stadt Geschäfte zu besorgen hatte und daher einige Tage vor dem Winterfest in einem leichten Schlitten dahin fuhr, seine beste Zigarre rauchend; und es geschah ferner, daß die Seldwyler auf den gleichen Tag wie die Goldacher

---

1. diese, i.e. Heiratssachen; jene, i.e. Geschäfte und Reisen.
2. Fastnachtszeit: the week before Lent, which in European, especially in Roman Catholic, countries, is given up to festivities and masquerades.

auch eine Schlittenfahrt verabredeten nach dem gleichen Orte, und zwar eine kostümierte oder Maskenfahrt.

So fuhr denn der Goldacher Schlittenzug gegen die Mittagsstunde unter Schellenklang, Posthorntönen und 5 Peitschenknall durch die Straßen der Stadt, daß die Sinnbilder der alten Häuser erstaunt herniedersahen, und zum Tore hinaus. Im ersten Schlitten saß Strapinski mit seiner Braut, in einem polnischen Überrock von grünem Samt, mit Schnüren besetzt und schwer mit Pelz verbrämt und ge- 10 füttert. Nettchen war ganz in weißes Pelzwerk gehüllt; blaue Schleier schützten ihr Gesicht gegen die frische Luft und gegen den Schneeglanz. Der Amtsrat war durch irgendein plötzliches Ereignis verhindert worden, mitzufahren; doch war es sein Gespann und sein Schlitten, in welchem sie 15 fuhren, ein vergoldetes Frauenbild als Schlittenzierat vor sich, die Fortuna [1] vorstellend; denn die Stadtwohnung des Amtsrates hieß ‚Zur Fortuna'.

Ihnen folgten fünfzehn bis sechzehn Gefährte mit je einem Herrn und einer Dame, alle geputzt und lebensfroh, 20 aber keines der Paare so schön und stattlich wie das Brautpaar. Die Schlitten trugen, wie die Meerschiffe ihre Galions, immer das Sinnbild des Hauses, dem jeder angehörte, so daß das Volk rief: „Seht, da kommt die Tapferkeit! Wie schön ist die Tüchtigkeit! Die Verbesserlichkeit scheint neu lackiert 25 zu sein und die Sparsamkeit frisch vergoldet! Ah, der Jakobsbrunnen [2] und der Teich Bethesda!" [3] Im Teiche Bethesda, welcher als bescheidener Einspänner den Zug schloß, kutschierte Melchior Böhni still und vergnügt. Als Galion seines Fahrzeuges hatte er das Bild jenes jüdischen

---

1. Fortu'na: the Roman goddess of good luck.

2. Jakobsbrunnen: the reference is to the well where Jacob met his future wife, Rachel (Genesis 29).

3. Teich Bethesda: the pool in Jerusalem, mentioned in St. John, Chapter 5, where the sick, blind, halt, and withered lay waiting for the angel to trouble the water — not unlike Böhni's own fate in his relations to Nettchen. He seems, however, still und vergnügt.

Männchens vor sich, welcher an besagtem Teiche dreißig
Jahre auf sein Heil gewartet. So segelte denn das Geschwader im Sonnenschein dahin und erschien bald auf der
weithin schimmernden Höhe, dem Ziele sich nahend. Da
ertönte gleichzeitig von der entgegengesetzten Seite lustige 5
Musik.

Aus einem duftig bereiften Walde heraus brach ein
Wirrwarr von bunten Farben und Gestalten und entwickelte
sich zu einem Schlittenzug, welcher hoch am weißen Feld-
rande sich auf den blauen Himmel zeichnete und ebenfalls 10
nach der Mitte der Gegend hinglitt, von abenteuerlichem
Anblick. Es schienen meistens große bäuerliche Lastschlitten
zu sein, je zwei zusammengebunden, um absonderlichen
Gebilden und Schaustellungen zur Unterlage zu dienen.
Auf dem vordersten Fuhrwerke ragte eine kolossale Figur 15
empor, die Göttin Fortuna vorstellend, welche in den Äther
hinaus zu fliegen schien. Es war eine riesenhafte Strohpuppe voll schimmernden Flittergoldes, deren Gazege-
wänder in der Luft flatterten. Auf dem zweiten Gefährte
aber fuhr ein ebenso riesenmäßiger Ziegenbock einher, 20
schwarz und düster abstechend und mit gesenkten Hörnern
der Fortuna nachjagend. Hierauf folgte ein seltsames
Gerüste, welches sich als ein fünfzehn Schuh hohes Bügeleisen darstellte, dann eine gewaltig schnappende Schere,
welche mittels einer Schnur auf- und zugeklappt wurde und 25
das Himmelszelt für einen blauseidenen Westenstoff anzusehen schien. Andere solche landläufige Anspielungen auf
das Schneiderwesen folgten noch, und zu Füßen aller dieser
Gebilde saß auf den geräumigen, je von vier Pferden
gezogenen Schlitten die Seldwyler Gesellschaft in buntester 30
Tracht, mit lautem Gelächter und Gesang.

Als beide Züge gleichzeitig auf dem Platze vor dem
Gasthause auffuhren, gab es demnach einen geräuschvollen
Auftritt und ein großes Gedränge von Menschen und
Pferden. Die Herrschaften von Goldach waren überrascht 35

und erstaunt über die abenteuerliche Begegnung; die Seldwyler dagegen stellten sich vorerst gemütlich und freundschaftlich bescheiden. Ihr vorderster Schlitten mit der Fortuna trug die Inschrift: „Leute machen Kleider", und
5 so ergab es sich denn, daß die ganze Gesellschaft lauter Schneidersleute von allen Nationen und aus allen Zeitaltern darstellte. Es war gewissermaßen ein historisch-ethnographischer Schneiderfestzug, welcher mit der umgekehrten und ergänzenden Inschrift abschloß: „Kleider machen Leute!"
10 In dem letzten Schlitten mit dieser Überschrift saßen nämlich, als das Werk der vorausgefahrenen heidnischen und christlichen Nahtbeflissenen aller Art, ehrwürdige Kaiser und Könige, Ratsherren und Stabsoffiziere, Prälaten und Stiftsdamen in höchster Gravität.

15 Diese Schneiderwelt wußte sich gewandt aus dem Wirrwarr zu ordnen und ließ die Goldacher Herren und Damen, das Brautpaar an deren Spitze, bescheiden ins Haus spazieren, um nachher die unteren Räume desselben, welche für sie bestellt waren, zu besetzen, während jene die breite Treppe
20 empor nach dem großen Festsaale rauschten. Die Gesellschaft des Herrn Grafen fand dies Benehmen schicklich und ihre Überraschung verwandelte sich in Heiterkeit und beifälliges Lächeln über die unverwüstliche Laune der Seldwyler; nur der Graf selbst hegte gar dunkle Empfindungen,
25 die ihm nicht behagten, obgleich er in der jetzigen[1] Voreingenommenheit seiner Seele keinen bestimmten Argwohn verspürte und nicht einmal bemerkt hatte, woher die Leute gekommen waren. Melchior Böhni, der seinen Teich Bethesda sorglich beiseite gebracht hatte[2] und sich aufmerksam in der
30 Nähe Strapinskis befand, nannte laut, daß dieser es hören konnte, eine ganz andere Ortschaft als den Ursprungsort des Maskenzuges.

---

1. jetzigen: an adjective formed from the adverb jetzt (but without the final -t). It can be used attributively only. Compare heutig and gestrig from heute and gestern.

2. beiseite gebracht hatte, (had put up).

Bald saßen beide Gesellschaften, jegliche auf ihrem Stockwerke, an den gedeckten Tafeln und gaben sich fröhlichen Gesprächen und Scherzreden hin, in Erwartung weiterer Freuden.

Die kündigten sich denn auch für die Goldacher an, als sie paarweise in den Tanzsaal hinüberschritten und dort die Musiker schon ihre Geigen stimmten. Wie nun aber alles [1] im Kreise stand und sich zum Reigen ordnen wollte, erschien eine Gesandtschaft der Seldwyler, welche das freundnachbarliche Gesuch und Anerbieten vortrug, den Herren und Frauen von Goldach einen Besuch abstatten zu dürfen und ihnen zum Ergötzen einen Schautanz aufzuführen. Dieses Anerbieten konnte nicht wohl zurückgewiesen werden; auch versprach man sich [2] von den lustigen Seldwylern einen tüchtigen Spaß und setzte sich daher nach der Anordnung der besagten Gesandtschaft in einem großen Halbring, in dessen Mitte Strapinski und Nettchen glänzten gleich fürstlichen Sternen.

Nun traten allmählich jene besagten Schneidergruppen nacheinander ein. Jede führte in zierlichem Gebärdenspiel den Satz „Leute machen Kleider" und dessen Umkehrung durch, indem sie erst mit Emsigkeit irgendein stattliches Kleidungsstück, einen Fürstenmantel, Priestertalar und dergleichen anzufertigen schien und sodann eine dürftige Person damit bekleidete, welche urplötzlich umgewandelt sich in höchstem Ansehen aufrichtete und nach dem Takte der Musik feierlich einherging. Auch die Tierfabel wurde in diesem Sinne in Szene gesetzt, da eine gewaltige Krähe erschien, die sich mit Pfauenfedern schmückte und quakend umherhüpfte, ein Wolf, der sich einen Schafspelz zurechtschneiderte, schließlich ein Esel, der eine furchtbare Löwen-

1. alles, (everyone). An idiomatic use of the neuter singular for the masculine and feminine plural.

2. versprach man sich, (promised themselves, expected); sich is a dative.

haut von Werg trug und sich heroisch damit drapierte wie mit einem Karbonarimantel.[1]

Alle, die so erschienen, traten nach vollbrachter Darstellung zurück und machten allmählich so den Halbkreis der Goldacher 5 zu einem weiten Ring von Zuschauern, dessen innerer Raum endlich leer ward. In diesem Augenblicke ging die Musik in eine wehmütig ernste Weise über, und zugleich beschritt eine letzte Erscheinung den Kreis, dessen Augen sämtlich[2] auf sie gerichtet waren. Es war ein schlanker junger Mann in 10 dunklem Mantel, dunklen schönen Haaren und mit einer polnischen Mütze; es war niemand anders als der Graf Strapinski, wie er an jenem Novembertag auf der Straße gewandert und den verhängnisvollen Wagen bestiegen hatte.

15 Die ganze Versammlung blickte lautlos gespannt auf die Gestalt, welche feierlich schwermütig einige Gänge nach dem Takte der Musik umhertrat, dann in die Mitte des Ringes sich begab, den Mantel auf den Boden breitete, sich schneidermäßig darauf niedersetzte und anfing, ein Bündel aus-20 zupacken. Er zog einen beinahe fertigen Grafenrock hervor, ganz wie ihn Strapinski in diesem Augenblicke trug, nähte mit großer Hast und Geschicklichkeit Troddeln und Schnüre darauf und bügelte ihn schulgerecht aus, indem er das scheinbar heiße Bügeleisen mit nassen Fingern prüfte. Dann 25 richtete er sich langsam auf, zog seinen fadenscheinigen Rock aus und das Prachtkleid an, nahm ein Spiegelchen, kämmte sich und vollendete seinen Anzug, daß er endlich als das leibhafte Ebenbild des Grafen dastand. Unversehens ging die Musik in eine rasche, mutige Weise über, der Mann 30 wickelte seine Siebensachen in den alten Mantel und warf

---

1. Karbona'rimantel: a wide, sleeveless cloak, lit. (cloak of the Carbonari), a secret political and revolutionary organization that started in Naples in 1806.

2. dessen Augen . . . gerichtet waren, die Augen sämtlicher Leute im Kreise waren auf die Erscheinung gerichtet.

das Pack weit über die Köpfe der Anwesenden hinweg in die Tiefe des Saales, als wollte er sich ewig von seiner Vergangenheit trennen. Hierauf beging er als stolzer Weltmann in stattlichen Tanzschritten den Kreis, hier und da sich vor den Anwesenden huldreich verbeugend, bis er vor das 5 Brautpaar gelangte. Plötzlich faßte er den Polen, ungeheuer überrascht, fest ins Auge,[1] stand als eine Säule vor ihm still, während gleichzeitig wie auf Verabredung die Musik aufhörte und eine fürchterliche Stille wie ein stummer Blitz einfiel. 10

„Ei, ei, ei, ei!" rief er mit weithin vernehmlicher Stimme und reckte den Arm gegen den Unglücklichen aus, „sieh da den Bruder Schlesier, den Wasserpolacken![2] Der mir aus der Arbeit gelaufen ist, weil er wegen einer kleinen Geschäftsschwankung glaubte, es sei zu Ende mit mir. Nun, es freut 15 mich, daß es Ihnen so lustig geht und Sie hier so fröhliche Fastnacht halten! Stehen Sie in Arbeit[3] zu Goldach?"

Zugleich gab er dem bleich und lächelnd dasitzenden Grafensohn die Hand, welche dieser willenlos ergriff wie eine feurige Eisenstange, während der Doppelgänger rief: 20 „Kommt, Freunde, seht hier unsern sanften Schneidergesellen, der wie ein Raphael[4] aussieht und unsern Dienstmägden, auch der Pfarrerstochter so wohl gefiel, die freilich ein bißchen übergeschnappt ist!"

Nun kamen die Seldwyler Leute alle herbei und drängten 25 sich um Strapinski und seinen ehemaligen Meister, indem sie ersterem treuherzig die Hand schüttelten, daß er auf seinem Stuhle schwankte und zitterte. Gleichzeitig setzte die Musik wieder ein mit einem lebhaften Marsch; die Seldwyler,

---

1. faßte . . . fest ins Auge, (fixed his eyes steadily).
2. Was'serpola'cken: a term applied to Polish-speaking inhabitants of the German province of Upper Silesia, here meaning Slavs in the German provinces of Posen and Silesia; not genuine Poles, Poles under foreign rule.
3. Stehen Sie in Arbeit, (Are you employed?)
4. ein Raphael, (one of Raphael's pictures).

sowie sie an dem Brautpaar vorüber waren, ordneten sich zum Abzuge und marschierten unter Absingung [1] eines wohl einstudierten diabolischen Lachchores aus dem Saale, während die Goldacher, unter welchen Böhni die Erklärung des 5 Mirakels blitzschnell zu verbreiten gewußt hatte, durcheinander liefen und sich mit den Seldwylern kreuzten, so daß es einen großen Tumult gab.

Als dieser sich endlich legte, war auch der Saal beinahe leer; wenige Leute standen an den Wänden und flüsterten 10 verlegen untereinander; ein paar junge Damen hielten sich in einiger Entfernung von Nettchen, unschlüssig, ob sie sich derselben nähern sollten oder nicht.

Das Paar aber saß unbeweglich auf seinen Stühlen gleich einem steinernen ägyptischen Königspaar, ganz still und 15 einsam; man glaubte den unabsehbaren glühenden Wüstensand zu fühlen.

Nettchen, weiß wie Marmor, wendete das Gesicht langsam nach ihrem Bräutigam und sah ihn seltsam von der Seite an. Da stand er langsam auf und ging mit schweren Schritten 20 hinweg, die Augen auf den Boden gerichtet, während große Tränen aus denselben fielen.

8

Strapinski ging durch die Goldacher und Seldwyler, welche die Treppen bedeckten, hindurch wie ein Toter, der sich gespenstisch von einem Jahrmarkt stiehlt,[2] und sie ließen ihn 25 seltsamerweise auch wie einen solchen passieren, indem sie

1. unter Absingung, (during the singing).
2. wie ein Toter . . . stiehlt, (like the ghost of a dead man stealing away from the merrymaking of a fair). An apt comparison for the picture Strapinski presents.

ihm still auswichen, ohne zu lachen oder harte Worte nachzurufen. Er ging auch zwischen den zur Abfahrt gerüsteten Schlitten und Pferden von Goldach hindurch, indessen die Seldwyler sich in ihrem Quartier erst noch recht belustigten, und er wandelte halb unbewußt, nur in der Meinung, nicht 5
mehr nach Goldach zurückzukommen, dieselbe Straße gegen Seldwyla hin, auf welcher er vor einigen Monaten hergewandert war. Bald verschwand er in der Dunkelheit des Waldes, durch welchen sich die Straße zog. Er war barhäuptig, denn seine Polenmütze war im Fenstergesimse des Tanzsaales lie- 10
gengeblieben nebst den Handschuhen, und so schritt er denn gesenkten Hauptes und die frierenden Hände unter die gekreuzten Arme bergend vorwärts, während seine Gedanken sich allmählich sammelten und zu einigem Erkennen gelangten. Das erste deutliche Gefühl, dessen er inne wurde, 15
war dasjenige einer ungeheuren Schande, gleich wie wenn er ein wirklicher Mann von Rang und Ansehen gewesen und nun infam geworden wäre durch Hereinbrechen irgendeines verhängnisvollen Unglückes. Dann löste sich dieses Gefühl aber auf in eine Art Bewußtsein erlittenen Unrechtes; er 20
hatte sich bis zu seinem glorreichen Einzug in die verwünschte Stadt nie ein Vergehen zuschulden kommen lassen [1]; soweit seine Gedanken in die Kindheit zurückreichten, war ihm nicht erinnerlich, daß er je wegen einer Lüge oder einer Täuschung bestraft oder gescholten worden 25
wäre, und nun war er ein Betrüger geworden dadurch, daß die Torheit der Welt ihn in einem unbewachten und sozusagen wehrlosen Augenblicke überfallen und ihn zu ihrem Spielgesellen gemacht hatte. Er kam sich wie ein Kind vor, welches ein anderes boshaftes Kind überredet hat, von 30
einem Altare den Kelch zu stehlen; er haßte und verachtete sich jetzt, aber er weinte auch über sich und seine unglückliche Verirrung.

---

1. hatte sich ... nie ein Vergehen zuschulden kommen lassen, (had never done a wrong).

Wenn ein Fürst Land und Leute[1] nimmt, wenn ein Priester die Lehre seiner Kirche ohne Überzeugung verkündet, aber die Güter seiner Pfründe mit Würde verzehrt; wenn ein dünkelvoller Lehrer die Ehren und Vorteile eines
5 hohen Lehramtes innehat und genießt, ohne von der Höhe seiner Wissenschaft den mindesten Begriff zu haben und derselben auch nur den kleinsten Vorschub zu leisten; wenn ein Künstler ohne Tugend, mit leichtfertigem Tun und leerer Gaukelei sich in Mode bringt und Brot und Ruhm der
10 wahren Arbeit vorwegstiehlt; oder wenn ein Schwindler, der einen großen Kaufmannsnamen geerbt oder erschlichen hat, durch seine Torheiten und Gewissenlosigkeiten Tausende um ihre Ersparnisse und Notpfennige bringt,[2] so weinen alle diese nicht über sich, sondern erfreuen sich ihres Wohlseins
15 und bleiben nicht einen Abend ohne aufheiternde Gesellschaft und gute Freunde.

Unser Schneider aber weinte bitterlich über sich, das heißt er fing solches plötzlich an, als nun seine Gedanken an der schweren Kette, an der sie hingen, unversehens zu der ver-
20 lassenen Braut zurückkehrten und sich aus Scham vor der Unsichtbaren zur Erde krümmten. Das Unglück und die Erniedrigung zeigten ihm mit einem hellen Strahle das verlorene Glück und machten aus dem unklar verliebten Irrgänger einen verstoßenen Liebenden. Er streckte die
25 Arme gegen die kalt glänzenden Sterne empor und taumelte mehr als er ging[3] auf seiner Straße dahin, stand wieder still und schüttelte den Kopf, als plötzlich ein roter Schein den Schnee um ihn her erreichte und zugleich Schellenklang und Gelächter ertönte. Es waren die Seldwyler,
30 welche mit Fackeln nach Hause fuhren. Schon näherten sich ihm die ersten Pferde mit ihren Nasen; da raffte er sich auf, tat einen gewaltigen Sprung über den Straßenrand und

1. Land und Leute, (an entire country); an alliterative formula.
2. um ihre Ersparnisse . . . bringt, (defrauds of their savings).
3. taumelte mehr als er ging, (staggered rather than walked).

duckte sich unter die vordersten Stämme des Waldes. Der tolle Zug fuhr vorbei und verhallte endlich in der dunklen Ferne, ohne daß der Flüchtling bemerkt worden war; dieser aber, nachdem er eine gute Weile reglos gelauscht hatte, von der Kälte wie von den erst genossenen feurigen Getränken und seiner gramvollen Dummheit übermannt, streckte unvermerkt seine Glieder aus und schlief ein auf dem knisternden Schnee, während ein eiskalter Hauch von Osten heranzuwehen begann.

Inzwischen erhob auch Nettchen sich von ihrem einsamen Sitze. Sie hatte dem abziehenden Geliebten gewissermaßen aufmerksam nachgeschaut, saß länger als eine Stunde unbeweglich da und stand dann auf, indem sie bitterlich zu weinen begann und ratlos nach der Türe ging. Zwei Freundinnen gesellten sich nun zu ihr mit zweifelhaft tröstenden Worten; sie bat dieselben, ihr Mantel, Tücher, Hut und dergleichen zu verschaffen, in welche Dinge sie sich sodann stumm verhüllte, die Augen mit dem Schleier heftig trocknend. Da man aber, wenn man weint, fast immer zugleich auch die Nase schneuzen muß, so sah sie sich doch genötigt, das Taschentuch zu nehmen, und tat einen tüchtigen Schneuz, worauf sie stolz und zornig um sich blickte. In dieses Blicken hinein geriet[1] Melchior Böhni, der sich ihr freundlich, demütig und lächelnd näherte und ihr die Notwendigkeit darstellte, nunmehr einen Führer und Begleiter nach dem väterlichen Hause zurück zu haben. Den Teich Bethesda, sagte er, werde er hier im Gasthause zurücklassen und dafür die Fortuna mit der verehrten Unglücklichen sicher nach Goldach hingeleiten.

Ohne zu antworten, ging sie festen Schrittes voran nach dem Hofe, wo der Schlitten mit den ungeduldigen wohlgefütterten Pferden bereitstand, einer der letzten, welche dort waren. Sie nahm rasch darin Platz, ergriff das Leitseil und die Peitsche, und während der achtlose Böhni, mit glücklicher

---

1. In dieses Blicken hinein geriet, (These glances were intercepted by).

Geschäftigkeit sich gebärdend, dem Stallknecht, der die Pferde gehalten, das Trinkgeld hervorsuchte, trieb sie unversehens die Pferde an und fuhr auf die Landstraße hinaus in starken Sätzen, welche sich bald in einen anhaltenden munteren 5 Galopp verwandelten. Und zwar ging es nicht [1] nach der Heimat, sondern auf der Seldwyler Straße hin. Erst als das leichtbeschwingte Fahrzeug schon dem Blicke entschwunden war, entdeckte Herr Böhni das Ereignis und lief in der Richtung gegen Goldach mit Hoho- und Haltrufen, sprang dann 10 zurück und jagte mit seinem eigenen Schlitten der entflohenen oder nach seiner Meinung durch die Pferde entführten Schönen nach, bis er am Tore der aufgeregten Stadt anlangte, in welcher das Ärgernis bereits alle Zungen beschäftigte.

15 Warum Nettchen jenen Weg eingeschlagen, ob in der Verwirrung oder mit Vorsatz, ist nicht sicher zu berichten. Zwei Umstände mögen hier ein leises Licht gewähren. Einmal [2] lagen sonderbarerweise die Pelzmütze und die Handschuhe Strapinskis, welche auf dem Fenstersimse hinter dem Sitze des 20 Paares gelegen hatten, nun im Schlitten der Fortuna neben Nettchen; wann und wie sie diese Gegenstände ergriffen, hatte niemand beachtet und sie selbst wußte es nicht; es war wie im Schlafwandel geschehen. Sie wußte jetzt noch nicht, daß Mütze und Handschuhe neben ihr lagen. Sodann sagte 25 sie mehr als einmal laut vor sich hin [3]: „Ich muß noch zwei Worte mit ihm sprechen, nur zwei Worte!"

Diese beiden Tatsachen scheinen zu beweisen, daß nicht ganz der Zufall die feurigen Pferde lenkte. Auch war es seltsam, als die Fortuna in die Waldstraße gelangte, in 30 welche jetzt der helle Vollmond hineinschien, wie Nettchen den Lauf der Pferde mäßigte und die Zügel fester anzog,

1. Und zwar ging es nicht, (And, to tell the truth, she took the direction not of . . .).
2. Einmal, (in the first place); Sodann, line 24, (in the second place).
3. vor sich hin, (to herself).

so daß dieselben beinahe nur im Schritt einhertanzten, während die Lenkerin die traurigen, aber dennoch scharfen Augen gespannt auf den Weg heftete, ohne links und rechts den geringsten auffälligen Gegenstand außer acht zu lassen.[1]

Und doch war gleichzeitig ihre Seele wie in tiefer, schwerer, unglücklicher Vergessenheit befangen; was sind Glück und Leben! von was hangen sie ab? Was sind wir selbst, daß wir wegen einer lächerlichen Fastnachtslüge glücklich oder unglücklich werden? Was haben wir verschuldet, wenn wir durch eine fröhliche gläubige Zuneigung Schmach und Hoffnungslosigkeit einernten? Wer sendet uns solche einfältige Truggestalten, die zerstörend in unser Schicksal eingreifen, während sie sich selbst daran[2] auflösen wie schwache Seifenblasen?

Solche mehr geträumte als gedachte Fragen umfingen die Seele Nettchens, als ihre Augen sich plötzlich auf einen länglichen dunklen Gegenstand richteten, welcher zur Seite der Straße sich vom mondbeglänzten Schnee abhob. Es war der langhingestreckte Wenzel, dessen dunkles Haar sich mit dem Schatten der Bäume vermischte, während sein schlanker Körper deutlich im Lichte lag.

Nettchen hielt unwillkürlich die Pferde an, womit eine tiefe Stille über den Wald kam. Sie starrte unverwandt nach dem dunklen Körper, bis derselbe sich ihrem hellsehenden Auge fast unverkennbar darstellte und sie leise die Zügel festband, ausstieg, die Pferde einen Augenblick beruhigend streichelte und sich hierauf der Erscheinung vorsichtig, lautlos näherte.

Ja, er war es. Der dunkelgrüne Samt seines Rockes nahm sich selbst auf dem nächtlichen Schnee schön und edel aus; der schlanke Leib und die geschmeidigen Glieder, wohl geschnürt und bekleidet, alles sagte noch in der Erstarrung,

1. ohne ... außer acht zu lassen, (without failing to notice).
2. daran, (against it), i.e. das Schicksal.

am Rande des Unterganges, im Verlorensein: Kleider machen Leute!

Als sich die einsame Schöne näher über ihn hinbeugte und ihn ganz sicher erkannte, sah sie auch sogleich die Gefahr, in 5 der sein Leben schwebte, und fürchtete, er möchte bereits erfroren sein. Sie ergriff daher unbedenklich eine seiner Hände, die kalt und fühllos schien. Alles andere vergessend, rüttelte sie den Ärmsten und rief ihm seinen Taufnamen ins Ohr: „Wenzel! Wenzel!“ Umsonst, er rührte sich nicht, 10 sondern atmete nur schwach und traurig. Da fuhr sie mit der Hand über sein Gesicht, und gab ihm in der Beängstigung Nasenstüber auf die erbleichte Nasenspitze. Dann nahm sie, hierdurch auf einen guten Gedanken gebracht, Hände voll Schnee und rieb ihm die Nase und das Gesicht 15 und auch die Finger tüchtig, soviel sie vermochte und bis sich der glücklich Unglückliche erholte, erwachte und langsam seine Gestalt in die Höhe richtete.

Er blickte um sich und sah die Retterin vor sich stehen. Sie hatte den Schleier zurückgeschlagen; Wenzel erkannte 20 jeden Zug in ihrem weißen Gesicht, das ihn ansah mit großen Augen.

Er stürzte vor ihr nieder, küßte den Saum ihres Mantels und rief: „Verzeih mir! Verzeih mir!“

„Komm, fremder Mensch!“ sagte sie mit unterdrückter, 25 zitternder Stimme, „ich werde mit dir sprechen und dich fortschaffen!“

Sie winkte ihm, in den Schlitten zu steigen, was er folgsam tat; sie gab ihm Mütze und Handschuhe, ebenso unwillkürlich, wie sie dieselben mitgenommen hatte, ergriff Zügel und 30 Peitsche und fuhr vorwärts.

Jenseits des Waldes, unfern der Straße, lag ein Bauernhof, auf welchem eine Bäuerin hauste, deren Mann unlängst gestorben. Nettchen war die Patin eines ihrer Kinder, sowie der Amtsrat ihr Zinsherr. Noch neulich war die Frau bei ihnen gewesen, um der Tochter Glück zu 5 wünschen und allerlei Rat zu holen, konnte aber zu dieser Stunde noch nichts von dem Wandel der Dinge wissen.

Nach diesem Hofe fuhr Nettchen jetzt, von der Straße ablenkend und mit einem kräftigen Peitschenknallen vor dem Hause haltend. Es war noch Licht hinter den kleinen 10 Fenstern; denn die Bäuerin war wach und machte sich zu schaffen, während Kinder und Gesinde längst schliefen. Sie öffnete das Fenster und guckte verwundert heraus. „Ich bin's nur, wir sind's!" rief Nettchen. „Wir haben uns verirrt wegen der neuen obern Straße, die ich noch nie 15 gefahren bin; macht uns einen Kaffee, Frau Gevatterin,[1] und laßt uns einen Augenblick hineinkommen, ehe wir weiter fahren!"

Gar vergnügt eilte die Bäuerin her, da sie Nettchen sofort erkannte, und bezeigte sich entzückt und eingeschüchtert zu- 20 gleich, auch das große Tier,[2] den fremden Grafen zu sehen. In ihren Augen waren Glück und Glanz dieser Welt in diesen zwei Personen über ihre Schwelle getreten; unbestimmte Hoffnungen, einen kleinen Teil daran, irgendeinen bescheidenen Nutzen für sich oder ihre Kinder zu gewinnen, 25 belebten die gute Frau und gaben ihr alle Behendigkeit,

---

1. Frau Gevat'terin: here meaning that Nettchen is godmother to the Bäuerin's child (line 3, above). The term is otherwise often used in a familiar way without implying such a relationship. Compare the English (gossip).

2. das große Tier, (" the big shot ").

die jungen Herrschaftsleute zu bedienen. Schnell hatte sie ein Knechtchen geweckt, die Pferde zu halten, und bald hatte sie auch einen heißen Kaffee bereitet, welchen sie jetzt hereinbrachte, wo Wenzel und Nettchen in der halbdunklen
5 Stube einander gegenübersaßen, ein schwach flackerndes Lämpchen zwischen sich auf dem Tische.

Wenzel saß, den Kopf in die Hände gestützt, und wagte nicht aufzublicken. Nettchen lehnte auf ihrem Stuhle zurück und hielt die Augen fest verschlossen, aber ebenso
10 den bitteren schönen Mund, woran man sah, daß sie keineswegs schlief.

Als die Gevattersfrau den Trank auf den Tisch gesetzt hatte, erhob sich Nettchen rasch und flüsterte ihr zu: „Laßt uns jetzt eine halbe Viertelstunde allein, legt Euch aufs Bett,
15 liebe Frau, wir haben uns ein bißchen gezankt und müssen uns heute noch aussprechen, da hier gute Gelegenheit ist."

„Ich verstehe schon, Ihr macht's gut so!" [1] sagte die Frau und ließ die zwei bald allein.

„Trinken Sie dies," sagte Nettchen, die sich wieder gesetzt
20 hatte, „es wird Ihnen gesund sein!" Sie selbst berührte nichts. Wenzel Strapinski, der leise zitterte, richtete sich auf, nahm eine Tasse und trank sie aus, mehr weil sie es gesagt hatte, als um sich zu erfrischen. Er blickte sie jetzt auch an, und als ihre Augen sich begegneten und Nettchen
25 forschend die seinigen betrachtete, schüttelte sie das Haupt und sagte dann: „Wer sind Sie? Was wollten Sie mit mir?"

„Ich bin nicht ganz so, wie ich scheine!" erwiderte er traurig, „ich bin ein armer Narr, aber ich werde alles gut-
30 machen und Ihnen Genugtuung geben und nicht lange mehr am Leben sein!" Solche Worte sagte er so überzeugt und ohne allen gemachten Ausdruck, daß Nettchens Augen unmerklich aufblitzten. Dennoch wiederholte sie: „Ich

1. Ihr macht's gut so! (You are doing the right thing), i.e. to talk matters over.

wünsche zu wissen, wer Sie eigentlich sind und woher Sie kommen und wohin Sie wollen?"

„Es ist alles so gekommen, wie ich Ihnen jetzt der Wahrheit gemäß erzählen will," antwortete er und sagte ihr, wer er sei und wie es ihm bei seinem Einzug in Goldach ergangen. Er beteuerte besonders, wie er mehrmals habe fliehen wollen, schließlich aber durch ihr Erscheinen selbst gehindert worden sei, wie in einem verhexten Traume.

Nettchen wurde mehrmals von einem Anflug von Lachen heimgesucht; doch überwog der Ernst ihrer Angelegenheit zu sehr, als daß es zum Ausbruch gekommen wäre. Sie fuhr vielmehr fort zu fragen: „Und wohin gedachten Sie mit mir zu gehen und was zu beginnen?" — „Ich weiß es kaum," erwiderte er; „ich hoffte auf weitere merkwürdige oder glückliche Dinge; auch gedachte ich zuweilen des Todes in der Art, daß ich mir denselben geben wolle, nachdem ich —"

Hier stockte Wenzel und sein bleiches Gesicht wurde ganz rot.

„Nun fahren Sie fort!" sagte Nettchen, ihrerseits bleich werdend, indessen ihr Herz wunderlich klopfte.

Da flammten Wenzels Augen groß und süß auf, und er rief: „Ja, jetzt ist es mir klar und deutlich vor Augen, wie es gekommen wäre! Ich wäre mit dir in die weite Welt gegangen, und nachdem ich einige kurze Tage des Glückes mit dir verlebt, hätte ich dir den Betrug gestanden und mir gleichzeitig den Tod gegeben. Du wärest zu deinem Vater zurückgekehrt, wo du wohl aufgehoben gewesen wärest und mich leicht vergessen hättest. Niemand brauchte darum zu wissen; ich wäre spurlos verschollen. — Anstatt an der Sehnsucht nach einem würdigen Dasein, nach einem gütigen Herzen, nach Liebe lebenslang zu kranken," fuhr er wehmütig fort, „wäre ich einen Augenblick lang groß und glücklich gewesen und hoch über allen, die weder glücklich noch unglücklich sind und doch nie sterben wollen! O hätten

Sie mich liegengelassen im kalten Schnee, ich wäre so ruhig eingeschlafen!"

Er war wieder still geworden und schaute düster sinnend vor sich hin.

5 Nach einer Weile sagte Nettchen, die ihn still betrachtet, nachdem das durch Wenzels Reden angefachte Schlagen ihres Herzens sich etwas gelegt hatte: „Haben Sie dergleichen oder ähnliche Streiche früher schon begangen und fremde Menschen angelogen, die Ihnen nichts zuleide 10 getan?"[1]

„Das habe ich mich in dieser bitteren Nacht selbst schon gefragt und mich nicht erinnert, daß ich je ein Lügner gewesen bin! Ein solches Abenteuer habe ich noch gar nie gemacht oder erfahren! Ja, in jenen Tagen, als der Hang 15 in mir entstanden, etwas Ordentliches zu sein[2] oder zu scheinen, in halber Kindheit noch, habe ich mich selbst überwunden und einem Glück entsagt, das mir beschieden schien!"

„Was ist dies?" fragte Nettchen.

„Meine Mutter war, ehe sie sich verheiratet hatte, in 20 Diensten einer benachbarten Gutsherrin und mit derselben auf Reisen und in großen Städten gewesen. Davon hatte sie eine feinere Art bekommen, als die andern Weiber unseres Dorfes und war wohl auch etwas eitel; denn sie kleidete sich und mich, ihr einziges Kind, immer etwas zierlicher und 25 gesuchter, als es bei uns Sitte war. Der Vater, ein armer Schulmeister, starb aber früh, und so blieb uns bei größter Armut keine Aussicht auf glückliche Erlebnisse, von welchen die Mutter gerne zu träumen pflegte. Vielmehr mußte sie sich harter Arbeit hingeben, um uns zu ernähren, und damit 30 das Liebste, was sie hatte, etwas bessere Haltung und Kleidung, aufopfern.[3] Unerwartet sagte nun jene neu=

---

1. Ihnen nichts zuleide getan, (had done you no harm).
2. etwas Ordentliches zu sein, (to amount to something in the world).
3. und damit das Liebste, . . . , aufopfern, (and in doing so give up what was dearest to her).

verwitwete Gutsherrin, als ich etwa sechzehn Jahre alt war, sie gehe mit ihrem Haushalt in die Residenz für immer; die Mutter solle mich mitgeben, es sei schade für mich, in dem Dorfe ein Tagelöhner oder Bauernknecht zu werden, sie wolle mich etwas Feines lernen lassen, zu was ich Lust habe, während ich in ihrem Hause leben und diese und jene leichtere Dienstleistungen tun könne. Das schien nun das Herrlichste zu sein, was sich für uns ereignen mochte. Alles wurde demgemäß verabredet und zubereitet, als die Mutter nachdenklich und traurig wurde und mich eines Tages plötzlich mit vielen Tränen bat, sie nicht zu verlassen, sondern mit ihr arm zu bleiben; sie werde nicht alt werden, sagte sie, und ich würde gewiß noch zu etwas Gutem gelangen, auch wenn sie tot sei. Die Gutsherrin, der ich das betrübt hinterbrachte, kam her und machte meiner Mutter Vorstellungen; aber diese wurde jetzt ganz aufgeregt und rief einmal um das andere,[1] sie lasse sich ihr Kind nicht rauben; wer es kenne —"

Hier stockte Wenzel Strapinski abermals und wußte sich nicht recht fortzuhelfen.

Nettchen fragte: „Was sagte die Mutter, wer es kenne? Warum fahren Sie nicht fort?"

Wenzel errötete und antwortete: „Sie sagte etwas Seltsames, was ich nicht recht verstand und was ich jedenfalls seither nicht verspürt habe; sie meinte, wer das Kind kenne, könne nicht mehr von ihm lassen, und wollte wohl damit sagen, daß ich ein gutmütiger Junge gewesen sei oder etwas dergleichen. Kurz, sie war so aufgeregt, daß ich trotz alles Zuredens jener Dame entsagte und bei der Mutter blieb, wofür sie mich doppelt liebhatte, tausendmal mich um Verzeihung bittend, daß sie mir vor dem Glücke sei.[2] Als ich aber nun auch etwas verdienen lernen sollte, stellte es sich

---

1. einmal um das andere, (again and again).
2. vor dem Glücke sei = daß sie meinem Glück im Wege stehe.

heraus,[1] daß nicht viel anderes zu tun war, als daß ich zu unserm Dorfschneider in die Lehre ging.[2] Ich wollte nicht, aber die Mutter weinte so sehr, daß ich mich ergab. Dies ist die Geschichte."

5 Auf Nettchens Frage, warum er denn doch von der Mutter fort sei und wann, erwiderte Wenzel: „Der Militärdienst rief mich weg. Ich wurde unter die Husaren gesteckt und war ein ganz hübscher roter Husar, obwohl vielleicht der dümmste im Regiment, jedenfalls der stillste. 10 Nach einem Jahr konnte ich endlich für ein paar Wochen Urlaub erhalten und eilte nach Hause, meine gute Mutter zu sehen; aber sie war eben gestorben. Da bin ich denn, als meine Zeit gekommen war, einsam in die Welt gereist und endlich hier in mein Unglück geraten."

15 Nettchen lächelte, als er dieses vor sich hin klagte und sie ihn dabei aufmerksam betrachtete. Es war jetzt eine Zeitlang still in der Stube; auf einmal schien ihr ein Gedanke aufzutauchen.

„Da Sie," sagte sie plötzlich, aber dennoch mit zögerndem 20 spitzigem Wesen, „stets so wertgeschätzt und liebenswürdig waren, so haben Sie ohne Zweifel auch jederzeit Ihre gehörigen Liebschaften oder dergleichen gehabt und wohl schon mehr als ein armes Frauenzimmer auf dem Gewissen — von mir nicht zu reden?"

25 „Ach Gott," erwiderte Wenzel, ganz rot werdend, „eh' ich zu Ihnen kam, habe ich niemals auch nur die Fingerspitzen eines Mädchens berührt, ausgenommen —"

„Nun," sagte Nettchen.

„Nun," fuhr er fort, „das war eben jene Frau, die mich 30 mitnehmen und bilden lassen wollte, die hatte ein Kind, ein Mädchen von sieben oder acht Jahren, ein seltsames heftiges Kind und doch gut wie Zucker und schön wie ein Engel. Dem hatte ich vielfach den Diener und Beschützer machen müssen,

---

1. stellte es sich heraus = es zeigte sich.
2. in die Lehre ging, (became apprenticed to).

und es hatte sich an mich gewöhnt. Ich mußte es regelmäßig nach dem entfernten Pfarrhof bringen, wo es bei dem alten Pfarrer Unterricht genoß, und es von da wieder abholen. Auch sonst mußte ich öfter mit ihm ins Freie, wenn sonst niemand gerade mitgehen konnte. Dieses Kind nun, als ich 5 es zum letztenmal im Abendschein über das Feld nach Hause führte, fing von der bevorstehenden Abreise zu reden an, erklärte mir, ich müßte dennoch mitgehen, und fragte, ob ich es tun wollte. Ich sagte, daß es nicht sein könne. Das Kind fuhr aber fort, gar beweglich und dringlich zu bitten, indem 10 es mir am Arme hing und mich am Gehen hinderte, wie Kinder zu tun pflegen, so daß ich mich bedachtlos wohl etwas unwirsch frei machte. Da senkte das Mädchen sein Haupt und suchte beschämt und traurig die Tränen zu unterdrücken, die jetzt hervorbrachen, und es vermochte kaum das 15 Schluchzen zu bemeistern. Betroffen wollte ich das Kind begütigen, allein nun wandte es sich zornig ab und entließ mich in Ungnaden. Seitdem ist mir das schöne Kind immer im Sinne geblieben, und mein Herz hat immer an ihm gehangen,[1] obgleich ich nie wieder von ihm gehört habe —" 20

Plötzlich hielt der Sprecher, der in eine sanfte Erregung geraten war, wie erschreckt inne und starrte erbleichend seine Gefährtin an.

„Nun," sagte Nettchen ihrerseits mit seltsamem Tone, in gleicher Weise etwas blaß geworden, „was sehen Sie mich 25 so an?"

Wenzel aber streckte den Arm aus, zeigte mit dem Finger auf sie, wie wenn er einen Geist sähe, und rief: „Dieses habe ich auch schon erblickt. Wenn jenes Kind zornig war, so hoben sich ganz so, wie jetzt bei Ihnen, die schönen Haare um 30 Stirne und Schläfe ein wenig aufwärts, daß man sie sich bewegen sah, und so war es auch zuletzt auf dem Felde in jenem Abendglanze."

---

1. an ihm gehangen = es lieb gehabt.

In der Tat hatten sich die zunächst den Schläfen und über der Stirne liegenden Locken Nettchens leise bewegt wie von einem ins Gesicht wehenden Lufthauche.

Die allezeit etwas kokette Mutter Natur hatte hier eines 5 ihrer Geheimnisse angewendet, um den schwierigen Handel zu Ende zu führen.

Nach kurzem Schweigen, indem ihre Brust sich zu heben begann, stand Nettchen auf, ging um den Tisch herum dem Manne entgegen und fiel ihm um den Hals mit den Wor- 10 ten: „Ich will dich nicht verlassen! Du bist mein, und ich will mit dir gehen trotz aller Welt!"

So feierte sie erst jetzt ihre rechte Verlobung aus tief entschlossener Seele, indem sie in süßer Leidenschaft ein Schicksal auf sich nahm und Treue hielt.[1]

15 Doch war sie keineswegs so blöde, dieses Schicksal nicht selbst ein wenig lenken zu wollen; vielmehr faßte sie rasch und keck neue Entschlüsse. Denn sie sagte zu dem guten Wenzel, der in dem abermaligen Glückeswechsel verloren träumte: „Nun wollen wir gerade nach Seldwyl gehen und 20 den Leuten dort, die uns zu zerstören gedachten, zeigen, daß sie uns erst recht vereinigt und glücklich gemacht haben!"

Dem wackern Wenzel wollte dies nicht einleuchten.[2] Er wünschte vielmehr, in unbekannte Weiten zu ziehen und geheimnisvoll romantisch dort zu leben in stillem Glücke, 25 wie er sagte.

Allein Nettchen rief: „Keine Romane mehr! Wie du bist, ein armer Wandersmann, will ich mich zu dir bekennen und in meiner Heimat allen diesen Stolzen und Spöttern zum Trotze dein Weib sein. Wir wollen nach Seldwyla 30 gehen und dort durch Tätigkeit und Klugheit die Menschen, die uns verhöhnt haben, von uns abhängig machen!"

---

1. ein Schicksal auf sich nahm und Treue hielt, (by taking an irrevocable step and by keeping faith).

2. wollte dies nicht einleuchten, (could not see the matter in that light).

Und wie gesagt, so getan! Nachdem die Bäuerin herbeigerufen und von Wenzel, der anfing, seine neue Stellung einzunehmen, beschenkt worden war, fuhren sie ihres Weges weiter. Wenzel führte jetzt die Zügel. Nettchen lehnte sich so zufrieden an ihn, als ob er eine Kirchensäule wäre. Denn 5 des Menschen Wille ist sein Himmelreich,[1] und Nettchen war just vor drei Tagen volljährig geworden und konnte dem ihrigen [2] folgen.

10

In Seldwyla hielten sie vor dem Gasthause „Zum Regenbogen", wo noch eine Zahl jener Schlittenfahrer beim 10 Glase [3] saß. Als das Paar im Wirtssaale erschien, lief wie ein Feuer die Rede herum: „Ha, da haben wir eine Entführung; wir haben eine köstliche Geschichte eingeleitet!"

Doch ging Wenzel ohne Umsehen hindurch mit seiner Braut, und nachdem sie in ihren Gemächern verschwunden 15 war, begab er sich in den „Wilden Mann", ein anderes gutes Gasthaus, und schritt stolz durch die dort ebenfalls noch hausenden Seldwyler hindurch in ein Zimmer, das er begehrte, und überließ sie ihren erstaunten Beratungen, über welchen sie sich das grimmigste Kopfweh anzutrinken [4] 20 genötigt waren.

Auch in der Stadt Goldach lief um die gleiche Zeit schon das Wort „Entführung!" herum.

---

1. des Menschen Wille ist sein Himmelreich. German proverb, compare: "Man's sweetest of dishes is that which he wishes."
2. dem ihrigen, i.e. ihrem Willen.
3. beim Glase, (over their glass of wine).
4. sich das grimmigste Kopfweh anzutrinken, (to drink so much that they had a terrible headache the next day).

In aller Frühe schon fuhr auch der Teich Bethesda nach Seldwyla, von dem aufgeregten Böhni und Nettchens betroffenem Vater bestiegen. Fast wären sie in ihrer Eile ohne Anhalt durch Seldwyla gefahren, als sie noch rechtzeitig den Schlitten Fortuna wohlbehalten vor dem Gasthause stehen sahen und zu ihrem Troste vermuteten, daß wenigstens die schönen Pferde auch nicht weit sein würden. Sie ließen daher ausspannen, als sich die Vermutung bestätigte und sie die Ankunft und den Aufenthalt Nettchens vernahmen, und gingen gleichfalls in den „Regenbogen“ hinein.

Es dauerte jedoch eine kleine Weile, bis Nettchen den Vater bitten ließ, sie auf ihrem Zimmer zu besuchen und dort allein mit ihr zu sprechen. Auch sagte man, sie habe bereits den besten Rechtsanwalt der Stadt rufen lassen, welcher im Laufe des Vormittags erscheinen werde. Der Amtsrat ging etwas schweren Herzens zu seiner Tochter hinauf, überlegend, auf welche Weise er das desperate Kind am besten aus der Verirrung zurückführe, und war auf ein verzweifeltes Gebaren gefaßt.

Allein mit Ruhe und sanfter Festigkeit trat ihm Nettchen entgegen. Sie dankte ihrem Vater mit Rührung für alle ihr bewiesene Liebe und Güte und erklärte sodann in bestimmten Sätzen: erstens sie wolle nach dem Vorgefallenen nicht mehr in Goldach leben, wenigstens nicht die nächsten Jahre; zweitens wünsche sie ihr bedeutendes mütterliches Erbe an sich zu nehmen, welches der Vater ja schon lange für den Fall ihrer Verheiratung bereit gehalten; drittens wolle sie den Wenzel Strapinski heiraten, woran vor allem nichts zu ändern sei; viertens wolle sie mit ihm in Seldwyla wohnen und ihm da ein tüchtiges Geschäft gründen helfen, und fünftens und letztens werde alles gut werden; denn sie habe sich überzeugt, daß er ein guter Mensch sei und sie glücklich machen werde.

Der Amtsrat begann seine Arbeit mit der Erinnerung,

daß Nettchen ja wisse, wie sehr er schon gewünscht habe, ihr Vermögen zur Begründung ihres wahren Glückes je eher je lieber[1] in ihre Hände legen zu können. Dann aber schilderte er mit aller Bekümmernis, die ihn seit der ersten Kunde von der schrecklichen Katastrophe erfüllte, das Unmögliche des Verhältnisses, das sie festhalten wolle, und schließlich zeigte er das große Mittel, durch welches sich der schwere Konflikt allein würdig lösen lasse. Herr Melchior Böhni sei es, der bereit sei, durch augenblickliches Einstehen mit seiner Person den ganzen Handel niederzuschlagen und mit seinem unantastbaren Namen ihre Ehre vor der Welt zu schützen und aufrecht zu halten.

Aber das Wort Ehre brachte nun doch die Tochter in größere Aufregung. Sie rief, gerade die Ehre sei es, welche ihr gebiete, den Herrn Böhni nicht zu heiraten, weil sie ihn nicht leiden könne, dagegen dem armen Fremden getreu zu bleiben, welchem sie ihr Wort gegeben habe und den sie auch leiden könne!

Es gab nun ein fruchtloses Hin- und Widerreden,[2] welches die standhafte Schöne endlich doch zum Tränenvergießen brachte.

Fast gleichzeitig drangen Wenzel und Böhni herein, welche auf der Treppe zusammengetroffen, und es drohte eine große Verwirrung zu entstehen, als auch der Rechtsanwalt erschien, ein dem Amtsrate wohlbekannter Mann, und vor der Hand zur friedlichen Besonnenheit mahnte. Als er in wenigen vorläufigen Worten vernahm, worum es sich handle, ordnete er an, daß vor allem Wenzel sich in den „Wilden Mann" zurückziehe und sich dort stillhalte, daß auch Herr Böhni sich nicht einmische und fortgehe, daß Nettchen ihrerseits alle Formen des bürgerlichen guten Tones[3] wahre

1. je eher je lieber, (the sooner the better).
2. Hin- und Widerreden, (argument back and forth).
3. Formen des bürgerlichen guten Tones, (good form, as recognized by society).

bis zum Austrag der Sache und der Vater auf jede Ausübung von Zwang verzichte, da die Freiheit der Tochter gesetzlich unbezweifelt sei.

So gab es denn einen Waffenstillstand und eine allgemeine 5 Trennung für einige Stunden.

In der Stadt, wo der Anwalt ein paar Worte verlauten ließ von einem großen Vermögen, welches vielleicht nach Seldwyla käme durch diese Geschichte, entstand nun ein großer Lärm. Die Stimmung der Seldwyler schlug plötzlich 10 um zugunsten des Schneiders und seiner Verlobten, und sie beschlossen, die Liebenden zu schützen mit Gut und Blut [1] und in ihrer Stadt Recht und Freiheit der Person zu wahren. Als daher das Gerücht ging, die Schöne von Goldach sollte mit Gewalt zurückgeführt werden, rotteten sie sich zusam- 15 men, stellten bewaffnete Schutz- und Ehrenwachen vor den „Regenbogen" und vor den „Wilden Mann" und begingen überhaupt mit gewaltiger Lustbarkeit eines ihrer großen Abenteuer als merkwürdige Fortsetzung des gestrigen.

Der erschreckte und gereizte Amtsrat schickte seinen Böhni 20 nach Goldach um Hilfe. Der fuhr im Galopp hin, und am nächsten Tage fuhren eine Anzahl Männer mit einer ansehnlichen Polizeimacht von dort herüber, um dem Amtsrat beizustehen, und es gewann den Anschein, als ob Seldwyla ein neues Troja [2] werden sollte. Die Parteien standen sich dro- 25 hend gegenüber; der Stadttambour drehte bereits an seiner Spannschraube und tat einzelne Schläge mit dem rechten Schlegel. Da kamen höhere Amtspersonen, geistliche und weltliche Herren auf den Platz, und die Unterhandlungen, welche allseitig gepflogen wurden, ergaben endlich, da Nett- 30 chen fest blieb und Wenzel sich nicht einschüchtern ließ, aufge-

---

1. mit Gut und Blut, (with all in their power); a rhyming formula.

2. ein neues Troja, (a modern Troy). Paris, son of Priam, king of Troy, had abducted Helen, the wife of a Greek king, Menelaus. So Strapinski, a modern Paris, has carried off Nettchen, and Seldwyla might also well suffer the fate of Troy, which was, in revenge, sacked by the Greeks.

muntert durch die Seldwyler, daß das Aufgebot ihrer Ehe nach Sammlung aller nötigen Schriften förmlich stattfinden und daß gewärtigt werden solle, ob und welche[1] gesetzlichen Einsprachen während dieses Verfahrens dagegen erhoben würden und mit welchem Erfolge. 5

Solche Einsprachen konnten bei der Volljährigkeit Nettchens einzig noch erhoben werden wegen der zweifelhaften Person des falschen Grafen Wenzel Strapinski.

Allein der Rechtsanwalt, der seine und Nettchens Sache nun führte, ermittelte, daß den fremden jungen Mann weder 10 in seiner Heimat noch auf seinen bisherigen Fahrten auch nur der Schatten eines bösen Leumunds getroffen habe und von überall her nur gute und wohlwollende Zeugnisse für ihn einliefen.

Was die Ereignisse in Goldach betraf,[2] so wies der Advokat 15 nach, daß Wenzel sich eigentlich gar nie selbst für einen Grafen ausgegeben, sondern daß ihm dieser Rang von andern gewaltsam verliehen worden; daß er schriftlich auf allen vorhandenen Belegstücken mit seinem wirklichen Namen Wenzel Strapinski ohne jede Zutat sich unterzeichnet 20 hatte und somit kein anderes Vergehen vorlag, als daß er eine törichte Gastfreundschaft genossen hatte, die ihm nicht gewährt worden wäre, wenn er nicht in jenem Wagen angekommen wäre und jener Kutscher nicht jenen schlechten Spaß gemacht hätte. 25

So endigte denn der Krieg mit einer Hochzeit, an der die Seldwyler mit ihren sogenannten Katzenköpfen[3] gewaltig schossen zum Verdrusse der Goldacher, welche den Geschützdonner ganz gut hören konnten, da der Westwind wehte. Der Amtsrat gab Nettchen ihr ganzes Gut heraus, 30

---

1. ob und welche, (whether any, and if so, what).

2. Was die Ereignisse in Goldach betraf, (As far as the events in Goldach were concerned).

3. Katzenköpfe: a kind of mortar used in firing salutes. This custom of firing salutes at weddings is maintained to this day in the rural districts and villages of Germany. (Lambert)

und sie sagte, Wenzel müsse nun ein großer Marchand-Tailleur und Tuchherr werden in Seldwyla; denn da hieß der Tuchhändler noch Tuchherr, der Eisenhändler Eisenherr und so weiter.

5 Das geschah denn auch, aber in ganz anderer Weise, als die Seldwyler geträumt hatten. Er war bescheiden, sparsam und fleißig in seinem Geschäfte, welchem er einen großen Umfang zu geben verstand. Er machte ihnen ihre veilchenfarbigen oder weiß und blau gewürfelten [1] Sammetwesten, 10 ihre Ballfräcke mit goldenen Knöpfen, ihre rot ausgeschlagenen Mäntel, und alles waren sie ihm schuldig, aber nie zu lange Zeit. Denn um neue, noch schönere Sachen zu erhalten, welche er kommen oder anfertigen ließ, mußten sie ihm das frühere bezahlen, so daß sie untereinander klagten, 15 er presse ihnen das Blut unter den Nägeln hervor.

Dabei wurde er rund und stattlich und sah beinah gar nicht mehr träumerisch aus; er wurde von Jahr zu Jahr geschäftserfahrener und gewandter und wußte in Verbindung mit seinem bald versöhnten Schwiegervater, dem 20 Amtsrat, so gute Spekulationen zu machen, daß sich sein Vermögen verdoppelte und er nach zehn oder zwölf Jahren mit ebenso vielen Kindern, die inzwischen Nettchen, die Strapinska,[2] geboren hatte, und mit letzterer nach Goldach übersiedelte und daselbst ein angesehener Mann ward.

25 Aber in Seldwyla ließ er nicht einen Stüber [3] zurück, sei es aus Undank oder aus Rache.

---

1. weiß und blau gewürfelten, (blue and white checked).
2. Strapinſ'ka: –a is the feminine ending in Polish proper names.
3. Stüber: stiver, a small Dutch coin, worth two cents; in general anything of little value.

Fragen

Lesehilfen und Themen für Sprechübungen

1

Das Schneiderlein auf der Landstraße nach Goldach.

1. Warum hat der Schneider Seldwyla verlassen müssen?
2. Wie arm ist er?
3. Warum fällt ihm „das Fechten" äußerst schwer?
4. Warum konnte er nur in größeren Städten Arbeit finden?
5. Warum nennt ihn die Geschichte: der Märtyrer seines Mantels?

Der Schneider kommt in den Gasthof „Zur Wage."

1. Warum fordert der Kutscher den Schneider auf, sich in den Wagen zu setzen?
2. Wohin bringt der Kutscher den Schneider?
3. Welche Aufregung ruft das Erscheinen des Wagens in Goldach hervor?
4. Wofür halten die Leute den Schneider?
5. Warum geht der Schneider nicht einfach seines Weges?

2

Die Aufregung in der Küche des Gasthofes.

1. Mit welchen Worten begrüßt der Wagwirt den Schneider?
2. Was sagt der Wirt zur Köchin?
3. Welcher Streit entsteht zwischen Wirt und Köchin über die Rebhuhnpastete?
4. Wie weiß die Köchin sich in dieser Lage zu helfen?
5. Warum bekommt die Köchin nicht den Schlüssel zur Kammer, wo das Eingemachte und das Dessert aufbewahrt wird?
6. Warum will der Wirt seinen Gast so großartig bewirten?

Das Mittagessen im Gasthofe.

1. Wie versucht der Gast der drohenden Mahlzeit zu entfliehen?
2. Wodurch wird der Gast „vollends seines Willens beraubt"?
3. Warum wagt der Gast nicht, beim Fisch das blanke Messer zu gebrauchen?
4. Welche Bemerkung macht die Köchin, die den Gast beobachtet?
5. Welchen zweiten Fehler begeht der Gast?
6. Wie kommt auch der Wirt zu der Überzeugung, der Gast ist ein „Herr von großem Hause"?
7. Wie schlägt bei dem Gast, als die Pastete von Rebhühnern erscheint, die Stimmung um?
8. Zu welchem Schluß kommen Wirt und Köchin über den Gast?

Der polnische Graf Strapinski.

1. Was erfahren die Leute in „der Wage" vom Kutscher über den Gast?
2. Warum macht sich der Kutscher diesen schlechten Spaß?
3. Wie hatte der Kutscher den Namen erfahren?
4. Wer erscheint in dem Gasthof, um den Grafen kennenzulernen?
5. Wie machen sich die Herren mit dem Grafen bekannt?
6. Warum bieten sie dem Grafen gutes Rauchzeug an?
7. Wohin beschließen die Herren, an diesem Nachmittag zu fahren?
8. Warum willigt der Graf so schnell ein mitzufahren?
9. Wie kommen die Herren zu dem Schlusse: „Es ist richtig, er ist jedenfalls ein Herr"?

3

Strapinski am Spieltisch.

1. Wie werden die Herren im Hause des Amtsrates aufgenommen?
2. Warum wird Strapinski eingeladen, dem Spiel zunächst nur zuzusehen?

3. Wie kommt es, daß Strapinski sich mit den Herren über Pferde, Jagd und dergleichen unterhalten kann?
4. Welche Wirkung erreicht er damit bei den Herren der Gesellschaft?
5. Warum zweifelt Melchior Böhni an der Echtheit des Grafen?
6. Erzählen Sie, wie Strapinski im Hasardspiel gewinnt!
7. Worüber ist Böhni jetzt im klaren?
8. Warum beschließt er aber, die Sache gehen zu lassen?

Strapinski wird mit Nettchen bekannt.

1. Wie versucht Strapinski, sich „geräuschlos zu beurlauben"?
2. Wie wird er an seinem Vorhaben gehindert?
3. Warum schadet ihm seine Blödigkeit und übergroße Ehrerbietung bei der Dame nicht?
4. Wie wandelt sich Strapinski in der Gegenwart der Dame plötzlich um?
5. Warum wird er am Tisch wieder melancholisch?
6. Warum ist es keine Kleinigkeit für Strapinski, am Tisch neben Nettchen zu sitzen?
7. Warum schadet ihm seine Blödigkeit und Ungeschicklichkeit nicht?
8. Wie kam es, daß Strapinski ein polnisches Volkslied auswendig konnte?
9. Warum findet die Gesellschaft Strapinskis Lied so schön?

4

Strapinski übernachtet im Gasthaus „Zur Wage."

1. Welchen Mangel bemerkt der Wirt plötzlich?
2. Was enthält das kleine Paketchen, das im Wagen lag?
3. Warum verhindert Strapinski, dem Kutscher einen Expressen nachzuschicken?
4. Was erzählt der Wirt den Punsch trinkenden Gästen?
5. Welche Dinge findet Strapinski am nächsten Morgen in seinem Zimmer?
6. Warum sind die Leute in Goldach so begierig auf Abwechslung?

7. Wie überzeugt sich Strapinski davon, daß alles kein Traum ist?
8. Wie wird Strapinski von der Dienerschaft des Gasthofes behandelt?

5

Strapinski sieht sich die Stadt Goldach an.

1. Woraus bestand die Stadt Goldach größtenteils?
2. Wie spiegelt sich das Mittelalter in den Sinnbildern und Namen der Häuser ab?
3. Wie spiegelt sich die Zeit der Aufklärung in den Namen der Häuser ab?
4. Wie verkündet sich an den neuen Häusern die „Poesie der Fabrikanten"?
5. Warum behalten die Goldacher die alten Türme und die Ringmauer der Stadt?
6. Welchen Eindruck machen die Aufschriften an den Häusern auf Strapinski?
7. Welchen Gedanken hat Strapinski, als er vor das Tor der Stadt kommt?
8. Warum ist Strapinski entschlossen, „ins Feld abzuschwenken"?
9. Wodurch wird er an seinem Vorhaben gehindert?

6

„Nun war der Geist in ihn gefahren."

1. Wie paßt sich Strapinski der Situation an, in der er zu leben gezwungen ist?
2. Warum verlebt Strapinski eine schlaflose Nacht um die andere?
3. Welchen Vorsatz nährte er beständig?
4. Wie findet er sich eines Tages in die Lage versetzt, seinen „Rettungsgedanken" ausführen zu können?
5. Warum führt er seinen Plan nicht sofort aus?
6. Warum kann er nicht als Schneidermeister in Goldach bleiben?

7. Warum kann er auch Nettchens wegen die Stadt nicht plötzlich verlassen?
8. Welche Mitteilung macht Strapinski auf dem Ball?

Strapinski gewinnt Nettchen.

1. Welchen Eindruck macht die Mitteilung von seiner Abreise auf Nettchen?
2. Was wird ihm klar, als er auf dem Gartenwege auf und ab schreitet?
3. Wie findet Strapinski im Garten ein neues Glück?
4. Was eröffnet Nettchen ihrem Vater beim Nachhausefahren?
5. Wie hat sich nach den Worten des Vaters „das Schicksal und der Wille dieses törichten Mädchens" erfüllt?
6. Mit welchen Worten gibt der Vater seine Zustimmung zur Heirat?
7. Warum soll die Verlobung schon in wenigen Tagen sein?
8. Wozu verwandte Strapinski „sein zeitliches Vermögen"?
9. Was veranstaltet Strapinski?

7

Der Goldacher und der Seldwyler Schlittenzug.

1. Warum fährt Melchior Böhni nach Seldwyla?
2. Was veranstalteten die Leute von Seldwyla am gleichen Tage wie die Goldacher?
3. Beschreiben Sie den ersten Schlitten!
4. Beschreiben Sie den Schlitten, in dem Melchior Böhni fährt!
5. Beschreiben Sie die Anspielungen auf das Schneiderwesen, die die Seldwyler auf ihren Schlitten haben!
6. Welche Inschriften tragen der erste und der letzte Schlitten der Seldwyler?
7. Inwiefern stellt der Schlittenzug der Seldwyler einen „historisch-ethnographischen Schneiderfestzug" dar?

Graf Strapinski wird wieder der Schneider Strapinski.

1. Wo feiern die Goldacher und wo die Seldwyler ihr Schlittenfest?

2. Welches „freundnachbarliche Gesuch und Anerbieten“ machen die Seldwyler den Goldachern?
3. Wie führen die Seldwyler den Satz „Leute machen Kleider“ und dessen Umkehrung „Kleider machen Leute“ durch?
4. Beschreiben Sie die letzte Erscheinung, die in den Kreis tritt!
5. Erzählen Sie, welche Rolle diese Erscheinung spielt!
6. Mit welchen Worten wird Strapinski von seinem ehemaligen Meister begrüßt?
7. Wer gibt den Goldachern eine „Erklärung des Mirakels“?
8. Warum entsteht ein Tumult im Saale?
9. Welche Wirkung hatte das Spiel auf die Goldacher, auf Nettchen, auf Strapinski?

8

Strapinski auf der Landstraße nach Seldwyla.

1. Wohin geht Strapinski?
2. Warum hat er erst das Gefühl einer ungeheuren Schande?
3. Warum löst sich dieses Gefühl auf in „eine Art Bewußtsein erlittenen Unrechtes“?
4. Welcher Gedanke schmerzt ihn am meisten und treibt ihm bittere Tränen in die Augen?
5. Warum wird Strapinski von den nach Hause fahrenden Seldwylern nicht bemerkt?
6. In welche Gefahr kommt Strapinski?

Nettchen sucht und findet Wenzel Strapinski.

1. Was tut Nettchen, nachdem Strapinski sie verlassen hat?
2. Welchen Vorschlag macht Melchior Böhni dem Nettchen?
3. Wohin fährt Nettchen?
4. Welche beiden Tatsachen beweisen, daß Nettchen nicht durch Zufall den Weg nach Seldwyla nimmt?
5. Welche „mehr geträumten als gedachten“ Fragen steigen in Nettchens Seele auf?

6. Erzählen Sie, wie Wenzel Strapinski von Nettchen gefunden wird!

9

Aussprache zwischen Nettchen und Wenzel.

1. Wohin fahren Nettchen und Wenzel?
2. Welchen Grund gibt Nettchen dafür an, daß sie so spät hier ankommen?
3. Welchen Grund gibt Nettchen an, daß sie mit Wenzel allein sein will?
4. Was will Nettchen von Wenzel wissen?
5. Welche Antwort gibt Wenzel auf die Frage: „Haben Sie dergleichen Streiche früher schon begangen"?
6. Welche Antwort gibt Wenzel auf die Frage: „Wohin gedachten Sie mit mir zu gehen und was zu beginnen"?
7. Wie hat Wenzel schon früher einmal, in halber Kindheit noch, einem Glück entsagt?
8. Wie ist Wenzel nach Goldach gekommen?
9. Welche Geschichte erzählt Wenzel auf Nettchens Frage: „Sie haben ohne Zweifel auch jederzeit Ihre gehörigen Liebschaften gehabt"?
10. Wie wendet „die allzeit etwas kokette Mutter Natur eines ihrer Geheimnisse an, um den schwierigen Handel zu Ende zu führen"?
11. Welches Versprechen gibt Nettchen dem Wenzel?
12. Warum will Nettchen gerade nach Seldwyla gehen?
13. Wer führt auf dem Wege nach Seldwyla die Zügel?
14. Warum darf Nettchen ihrem Willen folgen?

10

Nettchen setzt ihren Willen durch.

1. Was sagen die Leute in Seldwyla, als Wenzel und Nettchen im Wirtshaus „Zum Regenbogen" erscheinen?
2. Warum fährt der Amtsrat am nächsten Morgen nach Seldwyla?
3. Welche Erklärungen gibt Nettchen ihrem Vater?

4. Durch welches Mittel möchte der Amtsrat „den schweren Konflikt“ lösen?
5. Warum bringt das Wort „Ehre“ Nettchen in große Aufregung?
6. Was ordnet der Rechtsanwalt an?
7. Wie schlägt in Seldwyla die Stimmung zugunsten des Schneiders und seiner Verlobten um?
8. Wie gewinnt es den Anschein, „als ob Seldwyla ein neues Troja werden sollte“?
9. Was ergaben die Unterhandlungen, die von den Amtspersonen gepflogen wurden?
10. Warum können keine Einsprachen gegen Strapinski erhoben werden?
11. Was konnte der Advokat weiter von Strapinski nachweisen?
12. Wie endigt der Krieg in Seldwyla?
13. Wie preßt der Marchand-Tailleur Strapinski den Leuten in Seldwyla „das Blut unter den Nägeln“ hervor?
14. Erzählen Sie, wie Strapinski als wohlhabender Mann nach Goldach übersiedelt!

Gustav Adolfs Page

Conrad Ferdinand Meyer

Conrad Ferdinand Meyer

Lenzfahrt

Am Himmel wächst der Sonne Glut,
aufquillt der See, das Eis zersprang,
das erste Segel teilt die Flut,
mir schwillt das Herz wie Segeldrang.

Zu wandern ist das Herz verdammt,
das seinen Jugendtag versäumt,
sobald die Lenzessonne flammt,
sobald die Welle wieder schäumt.

Verscherzte Jugend ist ein Schmerz
und einer ew'gen Sehnsucht Hort,
nach seinem Lenze sucht das Herz
in einem fort, in einem fort!

Und ob die Locke dir ergraut
und bald das Herz wird stille stehn,
noch muß es, wann die Welle blaut,
nach seinem Lenze wandern gehn.

C. F. Meyer

While Gottfried Keller exhibits a robustness and vigor inherited from his peasant ancestry, Conrad Ferdinand Meyer, his great contemporary and countryman, was a man of patrician background, highly cultured and sensitive. Born in Zürich on October 11, 1825, Meyer was the son of a high ranking government official, who was both scholar and writer besides. Though, unlike Keller, Meyer never knew the miseries of poverty, his family life was clouded by tragedy. His parents were devout adherents of the Protestant faith, his mother especially being of a pious and fervent temperament. Her preference for the French language and culture she imparted to her son, whose training was left in her hands at the early death of the father. Conrad was by nature melancholy, dreamy, and reclusive. When he failed to distinguish himself in his studies and showed himself unadapted to life in the public school, he was sent to Lausanne in French Switzerland to study the French and Italian languages and literatures in a private school. His mother, a woman of delicate and nervous constitution, for whom the training of her son was a heavy burden, suffered much from worry over Conrad's future.

After a relatively happy period in Lausanne, Meyer returned reluctantly to his native city in 1844 to prepare for entrance into the University of Zürich. He passed the examination and entered the faculty of law, mainly because it was his mother's wish that he do so. Soon he was neglecting the law lectures and taking up the study of painting under a private tutor. At this time he hovered between the careers of writing and painting, being unable to decide for either the one or the other, with the result that he failed to master either. This state of affairs was destructive to the well-being of a man of his brooding, morbid temperament. He withdrew within himself and shunned his friends, until finally he was on the verge of melancholia.

> Verscherzte Jugend ist ein Schmerz
> und einer ew'gen Sehnsucht Hort,
> nach seinem Lenze sucht das Herz
> in einem fort, in einem fort!

Driven within himself, Meyer's solace was in reading. He spent his days, otherwise empty and dissatisfying, in devouring biographies, chronicles, memoirs, and histories, — especially those of the Middle Ages and of the sixteenth and seventeenth centuries. He read the tales of Polish fugitives, of the Italian Carbonari, the works of Jean Paul, and the poetry of Lenau. All of this reading was of course to serve its turn later by furnishing material for his *Novellen*. At this time also Meyer developed an interest in certain great historical figures whom he later introduced into his writings. Socrates, Thomas à Becket, Dante, Huss, Michelangelo, Caesar Borgia, Luther, Cromwell, Wallenstein, Napoleon, and Bismarck all made a deep impression on the young man. But more than these the great figures of the mighty Charlemagne, of the warrior, poet and forerunner of the Renaissance Frederick II of Hohenstauffen, of Colbert and the Hugenots, and of that champion of religious freedom, King Gustavus Adolphus of Sweden inspired him. Meyer felt awed and humbled by the remote and colossal grandeur of these men. According to his own testimony, he imagined them as stalking across the horizon in a world of superhuman creatures like the giants which Michelangelo had portrayed in his paintings and statues.

In 1856 his mother ended her life a suicide, and Meyer and his sister, made financially independent by this tragic event, set out on travels, visiting for a few months in Paris and then in Munich, but going for a longer stay to Italy. Meyer found that Italy was to bring a profound spiritual experience, — a regeneration of his entire being. The mere sight of Rome inflamed his imagination and taught him many lessons about the history of man; the ruins and remains of the past spoke to him with a directness and a compelling power that even his reading had not possessed. His nature responded readily to the mighty scenes of monuments and cities, art collections and historical shrines. The cities of Venice, Florence, Naples, and spots like the Colosseum, the Pantheon, the Vatican, with its great works of art, — these fed his insatiable appetite for historical study and brought to maturity his artistic nature. Meyer was drawn to Italy on three occasions, visiting that country in 1858, in 1871, and again with his bride in 1875.

The experience of learning to know Italy freed Meyer from his more subjective preoccupations, just as the teachings of Hettner and Feuerbach gave much needed help at a critical moment to Keller. Meyer now gave up much of his romantic melancholy and moody self-indulgence. He came to view life objectively, calmly, as something sacred and larger than himself. Yet he was little interested in his immediate surroundings, in his own age and his own country, for he found these ugly, petty, and drab. He turned to the far-off, fascinating periods, to times which he imagined to have been more dignified, grander, and less involved in trivialities than his own age. In this respect again he contrasts strongly with Keller, who was the poet of the present, the everyday life. Thus the second Italian journey marks Meyer's setting out at last on a successful and fruitful career; a man of forty-six years, he finally had found himself, after half a life-time of seeking. The incentive to work was stronger than ever before. The projects which now attracted him were historical novels set in the Middle Ages and the Renaissance.

Though he had grown accustomed to think of himself as a part of French culture and a student of French literature, at the beginning of the Franco-Prussian war Meyer discovered within himself an intensely patriotic national feeling for Germany. In 1870–71 he was inspired by the spectacle of the rise of the Protestant Prussian empire to write his short epic *Huttens letzte Tage* (1871), which celebrates the exploits of the famous humanist and reformer. Hutten, adherent of Luther, patriot and champion of the Protestant cause, is portrayed in this epic as a man who had taken refuge and died alone and deserted on an island in Lake Zürich. Both Switzerland and Germany accorded *Huttens letzte Tage* a warm and enthusiastic reception, and Meyer in this way became established as a man of letters, reaching the goal toward which he had striven for so many years. He now turned out new masterpieces almost yearly, making up for his long inactivity by producing many successful and excellent works in the genre of the historical novel and *Novelle*. *Das Amulett* appeared in 1873, *Jürg Jenatsch* in 1874, *Der Schuß von der Kanzel* in 1877, *Der Heilige* in 1879, *Plautus im Nonnenkloster* in 1881, *Gustav Adolfs Page* in 1882, *Das Leiden eines Knaben* in 1883, *Die Hochzeit des Mönchs* in 1883, *Die Richterin* in 1885, *Die Versuchung des Pescara* in 1887. In 1882 Meyer brought forth his single volume of poems, *Gedichte*, which ranks next in importance in the field of the nineteenth century lyric to the work of Mörike and Keller.

By the end of 1887, Meyer's health began to fail, and he was forced for a year to give up writing. Though he was subsequently able to compose a few poems and to begin several historical novels, his strength did not permit the completion of any further large projects. By July, 1892 his mind and spirits weakened and he was taken to a sanitorium, where he died on November 28, 1898.

Und ob die Locke dir ergraut
und bald das Herz wird stille stehn,
noch muß es, wann die Welle blaut,
nach seinem Lenze wandern gehn.

Gustav Adolfs Page

I

In dem Kontor eines unweit St. Sebald[1] gelegenen nürnbergischen Patrizierhauses saßen sich Vater und Sohn an einem geräumigen Schreibtische gegenüber, der Abwicklung eines bedeutenden Geschäftes mit gespanntester Aufmerksamkeit obliegend. Beide, jeder für sich auf seinem Stücke Papier, summierten sie dieselbe lange Reihe von Posten, um dann zu wünschbarer Sicherheit die beiden Ergebnisse zu vergleichen. Der schmächtige Jüngling, der dem Vater aus den Augen geschnitten war,[2] erhob die spitze Nase zuerst von seinen zierlich geschriebenen Zahlen. Seine Addition war beendigt, und er wartete auf den bedächtigeren Vater, nicht ohne einen Anflug von Selbstgefälligkeit in dem schmalen sorgenhaften Gesichte, als ein Diener eintrat und ein Schreiben in großem Format mit einem schweren Siegel überreichte. Ein Kornett[3] von den schwedischen Karabinieren[4] habe es gebracht. Er beschaue sich jetzt nebenan den Ratssaal mit den weltberühmten Schildereien[5] und werde pünktlich in

---

1. St. Sebald = Sankt Sebaldus: Church of St. Sebald at Nürnberg.

2. der dem Vater aus den Augen geschnitten war, (who was a perfect image of his father).

3. Kornett': standard bearer, officer of lowest commissioned rank in the cavalry.

4. Karabinie're: troopers armed with carbines.

5. Schilderei'en: an old-fashioned word for picture; originally: painting on shields.

einer Stunde sich wieder einfinden. Der Handelsherr erkannte auf den ersten Blick die kühnen Schriftzüge der Majestät des schwedischen Königs Gustav Adolf und erschrak ein wenig über die große Ehre des eigenhändigen Schreibens. Die Befürchtung lag nahe,[1] der König, den er in 5 seinem neuerbauten Hause, dem schönsten von Nürnberg, bewirtet und gefeiert hatte, möchte[2] bei seinem patriotischen Gastfreunde eine Anleihe machen. Da er aber unermeßlich begütert war und die Gewissenhaftigkeit der schwedischen Rentkammer zu schätzen wußte, erbrach er das königliche 10 Siegel ohne sonderliche Besorgnis und sogar mit dem Anfange eines prahlerischen Lächelns. Kaum aber hatte er die wenigen Zeilen des in königlicher Kürze verfaßten Schreibens überflogen, wurde er bleich wie über ihm die Stukkatur der Decke, welche in hervorquellenden Massen 15 und aufdringlicher Gruppe die Opferung Isaaks durch den eigenen Vater Abraham[3] darstellte. Und sein guter Sohn, der ihn beobachtete, erbleichte ebenfalls, aus der plötzlichen Entfärbung des vertrockneten Gesichtes auf ein großes Unheil ratend. Seine Bestürzung wuchs, als ihn der Alte 20 über das Blatt weg[4] mit einem wehmütigen Ausdrucke väterlicher Zärtlichkeit betrachtete. „Um Gottes willen," stotterte der Jüngling, „was ist es, Vater?" Der alte Leubelfing, denn diesem vornehmen Handelsgeschlechte gehörten die beiden an, bot ihm das Blatt mit zitternder 25 Hand. Der Jüngling las:

Lieber Herr!

Wissend und Uns wohl erinnernd,[5] daß der Sohn des

1. Die Befürchtung lag nahe, (Apprehension suggested itself).
2. möchte, (might want to).
3. die Opferung Isaaks durch den eigenen Vater Abraham: the story of Genesis XXII. As Abraham was called upon to sacrifice his son Isaac, so here the father is asked to give up his son.
4. über das Blatt weg, (looking up from the sheet of paper).
5. Wissend und Uns wohl erinnernd: the whole letter is a good

Herrn den Wunsch nährt, als Page bei Uns einzutreten, melden hiermit, daß dieses heute geschehen und völlig werden mag, dieweil[1] Unser voriger Page, der Max Beheim seliger † [2] (mit nachträglicher Ehrenmeldung des vor-
5 vorigen, Utzen Volkamers seligen †, und des fürdervorigen, Götzen Tuchers seligen †) heute bei währendem Sturme nach beiden ihm von einer Stückkugel abgerissenen Beinen in Unsern Armen sänftiglich entschlafen ist. Es wird Uns zu besonderer Genugtuung gereichen, wieder Einen aus
10 der evangelischen Reichsstadt Nürnberg,[3] welcher Stadt Wir fürnehmlich gewogen sind, in Unsern nahen Dienst zu nehmen. Eines guten Unterhaltes und täglicher christlicher Vermahnung seines Sohnes kann der Herr gewiß sein.

Des Herrn wohl affectionirter[4]
15 Gustavus Adolphus Rex.[5]

„O du meine Güte,"[6] jammerte der Sohn, ohne sein zages Herz vor dem Vater zu verbergen, „jetzt trage ich meinen Totenschein in der Tasche und Ihr, Vater — mit dem schuldigen Respekt gesprochen — seid die Ursache

---

example of the formal style of that period. The ' pluralis majestaticus ' is employed and the pronoun for the first person is written with a capital letter.

1. dieweil: inasmuch as our former page, the late Max Beheim (with honorable mention of the late Utz Volkamer, the next to the last, and of the late Götz Tucher, the second to the last), peacefully passed away in our arms today during the attack, after both of his legs had been torn off by a cannonball.

2. † = (deceased).

3. der evangelischen Reichsstadt Nürnberg: Nürnberg was a free imperial city till it became part of Bavaria in 1806. It was one of the first German cities to accept the Reformation. During the Thirty Years' War, in which time the scene here depicted is laid, Nürnberg suffered greatly.

4. wohl affec'tionir'ter, (affectionate, well-disposed).

5. Gustavus Adolphus: King of Sweden, born in 1594 and killed in the battle of Lützen, 1632.

6. O du meine Güte, (Heavens! Good gracious!)

meines frühen Hinscheidens, denn wer als Ihr könnte dem Könige eine so irrtümliche Meinung von meinem Wünschen und Begehren beigebracht haben? Daß Gott erbarm'!"[1] und er richtete seinen Blick aufwärts zu dem gerade über ihm schwebenden Messer des gipsernen Erz- 5 vaters.

„Kind, du brichst mir das Herz!" versetzte der Alte mit einer kargen Träne. „Vermaledeit sei das Glas Tokaier, das ich zuviel getrunken —"

„Vater," unterbrach ihn der Sohn, der mitten im Elend 10 den Kopf wo nicht oben, doch klar behielt,[2] „Vater, berichtet mir, wie sich das Unglück ereignet hat." „August," beichtete der Alte mit Zerknirschung, „du weißt die große Gasterei, die ich dem Könige bei seinem ersten Einzuge gab. Sie kam mich teuer zu stehen —"[3] 15

„Dreihundert neunundneunzig Gulden elf Kreuzer, Vater, und ich habe nichts davon gekostet," bemerkte der Junge weinerlich, „denn ich hütete die Kammer mit einer nassen Bausche über dem Auge." Er wies auf sein rechtes. „Die Gustel, der Wildfang, halb unsinnig und närrisch vor Freude, 20 den König zu sehen, hatte mir den Federball ins Auge geschmissen, da gerade ein Trompetenstoß schmetterte und sie glauben ließ, der Schwede halte Einzug. Aber redet, Vater —"

„Nach abgetragenem Essen bei den Früchten und Kelchen[4] 25 erging ein Sturm von Jubel oben durch den Saal und unten über den Platz durch das Kopf an Kopf versammelte Volk. Alle wollten sie den König sehen. Humpen dröhnten, Gesundheiten wurden bei offenen Fenstern ausgebracht und oben und unten bejauchzt. Dazwischen schreit eine klare, 30

1. Daß Gott erbarm': (The Lord have mercy on us!)

2. der . . . behielt, (keeping a clear head even when not keeping up his courage).

3. Sie kam mich teuer zu stehen, (It cost me dearly).

4. Nach abgetragenem Essen bei den Früchten und Kelchen, (After the dishes had been removed, while the fruits and wines were being served).

durchdringende Stimme: ‚Hoch Gustav, König von Deutschland!‘ Jetzt wurde es mäuschenstill, denn das war ein starkes Ding.[1] Der König spitzte die Ohren und strich sich den Zwickel. ‚Solches darf ich nicht hören,‘ sagte er. ‚Ich
5 bringe ein Hoch der evangelischen Reichsstadt Nürnberg!‘ Nun bricht erst der ganze Jubel aus. Stücke werden auf dem Platze gelöst, alles geht drüber und drunter![2] Nach einer Weile drückt mich die Majestät von ungefähr in eine Ecke. ‚Wer hat den König von Deutschland hochleben lassen,
10 Leubelfing?‘ fragte er mich unter der Stimme. Nun sticht mich alten betrunkenen Esel die Prahlsucht“,[3] — Leubelfing schlug sich vor die Stirn, als klage er sie an, ihn nicht besser beraten zu haben — „und ich antworte: ‚Majestät, das tat mein Sohn, der August. Dieser spannt Tag und Nacht
15 darauf,[4] als Page in Euren Dienst zu treten.‘ Trotz meines Rausches wußte ich, daß der königliche Leibdienst von Götz Tucher versehen wurde und der Bürgermeister Volkamer nebst dem Schöppen Beheim ihre Buben als Pagen empfohlen hatten. Ich sagte es auch nur, um hinter meinen
20 Nachbarn, dem alten Tucher und dem Großmaul, dem Beheim, nicht zurückzubleiben. Wer konnte denken, daß der König die ganze Nürnberger Ware in Bayern verbrauchen würde —“

„Aber, hätte der König mich mit meinem blauen Auge
25 holen lassen?“

„Auch das war vorbedacht, August! Der verschmitzte Spitzbube, der Charnacé,[5] lärmte im Vorzimmer. Schon

---

1. das war ein starkes Ding, (that was rather strong). Gustav was king of Sweden, and Germany was ruled by Emperor Ferdinand II.

2. drüber und drunter, (topsy-turvy).

3. Nun sticht mich . . . , (Then a spirit of boasting came over me, old drunken ass that I was).

4. spannt Tag und Nacht darauf, (is longing day and night).

5. der Charnacé: Hercule-Girard, baron de Ch., diplomat and soldier. Related to Cardinal Richelieu, who entrusted him with secret negotiations between France and Sweden.

dreimal hatte er sich melden lassen und war nicht mehr abzutreiben. Der König ließ ihn dann eintreten und hudelte den Ambassadeur vor uns Patriziern, daß einem deutschen Mann das Herz im Leibe lachen mußte.[1] Nichts von alledem hatte ich in der Geschwindigkeit unerwogen gelassen —"

„So viel und so wenig Weisheit, Vater!" seufzte der Sohn.

Dann steckten die beiden die Köpfe zusammen, um eine Remedur zu suchen, wie sie es nannten, jetzt unter der Stimme flüsternd, welche sie vorher in ihrer Aufregung, uneingedenk der im Nebenzimmer hantierenden Angestellten und Lehrlinge, zu dämpfen vergessen hatten. Aber sie fanden keinen Rat, und ihre Gebärden wurden immer ängstlicher und peinlicher, als im Gange draußen ein markiger Alt das Leiblied Gustav Adolfs anstimmte:

„Verzage nicht, du Häuflein klein,
Ob auch die Feinde willens sein,
Dich gänzlich zu zerstören!" [2]

und ein tannenschlankes Mädchen mit lustigen Augen, kurzgeschnittenen Haaren, knabenhaften Formen und ziemlich reitermäßigen Manieren eintrat.

---

1. daß einem deutschen Mann . . . , (that a true German's heart could not but laugh (jump) for joy).

2. Verzage nicht: a Lutheran hymn, written and set to music in September, 1631, by Johann Michael Altenburg, pastor in Erfurt, after the victory of the Protestant army over Tilly in the battle at Breitenfeld. It was sung by Gustav Adolf's army on the morning of the battle of Lützen, in which he fell; hence it was called the king's swansong. The first stanza:

Verzage nicht, du Häuflein klein,
Ob auch die Feinde willens sein,
Dich gänzlich zu zerstören,
Und suchen deinen Untergang,
Davon dir wird ganz angst und bang:
Es wird nicht lange währen.

The English translation by Miss Winkworth is found in most English and American hymn-books: "Fear not, O ye little flock."

„Willst du uns die Ohren zersprengen, Base?“ zankten die beiden Leubelfinge. Sie, das trübselige Paar musternd, erwiderte: „Ich komme, Euch zum Essen zu rufen. Was hat's gegeben,[1] Herr Ohm und Herr Vetter?[2] Ihr habt
5 ja beide ganz bleiche Nasenspitzen!“ Der zwischen den Hilflosen liegende Brief, den das Mädchen ohne weiteres ergriff, und als sie die kräftig hingeworfene Unterschrift[3] des Königs gelesen, mit leidenschaftlichen Augen verschlang, erklärte ihr den Schrecken. „Zu Tische, Herren!“ sagte sie
10 und schritt den beiden voran in das Speisezimmer. Hier aber ging es dem gutherzigen Mädchen selber nahe, wie den Leubelfingen jeder Bissen im Munde quoll.[4] Sie ließ abtragen, setzte ihren Stuhl zurück, kreuzte die Arme, schlug unter ihrem blauen Rocke, an dessen Gurt die Tasche und der
15 Schlüsselbund hing, ein schlankes Bein über das andere und ließ, horchend und nachdenkend, den ganzen verfänglichen Handel sich vortragen; denn sie schien vollständig zum Hause zu gehören und sich darin mit ihrem kecken Wesen eine entscheidende Stellung erobert zu haben.

20 Die Leubelfinge erzählten. „Wenn ich denke,“ sagte dann das Mädchen mutig, „wer es war, der das Hoch auf den König ausbrachte!“

„Wer denn?“ fragten die Leubelfinge, und sie antwortete: „Niemand anders als ich.“

25 „Hol' dich der Henker, Mädchen!“ grollte der Alte. „Gewiß hast du den blauen schwedischen Soldatenrock, den du dir im Schrank hinter deinen Schürzen aufhebst, angezogen und dich in den Speisesaal an deinen Götzen herangeschlichen, statt dich züchtig unter den Weibern zu halten.“

30 „Sie hätten mir den hintersten Platz gegeben,“ versetzte

---

1. Was hat's gegeben? (What has happened?)
2. Herr Ohm und Herr Vetter: See note 2, page 19.
3. die kräftig hingeworfene Unterschrift, (the bold strokes of the king's signature).
4. im Munde quoll, ('swelled in their mouths', stuck in their throats).

das Mädchen zornig, „die kleine Hallerin,[1] die große Holzschuherin, die hochmütige Ebnerin, die schiefe Geuderin, die alberne Creßerin, tutte quante,[2] die dem Könige das Geschenk unserer Stadt, die beiden silbernen Trinkschalen, die Himmelskugel und die Erdkugel, überreichen durften." 5

„Wie kann ein schamhaftes Mädchen, und das bist du, Gustel, es nur über sich bringen, Männertracht zu tragen!" zankte der zimperliche Jüngling.

„Das heißt," erwiderte das Mädchen ernst, „die Tracht meines Vaters, wo noch neben der Brusttasche das gestopfte 10 Loch ist, das der Degen des Franzosen gerissen hat. Ich brauche nur einen schrägen Blick zu tun," — sie tat ihn, als trüge sie die väterliche Tracht — „so sehe ich den Riß und es wirkt wie eine Predigt. Dann," schloß sie, aus dem Ernst nach ihrer Art [3] in ein Lachen überspringend, „wollen mir 15 die Weiberröcke auch gar nicht sitzen. Kein Wunder, daß sie mich schlecht kleiden, bin ich doch [4] bis in mein vierzehntes Jahr mit dem Vater und der Mutter in kurzem Habit zu Rosse gesessen."

„Liebe Base," jammerte der junge Leubelfing nicht ohne 20 eine Mischung von Zärtlichkeit, „seit dem Tode deines Vaters bist du hier wie das Kind des Hauses gehalten, und nun hast du mir das eingebrockt! [5] Du lieferst deinen leibhaftigen Vetter wie ein Lamm auf die Schlachtbank! Der Utz wurde durch die Stirn geschossen, der Götz durch den 25

---

1. Hallerin: formerly the ending —in was very commonly added to the family name to designate the wife.

2. tutte quante, Italian, (one and all; as many as there were).

3. nach ihrer Art . . ., (in her usual way passing abruptly from seriousness to laughter).

4. bin ich doch: the inversion with doch may be expressed by a rhetorical question containing a negative, such as: didn't I ride. The auxiliary sein with sitzen is a South German usage.

5. und nun hast du mir das eingebrockt, (and now you have gotten me into this trouble). Jemandem etwas einbrocken = ihn in eine unangenehme Lage bringen.

Hals!" Ihn überlief eine Gänsehaut. „Wenn du mir wenigstens einen guten Rat wüßtest, Base!"

„Einen guten Rat," sagte sie nachdrücklich, „den will ich dir geben: halte dich wie ein Nürnberger, wie ein Leubel-
5 fing!"

„Ein Leubelfing!" giftelte der alte Herr. „Muß denn jeder Nürnberger und jeder Leubelfing ein Raufbold sein, wie der Rupert, dein Vater, Gott hab' ihn selig,[1] der mich, den Ältern, er ein Zehnjähriger, auf einem Leiterwagen
10 entführte, umwarf, heil blieb und mir zwei Rippen brach? Welche Laufbahn! Mit Fünfzehn zu den Schweden durchgegangen, mit Siebzehn eine Fünfzehnjährige vor der Trommel geheiratet,[2] mit Dreißig in einem Raufhandel das Zeitliche gesegnet!"[3]

15 „Das heißt," sagte das Mädchen, „er fiel für die Ehre meiner Mutter —"

„Weißt du mir keinen Rat, Guste?" drängte der junge Leubelfing. „Du kennst den schwedischen Dienst und die natürlichen Fehler, die davon frei machen. Auf was kann
20 ich mich bei dem Könige gültig ausreden?"[4]

Sie brach in ein tolles Gelächter aus. „Wir wollen dich," sagte sie, „wie den jungen Achill[5] im Bildwerk am Ofen dort unter die Mädchen stecken, und wenn der listige Ulysses vor

---

1. Gott hab' ihn selig, (May God have mercy on him).

2. vor der Trommel geheiratet: hasty marriage on the march (i.e., with drums beating)

3. das Zeitliche gesegnet: to depart this life, to die.

4. Auf was kann ich mich ... ausreden? (What valid excuse can I offer the king?)

5. Achill, (Achilles). According to the post-Homeric legend, his mother Thetis knew he would perish in the Trojan war and wished to prevent him from going. Disguising him as a young woman, she sent him to the court of Lycomedes. Since Troy could not be taken without the aid of Achilles, Ulysses, in the disguise of a merchant, went to the court of Lycomedes to find him. He displayed jewels, dresses, and weapons for sale. Achilles seized the weapons and thus betrayed himself. He thereupon followed Ulysses to war.

ihnen das Kriegszeug ausbreitet, wirst du nicht auf ein Schwert losspringen."

„Ich gehe nicht!" erklärte der durch diese mythologische Gelehrsamkeit Geärgerte. „Ich bin nicht die Person, welche der Vater dem Könige geschildert hat." Da fühlte er sich an seinen beiden dünnen Armen gepackt. Ihm den linken klaubend, jammerte der alte Leubelfing: „Willst du mich ehrwürdigen Mann dem Könige als einen windigen Lügner hinstellen?" Das Mädchen aber, den rechten Arm des Vetters drückend, rief entrüstet: „Willst du mit deiner Feigheit den braven Namen meines Vaters entehren?"

„Weißt du was," schrie der Gereizte, „gehe du als Page zu dem König! Er wird, bubenhaft wie du aussiehst und dich beträgst, das Mädchen in dir ebenso wenig vermuten, als der Ulysses am Ofen, von dem du fabelst, in mir den Buben erraten hätte! Mach' dich auf zu deinem Abgott und bet' ihn an! Am Ende," fuhr er fort, „wer weiß, ob du das nicht schon lange in dir trägst? Träumst du doch von dem Schwedenkönig, mit welchem du als Kind in der Welt herumgefahren bist, wachend und schlafend. Als ich vorgestern auf meine Kammer ging, an der deinigen vorüber, hörte ich deine Traumstimme schon von weitem. Ich brauchte wahrlich mein Ohr nicht ans Schlüsselloch zu halten. ‚Der König! Wache heraus! Präsentiert Gewehr!'"[1] Er ahmte das Kommando mit schriller Stimme nach.

Die Jungfrau wandte sich ab. Eine Purpurröte war ihr in Wangen und Stirne geschossen. Dann zeigte sie wieder die warmen, lichtbraunen Augen und sprach: „Nimm dich in acht![2] Es könnte dahin kommen,[3] wäre es nur, damit der Name Leubelfing nicht von lauter Memmen getragen wird!"

---

1. Wache heraus! Präsentiert Gewehr! (Guard out! Present arms!) Military call.
2. Nimm dich in acht! (Take care!)
3. Es könnte dahin kommen, (It might come to that).

Das Wort war ausgesprochen und ein kindischer Traum hatte Gestalt genommen als ein dreistes, aber nicht unmögliches Abenteuer. Das väterliche Blut lockte. Des Mutes und der Verwegenheit war ein Überfluß. Aber 5 die maidliche Scham und Zucht — der Vetter hatte wahrhaftes Zeugnis abgelegt — und die Ehrfurcht vor dem Könige taten Einspruch. Da ergriff sie der Strudel des Geschehens und riß sie mit sich fort.

Der schwedische Kornett, welcher das Schreiben des 10 Königs gebracht hatte und den neuen Pagen ins Lager führen sollte, meldete sich. Statt in die grauen Mauerbilder Meister Albrechts [1] hatte er sich in eine lustige Weinstube und in einen goldefüllten grünen Römer [2] vertieft, ohne jedoch den Glockenschlag zu überhören. Der alte Leubelfing, 15 in Todesangst um seinen Sohn und um seine Firma, machte eine Bewegung, die Kniee seiner Nichte zu umfangen, nicht anders als, um den Körper seines Sohnes bittend, der greise Priamus [3] die Kniee Achills umarmte, während der

---

1. Meister Albrechts: Albrecht Dürer, the greatest German artist of his time, born in Nürnberg, 1471, died April, 1528. Dürer fused Renaissance refinement with the vigorous rugged Gothic tradition of Germany. The Apocalypse wood-cuts, of which the Four Horsemen is the most famous, appeared in 1498; the Knight, Death and the Devil, Melancholia and St. Jerome in his Study, copper-engravings, in 1513–14. Outstanding paintings are: Self-portrait and the panels of the Four Apostles, at Munich, Hieronymus Holtzschuher, at Berlin, and Hans Imhoff, at Madrid. Many examples of his art are still preserved in Nürnberg, amongst others, three frescoes in the great hall of the Rathaus. Among his patrons were Emperor Maximilian I and Charles V.

2. Römer: a green wine-glass, used for Rhine wine.

3. Priamus, Priam. King of Troy when that city was sacked by the allied Greeks. Advanced in years he took no active part in the war. After the death on the battlefield of his eldest son, Hector, Priam went to the tent of Achilles to ransom his son's body for burial. 'Iliad', XXIV, in Bryant's translation:

> Unmarked the royal Priam entered in,
> And, coming to Achilles, clasped his knees,
> And kissed those fearful slaughter-dealing hands,
> By which so many of his sons had died.

junge Leubelfing an allen Gliedern zu schlottern begann. Das Mädchen machte sich mit einem krampfhaften Gelächter los und entsprang durch eine Seitentür gerade einen Augenblick, ehe sporenklirrend der Kornett eintrat, ein Jüngling, dem der Mutwille und das Lebensfeuer aus den 5 Augen spritzte, obwohl er in der strengen Zucht seines Königs stand.

Auguste Leubelfing wirtschaftete hastvoll, wie berauscht in ihrer Kammer, packte einen Mantelsack, warf sich eilfertig in die Kleider ihres Vaters, die ihrem schlanken und 10 knappen Wuchs wie angegossen saßen, und dann auf die Kniee zu einem kurzen Stoßseufzer, um Vergebung und Begünstigung des Abenteuers betend.

Als sie wieder den untern Saal betrat, rief ihr der Kornett entgegen: „Rasch, Herr Kamerad! Es eilt! Die 15 Rosse scharren! Der König erwartet uns! Nehmt Abschied von Vater und Vetter!" und er schüttete mit einem Zug den Inhalt des ihm vorgesetzten Römers hinter seinen feinen Spitzenkragen.

Der in schwedische Uniform gekleidete Scheinjüngling 20 neigte sich über die vertrocknete Hand des Alten, küßte sie zweimal mit Rührung und wurde von ihm dankbar gesegnet; dann aber plötzlich in eine unbändige Lustigkeit übergehend, ergriff der Page die Rechte des jungen Leubelfing, schwang sie hin und her und rief: „Lebt wohl, 25 Jungfer Base!" Der Kornett schüttelte sich vor Lachen: „Hol' mich, straf' mich [1] — was der Herr Kamerad für Späße vorbringt! Mit Gunst und Verlaub,[2] mir fiel es gleich ein: das reine alte Weib, der Herr Vetter! in jedem Zug, in jeder Gebärde, wie sie bei uns in Finnland singen: 30

Ein altes Weib auf einer Ofengabel [3] ritt —

---

1. Hol' mich, (der Henker), straf' mich (Gott), expressions of surprise. (I'll be hanged! Heaven save us!)
2. Mit Gunst und Verlaub, (If I may be allowed to say so).
3. Ofengabel: a fork-shaped poker, in folklore connected with witches.

Hol' mich, straf' mich!" Er entführte mit einem raschen Handgriff dem aufwartenden Stubenmädchen das Häubchen und stülpte es dem jungen Leubelfing auf den von sparsamen Flachshaaren umhangenen Schädel. Die spitzige 5 Nase und das rückwärts fliehende Kinn vollendeten das Profil eines alten Weibes.

Jetzt legte der leichtbezechte Kornett seinen Arm vertraulich in den des Pagen. Dieser aber trat einen Schritt zurück und sprach, die Hand auf dem Knopfe des Degens: 10 „Herr Kamerad! Ich bin ein Freund der Reserve und ein Feind naher Berührung!"

„Potz!" sagte dieser, stellte sich aber seitwärts und gab dem Pagen mit einer höflichen Handbewegung den Vortritt. Die zwei Wildfänge rasselten die Treppe hinunter.

15 Lange noch ratschlagten die Leubelfinge. Daß für den jungen, welcher seine Identität eingebüßt hatte, des Bleibens in Nürnberg nicht länger sei,[1] war einleuchtend. Schließlich wurden Vater und Sohn einig. Dieser sollte einen Zweig des Geschäftes nach Kursachsen,[2] und zwar 20 nach der aufblühenden Stadt Leipzig[3] verpflanzen, nicht unter dem verscherzten patrizischen Namen, sondern unter dem plebejischen „Laubfinger," nur auf kurze Zeit, bis der jetzige August von Leubelfing neben dem Könige vom Roß auf ein Schlachtfeld und in den Tod gestürzt sei, welches 25 Ende nicht werde auf sich warten lassen.[4]

Als nach einer langen Sitzung der Vertauschte sich erhob und seinem Bild im Spiegel begegnete, trug er über seinen

---

1. des Bleibens . . . nicht länger sei. The young Leubelfing could no longer remain.

2. Kursachsen: the Electorate of Saxony. The electoral college ceased to exist in 1806.

3. aufblühende Stadt Leipzig: At the beginning of the seventeenth century Leipzig became an important commercial distributing center for wares imported from England and Holland.

4. welches Ende nicht . . . lassen, (an end (death), which would not be long in coming).

verstörten Zügen noch das Häubchen, welches ihm der schwedische Taugenichts aufgesetzt hatte.

2

„Höre, Page Leubelfing! Ich habe ein Hühnchen mit dir zu pflücken.[1] Wenn du mit deinen flinken Fingern in den dringendsten Fällen dem Könige, meinem Herrn, eine aufgehende Naht seines Rockes zunähen oder einen fehlenden Knopf ersetzen würdest, vergäbest du deiner Pagenwürde nicht das geringste.[2] Hast du denn in Nürnberg Mütterchen oder Schwesterchen nie über die Schulter auf das Nähkissen geschaut? Ist es doch eine leichte Kunst, welche dich jeder schwedische Soldat lehren kann. Du rümpfst die Stirne, Unfreundlicher? Sei artig und folgsam! Sieh' da mein eigenes Besteck! Ich schenk' es dir."

Und die Brandenburgerin,[3] die Königin von Schweden, reichte dem Pagen Leubelfing ein Besteck von englischer Arbeit mit Zwirn, Fingerhut, Nadel und Schere. Dem Könige aus eifersüchtiger Zärtlichkeit überallhin nachreisend, hatte sie ihn mitten in seinem unseligen Lager bei Nürnberg, wo er einen in dasselbe eingeschlossenen, vom Kriege halb verwüsteten Edelsitz bewohnte, mit ihrem kurzen Besuche überrascht. In den widerstrebenden Händen des Pagen öffnete sie das Etui, nahm den silbernen Fingerhut heraus und steckte denselben dem Pagen an mit den holdseligen Worten: „Ich binde dir's aufs Gewissen,[4] Leubel-

---

1. Ich habe ein Hühnchen mit dir zu pflücken, (I have a bone to pick with you).

2. vergäbest du . . . , (you wouldn't impair your dignity as a page in the least).

3. die Brandenburgerin: Maria Eleonore, Princess of Brandenburg, whom Gustav Adolf married in 1620.

4. Ich binde dir's aufs Gewissen, (I lay it on your conscience).

fing, daß mein Herr und König stets propre und vollständig einhergehe."

„Den Teufel scher' ich mich um Nähte und Knöpfe, Majestät," erwiderte Leubelfing unmutig errötend, aber 5 mit einer so drolligen Miene und einer so angenehm markigen Stimme, daß die Königin sich keineswegs beleidigt fühlte, sondern mit einem herablassenden Gelächter den Pagen in die Wange kniff. Diesem tönte das Lachen hohl und albern, und der Reizbare empfand einen Widerwillen 10 gegen die erlauchte Fürstin, von welchem diese gutmütige Frau keine Ahnung hatte.

Doch auch der König, welcher auf der Schwelle des Gemaches den Auftritt belauscht hatte, brach jetzt in ein herzliches Gelächter aus, da er seinen Pagen mit dem 15 Raufdegen an der linken Hüfte und einem Fingerhut an der rechten Hand erblickte. „Aber Gust," sagte er dann, „du schwörst ja wie ein Papist oder Heide! Ich werde an dir zu erziehen haben."[1]

In der Tat achtete Gustav Adolf es nicht für einen 20 Raub,[2] die Krone zu tragen. Wie hätte er, welcher — ohne Abbruch der militärischen Strenge — jeden seiner Leute, auch den Geringsten, mit menschlichem Wohlwollen behandelte, dieses einem gutgearteten Jüngling von angenehmer Erscheinung versagt, der unter seinen Augen 25 lebte und nicht von seiner Seite weichen durfte. Und einem unverdorbenen Jüngling, der bei dem geringsten Anlaß nicht anders als ein Mädchen bis unter das Stirn-

---

1. Ich werde an dir zu erziehen haben, (I shall have my hands full training you).

2. achtete ... es nicht für einen Raub: cf. e.g. the passage in Goethe's "Faust I", 2358, where the meaning is "do not consider it beneath yourself". Considering this passage in connection with what follows, lines 21–25, and page 98, line 25, it appears that the general sense is: Even as king G. A. did not consider it beneath himself to pay some attention to the religious training of the page. Achtete ... tragen would then be equivalent, approximately, to: did not take his dignity (office) of king lightly.

haar errötete! Auch vergaß er es dem jungen Nürnberger nicht, daß dieser an jenem folgenschweren Bankett ihn als den „König von Deutschland" hatte hochleben lassen, den möglichen ruhmreichen Ausgang seines heroischen Abenteuers in eine kühne prophetische Formel[1] fassend. 5

Eine zärtliche und wilde, selige und ängstliche Fabel hatte der Page schon neben seinem Helden gelebt, ohne daß der arglose König eine Ahnung dieses verstohlenen Glückes gehabt hätte. Berauschende Stunden, gerade nach vollendeten[2] achtzehn unmündigen Jahren beginnend und diese 10 auslöschend wie die Sonne einen Schatten! Eine Jagd, eine Flucht süßer und stolzer Gefühle, quälender Befürchtungen, verhehlter Wonnen, klopfender Pulse, beschleunigter Atemzüge, soviel nur eine junge Brust fassen und ein leichtsinniges Herz genießen kann in der Vorstunde einer 15 tötenden Kugel oder am Vorabend einer beschämenden Entlarvung!

Als der nürnbergische Junker August Leubelfing von dem Kornett dem Könige vorgestellt wurde, hatte der Beschäftigte kaum einen Augenblick gefunden, seinen neuen 20 Pagen flüchtig ins Auge zu fassen.[3] So wurde dieser einer frechen Lüge überhoben.[4] Gustav Adolf war im Begriff, sich auf sein Leibroß zu schwingen, um den zweiten fruchtlosen Sturm auf die uneinnehmbare Stellung des Friedländers[5] vorzubereiten. Er hieß den Pagen folgen, und 25

---

1. prophetische Formel: a Protestant Germany ruled by him as king was Gustav Adolf's fondest dream. For his ambition to be king of a Protestant Germany compare p. 138, line 26 ff.

2. gerade nach vollendeten . . . , (just after the completion of eighteen years as a minor).

3. flüchtig ins Auge zu fassen, (cast a glance at).

4. So wurde dieser einer frechen Lüge überhoben, (Thus the latter was relieved of the necessity of telling a brazen lie).

5. Friedländers: i.e. Albrecht von Wallenstein, duke of Friedland, leader of the imperial army, with almost regal authority, greatest adversary of Gustav Adolf, suffered defeat in the battle of Lützen, was accused of treason and finally assassinated by some of his own officers in 1634. Schiller's famous trilogy " Wallenstein " is based on his career.

dieser warf sich ohne Zaudern auf den ihm vorgeführten Fuchs, denn er war von jung an im Sattel heimisch und hatte von seinem Vater, dem weiland wildesten Reiter im schwedischen Heere, einen schlanken und ritterlichen Körper
5 geerbt. Wenn der König, nach einer Weile sich umwendend, den Pagen tödlich erblassen sah, so taten es nicht die feurigen Sprünge des Fuchses und die Ungewohnheit des Sattels, sondern es war, weil Leubelfing in einiger Entfernung eine ertappte Dirne erblickte, die mit entblößtem
10 Rücken aus dem schwedischen Lager gepeitscht wurde, und ihn das nackte Schauspiel ekelte.

Tag um Tag — denn der König ermüdete nicht, den abgeschlagenen Sturm mit einer ihm sonst fremden Hartnäckigkeit zu wiederholen — ritt der Page ohne ein Gefühl
15 der Furcht an seiner Seite. Jeder Augenblick konnte es bringen, daß er den tödlich Getroffenen in seinen Armen vom Rosse hob oder selbst tödlich verwundet in den Armen Gustav Adolfs ausatmete. Wenn sie dann ohne Erfolg zurückritten, der König mit verdüsterter Stirn, so täuschte
20 oder verbarg dieser seine Sorge, indem er den Neuling aufzog,[1] daß er den Bügel verloren und die Mähne seines Tieres gepackt hätte. Oder er tadelte auch im Gegenteil seine Waghalsigkeit und schalt ihn einen Casse-Cou,[2] wie der Lagerausdruck lautete.

25 Überhaupt ließ er es sich nicht verdrießen,[3] seinem Pagen gute väterliche Lehre zu geben und ihm gelegentlich ein wenig Christentum beizubringen.

Der König hatte die löbliche und gesunde Gewohnheit, nach beendigtem Tagewerke die letzte halbe Stunde vor
30 Schlafengehen zu vertändeln und allerhand Allotria zu treiben,[4] jede Sorge mit geübter Willenskraft hinter sich

---

1. indem er den Neuling aufzog, (by teasing the novice).
2. Casse-Cou (French), (' break-neck ', daredevil).
3. ließ er es sich nicht verdrießen, (he never tired of taking the trouble).
4. allerhand Allo'tria zu treiben: Allotria, extraneous matters, tomfoolery. Allotria treiben, (indulge in all sorts of pastimes).

werfend, um sie dann im ersten Frühlicht an derselben Stelle wieder aufzuheben. Und diese Gewohnheit hielt er auch jetzt und um so mehr[1] fest, als die vereitelten Stürme und geopferten Menschenleben seine Pläne zerstörten, seinen Stolz beleidigten und seinem christlichen Gewissen 5 zu schaffen machten. In dieser späten Freistunde saß er dann behaglich in seinen Sessel zurückgelehnt und Page Leubelfing auf einem Schemel daneben. Da wurde Dame gezogen[2] oder Schach gespielt, und im Brettspiele schlug der Page zuweilen den König. Oder dieser, wenn er sehr 10 guter Laune war, erzählte harmlose Dinge, wie sie eben[3] in seinem Gedächtnisse obenauf lagen. Zum Beispiel von der pompösen Predigt, welche er weiland auf seiner Brautfahrt nach Berlin in der Hofkirche gehört. Sie habe das Leben einer Bühne verglichen: mit den Menschen als 15 Schauspielern, den Engeln als Zuschauern, dem den Vorhang senkenden Tode als Regisseur. Oder auch die unglaubliche Geschichte, wie man ihm, dem Könige, nach der Geburt seines Kindes anfänglich einen Sohn verkündigt und er selbst eine Weile sich habe betrügen lassen, oder von 20 Festen und Kostümen, seltsamerweise meistens Geschichten, die ein Mädchen ebenso sehr oder mehr als einen Jüngling belustigen konnten, als empfände der getäuschte König, ohne sich Rechenschaft davon zu geben, die Wirkung des Betruges, welchen der Page an ihm verübte, und kostete 25 unwissend[4] den unter dem Scheinbilde eines gutgearteten Jünglings spielenden Reiz eines lauschenden Weibes. Darüber befiel auch wohl[5] den Pagen eine plötzliche Angst. Er vertiefte seine Altstimme und wagte irgend eine männ-

---

1. um so mehr ... als, (all the more ... as).
2. Da wurde Dame gezogen, (They played checkers).
3. wie sie eben, (just as they, such as).
4. und kostete unwissend ..., (unconsciously felt the charm of the listening woman in the guise of the well-bred youth).
5. Darüber befiel auch wohl ..., (On such occasions, perhaps, a sudden fear befell the page).

liche Gebärde. Aber ein nicht zu mißdeutendes Wort oder eine kurzsichtige Bewegung des Königs gab dem Erschreckten die Gewißheit zurück, Gustav unterliege demselben Blendwerk wie bei der Geburt seiner Christel.[1]
5 Dann geriet der wieder sicher Gewordene[2] wohl in eine übermütige Stimmung und gab etwas so Verwegenes und Persönliches zum besten, daß er sich eine Züchtigung zuzog. Wie jenes Mal, da er nach einem warmen ehelichen Lobe der Königin im Munde Gustavs die kecke Frage hin-
10 warf: wie denn die Gräfin Eva Brahe[3] eigentlich ausgesehen habe? Diese Jugendgeliebte Gustavs und spätere Gemahlin De la Gardies, welchen sie, da ihr der tapferste Mann des Jahrhunderts entschlüpft war, als den zweittapfersten heiratete, besaß dunkles Haar, schwarze Augen
15 und scharfe Züge. Das erfuhr aber der neugierige Page nicht, sondern erhielt einen ziemlich derben Schlag mit der flachen Hand auf den vorlauten Mund, in dessen Winkeln Gustav die Lust zu einem mutwilligen Gelächter wahrzunehmen glaubte.

20 Es begab sich eines Tages, daß der König seiner Christel das Geschenk eines ersten Siegelringes machte. Auf den edeln Stein desselben sollte der Mode gemäß ein Denk-

---

1. Christel: Christiana, born 1626, succeeded Gustav Adolf in 1632 under a regency headed by the chancellor Axel Oxenstjerna and ascended the throne in 1644. She fell under the influence of favorites and ceased to interest herself in state affairs. In 1649 she secured the election of her cousin Charles Gustavus as her successor and abdicated in his favor five years later. Shortly afterwards she accepted the Roman Catholic faith and took up her residence in Rome, where she died in 1689.

2. Dann geriet der wieder sicher Gewordene . . ., (Then, having regained his assurance, he would at times get into an exuberant mood and venture something so bold and personal that . . .)

3. Gräfin Eva Brahe: Countess Ebba de Brahe, the most famous Swedish beauty of her day, was Gustavus' Jugendgeliebte, (the sweetheart of his youth). He had at one time resolved to marry her, but yielded to the pressure brought upon him by his mother. The Countess finally married Jacques, Comte de la Gardia, a prominent Swedish general, in 1618.

spruch eingegraben werden, eine Devise, wie man es hieß, welche — im Unterschiede mit dem ererbten Wappenspruche — etwas dem Besitzer des Siegels persönlich Eigenes, eine Maxime seines Kopfes, einen Wunsch seines Herzens, in nachdrücklicher Kürze aussprechen mußte, wie z. B. das 5 ehrgeizige " Nondum " des jungen Karls V.[1] Gustav hätte wohl seinem Kinde selbst einen Leibspruch[2] erfunden, aber, wieder der Mode gemäß, mußte dieser lateinisch, italienisch oder französisch lauten.

So suchte er denn, tief auf einen Quartband gebückt, 10 unter den tausend darin verzeichneten Sinnsprüchen berühmter oder witziger Leute mit seinen lichtgefüllten, doch kurzsichtigen Augen nach demjenigen, welchen er seiner erst siebenjährigen, aber frühreifen Christel bescheren wollte. Er belustigte sich an den lakonischen Sätzen, welche das 15 Wesen ihrer Erfinder — meistenteils geschichtlicher Persönlichkeiten — oft richtig, ja schlagend ausdrückten, oft aber auch, gemäß der menschlichen Selbsttäuschung und Prahlerei, das gerade Gegenteil.

Jetzt wies ein feiner Finger mit einem scharfen schwar- 20 zen Schatten auf das hellbeleuchtete Blatt und eine Devise von unbekanntem Ursprung. Es war der über die Schultern des Königs guckende Page; die Devise aber lautete: " Courte et bonne! "[3] Das heißt: Soll ich mir ein Leben wählen, so sei es ein kurzes und genußvolles! Der König 25 las, sann einen Augenblick, schüttelte bedenklich den Kopf und zupfte, über sich greifend, seines Pagen wohlgebildeten Ohrlappen. Dann drückte er Leubelfing auf seinen Schemel nieder, in der Absicht, ihm eine kleine Predigt zu halten. „Gust Leubelfing," begann er lehrhaft behaglich,[4] 30

---

1. Nondum, Latin, (not yet); the motto of the young Emperor Charles V, meaning that he had not yet attained his goal.

2. Leibspruch, (motto, device). Leib in many compounds signifies 'favorite': Leibgericht, (favorite dish), Leiblied, (favorite song).

3. Courte et bonne, French, (brief and good).

4. lehrhaft behaglich, (in a complacently didactic manner).

den Kopf rückwärts in das Polster gedrückt, so daß das volle Kinn mit dem goldhaarigen Zwickel vorsprang und das schalkhafte Licht der halbgeschlossenen Augen auf das lauschend gehobene Antlitz des Pagen niederblitzte, „Gust
5 Leubelfing, mein Sohn! Ich vermute, diesen fragwürdigen Spruch hat ein Weltkind erfunden, ein ‚Epikurer,'[1] wie Doktor Luther solche Leute nennt. Unser Leben ist Gottes. So dürfen wir es weder lang noch kurz wünschen, sondern wir nehmen es, wie Er es gibt. Und gut? Frei-
10 lich gut, das ist schlicht und recht. Aber nicht voll Rausches und Taumels, wie der französische Spruch hier unzweifelhaft bedeutet. Oder wie hast du ihn verstanden, mein lieber Sohn?"

Leubelfing antwortete erst schüchtern und befangen,
15 dann aber mit jeder Silbe freudiger und entschlossener: „Solchergestalt, mein gnädiger Herr[2]: Ich wünsche mir alle Strahlen meines Lebens in ein Flammenbündel und in den Raum einer Stunde vereinigt, daß statt einer blöden Dämmerung ein kurzes, aber blendend helles Licht von
20 Glück entstünde, um dann zu löschen wie ein zuckender Blitz." Sie hielt inne. Dem Könige schien dieser Stil und dieser „zuckende Blitz" nicht zu gefallen, obgleich es die Lieblingsmetapher des Jahrhunderts war. Er kräuselte spottend die feinen Lippen. Aber das noch ungesprochene
25 rügende Wort unterbrechend, leidenschaftlich hingerissen, rief der Page aus: „Ja, so möcht' ich![3] Courte et bonne!" Dann besann er sich plötzlich und fügte demütig bei: „Lieber Herr! Möglicherweise mißversteh' ich den Spruch. Er ist

---

1. Epiku'rer = Epikurä'er, (Epicurean), an adherent of Epicureanism, an ethical school, founded by the Greek philosopher Epicurus, 342–270 B.C., who held that the highest good consists in pleasure. Epicurus, however, drew a qualitative distinction between pleasures and expressly advised cultivating those which were most enduring, such as the pleasures of the intellect and particularly those of friendship.
2. mein gnädiger Herr, (my lord).
3. so möchte ich! (that is what I would like!)

vieldeutig, wie die meisten hier im Buche. Eines aber weiß ich, und das ist die lautere Wahrheit: wenn dich, mein liebster Herr, die Kugel, welche dich heute streifte," — er verschluckte das Wort[1] — „Courte et bonne! hätte es geheißen, denn du bist ein Jüngling zugleich und ein Mann — und dein Leben ist ein gutes!"

Der König schloß die Augen und verfiel dann, tagesmüde wie er war, in den Schlummer, den er erst heuchelte, um die Schmeichelei des Pagen nicht gehört zu haben oder wenigstens nicht zu beantworten.

So spielte der Löwe mit dem Hündchen und auch das Hündchen mit dem Löwen. Und als ob ein neckisches oder verderbliches Schicksal es darauf absehe, dem verliebten Kinde seinen vergötterten Helden aufs innigste zu verbinden, ihm denselben in immer neuer Gestalt und in seinen tiefsten Empfindungen zeigend, ließ es den Pagen mit seinem Herrn auch den herbsten Schmerz teilen, welchen es gibt, den väterlichen.

Der König bediente sich Leubelfings, dem er das unbedingteste Vertrauen bewies, um die regelmäßig aus Stockholm anlangenden Briefe der Hofmeisterin seines Prinzeßchens sich vorlesen und dann auch beantworten zu lassen. Diese Dame schrieb einen kritzligen, schmalen Buchstaben[2] und einen breiten, gründlichen Stil, so daß Gustav ihre umständlichen Schreiben meist gleich dem Pagen zuschob, dessen rasche Augen und bewegliche Lippen die Zeilen einer Briefseite nicht weniger behende hinuntersprangen als seine jungen Füße die ungezählten Stufen einer Wendeltreppe. Eines Tages bemerkte Leubelfing in der Ecke des Briefumschlages das große S, womit man damals wichtige oder sekrete Schreiben zu bezeichnen pflegte, damit sie der Empfänger persönlich öffne und lese. Die Pageneigen-

1. er verschluckte das Wort, (he suppressed the words „getroffen hätte", frightened by the unexpected conclusion.

2. einen kritzligen, schmalen Buchstaben, (a scrawly, angular hand).

schaften: Neugierde und Keckheit überwogen. Leubelfing brach das Siegel und eine wunderliche Geschichte kam zum Vorschein. Die Hofmeisterin des Prinzeßchens hatte — gemäß dem vom Könige[1] selbst verfaßten und frühe Erlernung der Sprachen vorschreibenden Studienplane — an der Zeit gefunden,[2] der Christel einen Lehrer des Italienischen zu bestellen. Die mit Umsicht vorgenommene Wahl[3] schien geglückt. Der noch junge Mann, ein Schwede von guter Abkunft, welcher sich auf langen Reisen weit in der Welt umgesehen hatte, vereinigte alle Vorzüge der Erscheinung und des Geistes, einen edelschlanken Körperbau, einnehmende Gesichtszüge, eine feingewölbte Stirn, ein gefälliges Betragen, eine befestigte Sittlichkeit, gleich weit entfernt von finsterer Strenge und lächerlicher Pedanterie, adliges Ehrgefühl, christliche Demut. Und damit verband er die Hauptsache: ein echtes Luthertum,[4] welches, wie er selbst bekannte, erst in dem modernen Babylon angesichts der römischen Greuel aus einer erlernten Sache ihm zu einer selbständigen und unerschütterlichen Überzeugung geworden sei. Die kühle und verständige Hofmeisterin wiederholte in jedem ihrer Briefe, dieser Jüngling habe es ihr angetan.[5] Auch die junge Prinzeß lernte frisch drauflos[6] mit ihrem

---

1. gemäß dem vom Könige selbst verfaßten ..., (in accordance with the study program drawn up by the king himself, which prescribed the early learning of languages).

2. hatte ... an der Zeit gefunden, (had ... considered it time ... to engage).

3. Die mit Umsicht vorgenommene Wahl ..., (The choice which had been made with due care seemed a happy one).

4. ein echtes Luthertum ..., (a genuine Lutheranism, which, as he had admitted, had only when brought face to face with the Romish horror of the modern Babylon (Rome) been transformed from something acquired through (early religions) instruction into an independent, unshakable conviction). Rome was called Babylon by the early Christians. During the religious strife of the sixteenth century this term was applied to the Catholic Church, with Rome as its center.

5. habe es ihr angetan, (had won her heart).

6. lernte frisch drauflos, (studied with zest, with a will).

aufgeweckten Kopf und unter einem solchen Lehrer. Da ertappte die Hofmeisterin eines Tages die gelehrige und phantasiereiche Christel, wie sie, in einen Winkel geduckt, sich im stillen damit vergnügte, die Kugeln eines Rosenkranzes von wohlduftendem Zedernholz herunterzubeten,[1] 5 an denen sie von Zeit zu Zeit mit schnuppernden Näschen roch. „Ein reißender Wolf im Schafskleide!" schrieb die brave Hofmeisterin mit fünf Ausrufungszeichen. „Ich schlug die Hände über dem Kopfe zusammen und wurde zur weißen Bildsäule." [2] 10

Auch Gustav Adolf erbleichte, im tiefsten erschüttert, und seine großen blauen Augen starrten in die Zukunft. Er kannte die Gesellschaft Jesu.[3]

Der Jesuit war ins Gefängnis gewandert, und ihm stand, nach dem drakonischen [4] schwedischen Gesetze, eine 15 Halsstrafe bevor,[5] wenn der König nicht Gnade vor Recht ergehen ließ.[6] Dieser aber befahl dem Pagen, umgehend an die Hofmeisterin zu schreiben: Mit dem Mädchen seien nicht viele Worte zu machen, die Sache als eine Kinderei zu behandeln; den Jesuiten schaffe man ohne Geschrei und 20 Aufsehen [7] über die Grenze, „denn" — so diktierte er Leubelfing — „ich will keinen Märtyrer machen. Der verblendete Jüngling mit seinem gefälschten Gewissen ließe sich schlankweg köpfen, um in die Purpurwolke der Blutzeugen aufgenommen zu werden und gen Himmel zu fahren mitsamt 25

---

1. herunterzubeten, (' praying down ' the beads, (of a rosary), telling the beads).

2. wurde zur weißen Bildsäule, lit. (became as white as a statue, ' as white as a sheet ').

3. die Gesellschaft Jesu, (the Society of Jesus), i.e. the Jesuit fathers.

4. drako'nischen, (Draconian), i.e. summary, so called because of the strict laws of Draco, the Athenian, 621 B.C.

5. ihm stand eine Halsstrafe bevor, (he faced a death penalty).

6. Gnade vor Recht ergehen ließ, (tempered justice with mercy).

7. ohne Geschrei und Aufsehen, (without attracting attention, making much ado).

seiner geheimen bösen Lust, das bildsame Gehirn meines Kindes mißhandelt zu haben."

Aber mehrere Tage lang ließ ihn „das Unglück und das Verbrechen" — so nannte er das Attentat auf die Seele 5 seines Kindes — nicht mehr los, und er erging sich in Gegenwart seines Lieblings, weit über Mitternacht, bis zum Erlöschen seiner Ampel, rastlos auf- und niederschreitend, freilich eher im Selbst- als im Zwiegespräche,[1] über die Lüge, die Sophistik und die Verlarvungen der frommen 10 Väter, während sich der im Halbdunkel sitzende Page entsetzt und zerknirscht an die klopfende junge Brust schlug und die leisen beschämenden Worte sich zurief: „Auch du bist eine Lügnerin, eine Sophistin, eine Verlarvte!"

Seit jenen nächtigen Stunden ängstigte sich der Page 15 furchtbar, bis zur Zerrüttung, über seine Larve und sein Geschlecht. Der nichtigste Umstand konnte die Entdeckung herbeiführen. Dieser Schande zu entgehen, beschloß der Ärmste zehnmal im Abenddunkel oder in der Morgenfrühe sein Roß zu satteln, bis an das Ende der Welt zu reiten, 20 und zehnmal wurde er zurückgehalten durch eine unschuldige Liebkosung des Königs, der keine Ahnung hatte, daß ein Weib um ihn war. Leicht zumute wurde ihm[2] nur im Pulverdampfe. Da blitzten seine Augen, und fröhlich ritt er der tödlichen Kugel entgegen, welche er herausforderte, 25 seinen bangen Traum zu endigen. Und wenn der König hernach in seiner Abendstunde beim trauten Lichtschein seinen Pagen über einer Dummheit oder Unwissenheit ertappte, beim Kopfe kriegte und ihm mit einem ehrlichen Gelächter durch das krause Haar fuhr, sagte sich dieser in 30 herzlicher Lust und Angst erbebend: „Es ist das letztemal!"

---

1. eher im Selbst- als im Zwiegespräche, (in soliloquy rather than as conversation).
2. Leicht zumute wurde ihm, (He felt at ease only . . .).

So fristete er sich[1] und genoß das höchste Leben mit der Hilfe des Todes.

Es war seltsam. Leubelfing fühlte es: auch der König lebte mit dem Tode auf einem vertrauten Fuße.[2] Der Friedländer hatte den Angriff an sich gerissen[3] und den Eroberer in die unerträgliche Lage eines Weichenden, beinahe Flüchtigen gebracht. So legte der christliche Held sein Schicksal täglich, ja stündlich und fast herausfordernd in die Hände seines Gottes. Den Brustharnisch, welchen ihm der Page zu bieten pflegte, wies er beharrlich zurück unter dem Vorwand einer Schulterwunde, welche der anliegende Stahl drücke. Ein schmiegsames, feines Panzerhemde, wie[4] die Klugen und Vorsichtigen es auf bloßem Leibe trugen, ein Meisterstück niederländischer Schmiedekunst, langte an, und die Königin schrieb dazu, sie hätte erfahren, der Friedländer trage ein solches, ihr Herr und Gemahl dürfe nicht schlechter beschirmt in den Kampf gehen. Dies feine Geschmiede warf Gustav als eine Feigheit verächtlich in einen Winkel.

Einmal in der Stille der Nacht hörte Leubelfing, dessen Haupt von demjenigen des Königs nur durch die Wand getrennt war, sich dicht an dieselbe drückend, wie Gustav inbrünstig betete und seinen Gott bestürmte, ihn im Vollwerte hinwegzunehmen, wenn seine Stunde da sei, bevor er ein Unnötiger oder Unmöglicher werde. Zuerst quollen der Lauscherin die Tränen, dann erfüllte sie vom Wirbel zur Zehe[5] eine selbstsüchtige Freude, ein verstohlener Jubel, ein Sieg, ein Triumph über die Ähnlichkeit ihres kleinen mit diesem großen Lose, der dann mit dem albernen Kinder-

---

1. So fristete er sich, (So he lived on from day to day; fristen, to eke out an existence).
2. lebte ... auf einem vertrauten Fuße, (was on intimate terms with).
3. hatte den Angriff an sich gerissen, (had taken the offensive).
4. wie ... es, (such as).
5. vom Wirbel zur Zehe, (from top to toe).

gedanken, eine gemeinsame Silbe beendige ihren Namen und beginne den des Königs, sich in Schlummer verlor.

Aber der Page träumte schlecht,[1] denn er träumte mit seinem Gewissen. In den richtenden Bildern, welche vor 5 seinen Traumaugen aufstiegen, geschah es bald, daß der König den Entdeckten mit flammendem Blick und verurteilender Gebärde von sich wies, bald verjagte ihn die Königin mit einem Besenstiel und den derbsten Scheltworten, wie die gebildete Frau solche am Tage nie über 10 die Lippen ließ, ja welche sie wohl gar nicht kannte.

Einmal träumte dem Pagen, seine Fuchsstute gehe mit ihm durch und rase durch eine nackte, von einer zornigen Spätglut gerötete Gegend einer Schlucht zu, der König setze ihm nach, er aber stürze vor den Augen seines Retters 15 oder Verfolgers in die zerschmetternde Tiefe,[2] von einem höllischen Gelächter umklungen.[3]

3

Leubelfing erwachte mit einem jähen Schrei. Der Morgen dämmerte, und der Page fand seinen König, der sich in einem Zuge kühl und hell geschlafen hatte,[4] in 20 der gelassensten und leutseligsten Laune von der Welt. Ein Brief der Königin langte an, der eben nichts Dringliches enthielt, wenn nicht die Nachschrift, worin sie ihren Gemahl bat, zum Rechten zu sehen[5] in einem Fall und in einer Not, welche der hilfreichen Frau naheging. Der

---

1. träumte schlecht, (had bad dreams).
2. in die zerschmetternde Tiefe, (into the abyss, ' crushing depths ').
3. von einem höllischen Gelächter umklungen, (to the accompaniment of fiendish laughter).
4. sich in einem Zuge kühl und hell geschlafen hatte, (who felt bright and refreshed after an unbroken sleep).
5. zum Rechten zu sehen, (to attend to a matter).

Herzog von Lauenburg, ein unsittlicher Mensch, der vor kaum ein paar Monaten eine der vielen Basen der Königin aus politischen Gründen geheiratet hatte, gab öffentliches Ärgernis,[1] indem er, von den blonden Flechten und wasserblauen Augen seines Weibes gelangweilt, seine Flitterwochen abgekürzt hatte und, in das schwedische Lager zurückgeeilt, eine blutjunge Slawonierin neben sich hielt. Diese hatte er, als ein Wegelagerer, der er war, aus der Mitte einer niedergerittenen friedländischen Eskorte weggefangen. Nun ersuchte die Königin ihren Gemahl, diesem prahlerischen Ehebruch ein rasches Ende zu machen; denn der Lauenburger, den Blicken nur des Königs ausweichend, prunkte vor seinen Standesgenossen mit der hübschen Beute und gönnte sich, als einem Reichsfürsten,[2] die Sünde und den Skandal dazu. Gustav Adolf faßte die Sache als eine einfache Pflichterfüllung auf und gab kurzweg den Befehl, die Slawonierin — man nannte sie die Korinna — zu ergreifen und ihm vorzuführen in der achten Stunde, wo er von einem kurzen Rekognoszierungsritte zurück zu sein glaubte. Streng und menschlich zugleich, dachte er das Mädchen, dem er, den Lauenburger kennend, den kleinern Teil der Schuld beimaß, zu ermahnen und dann ihrem Vater in das wallensteinische Lager zuzusenden. Er verritt, den Pagen Leubelfing zurücklassend, mit der Weisung, die Königin brieflich zu beruhigen; er werde eine eigenhändige Zeile beifügen. Acht Uhr verstrich und der König war noch nicht wieder angelangt, wohl aber die Korinna, von ein paar grimmigen schwedischen Pikenieren begleitet, welche sie dem Pagen, der im Vorzimmer über seinem Briefe saß, Degen und Pistolen neben sich auf den Tisch gelegt, überlieferten. Vor dem Tore des Schlößchens stand ja eine Wache.

1. gab öffentliches Ärgernis, (caused public scandal).

2. Reichsfürst, (German Imperial Prince), cf. note 3, page 84; only the Emperor himself had jurisdiction over them.

Neugierig schickte der Page einen Blick über seine Buchstaben hinweg nach der Gefangenen, die er sich setzen hieß, und erstaunte über ihre Schönheit. Nur von mittlerer Größe, trug sie über vollen Schultern auf einem feinen 5 Halse ein wohlgebildetes, kleines Haupt. Wenig fehlte, stillere Augen, freiere Stirn, ruhigere Naslöcher und Mundwinkel, so war es [1] das süße Haupt einer Muse, wie [2] unmusenhaft die Korinna sein mochte. Pechschwarze Flechten und dunkeldrohende Augen bleichten das fesselnde 10 Gesicht. Die in Unordnung geratene buntfarbige Kleidung, von keinem südlich leuchtenden Himmel gedämpft, erschien unter einem nordischen grell und aufdringlich. Der Busen klopfte sichtbar.

Das Schweigen wurde dem Mädchen unerträglich. „Wo 15 ist der König, Junker?" fragte sie mit einer hohen, vor Erregung schreienden Stimme. „Ist verritten. Wird gleich zurück sein!" antwortete Leubelfing in seiner tiefsten Note.

„Der König bilde sich nur nicht ein, daß ich von dem Herzog lasse," [3] fuhr das leidenschaftliche Mädchen mit un- 20 bändiger Heftigkeit fort. „Ich liebe ihn zum Sterben. Und wo sollte ich hin? Zu meinem Vater? Der würde mich grausam mißhandeln. Ich bleibe. Der König hat dem Herzog nichts zu befehlen. Mein Herzog ist ein Reichsfürst." Offenbar plapperte die Angstvolle dem 25 Lauenburger nach, welcher, ob auch an und für sich [4] ein frevelhafter Mensch, seinen Fürstenmantel, halb im Hohn, halb im Ernst, allen seinen Missetaten umhing.

„Nutzt ihm nichts,[5] Jungfer," versetzte der Page Gustav

---

1. Wenig fehlte . . . so war es, (Little was lacking . . . to make it).
2. wie, (however).
3. Der König . . . von dem Herzog lasse, (The king need not think that I'm going to give up the duke).
4. ob auch an und für sich, (even though, so far as that is concerned, 'per se').
5. Nutzt ihm nichts, (Won't do him any good).

Adolfs. „Reichsfürst hin, Reichsfürst her,[1] der König ist sein Kriegsherr, und der Lauenburger hat zu parieren."

„Der Herzog," zankte die Slawonierin, „ist vom alleredelsten Blut, der König aber stammt von einem gemeinen schwedischen Bauer."[2] Ihr Freund, der Lauenburger, mochte ihr das aus dem Bauernkleide Gustav Wasas entstandene Märchen vorgestellt haben. Leubelfing erhob sich beleidigt und schritt bolzgerade auf die Korinna zu, machte dicht vor ihr halt und fragte gestreng: „Was sagst?" Auch das Mädchen hatte sich ängstlich erhoben und fiel jetzt mit plötzlich verändertem Ausdruck dem Pagen um den Hals: „Teurer Herr! Schöner Herr! Helft mir! Ihr müßt mir helfen! Ich liebe den Lauenburger und lasse nicht von ihm! Niemals!" So rief und flehte sie und küßte und herzte und drückte den Pagen, dann aber wich sie in unsäglicher Verblüffung einen Schritt zurück, und das seltsamste Lächeln der Welt irrte um ihren spöttisch verzogenen Mund.

Der Page wurde bleich und fahl. „Schwesterchen," lispelte die Korinna mit einem schlauen Blick, „wenn du deinen Einfluß" — in demselben Moment hatte Leubelfing sie mit kräftiger Linken am Arme gepackt, auf die Kniee niedergedrückt und den Lauf seiner rasch ergriffenen Pistole der Schläfe des kleinen Kopfes genähert. „Drück' los," rief die Korinna halb wahnsinnig, „und der Lust und des Elends sei ein Ende!" wich aber doch dem Lauf mit den behendesten und gelenkigsten Drehungen und Wendungen ihres Hälschens aus.

Jetzt setzte ihr Leubelfing den kalten Ring des Eisens[3] mitten auf die Stirn und sprach totenbleich, aber ruhig: „Der König weiß nichts davon, bei meiner Seligkeit."

---

1. Reichsfürst hin, Reichsfürst her, (Prince of the Empire or not).
2. schwedischen Bauer: Gustav Adolf really belonged to one of the oldest, aristocratic families of Sweden.
3. Ring des Eisens, (the point of the gun).

Ein ungläubiges Lächeln war die Antwort. „Der König weiß nichts davon," wiederholte der Page, „und du schwörst mir bei diesem Kreuz" — er hatte es ihr an einem goldenen Kettchen aus dem Busen gezerrt — „von wem hast du das? 5 von deiner Mutter, sagst du? — Du schwörst mir bei diesem Kreuz, daß auch du nichts davon weißt! Mach' schnell,[1] oder ich schieße!"

Aber der Page senkte seine Waffe, denn er vernahm Roßgestampf, das Gerassel des militärischen Saluts und 10 die treppansteigenden schweren Tritte des Königs. Er warf noch einen Blick auf die sich von den Knieen erhebende Korinna, einen flehenden Blick, in welchem zu lesen war, was er nie ausgesprochen hätte: „Sei barmherzig! Ich bin in deiner Gewalt! Verrate mich nicht! Ich liebe 15 den König!"

Dieser trat ein, ein anderer Mann, als er vor zwei Stunden verritten war, streng wie ein Richter in Israel,[2] in heiliger Entrüstung, in loderndem Zorn, wie ein biblischer Held, der ein himmelschreiendes Unrecht aus dem 20 Mittel heben[3] muß, damit nicht das ganze Volk verderbe. Er hatte einem empörenden Auftritt, einer ekelerregenden Szene beigewohnt: der Beraubung eines vor dem Friedländer in das schwedische Lager flüchtenden Haufens deutscher Bauern durch deutschen Adel unter Führung eines 25 deutschen Fürsten.

Die Herren hatten im Gezelt eines der Ihrigen bis zur Morgendämmerung gezecht, gewürfelt, gekartet. Ein Abenteurer zweifelhaftester Art, der Bank hielt, hatte sie alle ausgebeutelt. Den mutmaßlich falschen Spieler ließen 30 sie nach einem kurzen Wortwechsel — er war von Adel — als einen Mann ihrer Gattung unangefochten ziehen,

---

1. Mach' schnell, (Be quick).
2. streng wie ein Richter in Israel, (stern as a judge of Israel).
3. ein himmelschreiendes Unrecht aus dem Mittel heben, (to set right an outrageous injustice).

brachen dagegen, gereizt und übernächtig zu ihren Zelten kehrend, in ein Gewirr schwerbeladener Wagen ein, das sich in einer Lagergasse staute. Der Lauenburger, der im Vorbeireiten sein Zelt öffnend das Nest leer gefunden und seinen Verdacht ohne weiteres auf den König geworfen hatte, 5 kam ihnen nachgesprengt und feuerte ihre Raubgier zu einer Tat an, von welcher er wußte, daß sie, von dem Könige vernommen, Gustav Adolf in das Herz schneiden würde.

Aber dieser sollte den Frevel mit eigenen Augen sehen. Mitten in den Tumult — Kisten und Kasten wurden er- 10 brochen, Rosse niedergestochen oder geraubt, Wehrlose mißhandelt, sich zur Wehr Setzende verwundet — ritt der König hinein, zu welchem sich flehende Arme, Gebete, Flüche, Verwünschungen erhoben, nicht anders als zum Throne Gottes. Der König beherrschte und verschob seinen 15 Zorn. Zuerst gab er Befehl, für die mißhandelten Flüchtlinge zu sorgen, dann befahl er die ganze adlige Sippe zu sich auf die neunte Stunde. Heimreitend, hielt er vor dem Zelt des Generalgewaltigen,[1] hieß ihn seinen roten Mantel umwerfen und — in einiger Entfernung — folgen. 20

In dieser Stimmung befand sich König Gustav, als er die Beihälterin des Lauenburgers erblickte. Er maß das Mädchen, deren wilde Schönheit ihm mißfiel und deren grelle Tracht seine klaren Augen beleidigte.

„Wer sind deine Eltern?" begann er, es verschmähend, 25 sich nach ihrem eigenen Namen oder Schicksal zu erkundigen.

„Ein Hauptmann von den Kroaten; die Mutter starb früh weg," erwiderte das Mädchen, mit ihren dunkeln seinen hellen Augen ausweichend.

„Ich werde dich deinem Vater zurücksenden," sagte er. 30

„Nein," antwortete sie, „er würde mich erstechen."

---

1. des General'gewaltigen or General'profos': chief of army police, or provost marshal. He and his assistants punished all infringements of martial law and all acts of violence. They followed at the rear of the army to prevent disorder and to seize stragglers.

Eine mitleidige Regung milderte die Strenge des Königs. Er suchte für das Mädchen einen geringen Straffall. „Du hast dich im Lager in Männerkleidern umgetrieben, dieses ist verboten," beschuldigte er sie.

5 „Niemals," widersprach die Korinna aufrichtig entrüstet, „nie beging ich diese Zuchtlosigkeit."

„Aber," fuhr der König fort, „du brichst die Ehe und machst eine edle, junge Fürstin unglücklich."

Eine rasende Eifersucht loderte in den Augen der Sla-10 wonierin. „Wenn er nun mich mehr, mich allein liebt, was kann ich dafür? was kümmert mich die andere?" trotzte sie wegwerfend. Der König betrachtete sie mit einem erstaunten Blicke, als frage er sich, ob sie je in eine christliche Kinderlehre gegangen sei.[1]

15 „Ich werde für dich sorgen," sagte er dann. „Jetzt befehle ich dir: Du lässest[2] von dem Lauenburger auf immer und ewig. Deine Liebe ist eine Todsünde. Wirst du gehorchen?" Sie hielt erst mit zwei lodernden Fackeln, dann mit einem festen, starren Blick den des Königs aus 20 und schüttelte das Haupt. Dieser wendete sich gegen den Generalgewaltigen, der unter der Türe stand.

„Was soll der mit mir?" fragte das Mädchen schaudernd. „Ist's der Henker? Wird er mich richten?"

„Er wird dir die Haare scheren, dann bringt dich der 25 nächste Transport nach Schweden, wo du in einem Besserungshause bleibst, bis du ein evangelisches Weib geworden bist."

Ein heftiger Stoß von wunderlichen Befürchtungen und unbekannten Schrecken warf das kleine Gehirn über den 30 Haufen.[3] Ein geschorenes Schädelchen, welche entehren-

---

1. christliche Kinderlehre gegangen sei, (whether she had ever received any religious instruction as a child).

2. Du lässest, (You must give up).

3. warf das kleine Gehirn über den Haufen, (threw her little brain completely out of balance).

dere, beschämendere Entblößung konnte es geben! Schweden, das eisige Land mit seiner Winternacht, von dem sie hatte fabeln hören, dort sei der Eingang zum Reiche der Larven und Gespenster! Besserung? Welche ausgesuchte, grausame Folter bedeutete dieses ihr unbekannte Wort? 5 Ein evangelisches Weib? Was war das, wenn nicht eine Ketzerin? Und so sollte sie zu alledem noch ihres bescheidenen himmlischen Teiles verlustig gehen?[1] Sie, die keine Fasten brach und keine fromme Übung versäumte! Sie ergriff das Kreuz, das an dem zerrissenen Kettchen nieder- 10 hing, und küßte es inbrünstig.

Dann ließ sie die irren Augen im Kreise laufen.[2] Diese blieben auf dem Pagen haften, und Rachelust flammte darin auf. Sie öffnete den Mund, um den König, welcher sie des Ehebruchs geziehen, gleicherweise einen Ehebrecher 15 zu schelten. Dieser stand ruhig beiseite. Er hatte den Brief des Pagen in die Hand genommen und durchflog denselben mit nahen Blicken.[3] Seine aufmerksamen Züge, deren aus Gerechtigkeit und Milde gemischter Ausdruck etwas Majestätisches und Göttliches hatte, erschreckten die 20 Korinna; sie fürchtete sich davor als vor etwas Fremdem und Unheimlichem. Das wildwüchsige Mädchen, welches jedes von einer faßlichen Leidenschaft verzogene Männerantlitz richtig beurteilte, ohne davor zu erschrecken, wurde aus dieser veredelten menschlichen Miene nicht klug. Sie 25 mochte den König nicht länger ansehen. „Am Ende," dachte sie, „ist der Schneekönig ein gefrorener Mensch,[4] der

---

1. Und so sollte sie . . . verlustig gehen? (And was she on top of everything else to lose her modest share of heavenly bliss?)

2. Dann ließ sie . . . laufen, (Then her bewildered eyes wandered from side to side).

3. mit nahen Blicken, (holding it close to his eyes).

4. der Schneekönig ein gefrorener Mensch: Gustav Adolf was made sport of and called the snow king by the imperial party, who said: "The snow king will melt as he draws near the southern sun." Ein gefrorener Mensch, (an icy, frosty, frigid person).

die Nähe des Weibes und die ihn heimlich umschleichende Liebe nicht spürt. Ich könnte das junge Blut[1] verderben! Wozu aber auch? Und dann — sie liebt ihn."

Jetzt trat der Profos einen Schritt vorwärts und
5 streckte die Hand nach der Slawonierin aus. Diese gab sich verloren.[2] Blitzschnell richtete sie sich an dem Pagen auf und wisperte ihm ins Ohr: „Laß mir zehn Messen lesen, Schwesterchen! von den teuren! Du bist mir eine dicke Kerze schuldig![3] Nun, eine hat das Glück, die andere" —
10 sie fuhr in die Tasche, zog einen Dolch heraus, schleuderte die Scheide ab und zerschnitt sich in einem kunstfertigen Zug die Halsader wie einem Täubchen. So mochte sie es[4] in einer Feldküche gelernt und geübt haben.

Der Generalgewaltige spreitete seinen roten Mantel,
15 legte sie der Länge nach darauf, hüllte sie ein und trug sie wie ein schlafendes Kind auf beiden Armen durch eine Seitentüre hinweg.

Jetzt wurde es im Nebenzimmer lebendig von allerhand ungebührlich laut geführten Unterhaltungen, und mit
20 dem Schlage neun trat der König, welchem Leubelfing die Flügeltür öffnete, unter die versammelten deutschen Fürsten und Herren.

Sie bildeten in dem engen Raume einen dichtgedrängten Kreis und mochten ihrer fünfzig oder sechzig sein.[5] Die
25 Herrschaften hielten sich nicht allzu ehrerbietig,[6] manche sogar nachlässig, als ob sie ebensowenig die Farbe der

1. Blut, (fellow, creature).
2. gab sich verloren, (gave herself up as lost).
3. Du bist mir eine dicke Kerze schuldig, (You owe me a big candle) (to be placed on the altar as an offering).
4. So mochte sie es . . . gelernt und geübt haben, (This she had perhaps learned and practised).
5. und mochten ihrer . . . sein, (and there were perhaps fifty or sixty of them).
6. Die Herrschaften (lit. 'lordships', gentlemen) hielten sich nicht allzu ehrerbietig, (behaved none too respectfully).

Scham als die Farbe der Furcht kannten: schlaue neben verwegenen, ehrgeizige neben beschränkten, fromme neben frechen Köpfen; die Mehrzahl Leute, die ihren Mann stellten[1] und mit denen gerechnet werden mußte. Links vom Könige hielt sich in bescheidener Haltung der Hauptmann Erlach,[2] der eigentlich hier nichts zu suchen hatte. Dieser Kriegsmann war unter die Fahnen Gustav Adolfs getreten, als des gottesfürchtigsten Helden seiner Zeit, und hatte dem Könige oft bekannt, ihn jammere[3] der Sünden, die er hier außen im Reiche sehen müsse: Undank, Maske, Fallstrick, Intrige, Kabale, verdecktes Spiel, verteilte Rollen, verwischte Spuren, Bestechung, Länderverkauf, Verrat, lauter in seinen helvetischen Bergen vollständig unbekannte und unmögliche Dinge. Er hatte sich hier eingefunden, vielleicht um seinem intimen Freunde, dem französischen Gesandten, welcher sich von seiner Sitteneinfalt angezogen fühlte,[4] etwas Neues erzählen zu können, worauf die Franzosen brennen, wie sie einmal sind[5]; vielleicht auch nur, um zur Erbauung seiner Seele einem Sieg der Tugend über das Laster beizuwohnen. Er kniff seelenruhig die Augen[6] und wirbelte die Daumen der gefalteten Hände. Diesem Tugendbilde gegenüber, rechts vom Könige, stand die freche Sünde: der Lauenburger, mit unruhigen Füßen, in seiner reichsten Tracht und seinem kostbarsten Spitzenkragen, dämonisch lächelnd und die Augen rollend. Er war einem Knecht des Gewaltigen begegnet, dem dieser seinen Mantel

---

1. ihren Mann stellten, (who could give a good account of themselves).

2. Hauptmann Erlach: a native of Switzerland who (as a Swiss) really had no right to be there.

3. ihn jammere, (felt sorry for), 3d p. pres. subjunctive of the impersonal es jammert (mich); jammern is followed by the accusative of the person who deplores and by the genitive of the thing deplored.

4. sich . . . angezogen fühlte, (was attracted).

5. worauf die Franzosen brennen, wie sie einmal sind, (for which the French have such a flare, for such is their nature).

6. **kniff . . . die Augen,** (half closed his eyes).

übergeben. Unter dessen Falten hatte er eine Menschengestalt erkannt, war hinzugetreten und hatte das Tuch aufgeschlagen.

Gustav maß die Versammlung mit einem verdammen-
5 den Blick. Dann brauste der Sturm. Seltsam — der König, gereizt durch den Widerspruch dieser stolzen Gesichter, dieser übermütigen Haltungen, dieser prunkenden Rüstungen mit dem Unadel der darunter schlagenden Herzen, bediente sich, um den Hochmut zu erniedrigen und
10 das Verbrechen zu brandmarken, absichtlich einer groben, ja bäurischen Rede, wie sie ihm sonst nicht eigen war.[1]

„Räuber und Diebe seid ihr vom ersten zum letzten! Schande über euch! Ihr bestehlet eure Landsleute und Glaubensgenossen! Pfui! Mir ekelt vor euch![2] Das
15 Herz gällt mir im Leibe![3] Für eure Freiheit habe ich meinen Schatz erschöpft — vierzig Tonnen Goldes[4] — und nicht soviel von euch genommen, um mir eine Reithose machen zu lassen! Ja, eher bar wär' ich geritten, als mich aus deutschem Gute zu bekleiden! Euch schenkte ich, was mir in
20 die Hände fiel, nicht einen Schweinestall hab' ich für mich behalten!"

Mit so derben und harten Worten beschimpfte der König diesen Adel.

Dann einlenkend, lobte er die Bravour der Herren, ihre
25 untadlige Haltung auf dem Schlachtfelde und wiederholte mehrmals: „Tapfer seid ihr, ja, das seid ihr! Über euer Reiten und Fechten ist nicht zu klagen!"[5] ließ dann aber einen zweiten noch heftigeren Zorn aufflammen: „Rebelliert ihr gegen mich," forderte er sie heraus, „so will ich

1. wie sie ihm sonst nicht eigen war, (such as was not otherwise characteristic of him).

2. Mir ekelt vor euch! (The sight of you disgusts me!)

3. Das Herz gällt mir im Leibe! (My heart is 'turned to gall' within me!)

4. vierzig Tonnen Goldes: eine Tonne Gold = 100 000 Taler.

5. ist nicht zu klagen, (I have no complaint).

mich an der Spitze meiner Finnen und Schweden mit euch herumhauen, daß die Fetzen fliegen!"[1]

Er schloß dann mit einer christlichen Vermahnung und der Bitte, die empfangene Lehre zu beherzigen. Herr Erlach trocknete sich mit der Hand eine Träne. Die Herren gaben sich die Miene,[2] es fechte sie nicht sonderlich an,[3] aber ihre Haltung war sichtlich eine bescheidenere geworden. Einige schienen ergriffen, ja gerührt. Das deutsche Gemüt erträgt eine grobe, redliche Schelte besser als eine Predigt oder einen feinen, schneidenden Hohn.

Insoweit wäre es nun gut und in der Ordnung gewesen. Da ließ der Lauenburger, halb gegen den König, halb gegen seine Standesgenossen gewendet, in nackter Frechheit ein ruchloses Wort fallen:

„Wie mag Majestät über einen Dreck[4] zürnen? Was haben wir Herren verbrochen? Unsere Untertanen erleichtert!"[5]

Gustav erbleichte. Er winkte dem Generalgewaltigen, der hinter der Türe lehnte.

„Lege diesem Herrn deine Hand auf die Schulter!" befahl er ihm. Der Profos trat heran, wagte aber nicht zu gehorchen; denn der Fürst hatte den Degen aus der Scheide gerissen, und ein gefährliches Gemurmel lief durch den Kreis.

Gustav entwaffnete den Lauenburger, stemmte die Klinge gegen den Fuß und ließ sie in Stücke springen. Dann ergriff er die breite behaarte Hand des Gewaltigen, legte

---

1. so will ich mich mit euch herumhauen . . . , colloquial, (I'll fight you, so that the fur will fly).

2. gaben sich die Miene, (assumed the air).

3. es fechte sie nicht sonderlich an, (that it didn't especially concern them).

4. Dreck: lit. (dirt, filth); a vulgar expression, here for something trivial, (trash, rubbish).

5. Unsere Untertanen erleichtert, iron., (We have (merely) relieved (lightened) our subjects of their burdens, i.e. their possessions).

und drückte selbst sie auf die Schulter des Lauenburgers, der wie gelähmt war, und hielt sie dort eine gute Weile fest, sprechend: „Du bist ein Reichsfürst, Bube, dir darf ich nicht an den Kragen,[1] aber die Hand des Henkers bleibe
5 über dir!"

Dann wandte er sich und ging. Der Profos folgte ihm mit gemessenen Schritten.

Den Pagen Leubelfing, welchen die enge stehenden Herrschaften in eine Fensternische gedrängt hatten, vor der eine
10 schwere Damastdecke mit riesigen Quasten niederhing, hatte der Vorgang bis zu einem krampfhaften Lachen ergötzt. Nach dem blutigen Untergange der Korinna, der ihn zugleich erschüttert und erleichtert hatte, waren ihm die von seinem Helden heruntergemachten Fürsten wie die
15 Personen einer Komödie erschienen, ungefähr wie ein Knabe mit Vergnügen und unterdrücktem Gelächter seinen Vater, in dessen Hut er sich weiß und dessen Ansehen und Macht er bewundert, einen pflichtvergessenen Knecht schelten hört. Bei der ersten Silbe aber, welche der Lauenburger
20 aussprach, war er zusammengeschrocken über die unheimliche Ähnlichkeit, welche die Stimme dieses Menschen mit der seinigen hatte. Derselbe Klang, dasselbe Mark und Metall. Und dieser Schreck wurde zum Grauen, als jetzt, nachdem König Gustav sich entfernt hatte, der Lauenburger
25 eine erkünstelte Lache aufschlug[2] und in die gellenden Worte ausbrach: „Er hat wie ein Stallknecht geschimpft, der schwedische Bauer! Donnerwetter, haben wir den heute geärgert! Pereat Gustavus![3] Es lebe[4] die deutsche Libertät! Machen wir ein Spielchen, Herr Bruder, in meinem
30 Zelt? Ich lasse ein Fäßchen Würzburger[5] anzapfen!" und

1. dir darf ich nicht an den Kragen, colloquial, Kragen, (throat, neck; I haven't the power to lay hands on you), cf. note 2, page 109.
2. eine erkünstelte Lache aufschlug, (broke into forced laughter).
3. Pereat Gustavus! Latin. (Down with Gustavus!)
4. Es lebe, (Long live).
5. ein Fäßchen Würzburger, (a keg of Würzburg beer).

er legte seinen rechten Arm in den linken der Fürstlichkeit, die ihm zunächst stand. Dieser Herr aber zog seinen linken Arm höflich zurück und antwortete mit einer gemessenen Verbeugung: „Bedaure, Euer Liebden.[1] Bin schon versagt."

Sich an einen andern wendend, den Raugrafen,[2] lud der Lauenburger ihn mit noch lustigeren und dringlicheren Worten: „Du darfst es mir nicht abschlagen, Kamerad! Du bist mir noch Revanche schuldig!"[3] Der Raugraf aber, ein kurz angebundener Herr,[4] wandte ihm ohne weiteres den Rücken. So oft er seine Versuche wiederholte, so oft wurde er, und immer kürzer und derber abgewiesen. Vor seinen Schritten und Gebärden bildete sich eine Leere und entfüllte[5] sich der Raum.

Jetzt stand er allein in der Mitte des von allen verlassenen Gemaches. Ihm wurde deutlich, daß er fortan von seinesgleichen streng werde gemieden werden. Sein Gesicht verzerrte sich. Wütend ballte der Gebrandmarkte die Faust und drohte, sie erhebend, dem Schicksal oder dem Könige. Was er murmelte, verstand der Page nicht, aber der Ausdruck des vornehmen Kopfes war ein so teuflischer, daß der Lauscher einer Ohnmacht nahe war.

4

In der Dämmerstunde desselben ereignisvollen Tages wurde dem Könige ein mit einem richtig befundenen[6] Sal-

---

1. Bedaure, (sorry), Euer Liebden: an old form of address no longer in use, (Your Grace). Bin schon versagt, (I have another engagement).
2. Raugrafen: title of a now extinct family of counts on the upper Rhine.
3. Du bist mir noch Revan'che schuldig, (You owe me a return game).
4. ein kurz angebundener Herr, (a gentleman of few words).
5. entfüllte sich = leerte sich, (became empty).
6. richtig befundenen, (approved).

vokonduft versehener friedländischer Hauptmann gemeldet. Es mochte sich um die Bestattung der in dem letzten Zusammenstoße Gefallenen oder sonst um ein Abkommen handeln,[1] wie sie zwischen sich gegenüberliegenden Heeren
5 getroffen werden.

Page Leubelfing führte den Hauptmann in das eben leere Empfangszimmer, ihn hier zu verziehen bittend; er werde ihn ansagen. Der Wallensteiner aber, ein hagerer Mann mit einem gelben verschlossenen Gesichte, hielt ihn
10 zurück: er ruhe gern einen Augenblick nach seinem raschen Ritte. Nachlässig warf er sich auf einen Stuhl und verwickelte den Pagen, der vor ihm stehen geblieben war, in ein gleichgültiges Gespräch.

„Mir ist,"[2] sagte er leichthin, „die Stimme wäre mir
15 bekannt. Ich bitte um den Namen des Herrn." Leubelfing, der gewiß war, diese kalte und diktatorische Gebärde nie in seinem Leben mit Augen[3] gesehen zu haben, erwiderte unbefangen: „Ich bin des Königs Page, Leubelfing von Nürnberg, Gnaden zu dienen."[4]

20 „Eine kunstfertige Stadt," bemerkte der andere gleichgültig. „Tue mir[5] der junge Herr den Gefallen, diesen Handschuh — es ist ein linker — zu probieren. Man hat mir in meiner Jugend bei den Jesuiten, wo ich erzogen wurde, die demütige und dienstfertige Gewohnheit einge-
25 prägt, die sich jetzt für meine Hauptmannschaft nicht mehr recht schicken will,[6] verlorene und am Wege liegende Gegenstände aufzuheben. Das ist mir nun so geblieben."[7] Er zog einen ledernen Reithandschuh aus der Tasche, wie sie

1. Es mochte sich ... handeln, (Perhaps it concerned).
2. Mir ist, (I am under the impression).
3. nie ... gesehen zu haben, (never to have laid eyes on).
4. (Euer) Gnaden zu dienen, (with your Grace's permission).
5. Tue mir (subjunctive used imperatively) den Gefallen, (Do me the favor).
6. sich jetzt ... nicht mehr recht schicken will, (no longer seems appropriate).
7. Das ist mir nun so geblieben, (That has clung to me).

damals allgemein getragen wurden. Nur war dieser von einer ausnahmsweisen Eleganz und von einer auffallenden Schlankheit, so daß ihn wohl neun Zehntel der wallensteinischen oder schwedischen Soldatenhände, hineinfahrend,[1] mit dem ersten Ruck aus allen seinen Nähten gesprengt hätten. „Ich hob ihn draußen von der untersten Stufe der Freitreppe.“ 5

Leubelfing, durch den kurzen Ton und die befehlende Rede des Hauptmanns etwas gestoßen, aber ohne jedes Mißtrauen, ergriff in gefälliger Höflichkeit den Handschuh und zog sich denselben über die schlanken Finger. Er saß wie angegossen.[2] Der Hauptmann lächelte zweideutig. „Er ist der Eurige,“ sagte er. 10

„Nein, Hauptmann,“ erwiderte der Page befremdet, „ich trage kein so feines Leder.“ „So gebt ihn mir zurück!“ und der Hauptmann nahm den Handschuh wieder an sich. 15

Dann erhob er sich langsam von seinem Stuhl und verneigte sich, denn der König war eingetreten.

Dieser tat einige Schritte mit wachsendem Erstaunen, und seine starkgewölbten, strahlenden Augen vergrößerten sich. Dann richtete er an den Gast die zögernden Worte: „Ihr hier, Herr Herzog?“ Er hatte den Friedländer nie von Angesicht gesehen,[3] aber oft dessen überallhin verbreitete Bildnisse betrachtet, und der Kopf war so eigentümlich, daß man ihn mit keinem andern verwechseln konnte. Wallenstein bejahte mit einer zweiten Verneigung. 20 25

Der König erwiderte sie mit ernster Höflichkeit: „Ich grüße die Hoheit und stehe zu Diensten.[4] Was wollt Ihr von mir, Herzog?“ Er winkte den Pagen mit einer Gebärde weg. 30

---

1. hineinfahrend = mit ihren Händen in den Handschuh hineinfahrend, (running their hands into it).
2. saß wie angegossen, (fitted ‘like a glove’).
3. nie von Angesicht gesehen, (had never seen face to face).
4. stehe zu Diensten, (am at your service).

Leubelfing flüchtete sich in seine anliegende Kammer, welche, ärmlich ausgerüstet, ein schmaler Riemen,[1] zwischen dem Empfangszimmer und dem Schlafgemach des Königs, dem ruhigsten des Hauses, lag. Er war erschreckt, nicht
5 durch die Gegenwart des gefürchteten Feldherrn, sondern durch das Unheimliche dieses späten Besuches. Ein dunkles Gefühl zwang ihn, denselben mit seinem Schicksale in Zusammenhang zu bringen.

Mehr von Angst als von Neugierde getrieben, öffnete
10 er leise einen tiefen Schrank, aus welchem er — wenn es gesagt werden muß — durch eine Wandspalte den König schon einmal — nur einmal — belauscht hatte, um ihn ungestört und nach Herzenslust zu betrachten. Daß sein Auge und abwechselnd sein Ohr jetzt die Spalte nicht mehr
15 verließ, dafür sorgte der seltsame Inhalt des belauschten Gespräches.

Die sich Gegenübersitzenden schwiegen eine Weile, sich betrachtend, ohne sich zu fixieren. Sie wußten, daß,[2] nachdem die das Schicksal Deutschlands bestimmende Schach-
20 partie mit vieldeutigen Zügen und verdeckten Plänen begonnen und sich auf allen Feldern verwickelt hatte, vor der entscheidenden, eine neue Lage der Dinge schaffenden Schlacht das unterhandelnde Wort nicht am Platze und ein Übereinkommen unmöglich sei. Diesem Gefühle gab
25 der Friedländer Ausdruck. „Majestät," sagte er, „ich komme in einer persönlichen Angelegenheit." Gustav lächelte kühl und verbindlich. Der Friedländer aber begann: „Ich pflege im Bette zu lesen, wenn mich der Schlaf

---

1. Riemen: figurative use of Riemen, (leather strap; a narrow strip of a room).

2. Sie wußten, daß . . ., (They knew that after this game of chess (i.e. the war between Gustav Adolf and the imperial party), which was to decide the fate of Germany, had been started with many enigmatic moves and covert plans and had involved all areas, negotiations would be out of place and agreement impossible until the decisive battle had been fought which would bring about a new state of affairs).

meidet. Gestern oder heute früh fand ich in einem französischen Memoirenwerke eine unterhaltende Geschichte. Eine wahrhaftige Geschichte mit wörtlicher Angabe der gerichtlichen Deposition des Admirals — ich meine den Admiral Coligny,[1] den ich als Feldherrn zu schätzen weiß. 5
Ich erzähle sie mit der Erlaubnis der Majestät. Bei dem Admiral trat eines Tages ein Partisan ein, Poltrot [2] oder wie der Mensch hieß.[3] Wie ein halb Wahnsinniger warf er sich auf einen Stuhl und begann ein Selbstgespräch, worin er sich über den politischen und militärischen Gegner des 10
Admirals, Franz Guise, leidenschaftlich äußerte und davon redete, den Lothringer [4] aus der Welt zu schaffen.[5] Es war, wie gesagt, das Selbstgespräch eines Geistesabwesenden, und es stand bei [6] dem Admiral, welchen Wert er darauf legen wollte — ich möchte die Szene einem Dramatiker emp- 15
fehlen, sie wäre wirksam. Der Admiral schwieg, da er das Gerede des Menschen für eine leere Prahlerei hielt, und Franz Guise fiel, von einer Kugel —"

„Hat Coligny so gehandelt," unterbrach der König, „so tadle ich ihn. Er tat unmenschlich und unchristlich." 20

„Und unritterlich," höhnte der Friedländer kalt.

„Zur Sache,[7] Hoheit," bat der König.

---

1. Admiral' Coligny: French admiral and general, born in 1519. He turned Protestant in 1557 and became the leader of the Huguenots in France. The enmity of the Guises was stirred up against him and François de Lorraine, second Duke of Guise, the leader of the Catholic party, became his bitterest foe. On August 22, 1572 an attempt was made to assassinate Coligny and this was followed two days later by the general massacre of the Huguenots on St. Bartholomew's Day, in which Coligny fell as the first victim of the massacre.

2. Poltrot: Jean Poltrot, a Huguenot fanatic, mortally wounded the Duke of Guise in 1563.

3. wie der Mensch hieß, (whatever the man's name was).

4. den Lothringer, i.e. François de Lorraine, Duke of Guise.

5. aus der Welt zu schaffen, (to put out of the way).

6. es stand bei, (it rested with).

7. Zur Sache . . . , (Let us proceed to the matter in hand, your Highness).

„Majestät, etwas Ähnliches ist mir heute begegnet, nur hat der zum Mord sich Erbietende eine noch künstlichere Szene ins Werk gesetzt.[1] Einer der Eurigen wurde gemeldet, und da ich eben beschäftigt war, ließ ich ihn in das
5 Nebenzimmer führen. Als ich eintrat, war er in der schwülen Mittagsstunde entschlummert und sprach heftig im Traume. Nur wenige gestammelte Worte, aber ein Zusammenhang ließ sich erraten. Wenn ich daraus klug geworden bin,[2] hätte ihn Eure Majestät, ich weiß nicht
10 womit, tödlich beleidigt, und er wäre entschlossen, ja genötigt, den König von Schweden umzubringen um jeden Preis, oder wenigstens um einen anständigen Preis, was ihm leicht sein werde, da er in der Nähe der Majestät und in deren täglichem Umgang lebe. Ich weckte dann den
15 Träumenden, ohne ein Wort mit ihm zu verlieren, wenn nicht daß[3] ich nach seinem Begehr fragte. Es handelte sich um[4] Auskunft über einen schon vor Jahren in kaiserlichem Dienste verschollenen Rheinländer, ob er noch lebe oder nicht. Eine Erbsache. Ich gab Bescheid und entließ den
20 Listigen. Nach seinem Namen fragte ich ihn nicht; er hätte einen falschen angegeben. Ihn aber auf das Zeugnis abgerissener Worte einer gestammelten Traumrede zu verhaften, wäre untunlich und eine schreiende Ungerechtigkeit gewesen."

25 „Freilich," stimmte der König bei.

„Majestät," sprach der Friedländer jede Silbe schwer betonend, „du bist gewarnt!"

Gustav sann. „Ich will meine Zeit nicht damit verlieren und mein Gemüt nicht damit vergiften," sagte er,
30 „so zweifelhaften und verwischten Spuren nachzugehen.

---

1. ins Werk gesetzt, (staged).
2. Wenn ich daraus klug geworden bin, (If I have made it out correctly).
3. wenn nicht daß, (except to ask what he wished).
4. Es handelte sich um, (It was a question of).

Ich stehe in Gottes Hand. Hat die Hoheit keine weiteren Zeugen oder Indizien?"

Der Friedländer zog den Handschuh hervor. „Mein Ohr und diesen Lappen da! Ich vergaß der Majestät zu sagen, daß der Träumer schlank war und ein ganz charak- 5
terloses, nichtssagendes Gesicht, offenbar eine jener eng anschließenden Larven trug, wie sie[1] in Venedig mit der größten Kunst verfertigt werden. Aber seine Stimme war angenehm markig, ein Bariton oder tiefer Alt, nicht unähnlich der Stimme Eures Pagen, und der Handschuh, 10
der ihm entfiel und bei mir liegen blieb, sitzt selbigem Herrn wie angegossen."

Der König lachte herzlich. „Ich will mein schlummerndes Haupt in den Schoß meines Leubelfing legen," beteuerte er. 15

„Auch ich," erwiderte der Friedländer, „kann den jungen Menschen nicht beargwöhnen. Er hat ein gutes, ehrliches Gesicht, dasselbe kecke Bubengesicht, womit meine barfüßigen böhmischen Bauernmädchen herumlaufen. Doch, Majestät, ich bürge für keinen Menschen. Ein Gesicht 20
kann täuschen und — täuschte es nicht — ich möchte keinen Pagen um mich sehen, wäre es mein Liebling, dessen Stimme klingt wie die Stimme meines Hassers, und dessen Hand dasselbe Maß hat wie die Hand meines Meuchlers. Das ist dunkel. Das ist ein Verhängnis. 25
Das kann verderben."

Gustav lächelte. Er mochte sich denken,[2] daß der großartige Emporkömmling jetzt, da er durch seinen ungeheuerlichen Pakt mit dem Habsburger[3] das Reich des Unausführbaren und Schimärischen betreten hatte, mehr als 30

1. wie sie, (such as).
2. Er mochte sich denken, (He probably thought).
3. durch seinen ungeheuerlichen Pakt mit dem Habsburger: by his monstrous compact with the Hapsburg Emperor, Ferdinand II, Wallenstein, as Generalissimo, was given powers that made him quite independent of the emperor.

je allen Arten von Aberglauben[1] huldigte. Den innern Widerspruch durchschauend zwischen dem Glauben an ein Fatum und den Versuchen, dieses Fatum zu entkräften, wollte der seines lebendigen Gottes Gewisse[2] mit keinem
5 Worte, nicht mit einer Andeutung ein Gebiet berühren, wo das Blendwerk der Hölle, wie er glaubte, sein Spiel trieb.[3] Er ließ das Gespräch fallen und erhob sich, dem Herzoge für sein loyales Benehmen dankend. Doch griff er dabei nach dem Handschuh, welchen der Friedländer
10 nachlässig auf ein zwischen ihnen stehendes Tischchen geworfen hatte, aber mit einer so kurzsichtigen Gebärde, daß sie dem scharfblickenden Wallenstein, der sich gleichzeitig erhoben hatte, seinerseits ein unwillkürliches Lächeln abnötigte.

15 „Ich sehe mit Vergnügen," scherzte der König, den Friedländer gegen die Türe begleitend, „daß die Hoheit um mein Leben besorgt ist."

„Wie sollt' ich nicht?" erwiderte dieser. „Ob sich die Majestät und ich mit unsern Armaden bekriegen, gehören
20 die Majestät und ich" — der Herzog wich höflich einem „wir" aus — „dennoch zusammen. Einer ist undenkbar ohne den andern und" — scherzte er seinerseits — „stürzte die Majestät oder ich von dem einen Ende der Weltschaukel, schlüge das andere unsanft zu Boden."

25 Wieder sann der König und kam unwillkürlich auf die Vermutung, irgendeine himmlische Konjunktur, eine Sternstellung habe dem Friedländer ihre beiden Todesstunden im Zusammenhange gezeigt, eine der anderen folgend mit verstohlenen Schritten und verhülltem Haupte. Selt-
30 samerweise gewann diese Vorstellung trotz seines Gott-

---

1. allen Arten von Aberglauben: Wallenstein, whose favorite lore was astrology, is said to have been very superstitious.

2. wollte der seines leben'digen Gottes Gewisse = wollte Gustavus, der seines lebendigen Gottes gewiß war, ...

3. sein Spiel trieb, (was having its sport (with Wallenstein)).

vertrauens plötzlich Gewalt über ihn. Jetzt fühlte der christliche König, daß die Atmosphäre des Aberglaubens, welche den Friedländer umgab, ihn anzustecken beginne. Er tat wieder einen Schritt gegen den Ausgang.

„Die Majestät," endete der Friedländer fast gemütlich 5 seinen Besuch, „sollte sich wenigstens ihrem Kinde erhalten. Die Prinzeß lernt brav,[1] wie ich höre, und ist der Majestät an das Herz gewachsen. Wenn man keine Söhne hat! Ich bin auch solch ein Mädchenpapa!"[2] Damit empfahl sich der Herzog. 10

Noch sah der Page, welchem das belauschte Gespräch wie ein Gespenst die Haare zu Berge getrieben hatte,[3] daß Gustav sich in seinen Sessel warf und mit dem Handschuh spielte. Er entfernte das Auge von der Spalte, und in die Kammer zurückwankend, warf er sich neben dem Lager 15 nieder, den Himmel um die Bewahrung seines Helden anflehend, dem seine bloße Gegenwart — wie der Friedländer meinte und er selbst nun zu glauben begann — ein geheimnisvolles Unheil bereiten konnte. „Was es mich koste,"[4] gelobte sich der Verzweifelnde, „ich will mich von 20 ihm losreißen, ihn von mir befreien, damit ihn meine unheimliche Nähe nicht verderbe."

Da er ungerufen blieb,[5] schlich er sich erst wieder zum Könige in jener Freistunde, welche dann zu ihrer größern Hälfte in gleichgültigem Gespräche verfloß. Wenn nicht, 25 daß der König einmal hinwarf[6]: „Wo hast du dich heute

---

1. Die Prinzeß = Prinzessin lernt brav, (is making progress in her studies).

2. Mädchenpapa: the duke left no male progeny; he had one daughter, Maria Elisabeth. She is the Thekla of Schiller's "Wallenstein."

3. welchem ... die Haare zu Berge getrieben hatte, (whose hair had been made to stand on end by . . .).

4. Was es mich koste, (Cost what it may).

5. Da er ungerufen blieb, (Since he was not summoned).

6. Wenn nicht, daß ... einmal hinwarf, (Except that . . . casually remarked).

gegen Mittag umgetrieben, Leubelfing? Ich rief dich und du fehltest." Der Page antwortete dann der Wahrheit gemäß: er habe mit dem Bedürfnis, nach den erschütternden Szenen [1] des Morgens freie Luft zu schöpfen, sich auf das
5 Roß geworfen und es in der Richtung des wallensteinischen Lagers, fast bis in die Tragweite seiner Kanonen getummelt. Er wollte sich einen freundlichen Verweis des Königs zuziehen, doch dieser blieb aus.[2] Wieder nahm das Gespräch eine unbefangene Wendung, und jetzt
10 schlug die zehnte Stunde. Da hob Gustav mit einer zerstreuten Gebärde den Handschuh aus der Tasche und ihn betrachtend, sagte er: „Dieser ist nicht der meinige. Hast du ihn verloren, Unordentlicher, und ich ihn aus Versehen eingesteckt? Laß schauen!" Er ergriff spielend die linke
15 Hand des Pagen und zog ihm das weiche Leder über die Finger. „Er sitzt," sagte er.

Der Page aber warf sich vor ihm nieder, ergriff seine Hände und überströmte sie mit Tränen. „Lebe wohl," schluchzte er, „mein Herr, mein Alles! Dich behüte Gott
20 mit seinen Scharen!" Dann jählings aufspringend, stürzte er hinaus wie ein Unsinniger. Gustav erhob sich, rief ihn zurück. Schon aber erklang der Hufschlag eines galoppierenden Pferdes und — seltsam — der König ließ weder in der Nacht noch am folgenden Tage Nachforschungen über die
25 Flucht und das Verbleiben seines Pagen anstellen. Freilich hatte er alle Hände voll zu tun [3]; denn er hatte beschlossen, das Lager bei Nürnberg aufzuheben.

Leubelfing hatte den gestreckten Lauf seines Tieres nicht angehalten, dieser ermüdete von selbst am äußersten Lager-
30 ende. Da beruhigten sich auch die erregten Sinne des

---

1. erschütternden Szenen: the Korinna episode and Gustav Adolf's encounter with the German nobles.
2. dieser, i.e. der Verweis blieb aus, (failed to come, did not follow).
3. hatte er alle Hände voll zu tun, (he had his hands full).

Reiters. Der Mond schien taghell, und das Roß ging im Schritt. Bei klarerer Überlegung erkannte jetzt der Flüchtling im Dunkel jenes Ereignisses, das ihn von der Seite des Königs vertrieben hatte, mit den scharfen Augen der Liebe und des Hasses seinen Doppelgänger. Es war der 5 Lauenburger. Hatte er nicht gesehen, wie der Gebrandmarkte die Faust gegen die Gerechtigkeit des Königs geballt hatte? Besaß der Gestrafte nicht den Scheinklang seiner Stimme?[1] War er selbst nicht Weibes genug, um in jenem fürchterlichen Augenblicke die Kleinheit der geballten 10 fürstlichen Faust bemerkt zu haben? Gewiß, der Lauenburger sann Rache, sann Mord gegen das geliebte Haupt. Und in dieser Stunde unheimlicher Verfolgung und Beschleichung seines Königs hatte sich Leubelfing aus der Nähe des Bedrohten verbannt. Eine unendliche Sorge 15 für das Liebste, was er besessen, preßte ihm das Herz zusammen und löste sich bei dem Gedanken, daß er es nicht mehr besitze, in ein beklommenes Schluchzen und dann in unbändig stürzende Tränen. Eine schwedische Wacht, ein Musketier mit schon ergreistem Knebelbarte, der den 20 schlanken Reiter weinen sah, verzog den Mund zu einer lustigen Grimasse, fragte dann aber gutmütig: „Sinnt der junge Herr nach Hause?"[2] Leubelfing nahm sich zusammen,[3] und langsam weiterreitend entschloß er sich mit jener Keckheit, die ihm die Natur gegeben und das Schlacht- 25 feld verdoppelt hatte, nicht aus dem Lager zu weichen. „Der König wird es abbrechen," sagte er sich, „ich komme in einem Regiment unter[4] und bleibe während der Märsche und Ermüdungen unbekannt! Dann die Schlacht!"

Jetzt gewahrte er einen Oberst, welcher die Lagerstraßen 30

1. Scheinklang seiner Stimme, (a voice resembling his own).

2. Sinnt der junge Herr nach Hause? (Is the young gentleman thinking of home?) A Swiss expression.

3. nahm sich zusammen, ('pulled himself together', regained his composure).

4. ich komme ... unter, (I shall find a place).

wachsam abritt. Das Licht des Mondes war so kräftig, daß man einen Brief dabei hätte entziffern können. So erkannte er auf den ersten Blick einen Freund seines Vaters, denselben, welcher dem Hauptmann Leubelfing in dem für 5 ihn tödlichen Duell sekundiert hatte. Er trieb seinen Fuchs zu der Linken des Schweden. Der Oberst, der in der letzten Zeit meist auf Vorposten gelegen, betrachtete den jungen Reiter aufmerksam. „Entweder ich irre mich," begann er dann, „oder ich habe Euer Gnaden, wenn auch [1] auf einige 10 Entfernung, als Pagen neben dem Könige reiten sehen? Wahrlich, jetzt erkenne ich Euch wieder, ob Ihr auch etwas mondenblaß und schwermütig ausschaut." Dann, plötzlich von einer Erinnerung überrascht: „Seid Ihr ein Nürnberger," fuhr er fort, „und mit dem seligen Hauptmann 15 Leubelfing verwandt? Ihr gleicht ihm zum Erschrecken,[2] oder eigentlich seinem Kinde, dem Wildfang, der Gustel, die bis in ihr fünfzehntes Jahr mit uns geritten ist. Doch Mondenlicht trügt und hext. Steigen wir ab. Hier ist mein Zelt." Und er übergab sein Roß und das des Pagen einem 20 ihn erwartenden Diener mit plattgedrückter Nase und breitem Gesichte, welcher seinen Gebieter mit einem gutmütigen stupiden Lächeln empfing.

„Mache sich's der Herr bequem," lud der Alte den Pagen ein, ihm einen Feldstuhl bietend und sich auf seinen harten 25 Schragen niederlassend. Zwei Windlichter gaben eine schwankende Helle.

Jetzt fuhr der Oberst ohne Zeremonie mit seiner breiten ehrlichen Hand dem Pagen durch das Haar. Auf der bloßgelegten Stirnhöhe wurde eine alte aber tiefeingeschnit-30 tene Narbe sichtbar. „Gustel, du Narre," brach er los, „meinst,[3] ich hätt's vergessen, wie dich das ungrische Foh-

1. wenn auch, (even though).
2. Ihr gleicht ihm zum Erschrecken, (You resemble him enough to scare one).
3. meinst = meinst du, colloquial, (do you think). Similarly, schaust = du schaust; hast = du hast.

len, die Hinterhufe aufwerfend, über seinen Starrkopf schleuderte, daß du durch die Luft flogst und wir drei dich für tot auflasen, die heulende Mutter, der Vater blaß wie ein Geist und ich selber herzlich erschrocken? Ein perfekter Soldat, der selige Leubelfing, mein bester Hauptmann und 5 mein Herzensfreund! Nur ein bißchen toll, wie du es auch sein wirst, Gustel! Alle Wetter,[1] Kind, wie lange schon treibst du dein Wesen [2] um den König? Schaust übrigens akkurat wie ein Bube! Hast dir das blonde Kraushaar im Nacken wegrasiert, Kobold?" und er zupfte sie. „Mach' dir 10 nur nicht vor,[3] du seiest das einzige Weibsbild im Lager! Sieh dir mal den Jakob Erichson an, meinen Kerl!" Der Bursche trat eben mit Flaschen und Gläsern ein. „Ein Mann wie du! Keine Angst, Gustel! Er hat nicht ein deutsches Wort erlernen können. Dazu ist er viel zu dumm. 15 Aber ein kreuzbraves,[4] gottesfürchtiges Weib! Und garstig! Übrigens die einfachste Geschichte von der Welt, Gustel: Sieben Schreihälse, der Ernährer ausgehoben, sein Weib für ihn eintretend. Der denkbar beste Kerl![5] Ich könnte ihn nun gar nicht mehr entbehren!" 20

Der Page betrachtete das brave Geschöpf mit entschiedenem Widerwillen, während der Oberst weiter polterte.[6] „Allewege ein starkes Stück,[7] Gustel, neben dem Könige dich einzunisten, der die Weibsen [8] in Mannstracht verabscheut! Hast eine Fabel gespielt, was sie auf den Bänken 25 von Upsala [9] ein Monodrama nennen, wenn eine Person für sich mutterseelenallein jubelt, fürchtet, verzagt, empfindet,

---

1. Alle Wetter, ejaculation, ('Thunder and lightning').
2. treibst du dein Wesen, (have you been carrying on).
3. Mach' dir nur nicht vor, (Don't for a moment imagine).
4. kreuzbrav, (thoroughly good, honest); kreuz intensifies certain adjectives: kreuzvergnügt, kreuzunglücklich; laudatory.
5. Der denkbar beste Kerl, (The best fellow imaginable).
6. weiter polterte, (went on in his blustering way).
7. Allewege ein starkes Stück, (altogether a nervy thing).
8. die Weibsen, (females), slightingly said.
9. auf den Bänken von Upsala, (at the University of Upsala), Sweden.

tragiert, imaginiert! Und hast dir Gott weiß wieviel darauf eingebildet,[1] ohne daß eine sterbliche Seele etwas davon wußte oder sich einen Deut darum bekümmerte.[2] Du blickst unmutig? Halsgefährlich, Kind, war es gerade
5 nicht! Wurdest du entlarvt: ‚Pack dich,[3] dummes Ding!' hätte er dich gescholten und den nächsten Augenblick an etwas anderes gedacht. Ja, wenn dich die Königin demaskiert hätte! Puh! Nun sag' ich: man soll die Kinder nicht küssen! So'n [4] Kuß schläft und lodert wieder auf, wenn die
10 Lippen wachsen und schwellen. Und wahr ist's und bleibt's, der König hat dich mir einmal von den Armen genommen, Patchen, und hat dich geherzt und abgeküßt, daß es nur so klatschte![5] Denn du warst ein keckes und hübsches Kind." Der Page wußte nichts mehr von dem Kuß, aber er empfand
15 ihn wild errötend.

„Und nun, Wildfang, was soll werden?"[6] Er sann einen Augenblick. „Kurz und gut,[7] ich trete dir mein zweites Zelt ab! du wirst mein Galopin, gibst mir dein Ehrenwort nicht auszureißen und reitest mit mir bis zum
20 Frieden. Dann führ' ich dich heim nach Schweden in mein Gehöft bei Gefle.[8] Ich bin einzeln. Meine zwei Jüngern, der Axel und der Erich —" er zerdrückte eine Träne. „Für König und Vaterland!"[9] sagte er. „Der überbliebene Älteste lebt mir in Falun,[10] ein Diener am
25 Wort[11] mit einer fetten Pfründe. Da hast du dann die

1. hast dir . . . darauf eingebildet, (were very proud of it).
2. sich einen Deut darum bekümmerte: Deut, doit, small coin; (cared a rap about it).
3. Pack dich, (Clear out!)
4. So'n = so ein = ein solcher.
5. daß es nur so klatschte, (that it fairly smacked).
6. was soll werden? (what is to be done now?) Cf. note 2, page 26.
7. Kurz und gut, (In short).
8. Gefle: commercial city in Sweden.
9. Für König und Vaterland! a patriotic motto: (Died for king and country!)
10. Falun: city and capital of Dalarno, Sweden.
11. ein Diener am Wort, (minister of the Gospel).

Wahl zwischen uns beiden." Page Leubelfing gelobte seinem Paten, was er sich selbst schon gelobt hatte, und erzählte ihm darauf sein vollständiges Abenteuer mit jenem Wahrheitsbedürfnis, das sich nach lange getragener Larve so gebieterisch meldet, wie Hunger und Durst nach langem Fasten.

Der Alte dachte sich seine Sache[1] und erlustigte sich dann besonders an dem Vetter Leubelfing, dessen Konterfei er sich von dem Pagen entwerfen ließ. „Der Flachskopf," philosophierte er, „kann nichts dafür, eine Memme zu sein. Es liegt in den Säften.[2] Auch mein Sohn, der Pfarrer in Falun, ist ein Hase.[3] Er hat es von der Mutter."

Von Sommerende bis nach beendigter Lese und bis an einem frostigen Morgen die ersten dünnen Flocken über der Heerstraße wirbelten, ritt Page Leubelfing in Züchten neben seinem Paten, dem Obersten Ake Tott, in die Kreuz und Quer,[4] wie es die Wechselfälle eines Feldzuges mit sich bringen. Dem Hauptquartier und dem Könige begegnete er nicht, da der Oberst meist die Vor- oder Nachhut führte. Aber Gustav Adolf füllte die Augen seines Geistes, wenn auch in verklärter und unnahbarer Gestalt, jetzt da er aufgehört hatte ihm durch die Locken zu fahren[5] und der Page den Gebieter nachts nicht mehr an seiner Seite, nur durch eine dünne Wand getrennt, sich umwenden und sich räuspern hörte. Da geschah es zufällig, daß Leubelfing seinen König wieder mit Augen sah. Es war auf dem Marktplatze von Naumburg,[6] wo sich der Page eines Einkaufs halber verspätet hatte und eben seinem Obersten nach-

1. dachte sich seine Sache, (had his own thoughts).
2. Es liegt in den Säften, (It's all a matter of blood).
3. Hase, (hare), i.e. a coward.
4. die Kreuz und Quer, (in all directions).
5. ihm durch die Locken zu fahren, (to draw his hands through his locks).
6. Naumburg: city on the river Saale, province of Saxony.

sprengen wollte, welcher, dieses Mal die Vorhut befehligend, die Stadt schon verlassen hatte. Von einer immer dichter werdenden Menge mit seinem Roß gegen die Häuser zurückgedrängt, sah er auf dem engen Platze ein Schau-
5 spiel, wie ein ähnliches [1] nur erst einmal menschlichen Augen sich gezeigt hatte, da vor vielen hundert Jahren der Friedestifter auf einer Eselin Einzug hielt in Jerusalem.[2] Freilich saß Gustav auf seinem stattlichen Streithengst, von geharnischten Hauptleuten auf mutigen Tieren umringt; aber
10 Hunderte von leidenschaftlichen Gestalten, Weiber, die mit beiden gehobenen Armen ihre Kinder über die jubelnden Häupter emporhielten, Männer, welche die Hände streckten, um die Rechte Gustavs zu ergreifen und zu drücken, Mägde, die nur seine Steigbügel küßten, geringe Leute, die sich vor
15 ihm auf die Kniee warfen, ohne Furcht vor dem Hufschlag seines Tieres, das übrigens sanft und ruhig schritt, ein Volk in kühnen und von einem Sturm der Liebe und der Begeisterung ergriffenen Gruppen umwogte den nordischen König, der ihm seine geistigen Güter [3] gerettet hatte. Die-
20 ser, sichtlich gerührt, neigte sich von seinem Rosse herab zu dem greisen Ortsgeistlichen, der ihm dicht vor den Augen Leubelfings die Hand küßte, ohne daß er es verwehren konnte, und sprach überlaut: „Die Leute ehren mich wie einen Gott! Das ist zuviel und gemahnt mich an mein
25 Ende. Prediger, ich reite mit der heidnischen Göttin Viktoria und mit dem christlichen Todesengel!" [4]

Dem Pagen quollen die Tränen. Als er aber gegenüber an einem Fenster die Königin erblickte und ihr der

---

1. ein ähnliches (Schauspiel) ..., (the like of which had only once before been presented to human eyes).

2. Jerusalem: see Matthew XXI.

3. seine geistigen Güter, (spiritual possessions), i.e. their religious freedom.

4. Vikto'ria: Roman goddess of victory; der christliche Todesengel: see Revelation VI, 8.

König einen zärtlichen Abschied zuwinkte, schwoll ihm der Busen von einer brennenden Eifersucht.

Kaum eine Woche später, als die schwedischen Scharen auf dem blachen Felde von Lützen[1] sich zusammenzogen, marschierte Ake Tott seitwärts unweit des Wagens, darin der König fuhr. Da erblickte Leubelfing einen Raubvogel,[2] der, unter zerrissenen Wolken schwebend, auf das hartnäckigste[3] sich über der königlichen Gruppe hielt und durch die Schüsse des Gefolges sich nicht erschrecken und nicht vertreiben ließ. Er gedachte des Lauenburgers, ob seine Rache über Gustav Adolf schwebe. Das arme Herz des Pagen ängstigte sich über alles Maß. Wie es frühe dunkelte, wuchs seine Angst, und da es finster geworden war, gab er, sein Ehrenwort brechend, dem Rosse die Sporen und verschwand aus den Augen des ihm „Treubrüchiger Bube!" nachrufenden Obersten.

In unaufhaltsamem Ritte erreichte er den Wagen des Königs und mischte sich unter das Gefolge, das am Vorabende der erwarteten großen Schlacht ihn nicht zu bemerken oder sich nicht um ihn zu kümmern schien. Der König gedachte dann die Nacht in seinem Wagen zuzubringen, wurde aber durch die Kälte genötigt, auszusteigen und in einem bescheidenen Bauernhause ein Unterkommen zu suchen. Mit Tagesanbruch drängten sich in der niedrigen Stube, wo der König schon über seinen Karten saß, die Ordonnanzen. Die Aufstellung der Schweden war beendigt. Es begann die der deutschen Regimenter. Page Leubelfing hatte sich, von dem Kammerdiener des Königs, der ihm wohlwollte, erkannt und nicht zur Rede gestellt,[4] den

---

1. Lützen: city in the province of Saxony, southwest of Leipzig. A drawn battle, the bloodiest of the Thirty Years' War, took place here, November 6, 1632. Gustav Adolf fell in this battle.

2. Raubvogel: (bird of prey), symbolical of Lauenburg, who is also following the king awaiting the opportunity to avenge himself.

3. auf das hartnäckigste, (in the most persistent manner).

4. nicht zur Rede gestellt, (not called to account, not questioned).

in seinem Gestick das schwedische Wappen tragenden Schemel wieder erobert, auf welchem er sonst neben dem Könige gesessen, und sich in einer Ecke niedergelassen, wo er hinter den wechselnden kriegerischen Gestalten verborgen blieb.

Der König hatte jetzt seine letzten Befehle gegeben und war in der wunderbarsten Stimmung. Er erhob sich langsam und wendete sich gegen die Anwesenden, lauter Deutsche, unter ihnen mehr als einer von denjenigen, welche er im Lager bei Nürnberg mit so harten Worten gezüchtigt hatte. Ob ihn schon die Wahrheit und die Barmherzigkeit jenes Reiches berührte, dem er sich nahe glaubte? Er winkte mit der Hand und sprach leise, fast wie träumend, mehr mit den geisterhaften Augen als mit dem kaum bewegten Munde:

„Herren und Freunde, heute kommt wohl mein Stündlein.[1] So möcht' ich Euch mein Testament hinterlassen. Nicht für den Krieg sorgend — da mögen die Lebenden zusehen![2] Sondern — neben meiner Seligkeit — für mein Gedächtnis unter Euch! Ich bin über Meer gekommen mit allerhand Gedanken, aber alle überwog, ungeheuchelt, die Sorge um das reine Wort.[3] Nach der Viktorie von Breitenfeld[4] konnte ich dem Kaiser einen läßlichen Frieden vorschreiben und nach gesichertem Evangelium mit meiner Beute mich wie ein Raubtier zwischen meine schwedischen Klippen zurückziehen. Aber ich bedachte die deutschen Dinge.[5] Nicht ohne ein Gelüst nach Eurer Krone, Herren! Doch, ungeheuchelt, meinen Ehrgeiz überwog die Sorge um das Reich! Dem Habsburger[6] darf es unmöglich

1. kommt wohl mein Stündlein, ('my hour has struck').
2. da mögen die Lebenden zusehen, (let the living see to that).
3. das reine Wort = Gotteswort, (scripture, the true faith).
4. Vikto'rie = Sieg von Breitenfeld; village of Saxony, north of Leipzig.
5. bedachte die deutschen Dinge, (considered the state of affairs in Germany).
6. Dem Habsburger: (The Reich cannot possibly belong any more to the House of Hapsburg).

länger gehören, denn es ist ein evangelisches Reich. Doch Ihr denket und sprechet: ein fremder König herrsche nicht[1] über uns! Und Ihr habet recht. Denn es steht geschrieben[2]: der Fremdling soll das Reich nicht ererben. Ich aber dachte letztlich an die Hand meines Kindes und an einen Dreizehnjährigen . . ."[3] Sein leises Reden wurde überwältigt von dem stürmischen Gesange eines thüringischen Reiterregimentes, das, vor dem Quartier des Königs vorbeiziehend, mit Begeisterung die Worte betonte:

„Er wird durch einen Gideon,
Den er wohl weiß, die helfen schon . . ."[4]

Der König lauschte und ohne seine Rede zu beendigen, sagte er: „Es ist genug, alles ist in Ordnung," und entließ die Herren. Dann sank er auf das Knie und betete.

Da sah der Page Leubelfing mit einem rasenden Herzklopfen, wie der Lauenburger eintrat. Als ein gemeiner Reiter gekleidet, näherte er sich in kriechender und zerknirschter Haltung und reckte die Hände flehend gegen den König aus, der sich langsam erhob. Jetzt warf er sich vor ihm nieder, umfing seine Kniee, schluchzte und schrie ihn

---

1. herrsche nicht, (shall not rule).
2. Denn es steht (in der Bibel) geschrieben: see Galatians V, 21 and Deuteronomy XVII, 15.
3. einen Dreizehnjährigen: it is said that Gustav Adolf had planned a marriage between his daughter Christina and Frederick William of Brandenburg.
4. Er wird durch einen Gideon: Gideon rescued Israel from the Amalekites and Midianites. The second stanza of Gustav Adolf's favorite hymn. See page 87, note 2.

Tröste dich deß, daß deine Sach'
Ist Gottes: Dem befiehl die Rach'
Und laß es Ihn nur walten.
Er wird durch einen Gideon,
Den Er wohl weiß, dir helfen schon,
Dich und Sein Wort erhalten.

schon, (surely, no doubt).

an mit den beweglichen Worten des verlorenen Sohnes[1]: „Vater, ich habe gesündigt in den Himmel und vor dir!" und wiederum: „Ich habe gesündigt in den Himmel und vor dir, ich bin hinfort nicht mehr wert, daß ich dein Sohn
5 heiße!" und er neigte das reuige Haupt. Der König aber hob ihn vom Boden und schloß ihn in seine Arme.

Vor den entsetzten Augen des Pagen schwammen[2] die sich umschlungen Haltenden wie in einem Nebel. „War das, konnte das die Wahrheit sein? Hatte die Heiligkeit
10 des Königs an einem Verworfenen ein Wunder gewirkt? Oder war es eine satanische Larve? Mißbrauchte der ruchloseste der Heuchler die Worte des reinsten Mundes?"[3] So zweifelte sie mit irren Sinnen und hämmernden Schläfen. Der Augenblick verrann. Die Pferde wurden gemeldet, und
15 der König rief nach seinem Lederwams. Der Kammerdiener erschien, in der Linken den verlangten Gegenstand, in der Rechten aber einen an der Halsöffnung gefaßten blanken Harnisch haltend. Da entriß ihm der Page den kugelfesten Panzer und machte Miene,[4] dem König behilflich zu sein,
20 denselben anzulegen. Dieser aber, ohne über die Gegenwart des Pagen erstaunt zu sein, weigerte sich mit einem unbeschreiblich freundlichen Blick und fuhr Leubelfing durch das krause Stirnhaar, wie er zu tun pflegte. „Gust," sagte er, „das geht nicht. Er drückt. Gib das Wams."

25 Kurz nachher sprengte der König davon, links und rechts hinter sich den Lauenburger und seinen Pagen Leubelfing.

---

1. des verlorenen Sohnes: prodigal son, Luke XV, 11–32.
2. schwammen, (became hazy).
3. des reinsten Mundes: Christ.
4. machte Miene, (was about to).

5 

In der Pfarre des hinter der schwedischen Schlachtlinie liegenden Dorfes Meuchen[1] saß gegen Mitternacht der verwitwete Magister Todänus hinter seiner Foliobibel und las seiner Haushälterin, Frau Ida, einer zarten und ebenfalls verwitweten Person, die Bußpsalmen Davids[2] vor. 5
Der Magister — übrigens ein wehrhafter Mann mit einem derben, grauen Knebelbarte, der ein paar Jugendjahre unter den Waffen verlebt hatte[3] — betete dann inbrünstig mit Frau Ida für die Erhaltung des protestantischen Helden, der eben jetzt in kleiner Entfernung das Schlachtfeld, er 10
wußte nicht, ob behauptet oder verloren hatte. Da pochte es heftig an das Hoftor, und die geistergläubige Frau Ida erriet, daß sich ein Sterbender melde.

Es war so. Dem öffnenden Pfarrer wankte ein junger Mensch entgegen, bleich wie der Tod, mit weit geöffneten 15
Fieberaugen, barhaupt, an der Stirn eine klaffende Wunde. Hinter ihm hob ein anderer einen Toten vom Pferde, einen schweren Mann. In diesem erkannte der Pfarrer trotz der entstellenden Wunden den König von Schweden, welchen er in Leipzig einziehen gesehen und dessen wohlgetroffener 20
Holzschnitt hier in seinem Zimmer hing. Tief ergriffen bedeckte er das Gesicht mit den Händen und schluchzte.

In fieberischer Geschäftigkeit und mit hastiger Zunge begehrte der verwundete Jüngling, daß sein König im Chor der anstoßenden Kirche aufgebahrt werde. Zuerst 25
aber forderte er laues Wasser und einen Schwamm, um

1. Meuchen: the village to which Gustav Adolf's body was taken after his death.

2. die Bußpsalmen Davids: the seven penitential psalms 6, 32, 38, 51, 102, 130, 143.

3. unter den Waffen verlebt hatte, (had seen service as a soldier).

das Haupt voll Blut und Wunden[1] zu reinigen. Dann legte er mit der Hilfe des Gefährten den Toten, welcher seinen Armen zu schwer war, auf ein ärmliches Ruhebett, sank daran nieder und betrachtete das wachsfarbene Antlitz
5 liebevoll. Als er es aber mit dem Schwamm berühren wollte, wurde er ohnmächtig und glitt vorwärts auf den Leichnam. Sein Gefährte hob ihn auf, sah näher zu und bemerkte außer der Stirnwunde eine zweite, eine Brust-wunde. Durch einen frischen Riß im Rocke neben einem
10 über dem Herzen liegenden geflickten Risse sickerte Blut. Das Gewand seines Kameraden vorsichtig öffnend, traute der schwedische Kornett seinen Augen nicht. „Hol' mich! straf' mich!"[2] stotterte er, und Frau Ida, welche die Schüssel mit dem Wasser hielt, errötete über und über.

15 In diesem Augenblicke wurde die Tür aufgerissen, und der Oberst Ake Tott trat herein. In Proviantsachen rück-wärts gesendet, war er nach verrichtetem Geschäfte[3] dem Schlachtfelde wieder zugeeilt und hatte in der Dorfgasse, vor dem Kruge ein Glas Branntwein stürzend, die Mär
20 vernommen von einem im Sattel wankenden Reiter, der einen Toten vor sich auf dem Pferde gehalten.

„Ist es wahr, ist es möglich?" schrie er und stürzte auf seinen König zu, dessen Hand er ergriff und mit Tränen benetzte. Nach einer Weile sich umwendend, erblickte er
25 den Jüngling, welcher in einem Lehnsessel ausgestreckt lag, seiner Sinne unmächtig.[4] „Alle Teufel,"[5] rief er zornig, „so hat sich die Gustel doch wieder an den König gehängt!"

---

1. das Haupt voll Blut und Wunden: an allusion to Paul Gerhardt's famous hymn:

> O Haupt voll Blut und Wunden,
> Voll Schmerz und voller Hohn,
> O Haupt, zum Spott gebunden,
> Mit einer Dornenkron'.

2. Hol' mich! straf' mich! (Well, I'll be . . . !) See page 93, note 1.
3. nach verrichtetem Geschäfte, (after he had completed his task).
4. seiner Sinne unmächtig, (unconscious).
5. Alle Teufel, (The devil!)

„Ich fand den jungen Herrn, meinen Kameraden," bemerkte der Kornett vorsichtig, „wie er, den toten König vor sich auf dem Pferde haltend, über das Schlachtfeld sprengte. Er hat sich für die Majestät geopfert!"

„Nein, für mich!" unterbrach ihn ein langer Mensch mit einem Altweibergesicht. Es war der Kaufherr Laubfinger. Um eine beträchtliche durch den Krieg gefährdete Schuld einzutreiben, hatte er sich aus dem sichern Leipzig herausgewagt und unwissend dem Schlachtfelde genähert. In die von Gepäckwagen gestaute Dorfgasse geraten, war er dann dem Obersten nachgegangen, ihn um eine salva guardia [1] zu ersuchen. In einem überströmenden Gefühle von Dankbarkeit und von Erleichterung erzählte er jetzt den Anwesenden umständlich die Geschichte seiner Familie. „Gustel, Gustel," weinte er, „kennst du noch dein leibliches Vetterchen? Wie kann ich dir's bezahlen, was du für mich getan hast?"

„Damit, Herr,[2] daß Ihr das Maul haltet!" fuhr ihn der Oberst an.

Der Pfarrer aber trat in das Mittel [3] und sprach mit ruhigem Ernst: „Herrschaften, Ihr kennt diese Welt. Sie ist voller Lästerung." Frau Ida seufzte. „Und da am meisten, wo ein großer und reiner Mensch eine große und reine Sache vertritt. Würde der leiseste Argwohn dieses Andenken [4] trüben" — er zeigte auf den stillen König — „welches Fabelgeschöpf würde nicht die Verleumdung aus dieser armen Mücke machen," und er deutete auf den ohnmächtigen Pagen, „die sich die Flügel an der Sonne des Ruhmes verbrannt hat! Ich bin wie von meinem Dasein überzeugt, daß der selige König von diesem Mädchen nichts wußte."

1. salva guardia, (safe-conduct).
2. Damit, Herr . . . , (By keeping your mouth shut, Sir!)
3. trat in das Mittel, (intervened).
4. dieses Andenken, (the memory (of this king)).

„Einverstanden, geistlicher Herr," schwur der Oberst, „auch ich bin davon, wie von meiner Seligkeit nicht durch die Werke,[1] sondern durch den Glauben überzeugt."

„Sicherlich," bestätigte Laubfinger. „Sonst hätte der 5 König sie heimgeschickt und auf mich gefahndet."

„Hol' mich, straf' mich!" beteuerte der Kornett und Frau Ida seufzte.

„Ich bin ein Diener am Wort, Ihr traget graues Haar, Herr Oberst, Ihr, Kornett, seid ein Edelmann, es liegt in 10 Eurem Nutzen und Vorteil,[2] Herr Laubfinger, für Frau Ida bürge ich: wir schweigen."

Jetzt öffnete der Page die sterbenden Augen. Sie irrten angstvoll umher und blieben auf Åke Tott haften: „Pate, ich habe dir nicht gehorsamt,[3] ich konnte nicht — ich bin 15 eine große Sünderin."

„Ein großer Sünder," unterbrach sie der Pfarrer streng. „Ihr redet irre![4] Ihr seid der Page August Leubelfing, ehelicher Sohn des nürnbergischen Patriziers und Handelsherrn Arbogast Leubelfing, geboren den und den,[5] Todes 20 verblichen den siebenten November Eintausend sechshundert zweiunddreißig an seinen Tages vorher[6] in der Schlacht bei Lützen empfangenen Wunden, pugnans cum rege Gustavo Adolpho."[7]

"Fortiter pugnans!"[8] ergänzte der Kornett begeistert. 25 „So will ich auf Euren Grabstein setzen![9] Jetzt aber

1. von meiner Seligkeit nicht durch die Werke, sondern durch den Glauben: the chief doctrine of the Protestant church, salvation by faith and not by works.

2. es liegt in Eurem Nutzen und Vorteil, (it is to your profit and advantage).

3. gehorsamst = gehorcht, unusual locution.

4. Ihr redet irre! (Your mind is wandering).

5. geboren den und den, (born such and such a day).

6. an seinen Tages vorher . . ., (from his wounds received the day before in the battle of Lützen).

7. pugnans cum rege . . ., (fighting with King Gustavus Adolphus).

8. Fortiter pugnans! (Bravely fighting).

9. So will ich setzen, (Thus I shall have it inscribed).

machet Euern Frieden mit Gott! Euer Stündlein ist gekommen." Der Magister sagte das nicht ohne Härte, denn er konnte seinen Unmut gegen das abenteuerliche Kind, das den Ruf seines Helden gefährdet hatte, nicht verwinden, ob es schon[1] in den letzten Zügen lag. 5

„Ich kann jetzt noch nicht sterben, ich habe noch viel zu reden!" röchelte der Page. „Der König ... im Nebel ... die Kugel des Lauenburgers —" der Tod schloß ihr den Mund, aber er konnte sie nicht hindern, mit einer letzten Anstrengung der brechenden Augen das Antlitz des 10 Königs zu suchen.

Jeder der Anwesenden zog seinen Schluß und ergänzte den Satz nach seiner Weise. Der geistesgegenwärtige Pfarrer aber, dessen Patriotismus es beleidigte, den Retter Deutschlands und der protestantischen Sache — 15 für ihn einunddasselbe — von einem deutschen Fürsten sich gemeuchelt zu denken, ermahnte sie alle eindringlich, dieses Bruchstück einer durch den Tod zertrümmerten Rede mit dem Pagen zu begraben.

Jetzt, da August Leubelfing sein Schicksal vollendet 20 hatte und leblos neben seinem Könige lag, schluchzte der Vetter: „Nun[2] die Base verewigt und der Erbgang eröffnet ist, nehme ich doch meinen Namen wieder an mich?"[3] und er warf einen fragenden Blick auf die Umstehenden. Der Magister Todänus betrachtete eben das unschuldige 25 Gesicht der tapfern Nürnbergerin, das einen glücklichen Ausdruck hatte. Der strenge Mann konnte sich einer Rührung nicht erwehren. Jetzt entschied er: „Nein, Herr! Ihr bleibt ein Laubfinger. Euer Name wird die Ehre haben, auf dem Grabhügel eines hochgesinnten Mädchens 30 zu stehen, das einen herrlichen Helden bis in den Tod

---

1. ob es schon = obschon es, (although it).
2. Nun, (Now that).
3. nehme ich ... an mich, (I shall assume again; shall I not (doch)).

geliebt hat. Ihr aber habt Euer höchstes Gut gerettet, das liebe Leben. Damit begnüget Euch."

Die Kirche wurde gegen den Andrang der zuströmenden Menge gesperrt und verriegelt; denn das Gerücht hatte 5 sich rasch verbreitet, hier liege der König. Die Toten wurden dann gewaschen und im Chore aufgebahrt. Über alledem[1] war es helle geworden. Als die Kirchtore den mit ungeduldigen Gebärden, aber ehrfürchtigen Mienen Eindringenden sich öffneten, lagen die beiden vor dem 10 Altare gebettet auf zwei Schragen, der König höher, der Page niedriger, und in umgekehrter Richtung, so daß sein Haupt zu den Füßen des Königs ruhte. Ein Strahl der Morgensonne — dem gestrigen Nebeltage war ein blauer, wolkenloser gefolgt — glitt durch das niedrige Kirchen- 15 fenster, verklärte das Heldenantlitz und sparte noch ein Schimmerchen für den Lockenkopf des Pagen Leubelfing.

Fragen

Lesehilfen und Themen für Sprechübungen

1

Vater und Sohn Leubelfing.

1. Womit sind Vater und Sohn beschäftigt?
2. Was meldet der eintretende Diener?
3. Warum erbricht der Vater das königliche Siegel ohne sonderliche Besorgnis?
4. Geben Sie mit eigenen Worten den Inhalt des Briefes wieder!
5. Warum jammerte der Sohn: „Jetzt trage ich meinen Totenschein in der Tasche."?

---

1. **Über alledem,** (In the meantime).

6. Bei welcher Gelegenheit hat der Vater dem König eine „so irrtümliche Meinung von den Wünschen seines Sohnes beigebracht“?
7. Warum ist der Sohn bei der Gasterei nicht mit dabei gewesen?
8. Was schreit mitten in dem Jubel eine klare, durchdringende Stimme?
9. Welche Unwahrheit hatte der alte Leubelfing dem König gesagt?
10. Warum sagt der Sohn mit Recht: „So viel und so wenig Weisheit, Vater!“?

Gustel Leubelfing.

1. Beschreiben Sie die Base Gustel!
2. Welche Stellung hat Base Gustel in diesem Hause?
3. Wer hat das „Hoch Gustav, König von Deutschland“ gerufen?
4. Warum hat Gustel bei der Gelegenheit den schwedischen Soldatenrock ihres Vaters angezogen?
5. Welchen Rat gibt Gustel dem jungen Leubelfing?
6. Was erzählt der alte Leubelfing von Gustels Vater?
7. Welche Antwort gibt Gustel dem jungen Leubelfing auf seine Frage: „Auf was kann ich mich bei dem König gültig ausreden?“
8. Wie versuchen der alte Leubelfing und Gustel den Jungen zu überreden, als Page beim König einzutreten?
9. Warum soll Gustel als Page zum König gehen?
10. Wie nimmt bei Gustel „ein kindischer Traum Gestalt an“?

Gustel wird Page.

1. Wie wirkt das Erscheinen des Kornetts auf die beiden Leubelfing und auf Gustel?
2. Was tut Gustel Leubelfing in ihrer Kammer?
3. Wie nimmt Gustel Abschied von Vater und Sohn?
4. Was sagt der Kornett über den „Herrn Vetter“?
5. Was soll der junge Leubelfing tun, da er seine Identität eingebüßt hat?

2

Gustel wird von der Königin und dem König nicht als Mädchen erkannt.

1. Um was bittet die Königin den Pagen?
2. Welche Antwort erhält sie vom Pagen?
3. Warum empfindet der Page einen Widerwillen gegen die Königin?
4. Was sagt der König, der diesen Auftritt beobachtet hat?
5. Warum hat der König seinen Pagen gern?
6. Beschreiben Sie das Glück und die quälenden Befürchtungen des Pagen!
7. Welcher „frechen Lüge“ wurde der Page überhoben, als er dem König vorgestellt wurde?
8. Welches „nackte Schauspiel“ beobachtet der Page bei seiner Ankunft im Lager?

Das Leben des Pagen beim König.

1. In welcher Gefahr steht der Page täglich?
2. Welche „löbliche und gesunde Gewohnheit“ hatte der König?
3. Wie verbringen der König und der Page ihre Freistunden?
4. Welche „harmlosen Dinge“ erzählt der König dem Pagen?
5. Wie empfindet der König „die Wirkung des Betruges“, welchen der Page an ihm verübt?
6. Warum erhält der Page vom König einen derben Schlag auf seinen vorlauten Mund?
7. Was sucht der König eines Tages in einem Quartband?
8. Was sagt der König zu der Devise, die der Page auswählt?
9. Wie wünscht sich der Page sein Leben?
10. Warum hätte es auch heute von dem König "courte et bonne" heißen können?

Der Page in beständiger Angst entdeckt zu werden.

1. Wozu bediente sich der König seines Pagen Leubelfing?
2. Welche „wunderliche Geschichte“ liest der Page in einem Briefe der Hofmeisterin?

3. Welche Antwort auf diesen Brief muß der Page nach Stockholm schreiben?
4. Wie quält das „Attentat auf die Seele seines Kindes“ den König?
5. Welchen Eindruck macht die Sorge des Königs auf den Pagen?
6. Wo fühlt er sich nur sicher und leicht zumute?
7. Warum genießt der Page von jetzt an „das höchste Leben mit der Hilfe des Todes“?
8. Wie lebt auch der König „mit dem Tode auf einem vertrauten Fuß“?
9. Welche Ähnlichkeit besteht zwischen dem Lose des Königs und dem seines Pagen?
10. Erzählen Sie von den Träumen des Pagen!

Die Korinna — der Page wird erkannt.

1. Um was bittet die Königin in einem ihrer Briefe?
2. Welchen Befehl gibt der König?
3. Beschreiben Sie die Korinna!
4. Warum will sie nicht von dem Lauenburger lassen?
5. Welche Antwort gibt ihr der Page?
6. Erzählen Sie, wie die Korinna das Mädchen in dem Pagen erkennt!
7. Wie sucht der Page sich zu retten?
8. Warum kehrt der König zurück „streng wie ein Richter in Israel“?
9. Inwieweit ist der Lauenburger an dem „empörenden Auftritt“ beteiligt?
10. Was bestimmt der König über die Korinna?
11. Warum ist dieser Beschluß des Königs so schrecklich für die Korinna?
12. Wie endet die Korinna-Szene?

Der Lauenburger — der Page erkennt seinen Doppelgänger.

1. Beschreiben Sie die Versammlung der deutschen Fürsten!
2. Warum bedient sich der König absichtlich „einer groben, bäurischen Rede“?
3. Womit droht der König in seinem Zorn?

4. Welchen Eindruck macht die Rede des Königs auf die Fürsten?
5. Wie erregt der Lauenburger von neuem den Zorn des Königs?
6. Wie straft der König den Lauenburger?
7. Mit welchen Gefühlen beobachtet der Page den Vorgang im Saal?
8. Worüber erschrickt der Page?
9. Erzählen Sie, wie der Lauenburger von seinesgleichen gemieden wird!
10. Warum ist der Page „einer Ohnmacht nahe"?

Wallenstein — der Page wird verdächtigt.

1. Zu welchem Zwecke mochte der friedländische Hauptmann ins schwedische Lager gekommen sein?
2. Von welcher „demütigen und dienstfertigen Gewohnheit" erzählt der Hauptmann?
3. Warum gibt der Page den Handschuh zurück?
4. Welches Gefühl hat der Page, als er in seine Kammer flüchtet?
5. Von wo aus belauscht er das Gespräch zwischen dem König und Wallenstein?
6. Welche „wahrhaftige Geschichte" erzählt Wallenstein dem König?
7. Welche ähnliche Situation hat Wallenstein heute erlebt?
8. Auf welche weiteren „Zeugen oder Indizien" weist Wallenstein hin?
9. Worüber sind sich beide, der König und Wallenstein, inbezug auf den Pagen einig?
10. Warum würde Wallenstein trotzdem den Pagen nicht weiter behalten?
11. Aus welchen zwei Gründen läßt der König das Gespräch fallen?
12. Aus welchem Grunde ist Wallenstein zum König gekommen, um diesen zu warnen?
13. Welche Vorstellung gewinnt, trotz seines Gottvertrauens, plötzlich Gewalt über den König?
14. Mit welchem Wunsche empfiehlt sich Wallenstein vom König?

15. Welchen Eindruck hat das belauschte Gespräch auf den Pagen gemacht?
16. Erzählen Sie, wie der Page den König verläßt!

Oberst Åke Tott — der Page wird erkannt.

1. Welche „unendliche Sorge“ bemächtigt sich des Pagen?
2. Zu welchem Entschluß kommt der Page?
3. Erzählen Sie, wie der Page dem Obersten Åke Tott begegnet!
4. Erzählen Sie, wie der Page vom Obersten als Gustel Leubelfing erkannt wird!
5. Erzählen Sie die Geschichte von Jakob Erichson!
6. Welches „Monodrama“ hat Gustel, nach den Worten des Obersten, neben dem König gespielt?
7. Warum war die Rolle nicht gerade halsgefährlich?
8. Wie plant der Oberst die Zukunft Gustels?

Gustel kehrt zum König zurück.

1. Was tut der Page nach beendigter Lese im Heere?
2. Erzählen Sie, wie der Page den König auf dem Marktplatze von Naumburg wiedersieht!
3. Warum verläßt der Page den Obersten Åke Tott?
4. Erzählen Sie, wie der Page wieder zum König zurückkehrt!
5. Geben Sie den Inhalt der Rede wieder, die der König an seine Offiziere richtet!
6. Welche Szene zwischen dem König und dem Lauenburger beobachtet der Page?
7. Welche Gedanken erweckt diese Szene beim Pagen?
8. Wie wird er vom König wieder als Page angenommen?

Der Tod des Pagen.

1. Wohin versetzt uns das letzte Kapitel der Novelle?
2. Erzählen Sie, wie der tote König ins Pfarrhaus gebracht wird!
3. Erzählen Sie, wie der Page als Mädchen erkannt wird!
4. Was berichtet der schwedische Kornett über den Pagen?
5. Wie kommt es, daß der Kaufherr Laubfinger hier erscheint?

6. Warum muß Gustel als Page August Leubelfing sterben und begraben werden?
7. Welche Worte werden auf seinem Grabstein stehen?
8. Welches „Bruchstück einer durch den Tod zertrümmerten Rede“ soll mit dem Pagen begraben werden?
9. Warum darf der Kaufherr Laubfinger seinen richtigen Namen August Leubelfing nicht wieder annehmen?
10. Erzählen Sie, wie der Page zusammen mit seinem König in der Kirche zu Meuchen aufgebahrt wird!

Die Söhne des Senators

Theodor Storm

Theodor Storm

Theodor Storm was born on September 14, 1817, in the ancient sea-coast town of Husum in the province of Schleswig. Storm had the gentle and sensitive temperament, the warm and friendly manner, which are characteristic of his northern race; he was a calm, unobtrusive, dignified personality. In the folk-legends of North Frisia, that borderland of Scandinavian and German civilization which was his home, Storm found the themes and materials for his stories. The people whom he portrays in his writings are the rugged, taciturn fishermen, the simple peasants, and the earnest, sober townspeople of that country. Storm draws the natural settings, which are an important element in so many of his *Novellen*, from scenes familiar to him in his native country; — he describes the violent and dangerous sea, the wastelands of heath and gloomy moors which are around the town, and the more prosperous lowland farms and rural villages. The poem *Die Stadt*, written about the town of Husum, catches both the hard, stern aspect of this landscape and Storm's deep love for his native soil:

Die Stadt

Am grauen Strand, am grauen Meer
Und seitab liegt die Stadt;
Der Nebel drückt die Dächer schwer,
Und durch die Stille braust das Meer
Eintönig um die Stadt.

Es rauscht kein Wald, es schlägt im Mai
Kein Vogel ohn' Unterlaß;
Die Wandergans mit hartem Schrei
Nur fliegt in Herbstesnacht vorbei,
Am Strande weht das Gras.

Doch hängt mein ganzes Herz an dir,
Du graue Stadt am Meer;
Der Jugend Zauber für und für
Ruht lächelnd doch auf dir, auf dir,
Du graue Stadt am Meer.

Storm came from a family of social prominence and comfortable circumstances, his father being a lawyer, his mother belonging to a wealthy patrician family. After attending the schools in his native town, Storm studied at the Gymnasium in Lübeck and entered the University of Kiel in 1837 as a student of law. A year later he enrolled in the University of Berlin. He returned to Husum after the completion of his legal studies and took up practice there. He did not remain here long, however, for the political unrest in Schleswig made it impossible for him, with his strong anti-Danish sentiments, to stay in this center of political struggle. In 1853 Storm went again to Berlin, where the Prussian government gave him an appointment to a judicial position; he served first at Potsdam and later at Heiligenstadt, in the province of Saxony. Here Storm remained until 1864, when Prussia occupied Schleswig-Holstein at the close of the Danish-Prussian War. In this year he returned to the North, to stay there for the rest of his life, serving first as district judge and receiving later several promotions until his retirement in 1880. He lived at Hademarschen in Holstein until his death on July 4, 1888.

Though he is best known for his *Novellen*, Storm was above all a lyric poet. His *Gedichte*, published in 1852, give him a place among the most prominent German poets of his day. According to his own statement, his natural vehicle for expression when he was most moved was not prose but verse. His *Novellen* too bear the marks of this essentially lyric gift. Their delicate moods are so well sustained, word-music and subtle rhythms are so intimately a part of their charm, that they can properly be called prose-poetry. In addition, these exquisite short stories, of which Storm wrote over fifty, often have poems incorporated into them as integral parts of the narrative. Thus prose and poetry are closely interwoven in this artform, in which the poems are used often to state the central problem of the story. This is true of the poem *"Meine Mutter hat's gewollt"* in *Immensee.*

„Meine Mutter hat's gewollt,
Den andern ich nehmen sollt';
Was ich zuvor besessen,
Mein Herz sollt' es vergessen;
Das hat es nicht gewollt.

Meine Mutter klag' ich an,
Sie hat nicht wohl getan;
Was sonst in Ehren stünde,
Nun ist es worden Sünde.
Was fang' ich an!

Für all' mein Stolz und Freud'
Gewonnen hab' ich Leid.
Ach, wär' das nicht geschehen.
Ach, könnt' ich betteln gehen
Über die braune Heid'!"

Storm has been compared to Adalbert Stifter for his ability to copy the minute, fleeting phenomena of nature with a sharp and loving eye. He gives evidence in all he writes of a passionate reverence for nature. Nature stimulated his imagination and called forth from him his most brilliant pages of writing, — pages where he magically catches the subtle colors and evanescent beauties of the simple forms of life and holds them fast in a clear, delicate prose. He tells in *Aquis submersus* how he, a mere boy, wanders alone over the heath, held in the spell of mysterious beauty that surrounds him. In the stories *Drüben am Markt* and *Ein grünes Blatt* he depicts his characters resting at noon in the waving grass beside some lazy stream and listening to the play of the breezes in the rushes, or idly watching the butterflies and birds; and as they lie there quietly, they gradually spin out a story of human life against this skillfully sketched background.

Storm responded most strongly to the quiet, even sullen, moods of the landscape and avoided the more violent phases of nature. So also he avoided the violent passions when telling his stories of human life. Most frequently these are tales of reminiscence, stories of happiness that lies in some distant, inaccessible region of the past, separated from the saddened narrator by a veil of time that endears to him the aspect of those far-off events. In all his characters, the honest, upright, self-effacing men, the graceful girls, and the strong and capable women, we find a trace of the melancholy and vague dreaminess that is so characteristic of this author. Often they are people whose lives center around the recollection of the past, whose only happiness is the nostalgic re-living of the pleasures of their earlier years. But these characters do not complain that life has been bitter and tragic; rather, we feel, they have achieved a tender, philosophic resignation. This combination of traits gives Storm's stories their peculiar charm and power. In the main they are stories of self-sufficient and even, in their way, victorious personalities, — stories which put the emphasis on strength and steadiness of human character and sentiment. Yet, just as the moors sometimes appear utterly inimical and the seas treacherous and evil, so Storm occasionally gives way to moods of utter helplessness and fatalistic gloom.

His first important story was *Immensee*, which immediately upon its appearance in 1851 made his reputation. *Immensee* is a charming idyl, characterized by dreamy reminiscence and bearing the stamp of Romantic influence in its use of symbolism. *Auf dem Staatshof*, 1859, *Im Schloß*, 1862, and *In St. Jürgen*, 1867 are three other tales of this early period, each of which, like *Immensee*, has the elegiac recollection of the vanished happiness of youth as its theme. In the stories written in the seventies, Storm exhibits a tendency toward a gentle, idealized realism; he introduces more dramatic elements and a deeper psychology. *Viola tricolor*, 1874, and *Psyche*, 1875, are examples of this type. In 1874 Storm wrote his delightful longer story of an old puppet player, *Pole Poppenspäler*. *Aquis submersus*, written in 1876, marks Storm's turning toward historical subjects, which likewise form the basis for *Renate*, 1878, *Zur Chronik von Grieshuus*, 1884, and *Ein Fest auf Haderslevhuus*, 1885. In this group he strives to make the past become alive, often undertaking the difficult task of imitating the very language of the chronicles and attempting to make his story indistinguishable in form and substance from authentic documents preserved from the earlier times. To this period also belongs the story *Die Söhne des Senators*, 1880, a story marked by charming domestic scenes and lit by shafts of delicate humor, ample proof that Storm is by no means so devoid of humor as *Immensee* and the greater number of his stories might lead us to suppose.

Storm was always a great favorite with the German public, and we feel sure that his native Frisian humor will make him new friends and admirers among the readers of any of the above mentioned works.

Die Söhne des Senators

I

Der nun längst vergessene alte Senator[1] Christian Albrecht Jovers, dessen Sarg bei Beginn dieser einfachen Geschichte schon vor mehreren Jahren die stille Gesellschaft der Familiengruft vermehrt[2]
5 hatte, war einer der letzten größern Kaufherren unsrer Küstenstadt gewesen. Außer seiner Witwe, der von klein und groß geliebten Frau Senatorin, hatte er zwei Söhne hinterlassen, von denen er den ältesten, gleichen Namens mit ihm, kurz vor seinem Tode als Kompagnon der Firma auf-
10 genommen hatte, während für den um ein Jahr jüngern Herrn Friedrich Jovers am selben Orte ein durch den Tod des Inhabers freigewordenes Weingeschäft erworben war.

Dem alten, nun in Gott ruhenden Herrn[3] war derzeit der Ruf gefolgt, daß er in seinem Hause, selbst gegen seine
15 im vorgeschrittenen Mannesalter stehenden Söhne, die Familiengewalt mit Strenge, ja oft mit Heftigkeit geübt habe; nicht minder aber,[4] daß er ein Mann gewesen, stets eingedenk der Würde seiner Stellung und des wohlerwor-

---

1. Sena'tor: Members of the municipal council in the former free cities of Germany were called "senators."

2. dessen Sarg . . . die stille Gesellschaft der Familiengruft vermehrt hatte, (whose coffin had joined the silent company in the family vault).

3. in Gott ruhenden Herrn, (resting in peace, deceased).

4. nicht minder aber (war ihm der Ruf gefolgt).

benen Ansehens seiner Voreltern, mit einem offenen Herzen für seine Vaterstadt und alle reputierlichen Leute in derselben, mochten sie in den großen Giebelhäusern am Markte oder in den Katen [1] an den Stadtenden wohnen. Beim Jahreswechsel mußte unfehlbar der Buchhalter und Kassierer Friedebohm einen gewichtigen Haufen dänischer und holländischer Dukaten in einzelnen Päckchen siegeln, sei es [2] zu Ehrengeschenken für die Prediger, für Kirchen- und Schulbediente, oder für am Orte wohnende frühere Dienstboten als ein Beitrag zu den Kosten der verflossenen Feiertage; ebenso sicher aber war auch dann schon vor Einbruch der schlimmsten Wintersnot [3] ein auf dem naheliegenden Marschhofe [4] des Senators fett gegraster Mastochse für die Armen geschlachtet und verteilt worden. So stand denn nicht zu verwundern,[5] daß die Mitbürger des alten Herrn, wenn sie ihm bei seinen seltenen Gängen durch die Stadt begegneten, stets mit einer Art sorglicher Feierlichkeit ihren Dreispitz von der Perücke hoben, auch wohl erwartungsvoll hinblickten, ob bei dem Gegengruße ein Lächeln um den streng geschlossenen Mund sich zeige.

Das Haus der Familie lag mitten in der Stadt in einer nach dem Hafen hinabgehenden Straße. Es hatte einen weiten, hohen Flur mit breiter Treppe in das Oberhaus, zur Linken neben der mächtigen Haustür das Wohnzimmer, in dem langgestreckten Hinterhaus die beiden Schreibstuben für die Kaufmannsgesellen und den Prinzipal; darüber, im obern Stockwerk, lag der nur bei feierlichen Anlässen gebrauchte große Festsaal. Auch was derzeit sonst an Raum

---

1. Kate: the small house of a poor peasant or fisherman, (poor man's cottage).

2. sei es, (whether it were (for); be it (for)).

3. vor Einbruch der schlimmsten Wintersnot, (before the worst needs of winter set in).

4. Marschhof: a farm located in the rich marsh country (bottom land) along the shore of the North Sea.

5. So stand denn nicht zu verwundern, (No wonder therefore that . . .).

und Gelaß für eine angesehene Familie nötig war,[1] befand sich in und bei dem Hause; nur eines fehlte: es hatte keinen Garten, sondern nur einen mäßig großen Steinhof, auf welchen oben die drei Fenster des Saales, unten die der
5 Schreibstuben hinaussahen. Der karge Ausblick aus diesem Hofe ging über eine niedrige Grenzmauer auf einen Teil des hier nicht breitern Nachbarhofes; der Nachbar selber aber war Herr Friedrich Jovers, und über die niedrige Mauer pflegten die beiden Brüder sich den Morgengruß
10 zu bieten.[2]

Gleichwohl fehlte es der Familie nicht an einem stattlichen Lust- und Nutzgarten, nur lag er einige Straßen weit vom Hause, doch immerhin so, daß er, wie man hier sich ausdrückt, „hintenum“[3] zu erreichen war. Und für den vielbeschäftigten
15 alten Kaufherrn mag es wohl gar eine Erquickung gewesen sein, wenn er spät nachmittags am Westrande der Stadt entlang wandelte, bisweilen anhaltend, um auf die grüne Marschweide hinabzuschauen, oder, wenn bei feuchter Witterung der Meeresspiegel wie emporgehoben sichtbar
20 wurde,[4] darüber hinaus nach den Masten eines seiner auf der Reede ankernden Schiffe. Er zögerte dann wohl noch ein Weilchen, bevor er sich wieder in die Stadt zurückwandte; denn freilich galt es,[5] von hier aus nun noch etwa zwanzig Schritte in eine breite Nebengasse hineinzubiegen, wo die
25 niedrigen, aber sauber gehaltenen Häuser von Arbeitern und kleinen Handwerkern der hereinströmenden Seeluft wie dem lieben Sonnenlichte freien Eingang ließen.[6] Hier

---

1. was zu derzeit sonst an Raum und Gelaß ... nötig war, (what was considered at that time proper accommodations for a prominent family).
2. pflegten sich ... zu bieten, (were accustomed to exchange).
3. „hintenum“, (the back way), i.e. without passing through the main streets of the town.
4. wenn bei feuchter Witterung ... sichtbar wurde, (when in damp (misty) weather the surface of the sea became visible, appearing raised and higher than the shore).
5. denn freilich galt es, (for indeed it was a question of).
6. freien Eingang ließen, (gave free entry).

wurde die nördliche Häuserreihe von einem grünen Weiß-
dornzaune und dieser wiederum durch eine breite Staketpforte unterbrochen. Mit dem schweren Schlüssel, den er aus
der Tasche zog, schloß der alte Herr die Pforte auf, und bald
konnte man ihn auf dem geradlinigen, mit weißen Muscheln 5
ausgestampften Steige in den Garten hineinschreiten sehen,
je nach der Jahreszeit den weißen Kopf zu einer frisch er-
schlossenen Provinzrose[1] hinabbeugend oder das Obst an den
jungen, in den Rabatten neugepflanzten Bäumen prüfend.

Der zwischen Buchseinfassung hinlaufende breite Steig 10
führte nach etwa hundert Schritten zu einem Pavillon; und
es war für die angrenzende Gasse allemal ein Fest, wenn an
Sonntagnachmittagen die Familie sich hier zum Kaffee
versammelt hatte und dann beide Flügeltüren weit geöffnet
waren. Der alte Andreas, welcher dicht am Garten wohnte, 15
hatte an solchen Tagen schon in der Morgenfrühe oder vorher, am Sonnabend, alle Nebensteige geharkt und Blumen
und Gesträuche sauber aufgebunden. Weiber mit ihrem
Nachwuchs auf den Armen, halbaufgewachsene Jungen und
Mädchen drängten sich um die Pforte, um durch deren 20
Stäbe einen Blick in die patrizischen Sommerfreuden zu
erhaschen, mochten sie nun[2] das blinkende Service des
Kaffeetisches bewundern, oder schärfer Blickende die nicht
übel gemalte tanzende Flora an der Rückwand des Pavillons
gewahren und nun lebhaft dafür eintreten,[3] daß die fliegende 25
Dame das Bild der guten Frau Senatorin in ihren jungen
Tagen[4] vorstelle. Die ganze Freude der Jugend aber war
ein grüner Papagei aus Kuba, der bei solchen Anlässen als
vieljähriger Haus- und Festgenosse vor den Türen des
Pavillons seinen Platz zu finden pflegte. Auf seiner Stange 30

---

1. Provinz'rose: a dark red garden rose, (Provence rose), named after Provinz, a town in France.
2. mochten sie nun . . . bewundern, (whether they admired).
3. lebhaft dafür eintreten, (to maintain ardently).
4. in ihren jungen Tagen = in ihrer Jugend.

sitzend, pfiff er bald ein heimatliches Negerliedchen, bald,[1] wenn von der Pforte her zu viele Finger und blanke Augen auf ihn zielten, schrie er flügelschlagend ein fast verständliches Wort zu der Gassenbrut hinüber. Dann fragten die 5 Jungen untereinander: „Wat seggt he? Wat seggt de Papagoy?"[2] Und immer war einer dazwischen, welcher Antwort geben konnte. „Wat he seggt? — ‚Komm röwer!' seggt he!" — Dann lachten die Jungen und stießen sich mit den Ellenbogen, und wenn Stachelbeeren an den Büschen 10 oder Pflaumen an den Bäumen hingen, so hatten sie zum Herüberkommen gewiß nicht übel Lust.[3] Aber das war schwerlich die Meinung des alten Papageien; denn wenn Herr Christian Albrecht, sein besonderer Gönner, mit einem Stückchen Zucker an die Stange trat, so schrie er ebenfalls: 15 „Komm röwer!" Er hatte dasselbe schon geschrieen, als ein alter Kapitän ihres Vaters den Knaben Friedrich und Christian Albrecht den fremden Vogel zum Geschenk brachte; und als auch sie ihn damals fragten: „Wat seggt de Papagoy?" da hatte der alte Mann nur lachend er- 20 widert: „Ja, ja, se hebbt upt Schipp em allerlei dumm Tüges lehrt!"[4] Der Himmel mochte wissen, was der Vogel mit seinem plattdeutschen Zuruf sagen wollte!

Mitunter ging auch wohl die kleine, freundliche Frau Senatorin mit ihrer Kaffeetasse in der Hand den Steig hinab, 25 um die Enkelinnen des alten Andreas mit einer Frucht oder einem Sonntagsschilling zu erfreuen[5]; dann putzten die

---

1. bald pfiff er . . . bald schrie er.

2. „Wat seggt he? Wat seggt de Papagoy?" „Wat he seggt? — ‚Komm röwer!' seggt he!" Low German dialect: „Was sagt er? Was sagt der Papagei?" „Was er sagt? — ‚Komm herüber!' sagt er!"

3. hatten . . . gewiß nicht übel Lust = wären gewiß gerne herübergekommen.

4. se hebbt upt Schipp em allerlei dumm Tüges lehrt = sie haben ihn auf dem Schiff allerlei dummes Zeug gelehrt, (foolish, out-of-place words and tricks).

5. mit einem Sonntagsschilling zu erfreuen, (to gladden their hearts with a shilling for Sunday).

Weiber ihren Säuglingen rasch die Näschen, die Jungen aber blieben grinsend stehn; sie wußten zu genau, daß die gute Dame es mit der Verwandtschaft zum Andreas nicht allzu peinlich nahm.[1] Ebenso geschah es mit Herrn Christian Albrecht, denn er glich seiner Mutter an froher Leichtlebigkeit; er kannte die Buben alle bei Namen und erzählte ihnen von dem Papageien die wunderbarsten und ergötzlichsten Geschichten. Anders,[2] wenn der alte Kaufherr mit seiner holländischen Kalkpfeife auf den Steig hinaustrat; dann zogen sich alle ausgestreckten Finger zwischen den Stäben der Pforte zurück, und alt und jung schaute in ehrerbietigem Schweigen auf ihn hin; war es aber Herr Friedrich Jovers, der den Steig herabkam, so waren plötzlich mit dem Rufe: „De junge Herr!" alle Jungen zu beiden Seiten der Pforte hinter dem hohen Zaun verschwunden, denn der unbequeme Verkehr mit Kindern lag nicht in seiner Art [3]; wohl aber [4] hatte er einmal einen der größern Jungen derb geschüttelt, als dieser eben von der Gasse aus mit seinem Flitzbogen auf einen im Garten singenden Hänfling schießen wollte.

— Diese Familienfeste waren nun vorüber. Der nördliche, hinter dem Pavillon liegende Teil des Gartens grenzte an den schon außerhalb der Stadt liegenden Kirchhof, und hier, in der von seinem Vater erbauten Familiengruft, ruhte der alte Kaufherr und Senator von seiner langen Lebensarbeit; mit dem Liede „O du schönes Weltgebäude" [5] hatten die Gelehrten- und die Bürgerschule [6] ihn zu Grabe ge-

1. es mit der Verwandtschaft nicht allzu peinlich nahm, (was not too strict in limiting the relationship).

2. Anders (war es).

3. lag nicht in seiner Art, (was not in his nature).

4. wohl aber, (indeed).

5. „O du schönes Weltgebäude": a hymn composed by Johann Franck (1618–1677).

6. Gelehrtenschule: school in which Latin and Greek are taught; Bürgerschule: a middle-class school in which Latin and Greek are not taught.

sungen,[1] denen beiden, oft im Kampfe mit seinem Schwager, dem regierenden Bürgermeister, er zeitlebens ein starker Schutz und Halt gewesen war. Hier ruhte seit kurzem auch die freundliche Frau Senatorin, nachdem noch kurz zuvor Herr 5 Christian Albrecht eine ihr gleichgeartete, rosige Schwiegertochter in das alte Haus geführt[2] hatte. „Du brauchst mich nun nicht weiter," hatte sie lächelnd zu dem trostbedürftigen Sohne gesagt; „in der da hast du mich ja wieder[3] und noch jung und hübsch dazu!" Und dann hatte 10 auch sie die Augen geschlossen, und viele Augen hatten um sie geweint, und ihr sie verehrender Freund, der alte Kantor van Essen, hatte bei ihrem Begräbnis mit einer eigens dazu komponierten[4] Trauermusik aufgewartet.

Der Kirchhof war durch einen niedrigen Zaun von dem 15 Garten getrennt, und Herr Christian Albrecht hatte sonst, ohne viele Gedanken, darüber weg auf den unweit gelegenen Überbau der Gruft geblickt; seitdem aber sein Vater darunter ruhte, war ihm unwillkürlich der Wunsch gekommen, daß eine hohe Planke oder Mauer hier die Aussicht 20 schließen möchte. Nicht daß er die Grabstätte seines Vaters scheute; nur vom Garten aus wollte er sie nicht vor Augen haben; wenn ihn sein Herz dahin trieb, so wollte er auf dem Umwege der Gassen und auf dem allgemeinen Totengang dahin gelangen. Er hatte diese Gedanken wohl auch gegen 25 seinen Bruder ausgesprochen; er hatte sie dann über sein junges Eheglück vergessen; als aber jetzt auch der Leichnam der ihm herzverwandten Mutter unter jenen schweren Steinen lag, waren sie aufs neue hervorgetreten.

Allein zunächst galt es,[5] sich mit dem Bruder über den

---

1. hatten ... zu Grabe gesungen, (had accompanied him to his grave (singing this song)).
2. in das alte Haus geführt hatte, (had brought home (had married)).
3. in der da hast du mich ja wieder, (in her you will have me back again, she will take my place).
4. eigens dazu komponierten, (written for this special occasion).
5. Allein zunächst galt es, sich ... zu einigen, (But first of all it was necessary to come to an agreement).

elterlichen Nachlaß zu einigen; es war ja noch unbestimmt, in wessen Hand der Garten kommen würde.

2

An einem Sonntagvormittage im November gingen die beiden Brüder, Herr Christian Albrecht und Herr Friedrich Jovers, in dem großen, ungeheizten Festsaale des Familien- 5 hauses schweigend auf und ab. Die Morgensonne, welche noch vor kurzem durch die kleinen Scheiben der drei hohen Fenster hineingeschienen hatte, war schon fortgegangen, die großen Spiegel an den Zwischenwänden standen fast düster zwischen den grauseidenen Vorhängen. Fast behutsam 10 traten die Männer auf, als wollten sie in dem weiten Gemache den Widerhall nicht wecken; endlich blieben sie vor einer zierlichen Schatulle mit Spiegelaufsatz stehn, dessen reichvergoldete Bekrönung aus einer von Amoretten gehaltenen Rosengirlande bestand. „Hm," sagte Christian 15 Albrecht, „Mama selig,[1] als sie in ihren letzten Jahren einmal ihren Muff hier aus der Schublade nahm, da nickte sie dem einen Spiegel zu; ‚du Schelm,' sagte sie, ‚wo hast du das schmucke Antlitz hingetan,[2] das du mir sonst so eifrig vorgehalten hast! Nun guck einmal, Christian Albrecht, was 20 jetzt da herausschaut!' Die alte, heitere Frau, dann gab sie mir die Hand und lachte herzlich."

Die beiden Brüder blickten auf das stumme Glas: kein junges Antlitz blickte mehr heraus; auch nicht das liebe alte, das sie besser noch als jenes kannten. Schweigend gingen sie 25 weiter; sie legten fast wie mit Ehrfurcht ihre Hand bald auf

---

1. Mama selig, (our late mother).
2. wo hast du das schmucke Antlitz hingetan, (what have you done with the pretty face?)

das eine, bald auf das andre der umherstehenden Geräte, als wäre es noch in ihrer Knabenzeit, wo ihnen der Eintritt hier nur bei Familienfesten und zur Weihnachtszeit vergönnt gewesen war. Wie damals war unter der schweren Stuckrosette der Gipsdecke das stille Blitzen der großen Kristallkrone; wie damals hingen über dem Kanapee, den Fenstern gegenüber, die lebensgroßen Brustbilder der Eltern in ihrem Brautstaate, daneben in höherem Alter die der Großeltern, deren altmodische Gestalten ihnen in der Dämmerung ihrer frühesten Jugendzeit entschwanden.

„Christian Albrecht,“ sagte der Jüngere, und der vom Vater ererbte strenge Zug um den Mund verschwand ein wenig, „hier darf nichts gerückt werden.“ [1]

„Ich meine auch nicht, Friedrich.“

„Es verbleibt dir sonach mit dem Hause.“

„Und der Papagei? Den haben wir vergessen.“

„Ich denke, der gehört auch mit zum Hause.“

Christian Albrecht nickte. „Und du nimmst dagegen das beste Tafelsilber und das Sevresporzellan,[2] das hierneben in der Geschirrkammer steht!“

Friedrich nickte; eine Pause entstand.

„So wären wir denn mit unsrer Teilung fertig!“ sagte Christian Albrecht wieder.

Friedrich antwortete nicht; er stand vor den Familienbildern, als ob er eingehend sie betrachten müsse; sein Kopf drückte sich immer weiter in den Nacken, bis der schwarzseidene Haarbeutel im rechten Winkel von dem schokoladefarbenen Rocke abstand. „Es ist nur noch der Garten,“ sagte er endlich, als ob er etwas ganz Beiläufiges erwähne.

Aber in des Bruders sonst so ruhigem Antlitz zuckte es, wie wenn ein lang Gefürchtetes plötzlich ausgesprochen

---

1. hier darf nichts gerückt werden = hier darf nichts verändert werden.
2. Se'vresporzellan': (Sèvres china), a costly porcelain manufactured at Sèvres, France.

wäre. „Den Garten könntest du mir lassen,“ sagte er beklommen; „die Auslösungssumme magst du selbst bestimmen!“

„Meinst du, Christian Albrecht?“

„Ich meine es, Friedrich. Du sagst es selbst, du seiest ein geborner Hagestolz; — aber ich und meine Christine, unsre Ehe wird gesegnet sein! Hier haben wir nur den engen Steinhof; bedenk es, Bruder, wo sollen wir mit den lieben Geschöpfen hin?[1] Und dann — du selber! Im Pavillon, an den Sonntagnachmittagen! Du wirst doch lieber deine junge Schwägerin als deine bärbeißige Witwe Antje Möllern unsrer Mutter Kaffeetisch verwalten sehen!“

„Deinen Kindern,“ erwiderte der andre, ohne umzublicken, „wird mein Garten nicht verschlossen sein.“

„Das weiß ich, lieber Friedrich; aber Kinderhände in meines ordnungsliebenden Herrn Bruders Ranunkel- und Levkojenbeeten!“

Friedrich antwortete hierauf nicht. „Es ist ein Kodizill[2] zu unseres Vaters Testament gewesen,“ sagte er, als spräche er es zu den Bildern oder zu der Wand ihm gegenüber, „danach sollte mir der Garten gehören; die Auslösungssumme ist mir nicht bekannt geworden, die magst du bestimmen oder sonst bestimmen lassen.“

Der Ältere nahm fast gewaltsam seines Bruders Hand. „Du weißt es von unserer seligen Mutter, daß unser Vater, da sie das Schriftstück einmal in die Hand bekam, ausdrücklich ihr geheißen hat[3]: ‚Zerreiß es; die Brüder sollen sich darum vertragen‘.“

„Es ist aber nicht zerrissen worden.“

„Das weiß ich wohl; es trat im selben Augenblick ein

---

1. wo sollen wir mit den lieben Geschöpfen hin? was sollen wir mit unseren lieben Kindern machen? (Wo sollen sie spielen?)

2. Kodizill': from Latin codicillus (diminutive of codex), a supplement to a will.

3. ausdrücklich ihr geheißen hat, (told her explicitly).

Fremder in das Zimmer, und deswegen unterblieb es damals; aber später, am Tage nach selig Vaters Begräbnis, hat unsere Mutter den Willen des Verstorbenen ausgeführt."

5 „Das war ein volles Jahr nachher."

„Friedrich, Friedrich!" rief der Ältere. „Willst du verklagen, was unsere Mutter tat!"

„Das nicht, Christian Albrecht, aber Mama selig handelte in einem Irrtum; sie war nicht mehr befugt, das Schrift-
10 stück zu zerreißen."

Auf dem Antlitz des ältern Bruders stand es für einen Augenblick wie eine ratlose Frage[1]; dann begann er in dem weiten Saale auf und ab zu wandern, bis er mit ausgestreckten Armen in der Mitte stehenblieb. „Gut," sagte er, „du
15 wünschest den Garten, wir beide wünschen ihn! Aber dabei soll unseres Vaters Wort in Ehren bleiben; teilen wir, wenn du es willst, daß jeder seine Hälfte habe!"

„Und jeder ein verhunztes Stück bekäme!"

„Nun denn, so losen wir! Laß uns hinuntergehen,
20 Christine kann die Lose machen!"

Herr Friedrich hatte sich umgewandt; sein dem Bruder zugekehrtes Antlitz war bis über die dichten Augenbrauen hinauf gerötet. „Was mein Recht ist," sagte er heftig, „das setze ich nicht aufs Los."

25 In diesem Augenblick klang das Negerlied des Papageien aus dem Unterhaus herauf; ein alter Diener hatte die Tür des Saales geöffnet: „Madame läßt bitten; es ist angerichtet." [2]

„Gleich! Sogleich!" rief Christian Albrecht. „Wir
30 werden gleich hinunterkommen!"

Der Diener verschwand, aber die Herren kamen nicht.

---

1. Auf dem Antlitz ... stand es wie eine ratlose Frage, (His face showed a look of perplexed questioning).

2. Madame (pronounce Madam') läßt bitten; es ist angerichtet, (Madame requests (me to announce) dinner is served).

Nach einer Viertelstunde trat unten aus dem Wohnzimmer eine jugendliche Frau mit leichtgepudertem Köpfchen auf den Flur hinaus; behende erstieg sie die breite Treppe bis zur Hälfte und rief dann nach dem Saal hinauf: „Seid ihr denn noch nicht fertig? Friedrich! Christian Albrecht! 5
Soll denn die Suppe noch zum drittenmal zu Feuer!“ [1]

Es erfolgte keine Antwort; aber nach einer Weile, während der Stöckelschuh der hübschen Frau ein paarmal ungeduldig auf der Stufe aufgeklappert hatte, wurde oben die Saaltür aufgestoßen, und Friedrich kam allein die 10
Treppe herab.

Die junge Frau Senatorin — denn ihr Eheliebster war kürzlich seinem Vater in dieser Würde nachgefolgt — sah ihn ganz erschrocken an. „Friedrich!“ rief sie, „wie siehst du aus? [2] Und wo bleibt Christian Albrecht?“ 15

Aber der Schwager stürmte ohne Antwort an ihr vorüber. „Wünsche wohl zu speisen!“ [3] murmelte er und stand gleich darauf schon unten an der Haustür, die Klinke in der Hand.

Sie lief ihm nach. „Friedrich! Friedrich, was fällt dir ein? [4] Dein Leibgericht, perdrix aux truffes!“ [5] 20

Aber er war schon auf der Gasse, und durch das Flurfenster sah sie ihn seinem Hause zueilen. „Nun sieh mir einer diesen Querkopf an!“ [6] Und sie schüttelte ihr Köpfchen und stieg nachdenklich die Treppe wieder hinauf. Als sie die Tür des Saales öffnete, sah sie den jungen Herrn Senator, die Hände 25
in den Rockschößen, vom andern Ende des Gemaches herschreiten, so ernsthaft vor sich auf die Dielen schauend, als wolle er die Nägelköpfe zählen.

---

1. zum drittenmal zu Feuer, (be warmed up a third time).
2. wie siehst du aus? (how do you look?)
3. Wünsche wohl zu speisen! (With a sting of sarcasm) (Wish you an enjoyable dinner!)
4. was fällt dir ein? (what is the matter with you?)
5. perdrix aux truffes, (French) partridge with truffles.
6. Nun sieh mir einer diesen Querkopf an! (Just look at this stubborn (freakish) fellow).

„Christian! Christian Albrecht!“ rief sie, als er vor ihr stand.

Als er den Klang ihrer Stimme hörte und, den Kopf erhebend, ihr in die kinderblauen Augen sah, gewannen seine Züge die gewohnte Heiterkeit zurück. „Gehn wir zu Tisch,[1] Madame!“ sagte er lächelnd. „Bruder Friedrich muß nun hente mit der Frau Witwe Antje Möllern speisen; das ist gerechte Strafe! Morgen wird er schon wiederkommen; aber ich habe denn doch auch meinen Kopf,[2] und — unsres Vaters Wort muß gelten!“

Damit bot er seiner erstaunten Frau den Arm und führte sie die Treppe hinab und zu Tische.

3

Das Wiederkommen hatte indessen gute Weile[3]; vierzehn Tage waren verflossen, und Herr Friedrich hatte seinen Fuß noch nicht wieder über die Schwelle des Familienhauses gesetzt. Gleich am ersten Morgen nach jenem verfehlten Mittage war Christian Albrecht wiederholt auf seinen Steinhof hinausgegangen, um wie sonst über die niedrige Grenzmauer seinem Bruder den Morgengruß zu bieten; aber von Herrn Friedrich war nichts zu sehen gewesen; ja, eines Morgens hatte Herr Christian Albrecht ganz deutlich den Schritt des Bruders aus der in einem Winkel verborgenen Hoftür kommen hören; als ihn aber im selben Augenblicke ob einer in der Alteration zu scharf genommenen Prise[4] ein lautes Niesen anfiel, hörte er gleich darauf die Schritte

---

1. Gehn wir zu Tisch! (Let us sit down to dinner!)
2. ich habe denn doch auch meinen Kopf, (I, too, have a mind of my own).
3. hatte gute Weile, (took its time).
4. ob einer in der Alteration' zu scharf genommenen Prise, (having, in his excitement, taken an unduly large pinch of snuff).

wieder umkehren und die ihm unsichtbare Hoftüre zuschlagen.

Herr Christian Albrecht wurde ganz still in sich bei dieser Lage der Dinge; nur mit halbem Ohre lauschte er, wenn, um ihn aufzumuntern, die hübsche Frau Senatorin sich in der Dämmerstunde ans Klavier setzte und ihm die allerneusten Lieder, „Beschattet von der Pappelweide"[1] und „Blühe, liebes Veilchen",[2] eines nach dem andern mit ihrer hellen Stimme vorsang.

Er hatte gegen sie nach der ersten Mitteilung „der kleinen Differenz" kein Wort über den Bruder mehr geäußert; endlich aber, eines Morgens, da die Eheleute beim Kaffee auf dem Kanapee beisammensaßen, legte die Frau Senatorin sanft ihre kleine Hand auf die des Mannes. „Siehst du nun," sagte sie leise, „er kommt nicht wieder; ich hab' es gleich gesagt."

„Hm, ja, Christinchen; ich glaub' es selber fast."

„Nein, nein, Christian Albrecht; es ist ganz gewiß, er kommt nicht wieder; er kann nicht wiederkommen, denn er ist ein Trotzkopf!"

Christian Albrecht lächelte; aber zugleich stützte er den Kopf in seine Hand. „Ja freilich, das ist er; das war er schon als kleiner Knabe; ich und das Kindermädchen tanzten dann um ihn herum und sangen: ‚Der Bock, der Bock! O jemine, der Bock!'[3] bis er zuletzt einen Kegel oder ein Stück von seinem Bauholz aufgriff und damit nach unsern Köpfen warf; am liebsten warf er noch mit seinem Bauholz! Aber Christinchen — wenn's Herz nur gut ist!"

---

1. „Beschattet von der Pappelweide": ' Under the shade of the black poplar ': a song composed by J. H. Voss in 1780.

2. „Blühe, liebes Veilchen": by C. A. Overbeck, 1778, appeared in 1778 in Voss' Musenalmanach.

3. Bock, (buck, he-goat, battering ram), the German symbol for stubbornness: ein bockiges Pferd, (a stubborn unruly horse); er hat den Bock, (he mopes, sulks, is stubborn); O jemine, der Bock! (O Jiminy, the crosspatch!)

„Nicht wahr?“ rief die hübsche Frau und sah ihrem Mann mit lebhafter Zärtlichkeit ins Antlitz, „ein gutes Herz hat unser Friedrich, und deshalb — ich meine, du könntest zu ihm gehn, du bist kein Trotzkopf, Christian Albrecht, du hast
5 es leichter in der Welt!“

Der Senator streichelte sanft die geröteten Wangen seiner Eheliebsten. „Was ich für eine kluge Frau bekommen habe!“ sagte er neckend.

„Ei was,[1] Christian Albrecht, sag lieber, daß du zu deinem
10 armen Bruder gehn willst!“

„Arm, Christinchen? — Eine sonderbare Armut, wenn einer alles Recht für sich allein verlangt! Aber du sollst schon deinen Willen haben; heute abend oder schon heute nachmittag ...“

15 „Warum nicht schon heute vormittag?“

„Nun, wenn du willst, auch heute vormittag!“

„Und du bist versöhnlich, du gibst nach?“

„Das heißt, ich gebe ihm den Garten?“

Sie nickte: „Wenn es sein muß! Doch lieber,[2] als daß ihr
20 im Zorne auseinander geht!“

„Und, Christinchen, unsre Kinder? Sollen sie mit den Hühnern hier auf dem engen Steinhof laufen?“

„Ach, Christian Albrecht!“ und sie fiel ihm um den Hals und sagte leise: „Wir sind so glücklich, Christian Albrecht!“

4

25 Während bald darauf der junge Kaufherr über den Flur nach seinen Geschäftsräumen im Hinterhause schritt, hatte im Wohnzimmer seine Frau sich an das Fenster gesetzt; an

---

1. Ei was, (Nonsense!)
2. Doch lieber, (That's in any case better).

einem möglichst kleinen Häubchen strickend, schaute sie über die Straße nach dem gegenüberliegenden Nachbarhause, mehr nur, wie es schien,[1] um bei dem innern Gedankentausche doch irgendwohin die Augen zu richten. Jetzt aber sah sie die Frau Antje Möllern in Futterhemd und Schürze über die Straße schreiten und mit der Frau Nachbar'n Jipsen, die soeben auch aus ihrem Hause trat, sich auf eine der steinernen Beischlagsbänke setzen. Frau Antje Möllern war die Erzählende, wobei sie sehr vergnügt und triumphierend aussah und mehrmals mit einer schwerfälligen Bewegung ihres dicken Kopfes nach dem elterlichen Hause ihres Herrn hinüberwinkte. Frau Nachbar'n Jipsen schlug zuerst ihre Hände, wie vor Staunen, klatschend ineinander; dann aber nickte sie wiederholt und lebhaft; auch ihr schienen die Dinge, um die es sich handelte,[2] ausnehmend zu gefallen; und bald, während das eifrigste Wechselgespräch im Gange war,[3] zuckten und deuteten die Köpfe und Hände der beiden Weiber in keineswegs respektvoller Gebärde nach dem altehrwürdigen Kaufmannshause hinüber.

Die junge Frau am Fenster wurde denn doch aufmerksam: die da drüben waren nicht eben [4] ihre Freunde; der einen — das wußte sie — war es zugetragen worden, daß sie Herrn Friedrich Jovers abgeraten hatte, ihre mauldreiste Personnage in sein Haus zu nehmen; der andern hatte sie einmal ihre große Tortenpfanne nicht leihen können, weil sie eben beim Kupferschmied zum Löten war.

Unwillkürlich hatte sie die Arbeit sinken lassen: was mochten die Weiber zu verhandeln haben?

Aber die Unterhaltung drüben wurde unterbrochen. Von der Hafenstraße herauf kam der kleine, bewegliche Advokat, Herr Siebert Sönksen, den sie den „Goldenen" nannten,

---

1. mehr nur, wie es schien, (rather, apparently).
2. um die es sich handelte, = die ihr erzählt wurden.
3. im Gange war, (was being carried on).
4. nicht eben, (not exactly).

weil er bei feierlichen Gelegenheiten es niemals unter einer goldbrokatenen Weste tat,[1] deren unmäßig lange Schöße fast seinen ganzen Leib bedeckten. Eilig schritt er auf die beiden zu, richtete, wie es schien, eine Frage an Frau Antje
5 Möllern und schritt, nachdem diese mit einem Kopfnicken beantwortet worden, lebhaft, wie er herangetreten war, quer über die Gasse nach Herrn Friedrichs Hause zu.

„Hm," kam es aus dem Munde der jungen Frau, „der Goldene? Gehört der auch dazu?[2] Was will denn der
10 bei unserm Bruder Friedrich?"

Die hervorragenden Eigenschaften des Herrn Siebert Sönksen waren bekannt genug: er jagte wie ein Trüffelhund[3] nach verborgen liegenden Prozessen und galt für einen spitzfindigen Gesellen und höchst beschwerlichen
15 Gegner auch in den einfachsten Rechtsstreitigkeiten. Im übrigen wußte er, je nach welcher Seite hin sein Vorteil lag, ebensowohl einen saubern Vergleich zustande zu bringen, als einen schikanösen Prozeß durch alle Instanzen hindurchzuziehen.[4]

20 Die Frau Senatorin war aufgestanden; sie mußte doch zu ihrem Christian Albrecht, um seine Meinung über diese Dinge einzuholen! Allein, da trat die Köchin in das Zimmer, ein altes Inventarienstück aus dem schwiegerelterlichen Nachlaß, eine halbe Respektsperson, die nicht so
25 abzuweisen war.[5] Die junge Frau mußte ihr Haushaltungsbuch aus der Schatulle nehmen; sie mußte notieren und rechnen, um dann die nähern Positionen der heutigen Küchen-Kampagne[6] mit der kundigen Alten festzustellen.

---

1. es niemals unter einer gold'broka'tenen (gold-brocaded) Weste tat = zum mindesten immer eine goldbrokatene Weste trug.

2. Gehört der auch dazu? (Is he concerned in this matter too?)

3. Trüffelhund: dogs are sometimes trained to dig up truffles.

4. durch alle Instan'zen (courts) hindurchzuziehen, (to prosecute a claim through the highest court).

5. die nicht so abzuweisen war, (who could not be dismissed offhand).

6. die nähern Positio'nen der heutigen Küchen-Kampagne = die genauen Ausgaben des heutigen Küchenhaushalts.

5

Hinten in der vordern Schreibstube saßen indessen der alte Friedebohm und ein jüngerer Kaufmannsgeselle sich an dem schweren Doppelpulte gegenüber. Es gab viel zu tun heute, denn die Brigg „Elsabea Fortuna", welche der selige Herr nach seiner alten Ehefrau getauft hatte, lag zum Löschen fertig draußen auf der Reede. „Musche [1] Peters," sagte der Buchhalter zu seinem Gegenüber, „wir müssen noch einen Lichter haben; ist Er [2] bei Kapitän Rickertsen gewesen?"

Aber bevor der junge Mensch zur Antwort kam, wurde an die Tür geklopft, und ehe noch ein „Herein" erfolgen konnte,[3] stand schon der goldene Advokat am Pulte und legte seine Hand vertraulich auf den Arm des alten Mannes. „Der Herr Prinzipal in seinem Kabinette, lieber Friedebohm?" Er fragte das so zärtlich, daß der Alte ihn höchst erstaunt ansah, denn dieser Mann war nicht der betraute Sachwalter ihres Hauses.[4] Deshalb gedachte er eben von seinem Bock herabzurutschen, um ihn selber bei dem Herrn Senator anzumelden; aber Herr Siebert Sönksen war schon nach flüchtigem Anpochen in das Privatkabinett des Prinzipals hineingeschlüpft.

„Ei, ei ja doch!" murmelte der Alte. „Die Klatschmäuler werden doch nicht recht behalten?" Er kniff die Lippen zusammen und schaute eine Weile durch das Fenster auf den Steinhof, wo ihm die niedrige Mauer jetzt auch eine innere Scheidung der beiden verwandten Häuser zu bedeuten schien.

---

1. Musche = Musje': a colloquial form of French Monsieur.
2. ist Er: obsolete form of address.
3. ehe noch ein „Herein" erfolgen konnte, (before a 'come in' could be said).
4. der betraute Sachwalter ihres Hauses, (the trusted attorney of their firm).

Drinnen im Kabinette war nach ein paar Hin- und Widerreden der Herr Senator wirklich von seinem Bock herabgekommen. „Herr!" rief er und stieß seine Feder auf das Pult, daß sie bis zur Fahne aufriß, „verklagen, sagt 5 Ihr? Meines Vaters Sohn will mich verklagen? Herr Siebert Sönksen, Sie sollten nicht solche Scherze machen!"

Der Goldene zog ein Papier aus seiner Tasche. „Mein werter Herr Senator, es wird ja nicht sogleich ad processum ordinarium geschritten." [1]

10 „Auch nicht,[2] da Herr Siebert Sönksen dem Gegner seine Dienste leistet?"

Der Goldene lächelte und legte das Schriftstück, welches er in der Hand hielt, vor Herrn Christian Albrecht auf das Pult. „Laut dieser Vollmacht," sagte er vertraulich, „bin 15 ich so gut zum Abschluß von Vergleichen wie zur Anstellung der Klage legitimiert!"

„Und wegen des Vergleiches sind Sie zu mir gekommen?" fragte der Kaufherr nicht ohne ziemliche Verwunderung; denn er wußte nicht, daß Herr Siebert Sönksen schon 20 längst darauf spekuliert hatte, statt seines alten und, wie er sagte, „vortrefflichen, aber abgängigen" Kollegen der Anwalt dieses angesehenen Hauses zu werden.

Der Advokat hatte mit einem höflichen Kopfnicken die an ihn gerichtete Frage beantwortet.

25 „Herr Siebert Sönksen," sagte der Senator, und er sprach diese Worte in großer innerlicher Erregung, „so kommen Sie also im Auftrage, im ausdrücklichen Auftrage meines Bruders?"

Herr Siebert stutzte einen Augenblick. „In Vollmacht, 30 mein werter Herr Senator; wie Sie zu bemerken belieben,[3] laut richtig subskribierter Vollmacht! Es ist für den

---

1. es wird ja nicht sogleich ad processum ordinarium geschritten, (there is no intention of proceeding to a regular lawsuit immediately).
2. Auch nicht, (Even though).
3. wie Sie zu bemerken belieben, (as you will please note).

erwünschten Frieden zuweilen tauglich, wenn eine unbeteiligte sachkundige Person ..."

Herr Christian Albrecht unterbrach ihn: „Also," sagte er aufatmend, „mein Bruder weiß nichts von Ihrem werten heutigen Besuche? Ich danke Ihnen, Herr Sönksen; 5
das freut mich recht von Herzen!"

Der Goldene schaute etwas verblüfft in das gerötete Antlitz des stattlichen Kaufherrn. „Aber mein wertester Herr Senator!"

„Nein, nein, Herr Siebert Sönksen, führen Sie meinet- 10
halben so viele Prozesse, als Sie fertigbringen können; aber wo zwei Brüder in der Güte miteinander handeln wollen, da gehört weder der Beichtvater noch der Advokat dazwischen."

„Aber, ich dächte doch —" 15

„Sie denken ohne Zweifel anders, Herr Siebert Sönksen," sagte der Senator mit einer unwillkürlichen Verbeugung. „Kann ich Ihnen sonstwie meine Dienste offerieren?"

„Allersubmissseste Danksagung![1] Nun, schönsten guten Morgen, mein werter Herr Senator!" 20

Gleich darauf schritt der Goldene mit einem eiligen „Serviteur, Musche Friedebohm" durch die vordere Schreibstube und hielt erst an, als er draußen auf den Treppenstufen vor der Haustür stand. Seinen Rohrstock unter den Arm nehmend, zog er die Horndose aus der Westentasche und 25
nahm bedächtig eine Prise. „Eigene Käuze das,[2] die Söhne des alten Herrn Senators Christian Albrecht Jovers!" murmelte er und tauchte zum zweiten Male seine spitzen Finger in die volle Dose. „Nun, nehmen wir vorerst mit dem Prozeß vorlieb!" 30

— Bald nach dem Goldenen war auch der junge Kaufherr an dem ihm kopfschüttelnd nachschauenden Musche Friedebohm vorbeigeeilt, um gleich darauf in die Wohnstube zu

1. Allersubmis'seste Danksagung, (My most humble thanks).
2. Eigene Käuze das, (Queer fellows those!)

treten, wo seine Eheliebste auf dem Kanapee an ihrem Kinderhäubchen strickte. Aber er sprach nicht zu ihr; er hatte wieder beide Hände in den Rockschößen und lief im Zimmer auf und ab, bis die Frau Senatorin aufstand und so
5 glücklich war, ihn zu erhaschen.

Weshalb rennst du so, Christian Albrecht?" sagte die junge Frau und stellte sich tapfer vor ihm hin.

„Nun, Christine, wer da nicht rennen sollte!"

„Nein, nein, Christian Albrecht, du bleibst mir stehen!"
10 und sie legte beide Arme um seinen Hals. „So," sagte sie; „nun sieh mich an und sprich!"

Aber Herr Christian Albrecht tat auch nicht einen Blick in ihre hübschen Augen. „Christine," sagte er und sah dabei fast über sie hinweg, „ich kann nicht zu Bruder Friedrich
15 gehen."

Sie ließ ihn ganz erschrocken los. „Aber du hast es mir doch versprochen!"

„Aber ich kann nicht!"

„Du kannst nicht? Weshalb kannst du nicht?"

20 „Christinchen," sagte er und faßte seine Frau an beiden Händen, „ich kann nicht, weil er wieder in seine Kinderstreiche verfallen ist; er hat mir ein Stück Bauholz nach dem Kopf geworfen!"

„Was soll das heißen, Christian Albrecht?"

25 „Das soll heißen, daß mein Bruder Friedrich den goldenen Advokaten zum Prozesse gegen mich bevollmächtigt hat. Es ist gerade als wie in seinen Kinderjahren: er hat den Bock,[1] und zwar im allerhöchsten Grade! Und so mag's denn auch von meinetwegen jetzt ein Tänzchen geben!"[2]

30 Die junge Frau suchte wieder zu begütigen; allein Herr Christian Albrecht war unerbittlich. „Nein, nein, Christinchen; er muß diesmal fühlen, wie der Bock ihn selber stößt,

---

1. Bock, see note 3, page 173.

2. so mag's denn auch von meinetwegen jetzt ein Tänzchen geben, (as far as I am concerned, let there be a " nice row ").

so wird er sich ein andermal in acht zu nehmen wissen. Wir sollen, wenn Gott will, noch lange mit unserm Bruder Friedrich leben; bedenk einmal, was sollte daraus werden,[1] wenn wir allzeit laufen müßten, um seinen stößigen Bock ihm anzubinden!" 5

Und dabei hatte es sein Bewenden.[2] Zwar will man wissen,[3] daß die junge Frau noch einmal hinter ihres Mannes Rücken in des Schwagers Haus geschlüpft sei, um mit den eigenen kleinen Händen den Knoten zu entwirren; aber Frau Antje Möllern hatte sie mit frecher Stirne fortgelogen,[4] in- 10 dem sie fälschlich angab, Herr Friedrich Jovers sei soeben in dringenden Geschäften zum Herrn Siebert Sönksen fort- gegangen. Und die Augen der alten Personnage sollen dabei so von Bosheit voll geleuchtet haben, daß die junge Frau zu einem zweiten Versuche keinen Mut hatte gewinnen 15 können.

6

Ein neues Jahr hatte begonnen, und der Prozeß zwischen den beiden Brüdern war in vollem Gange.[5] Der Herr Vetter Kirchenpropst und der Onkel Bürgermeister hatten sich vergebens als Vermittler zum gütlichen Austrag ange- 20 boten; vergebens hatte der letztere gegen den jungen Senator hervorgehoben, daß „kraft seines tragenden Amtes,

---

1. was sollte daraus werden, (how would the matter end; to what pass would things come).
2. hatte es sein Bewenden, (the matter ended).
3. Zwar will man wissen, (To be sure, it was said).
4. hatte sie mit frecher Stirne fortgelogen, (had sent her away with a bold lie).
5. in vollem Gange, (in full swing).

abseiten des Ansehens der Familie",[1] die Augen der ganzen Stadt auf ihn gerichtet seien; denn darin schienen die Streitenden stillschweigend einverstanden, daß das Wort der Güte [2] nur fern von fremder Einmischung von dem einen zum andern gehn könne. Aber freilich, dazu gab keiner von ihnen die Gelegenheit; der notwendige geschäftliche Verkehr wurde schriftlich fortgesetzt, und eine Menge Zettel: „Der Herr Bruder wolle belieben" [3] oder „Dem Herrn Bruder zur gefälligen Unterweisung" gingen hin und her.

Die kleine Seestadt in allen ihren Kreisen hatte sich müde an diesem unerhörten Fall gesprochen, und das Gespräch, wenn irgendwie der Stoff zu anderm ausging,[4] wurde noch immer mit Begierde wieder aufgegriffen. Vollständig munter aber, trotz der Winterkälte, erhielt es sich [5] drüben auf der Beischlagsbank der Frau Nachbarn Jipsen; diese und Frau Antje Möllern winkten jetzt nicht nur mit ihren Köpfen, sondern mit beiden Armen und dem ganzen Leibe nach dem Senatorshause hinüber. Aber in dem letztern war freilich mittlerweile auch noch etwas ganz Besonderes passiert: ein Sohn war dort geboren worden, und Herr Friedrich Jovers hatte ja für solchen Fall Gevatter stehen [6] sollen!

—Die junge Frau Senatorin lief indessen schon wieder flink von der Wiege ihres Kindes treppunter nach der Küche und noch flinker von der Küche treppauf nach ihrer Wiege,

---

1. kraft (prep. with genitive) seines tragenden Amtes, abseiten des Ansehens der Familie, (because of his official position (as a Senator) quite apart the (high social) position of his family; ein tragendes Amt = ein Amt, das man inne hat, is an obsolete phrase.

2. daß das Wort der Güte . . . gehen könne = daß das erste Wort zur Beilegung des Streites von einem von ihnen kommen und ohne fremde Einmischung direkt zum andern gehen müsse.

3. Der Herr Bruder wolle belieben, (My dear brother will be so kind).

4. wenn irgendwie der Stoff zu anderm ausging = wenn man kein anderes Thema zur Unterhaltung mehr hatte.

5. erhielt es (das Gespräch) sich, (it was continued; maintained).

6. Gevat'ter stehen, (to be god-father).

als eines Morgens Herr Christian Albrecht, nachdem er erst soeben vom gemeinschaftlichen Kaffeetische in sein Kontor gegangen war, wieder zu ihr in das Wohnzimmer trat. „Christine," sagte er zu seiner Eheliebsten, „bist du heute schon draußen auf unserm Steinhofe gewesen? — Nicht? — Nun, so alteriere dich nur nicht, wenn du dahin kommst!" 5

„Um Gottes willen,[1] es hat doch kein Unglück gegeben?" rief die junge Frau.

„Nein, nein, Christine." 10

„Aber ein Malheur doch, Christian Albrecht; du bist ja selber alteriert!"

Ein Lächeln flog über sein freilich ungewöhnlich ernstes Gesicht. „Ich denke nicht, Christine; aber komm nur mit und sieh selber!" 15

Er faßte ihre Hand und führte sie über den Hausflur in die große Schreibstube. Der jüngere Kontorist war nicht zugegen; der alte Friedebohm stand neben seinem Schreibbocke am Fenster und nahm eine Prise nach der andern.

Auch Frau Christine sah jetzt in den Hof hinaus, fuhr aber 20 gleich darauf mit der Hand über ihre Augen, als gälte es,[2] dort ein Spinnweb fortzuwischen. „Um Gottes willen, was ist das, Friedebohm? Was machen die Leute da auf Bruder Friedrichs Hof? Die Mauer ist ja auf einmal fast um zwei Fuß höher!" 25

„Frau Prinzipalin," sagte der Alte, „das sind Meister Hansens Leute; sehen Sie, dort kommt schon einer mit der Kelle!"

„Aber was soll denn das bedeuten?" [3]

„Nun" — und Monsieur Friedebohm nahm wieder eine Prise — „Herr Friedrich läßt wohl ein paar Schuh höher 30 mauern." [4]

---

1. Um Gottes willen, (For heaven's sake!)
2. als gälte es, (as if (it were a question of)).
3. was soll denn das bedeuten? (what can that mean?)
4. läßt wohl ein paar Schuh höher mauern, (is doubtless having the wall built a few feet higher).

„Aber, Christian Albrecht,“ und Frau Christine wandte sich lebhaft zu ihrem Mann, der schweigend hinter ihr gestanden hatte, „geschieht denn das mit deinem Willen?“

Herr Christian Albrecht schüttelte den Kopf.

5 „Aber die Grenzmauer, sie gehört doch uns gleichwohl; wie kann sich Friedrich so etwas unterstehen?“

„Mein Schatz, die Mauer steht auf Friedrichs Grund und Boden.“

Die Augen der kleinen Frau funkelten.

10 „O, das ist schlecht von ihm, das hätte ich ihm nicht zugetraut; er hat ein hartes Herz!“

„Da irrst du doch gewaltig, Christinchen,“ erwiderte Herr Christian Albrecht; „das ist's ja gerade,[1] daß er noch immer sein altes weiches Herz hat; er schämt sich nur, und deshalb 15 läßt er diese große steinerne Gardine zwischen sich und seinem Bruder aufziehen.“

Die junge Frau blickte mit unverhohlener Bewunderung auf ihren Mann. „Aber,“ sagte sie fast schüchtern und legte die Hand in seine, „wie wird er sich erst schämen, wenn er 20 den Prozeß gewinnen sollte!“

„Dann,“ erwiderte der Senator, „dann kommt mein Bruder zu mir, denn dann ist der böse Bock gezähmt. Hab ich nicht recht, Papa Friedebohm?“ setzte er in munterm Ton hinzu.

25 „Ei ja, Gott lenkt die Herzen,“ erwiderte der alte Mann, indem er seine Dose in die Tasche steckte und dafür die Feder wieder in die Hand nahm; „aber beim wohlseligen Herrn Senator ist uns solcher Umstand im Geschäft nicht vorgekommen.“

---

1. das ist's ja gerade, (that's just it).

7

Zwei Tage darauf hatte die Mauer schon eine beträchtliche Höhe erreicht, und noch immer wurde daran gearbeitet. Aus der Schreibstube hinten war dergleichen nie gesehen worden, und der junge Kaufmannsgeselle konnte es nicht lassen, je um eine kleine Weile[1] mit offenem Munde nach den Arbeitern hinzustarren. „Musche Peters," sagte der alte Friedebohm, „wolle Er lieber in seine Bilanzrechnung schauen! Es will sich für Ihn nicht schicken,[2] daß Er über das neue Werk da draußen sich irgendwelche überflüssige Gedanken mache!"[3] Und der junge Mensch wurde über und über rot und tauchte hastig seine Feder in das Tintenfaß.

Aber auch Monsieur Friedebohm selber konnte sich nicht enthalten, zuweilen über seine Arbeit wegzuschauen; die beiden Gesellen da draußen, besonders der Alte mit dem respektwidrigen langen Barte, wurden ihm mit jeder Stunde mehr zuwider. „Der struppige Assyrer!"[4] brummte er vor sich hin, „mag wohl am Turm zu Babel schon getagwerkt haben; wird aber diesmal auch nicht in den Himmel bauen!"

Als gleich darauf Herr Christian Albrecht aus seinem Kabinett hereintrat, sah er seinen Buchhalter sich mit dem Schneiden einer Feder mühen, die er immer näher an die Nase rückte. „Will's nicht[5] mit den alten Augen, Papa Friedebohm?" sagte er freundlich.

---

1. konnte es nicht lassen, je um eine kleine Weile, (couldn't keep from . . . every little while).
2. Es will sich für Ihn nicht schicken, (It is not proper for you).
3. sich überflüssige Gedanken machen, (to be unduly concerned).
4. Der struppige Assy'rer! mag . . . getagwerkt haben, (This unkempt Assyrian! looks as if he might have toiled as a day laborer on the Tower of Babel (Genesis 11)).
5. Will's nicht = Wollen die alten Augen nicht mehr?

Aber Monsieur Friedebohm zuckte bedeutsam mit der einen Schulter nach der Mauer draußen. „Herr Christian Albrecht, wir haben schon immer das Licht nicht gerade mit Scheffeln hier gehabt."

Der Senator warf einen Blick nach dem hohen Werke, an welchem die beiden Gesellen unter lustigem Singen noch immer weiter arbeiteten. „Ja, ja, Friedebohm," rief er heftig, „du hast recht! Alle Tausend, das geht denn doch übers —"

„Übers Bohnenlied" [1] wollte er sagen, worüber schon derzeit gar nichts ging; aber er schwieg plötzlich, da er auf den jungen Musche Peters sah, der wieder mit offenem Mund an seinem Pulte saß, und ging, nachdem er eine geschäftliche Anordnung erteilt hatte, in sein Kabinett zurück.

— Nach ein paar Stunden steckte Frau Christine ihr hübsches Köpfchen durch die Tür. „Darf man eintreten?" fragte sie.

„Komm nur!" erwiderte Herr Christian Albrecht von seinem Schreibstuhl aus. „Was hast du auf dem Herzen?" [2]

„Oh," und sie stand schon mitten in dem Stübchen und ließ ihre Blicke an der geschwärzten Decke wandern, — „ich wollte nur; . . . aber, Christian Albrecht, hier herrscht ja ägyptische Finsternis! [3] Die schönsten Spinngewebe, die unsre Wiebke [4] immer sitzen läßt, die können deine Spinnen nun ruhig weiter weben! Und weißt du, das naseweise Ding — aber ich habe ihr auch einen tüchtigen Wischer gegeben [5] — sie hat eben die Mauer mit ihrem Eulbesen-

---

1. „Bohnenlied": a very outspoken song, 1522, directed against the pope and clergy. Das geht über's Bohnenlied, (that is going too far! that beats all).

2. Was hast du auf dem Herzen? (What's on your mind?)

3. ägyp'tische Finsternis: darkness such as Moses brought upon Egypt. (Genesis 11, 22, 23)

4. Wiebke: given name of the servant girl.

5. einen tüchtigen Wischer gegeben, (I've given her a good scolding).

stiel[1] gemessen; genau elf Fuß nach meiner Elle, sagt sie! Aber sieh nur, Christian Albrecht, nun wird's denn auch nicht höher; sie legen schon die runden Steine obenauf."

Herr Christian Albrecht saß noch immer auf seinem hohen Schreibstuhl, die Feder in der Hand. „Weißt du, Christine," 5 sagte er, indem er ernsthaft vor sich hinsah, „der Bock meines Herrn Bruders wird mir doch zu mächtig; es tut jetzt not,[2] und ich habe mich auf einen guten Gegenstoß besonnen." Und als sie ihn unterbrechen wollte: „Nein, red' mir nicht dazwischen, Frau; ich will auch einmal meinen Willen haben." 10

Sie faßte ihn leise an dem Aufschlag seines Rockes und zog ihn sanft von seinem Thron herab und dicht zu sich heran. „O weh," sagte sie und sah ihm ernsthaft in die Augen, „da habe ich am Ende einen Mann geheiratet, den ich erst heute kennenlerne! Gesteh mir's, Christian Albrecht, du hast 15 doch nicht auch etwa so einen —"

„Zum Kuckuck," rief Herr Christian Albrecht lachend, „im hintersten Stallwinkel wird auch wohl bei mir so einer angebunden stehn; und der soll jetzt heraus ans Tageslicht, trotz aller klugen Frauenzimmer und meiner allerklügsten 20 noch dazu!"

„So, Christian Albrecht? Und in welcher Art" — sie zögerte ein wenig — „soll denn der deine seinen Gegenstoß vollführen?"

„Setz dich, Christine," sagte der Senator, indem er die 25 anmutige Frau auf seinen Schreibthron hob, „und reden wir deutsch zusammen![3] In jener Sache da draußen auf dem Hof will ich mein Recht und keinen Tittel davon aufgeben! Aber dazu bedarf es keines Prozessierens, denn es steht klar und bündig[4] in den alten noch vorhandenen 30 Kaufkontrakten."

---

1. Eulbesenstiel: a long-handled hair-broom, colloquially called die Uhle = die Eule, (owl).
2. es tut jetzt not, (now it is necessary (to do something)).
3. reden wir deutsch zusammen, (let's talk matters over frankly).
4. klar (clearly) und bündig (binding), (to the point, conclusively).

„Und weiter, Christian Albrecht?"

„Und weiter, Christine, hat zwar der Besitzer von Friedrichs Hause die Mauer zwischen beiden Häusern aufzuführen und zu unterhalten; aber der des unsrigen hat die Halbschied der Kosten dazu beizutragen."

„Wirklich? Auf Höhe von elf Fuß?"

„Ei was, und wenn's die Mauer von Jericho[1] wäre! Das ist meine Sache; wenn ich ihm zahlen will, er muß schon stillhalten und Quittung dafür erteilen!"

„Und du willst wirklich die Halbschied der Kosten, so das blanke, bare Geld dafür dem Bruder Friedrich in sein Haus schicken?"

„Das will ich, Christine; ganz gewiß, das will ich."

Sie sah ihn eine Weile ganz nachdenklich an.

„So, also auf die Art, Christian Albrecht!" sagte sie langsam.

Aber bevor sie ihre Gedanken über diesen kritischen Fall zu ordnen vermochte, kam Botschaft aus der Küche; die Kochfrau war eben angelangt, und der Bratenwender sollte aufgestellt werden, denn morgen gab es ein großes Fest im Hause. Frau Christine gedachte plötzlich wieder der Veranlassung, um derentwillen sie das Allerheiligste[2] ihres Mannes aufgesucht hatte; sie ließ sich ihr blaues Haushaltungsbeutelchen bis zum Rande füllen und verließ das Stübchen, den Kopf voll junger Wirtschaftssorgen.

8

In dem Hause nebenan sollte heute Herr Friedrich Jovers mit seiner ehrsamen Haushälterin allein speisen, denn sein

1. Mauer von Jericho: an allusion to the Biblical story (Joshua VI, 20) of the walls of Jericho, which fell at the blowing of trumpets.
2. das Allerhei'ligste, (Holy of Holies), here: (the private office).

junger Lübecker Küfer war auswärts in Geschäften.[1] Zuvor aber trat er nach seiner Gewohnheit vor die Haustür und schaute von dem obersten Treppensteine ein paar Augenblicke in das Wetter und rechts die Straße hinab nach dem dort unten sichtbaren Teile des Hafens. 5

Als er dann wieder ins Haus und gleich darauf in das Wohnzimmer getreten war, stand die Matrone schon mit vorgesteckter Serviette in der kalmankenen Sonntagskontusche [2] hinter ihrem Stuhle.

„Ist Hochzeit in der Stadt, Frau Möllern?" fragte er. 10 „Die Schiffe flaggen ja!"

Er setzte sich, und die Alte setzte sich ihm gegenüber; die Frage mochte er wohl schon vergessen haben, denn Herr Friedrich Jovers pflegte seit geraumer Zeit auf dergleichen keine Antwort zu erwarten. 15

Aber Frau Antje Möllern, welche auf gewisse Dinge ihren Herrn nicht anzusprechen wagte, ließ sich die Gelegenheit nicht entschlüpfen. „Hochzeit?" wiederholte sie scharf, und ein gewisses Zucken um ihre derben Lippen zeigte, daß eine verhaltene Entrüstung zum Ausbruch drängte. „Nein, 20 es ist keine Hochzeit, es ist nur eine Kindtaufe!"

„Eine Kindtaufe, und die Schiffe flaggen?" sagte Herr Jovers gleichgültig. „Ich wüßte doch nicht, daß bei den Honoratioren —"

Aber Frau Möllern vermochte nicht, ihn ausreden zu 25 lassen. „O, Herr Jovers, freilich ist es bei den Honoratioren, bei den allerersten Honoratioren; aber eine Schande ist es, eine offenbare Schande, sag' ich!"

Herr Jovers wurde doch aufmerksam. „Was will Sie damit sagen?" fragte er kurz. 30

„Damit, Herr Jovers, will ich sagen, daß Ihr einziger Bruder, der Herr Senator Christian Albrecht Jovers, heute

---

1. war auswärts in Geschäften, (was away on business).
2. kalman'ken, (calamanco): a checkered satin-twilled woolen material. Kontu'sche: a wide loose-fitting woman's coat.

sein erstes Söhnchen taufen läßt; und Sie fragen noch, warum die Schiffe flaggen!"

Herr Friedrich sagte nichts; aber Frau Antje Möllern entging es nicht, wie ihm die Hand zitterte, während er 5 schweigend den Rest seiner Suppe hinunterlöffelte.

Die grimmigen Augen der Alten begannen plötzlich einen wehleidigen Ausdruck anzunehmen. „Herr Jovers," begann sie seufzend, „Ihr Herr Großvater selig und meines Vaters Onkel, was waren das für gute Freunde! Sie wissen das 10 ja auch, Herr Jovers!"

„Zum mindesten," sagte Herr Jovers, „hat Sie mir das oft genug erzählt."

„Nun, Herr Jovers, selig Senatorin wußte das ja auch!"

„Ja, ja, Möllern, und auch der alte Friedebohm! Denn 15 in den Büchern meines Großvaters läuft bis zu seinem seligen Ende ein jährlicher Ausgabeposten: 10 Pfund Tabak und ein Gewandstück für den armen Krischan Möller."

Frau Antje schluckte etwas; dann aber, nachdem sie den mittlerweile erschienenen Braten vorgelegt hatte, nahm sie 20 doch den Faden wieder auf.[1] „Ja, Herr Jovers, sie waren Schulkameraden, und das vergaßen sie sich nicht! Für alle Mittwoch war Herr Christian Möller zu dem Herrn Senator Christian Jovers zum Kaffee eingeladen; im Sommer tranken sie denselben in dem schönen Gartenpavillon, den Ihr 25 Herr Großvater damals erst gebaut hatte. Nicht wahr, Herr Jovers, man hätte sie wohl sehen mögen, die alten Herren, wie sie in liebevoller Unterhaltung mit ihren holländischen Pfeifen vor den offenen Gartentüren saßen! — Wenn sie es damals hätten voraussehen können," fuhr Frau Antje fort, 30 vor ihrem noch immer unberührten Braten sitzend, „daß der nunmehrige Herr Senator Jovers oder, sagen wir's nur gerad' heraus, die nunmehrige Frau Senatorin einen solchen Prozeß um diesen schönen Lustgarten anheben würde,

---

1. nahm sie den Faden wieder auf = sie setzte das angefangene Gespräch fort.

was würden die beiden braven Freunde dazu wohl gesagt haben?"

„Weiß nicht, Möllern," sagte Herr Friedrich, der bisher in halber Zerstreuung dagesessen hatte; „vielleicht wäre es meinem Großvater zum Verdruß geschlagen,[1] und er hätte den laufenden Posten von 10 Pfund Tabak und einem Gewandstück ein für allemal gestrichen!" [2]

Die Matrone nagte sich ein paarmal auf die Lippe; dann sprach sie mit andächtigem Aufblick: „Wie wohl hat unser Herrgott es gemacht, daß diese lieben Männer jetzt in ihrem Grabe ruhen!"

„Sehr wohl," sagte Herr Friedrich, indem er vom Tische aufstand; „und da lasse Sie die beiden alten Leute nur und sorge Sie für Ihres Leibes Nahrung, damit Sie nicht vor der Zeit bei Ihres Vaters Onkel zu ruhen komme! Zunächst aber hole Sie mir den Überrock von draußen aus dem Schränk!"

Als das geschehen war, ging Herr Friedrich aus dem Hause, ohne zu sagen, wohin und wann er wiederkommen werde; Frau Antje aber legte zunächst die Serviette zusammen, welche der sonst so akkurate Herr als wie ein Wischtuch auf dem Tische hatte liegenlassen, und machte sich dann voll stillen Ingrimms über ihren Braten her.[3]

—Am selbigen Abend, da es vom Kirchturm acht geschlagen hatte, stand Herr Friedrich Jovers auf seinem Steinhof mit dem Rücken an der Mauer eines Hintergebäudes und blickte unverwandt nach den hell erleuchteten Saalfenstern seines Elternhauses, deren unterste Scheiben die neue Mauer noch gerade überragten.

Ganz heimlich, vor allem als dürfe Frau Antje Möller nichts davon gewahren, war er nach seiner Rückkehr hier

---

1. zum Verdruß geschlagen = vielleicht wäre mein Großvater darüber ärgerlich geworden.

2. den laufenden Posten ... ein für allemal gestrichen, (he would have cancelled once for all the standing item).

3. machte sich ... über ihren Braten her, (busied herself with the roast).

hinausgeschlichen. Weshalb, wußte er wohl selber kaum; denn mit jedem Gläserklingen, das zu ihm herüberscholl, mit jeder neuen Gesundheit,[1] deren Worte er deutlich zu verstehn glaubte, drückte er die Zähne fester aufeinander. Gleichwohl 5 stand er wie gebannt an seinem Platze, sah in das Blitzen der brennenden Kristallkrone und horchte, wenn nichts anderes laut wurde, auf den Schrei des alten Papageien, der, wie er wohl wußte, bei der Festtafel heute nicht fehlen durfte.

10 Da erschien an einem der Fenster, gerade an dem, welches seinen Schein auf Herrn Friedrichs Standplatz warf, eine zierliche Frauengestalt. Er konnte das Antlitz nicht erkennen; aber er sah es deutlich, daß der Kopf des Frauenzimmers, wie um ungehinderter hinauszuschauen, sich mit der Stirn 15 an eine Scheibe drückte. Doch auch das schien ihr noch nicht zu genügen; ein Arm streckte sich empor, wie um die obere Haspe zu erreichen, und jetzt, während im Saale neues Gläserklingen sich erhob und der Papagei dazwischen schrie, wurde leise der Fensterflügel aufgestoßen.

20 Herr Friedrich erkannte seine Schwägerin. Sie lehnte sich hinaus, sie legte die Hand an ihren Mund, als ob sie zu ihm hinüberrufen wolle; und jetzt hörte er es deutlich, wenn es auch nur wie geflüstert klang; es war sein Name, den sie gerufen hatte. Und da er wie ein steinern Bild an seiner 25 Mauer blieb, kam es [2] noch einmal zu ihm herüber, und dann, als wolle sie ihm winken, erhob sie langsam ihre Hand und deutete dann wieder nach dem hellen Festsaal. — Was hatte sie vor? [3] Wollte sie ihn noch jetzt zur Taufe laden? Er wußte, sie konnte solche Einfälle haben; er wußte auch, wenn 30 er jetzt ihr folgte, er würde seinem Bruder den besten Teil des Festes bringen; aber — der Garten! Nach ein paar fürsorglichen Andeutungen des Siebert Sönksen stand in

---

1. mit jeder neuen Gesundheit, (with every new toast).
2. kam es = kamen die Worte.
3. Was hatte sie vor? (What was she trying to do?)

allernächster Zeit eine abfällige Sentenz [1] bei dem Magistrate hier in Aussicht! — Nein, nein, die zweite Instanz [2] mußte beschritten, der Prozeß mußte dort gewonnen werden; waren doch auch die weitschichtigen Rezesse des Goldenen von vornherein auf diese höhere Weisheit nur berechnet 5 gewesen! [3]

Herr Friedrich Jovers wollte sein Recht. Frau Christine hatte es selbst gesagt, er konnte nicht anders, er war ein Trotzkopf; er rührte sich nicht, der Bock hielt ihn mit beiden Hörnern gegen die Mauer gepreßt. 10

Freilich wußte er es nicht, daß Christian Albrecht ihn im Gevatterstande vertreten und seinen Erstgeborenen getrost auf seines Bruders und des Urgroßvaters Namen hatte taufen lassen. Da drüben aber wurde das Fenster zögernd wieder geschlossen. 15

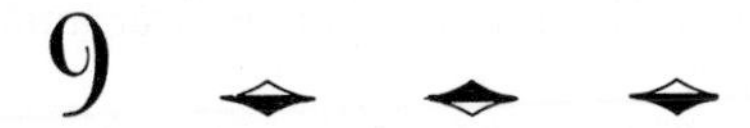

Wenige Tage später stand der vierschrötige Maurermeister Hinrich Hansen, wohlrasiert, seinen Dreispitz in der Hand, im Kabinette des Senators Christian Albrecht Jovers.

„Also," fragte dieser, „zweihundertundvierzig Reichstaler [4] war die Verdingsumme für das Werk da draußen, und Er 20 hat den Betrag bereits empfangen?"

Meister Hansen bejahte das.

---

1. stand ... eine abfällige Sentenz' ... in Aussicht, (an unfavorable decision on the part of the magistrate was to be expected). In English magistrate = a person; in German = a body, such as a council or court.

2. die zweite Instanz' mußte beschritten (werden), (appeal must be made).

3. die weitschichtigen Rezes'se (gerichtliche Auseinandersetzungen, (extensive pleadings) des „goldenen Advoka'ten" waren von Anfang an auf die Entscheidungen der höheren Gerichte berechnet gewesen.

4. Reichstaler: (lit.: dollar of the realm); an obsolete German silver coin of the value of three marks.

„Weiß Er denn wohl," sagte der Senator wieder, „daß mein Bruder Ihm da um die Hälfte zuviel gegeben hat?"

Der alte Handwerksmann wollte aufbrausen; das griff an seine Zunft- und Bürgerehre.[1] „Laß Er nur, Meister," sagte Herr Christian Albrecht und legte beschwichtigend die Hand auf den Arm des neben ihm Stehenden, „Seine Arbeit ist auch diesmal rechtschaffen; aber Er weiß doch, was ein Hauskontrakt bedeutet?" Und damit schob er ihm das vergilbte Schriftstück zu, welches aufgeschlagen auf dem Pulte lag.

Der Meister zog seine Messingbrille hervor und studierte lange und bedächtig unter Beistand seines Zeigefingers den ihm bezeichneten Paragraphen; endlich klappte er die Brille zusammen und steckte sie wieder in das Futteral.

„Nun?" fragte Herr Christian Albrecht.

Der Meister antwortete nicht; er fuhr mit seinen Fingern in die Westentasche und suchte nach einem Endchen Kautabak, womit er in schwierigen Umständen seinen Verstand zu ermuntern pflegte.[2]

„Nicht wahr, Meister," sagte der Senator wieder, „da steht es klar und deutlich?"

Der Meister kam nun doch zu Worte. „Mag sein, Herr," erwiderte er stockend, „aber es ist mir denn doch alles voll und richtig ausbezahlt!"

Der Senator ließ sich das nicht anfechten.[3] „Freilich, Meister, aber die eine Hälfte war ja nicht Herr Friedrich Jovers, sondern ich Ihm schuldig! Das macht auf den Punkt einhundertundzwanzig Reichstaler. Hier sind sie, wohlgezählt in Kron- und Markstücken; und nun gehe Er zu Herrn Friedrich Jovers und zahle Er ihm zurück, was Er von ihm zuviel empfangen hat!"

---

1. das griff an seine Zunft- und Bürgerehre, (that cast a slur upon his honor as member of the guild and as a citizen).

2. . . . zu ermuntern pflegte, (with which he was accustomed to help along his intelligence in trying circumstances).

3. ließ sich das nicht anfechten, (was not influenced by that).

Meister Hansen zögerte noch; in seinem Kopfe mochte die Vorstellung von einem etwas kuriosen Umwege auftauchen [1]; aber bevor er mit seinen schwer beweglichen Gedanken darüber ins reine kam,[2] war schon das Geld in seiner Tasche und er selbst zur Tür hinaus.

Herr Christian Albrecht rieb sich vergnügt die Hände. „Was wird Bruder Friedrich dazu sagen? Stillhalten muß er schon; hier steht's!“ Und er tupfte mit den Fingern dreimal zuversichtlich auf den alten Hauskontrakt.

Da wurde an die Tür gepocht. Der Schreiber seines Sachwalters überreichte ihm einen Brief.

Als der Überbringer sich entfernt und Herr Christian Albrecht den Brief gelesen hatte, war der eben noch so vergnügliche Ausdruck seines Angesichts mit einem Male wie fortgeblasen. „Musche Peters,“ sagte er kleinlaut, indem er die Tür zur großen Schreibstube öffnete, „bitte Er doch die Frau Senatorin, auf ein paar Augenblicke bei mir vorzusprechen!“

Die Frau Senatorin ließ nicht auf sich warten.[3] „Da hast du mich, Christian Albrecht!“ rief sie fröhlich; „aber —“ und sie schaute ihm ganz nahe in die Augen, „fehlt dir etwas?[4] Es ist doch kein Unglück geschehen?“

„Freilich ist ein Unglück geschehen, Christinchen; da — lies nur diesen Brief!“

Ihre Augen flogen über das Papier. „Aber, Christian Albrecht, du hast ja den Prozeß gewonnen!“

„Freilich, Christinchen, hab ich ihn gewonnen!“

„Und das nennst du ein Unglück? Da hast du ja alles nun in deiner Hand!“

„Hatte ich in meiner Hand, mußt du sagen! Fünf

---

1. in seinem Kopfe mochte die Vorstellung ... auftauchen; (the idea of a curious round-about way was perhaps (mochte) bobbing up).
2. ins reine kam = ihm die Sache klar wurde.
3. ließ nicht auf sich warten, (was not long in coming).
4. fehlt dir etwas? (is anything the matter?)

Minuten vor Empfang dieses Schreibens habe ich durch Meister Hansen die Hälfte der unseligen Mauergelder an Bruder Friedrich abgesandt."

Frau Christine schlug die Hände ineinander. „Das wird 5 eine schöne Geschichte [1] werden! — Du!?" — und sie drohte ihm mit dem Finger — „ich hatte es dir vorhergesagt!"

10

Und es wurde eine schöne Geschichte; denn zu derselben Zeit stand im Nachbarhause der Meister Hansen vor dem Herrn Friedrich Jovers.

10 Bei seinem Eintritt in den Hausflur war der goldene Advokat gegen ihn angeprallt und dann wie in blindem Geschäftseifer an ihm vorbeigeschossen. Im Zimmer selbst saß der Hausherr mit einem Schriftstück in der herabhängenden Hand, das mit vielen Schnörkeln begann und mit 15 dem großen Magistratssiegel endete. Er schien über den zuvor gelesenen Inhalt nachzusinnen und nicht gehört zu haben, was ihm der Meister eben vorgetragen hatte; als dieser aber aus seiner Hand ein paar schwere Geldrollen auf den Tisch fallen ließ, richtete er sich plötzlich auf. „Geld? 20 Was soll das?" [2] rief er. „Was sagt Er, Meister Hansen?"

Der Meister trug noch einmal seine Sache vor, und jetzt hatte Herr Friedrich zugehört und recht verstanden.

„So?" sagte er anscheinend ruhig, indem er sich von seinem Sitz erhob; aber sein Antlitz rötete sich bis unter das 25 dunkle Stirnhaar. „Also dazu hat Er sich gebrauchen lassen?" — Dann ergriff er plötzlich die beiden Geldrollen und machte eine Armbewegung, die den stämmigen Meister fast zur Gegenwehr veranlaßt hätte.

---

1. eine schöne Geschichte, coll., (a nice affair! a pretty mess!)
2. Was soll das? = Was bedeutet das?

Aber Herr Friedrich besann sich wieder. „Setz Er sich!" sagte er kurz; dann ging er rasch zur Stubentür und über den Hausflur nach dem Hof hinaus.

Der junge Küfer, der vor der offnen Kellertür des Lagerraums beschäftigt war, sah mit Verwunderung den Herrn Prinzipal bald mit vorgestrecktem Kopfe auf dem Klinkersteige des Hofes dröhnend hin und wider schreiten, bald wieder ein Weilchen stillstehn und mit halbscheuen Blicken an der hohen Scheidemauer hinaufschauen.

Das mochte eine Viertelstunde so gedauert haben; endlich, wie in raschem Entschluß, ging Herr Friedrich in das Haus zurück. Als er ins Zimmer trat, fand er den Handwerksmann auf demselben Stuhle, wo er ihn gelassen hatte.

„Meister," sagte er, aber es war, als werde bei den wenigen Worten ihm der Atem kurz, „hat Er Leute in Bereitschaft? So etwa fünf oder sechs und noch heute oder doch morgen schon?"

Der Meister war aufgestanden und besann sich. „Nun, Herr Jovers, es ginge wohl! Mit der Stadtwage sind wir jetzt so weit, ein Stücker fünfe könnten schon gemißt werden."[1]

„Gut denn, Meister" — und Herr Friedrich ergriff noch einmal, und nicht minder heftig als vorhin, die beiden auf dem Tische liegenden Geldrollen, — „so baue Er mir die Mauer auf meinem Hofe noch um so viel höher, als dieses Silber dazu reichen will!"

Der Handwerksmann schien kaum zu merken, daß während dieser Worte die Rollen schon in seinen Händen lagen.

„Hat Er mich nicht verstanden?" fuhr Herr Friedrich fort, da der andre keine Antwort gab.

„Freilich, Herr, das ist wohl zu verstehn; aber" — und der Meister schien ein paar Augenblicke nachzurechnen — „das gäbe ja noch an die sechs[2] bis sieben Fuß!"

1. ein Stücker fünfe (colloquial) könnten gemißt werden, (I could do without about five of them).

2. an die sechs = ungefähr sechs.

„Meinetwegen,“ sagte Herr Friedrich finster, „nur sorge Er dafür, daß es um keinen Schilling niedriger und auch um keinen höher werde, als wozu Er da das Geld in Händen hat!“

5 „Hm,“ machte der alte Mann und sah den Jüngern mit einem Blicke an, als ob ihm plötzlich ein Verständnis komme, „wenn Sie es denn so wollen, Herr Jovers; es ist Ihre Sache.“

Herr Jovers wandte sich ab. „So wären wir fertig[1] 10 miteinander!“ sagte er hastig. „Fangt nur gleich morgen an, damit ich der Unruhe bald wieder ledig werde!“[2]

Als Meister Hansen dann hinausgegangen war, warf er sich auf einen Stuhl am Fenster und starrte auf die leere Straße. Er schien keine Gedanken zu haben; vielleicht auch 15 wollte er keine haben.

II

Und schon am andern Tage, während der Herr Onkel Bürgermeister und der Herr Vetter Kirchenpropst noch einmal ihr vergebliches Versöhnungswerk betrieben, wurde zwischen den Höfen der beiden Brüder rüstig fortgemauert, 20 und der struppige Assyrer sang dabei alle Lieder, die er auf seinen Kreuz- und Querzügen aus der Fremde heimgebracht hatte. Im Hause des Senators wurden die Schreibstuben mit jeder neuen Steinlage immer mehr verdunkelt, und der alte Friedebohm ertappte sich zu seinem Schrecken mehr als 25 einmal, wie er müßig vor dem Fenster stand und, eine vergessene Prise zwischen den Fingern, diesem, wie er es bei sich selber nannte, babylonischen Beginnen[3] zusah. Auf der

1. So wären wir fertig, (That, I believe, finishes our business).
2. bald wieder ledig werde, (soon get rid again of).
3. babylo'nischen Beginnen, (senseless undertaking) referring to the building of the Tower of Babel.

andern Seite ging Herr Friedrich Jovers, wenn er auf dem Wege zu seinen Geschäftsräumen den Hof betreten mußte, hastig und ohne jemals aufzublicken daran vorüber. Dann, nach Verlauf einiger Tage, hörte das Mauern und das Singen auf; die Handwerker waren fort, das neue Werk war 5 fertig.

Statt dessen vernahm Herr Friedrich am nächsten Vormittage ein Geräusch, das ihm wie mit einem Schlage die seltensten, aber höchsten Freuden seiner Knabenjahre vor die Seele führte; er hatte eben die Hoftür geöffnet und 10 seinem draußen beschäftigten Ausläufer etwas zugerufen, als er horchend stehenblieb. Er wußte es genau; er sah es vor sich, wie jetzt drüben auf dem Hofe des Elternhauses die großen Reisemäntel ausgeklopft wurden; ja, er sah sich selbst als Knaben in seinen Sonntagskleidern an seiner 15 Mutter Hand danebenstehn und hörte den frohen Ton ihrer Stimme, womit sie bei solchem Anlaß einstmals ihrer Kinder Herz erfreute.

Er erschrak fast, als der Gerufene ihm jetzt entgegentrat, und ihm entfiel unwillkürlich die Frage,[1] was denn für eine 20 Reise drüben wohl im Werke sei.[2] Aber bevor der Mann den Mund aufzutun vermochte, kam bereits die Antwort aus der naheliegenden Küche; Frau Antje Möllern hatte selbstverständlich schon lange die genauesten Nachrichten; ein Glück, daß sie es endlich nun erzählen konnte! Die 25 junge Frau Senatorin wollte mit ihrem Erbprinzen auf Besuch zu ihren Eltern, obschon das liebe Kind mit jedem Tag ins Zahnen fallen[3] könne, und Pankratius und Servatius[4] noch nicht einmal vorüber seien; und der gute Herr

---

1. entfiel ... die Frage, (the question escaped him).
2. im Werke sei, (was being planned).
3. ins Zahnen fallen, (to begin teething).
4. Pankra'tius und Serva'tius: The days of St. Pancras and St. Servatius, May 12 and 13: die „Eisheiligen"; according to popular tradition one cannot be sure of mild weather until the days of these saints have been passed.

Senator müsse auch mit auf die Reise, denn was kümmere das die Frau Senatorin, daß eine große Ladung Ostseeroggen erst eben auf der Reede angekommen sei! „Herr Jovers!" schloß Frau Antje ihre Rede, als der Arbeitsmann sich entfernt hatte, und wies mit dem Daumen nach dem Hofe zu, „glauben Sie es, oder glauben Sie es nicht — die hat's nicht ausgehalten, daß sie uns von drüben nun nicht mehr in unsre Töpfe gucken kann!" [1]

Ein fast grimmiges Zucken fuhr um Herrn Friedrichs Lippen; dann aber sah er die alte Dame nur eine Weile mit etwas starren Augen an. „Also das ist Ihre Meinung, Frau Möller?" sagte er trocken, und als sie hierauf beteuernd mit ihrem dicken Kopf genickt hatte, setzte er hinzu: „So wolle Sie die Güte haben,[2] dergleichen Meinung künftig bei sich selber zu behalten!"

Als er das gesprochen hatte, ging er fort, und Frau Antje blieb, die Hände gefaltet, noch eine ganze Weile stehn, die Augen unbeweglich nach der Richtung, in der ihr Herr verschwunden war. Dann plötzlich trabte sie an den verlassenen Herd zurück und rührte unter heftigen Selbstgesprächen in dem über dem Dreifuß stehenden Topfe, daß die kochende Brühe zu allen Seiten in die lodernden Flammen spritzte.

12

Es war unverkennbar, daß die Mauer draußen, obgleich sie keineswegs behagliche Gefühle in ihm erweckte, nach ihrer abermaligen Vollendung eine geheimnisvolle Anziehungskraft auf Herrn Friedrich Jovers übte. Freilich hatte er noch immer vermieden, an dem neuen Werk empor-

1. in unsre Töpfe gucken kann, (can't poke her nose into our affairs).
2. die Güte haben = so gut sein.

zusehen; jetzt aber, nachdem der Abend herangekommen war, ließ es ihm auch hierzu keine Ruhe mehr. Er hatte sich vorgespiegelt, sein junger Küfer, der zur gewohnten Stunde aus dem Geschäft gegangen war, könne das Auffüllen der neuen Fässer unterlassen haben, welche in dem Keller 5 hinter dem Hofe lagen; allein er hatte schon darum[1] vergessen, als er kaum den Hof betreten hatte.

Oben an dem dunkeln Frühlingshimmel schwamm die schmale Sichel des Mondes und warf ihr bläuliches Licht auf den obern Rand der Scheidemauer und auf das Dach des 10 elterlichen Hauses. Herr Friedrich stand jetzt an derselben Stelle, von wo aus er an jenem Abend ein stummer Zeuge der Familienfeierlichkeit gewesen war; er stand dort ebenso stumm und unbeweglich, aber auf seinem Antlitz lag jetzt ein unverkennbarer Ausdruck der Bestürzung. So sehr er 15 seine Augen anstrengte, es wurde nicht anders: hinter dem neuen Maueraufsatz waren die Fenster des alten Familien-saales bis zum letzten Rand verschwunden.

Es war schon spät am Abend; nichts regte sich, weder hüben noch drüben[2]; nur das Klirren eines Fensterflügels, 20 der im Hauptbau auf der andern Seite offenstehn mochte, wurde dann und wann im Aufwehen der Nachtluft hörbar. Herr Friedrich wollte eben in sein Haus zurückkehren, da tönte von drüben plötzlich die Stimme des alten Kuba-Papageien: „Komm röwer!“ und nach einer Weile noch 25 einmal: „Komm röwer!“ Wie ein eindringlicher Ruf, fast schneidend klang es durch die Stille der Nacht; dann nach kurzer Pause folgte ein gellendes Gelächter. Herr Friedrich kannte es sehr wohl; der verwöhnte Vogel pflegte es auszustoßen, wenn ihm die Nachahmung der eingelernten 30 Worte besonders wohl gelungen war. Aber was sonst als der unbehilfliche Laut eines abgerichteten Tieres gleichgültig

---

1. darum (dialectic) vergessen = vergessen, was er auf dem Hofe wollte.
2. weder hüben noch drüben, (neither here nor there).

an seinem Ohr vorbeigegangen war, das traf den einsamen Mann jetzt wie der neckende Hohn eines schadenfrohen Dämons.

„Komm röwer!" seine Lippen sprachen unwillkürlich diese 5 Worte nach; über seine selbstgebaute Mauer konnte er nicht hinüberkommen.

Noch lange stand er, das Hirn voll grübelnder Gedanken, ohne daß etwas andres, als das gewöhnliche Geräusch der Nacht zu seinem Ohr gedrungen wäre; fast sehnte er sich, 10 noch einmal den Schrei des Vogels zu vernehmen; als aber alles stille blieb, ging er ins Haus und legte sich zum Schlafen nieder.

Allein er hörte eine Stunde nach der andern schlagen, und da er endlich schlief, war es nur eine halbe Ruhe. Ihm 15 war,[1] als sei er auf dem Wege zum Garten; aus der Pforte kamen seine Eltern ihm entgegen, von denen er gemeint hatte, daß sie beide schon im Grabe lägen; als er auf sie zuging,[2] sah er, daß ihre Augen fest geschlossen waren; er wollte sie eben bitten, ihn doch anzusehen, da war die hohe 20 Mauer vor ihm aufgestiegen, und dahinter scholl das Gelächter des alten Kubavogels, das wie in einem Echo an hundert Mauern hin und wider sprang.

— Das Geräusch eines dicht unter seinen Fenstern vorüberrollenden Wagens weckte ihn. Es war schon Morgenfrühe; 25 die dicke, goldene Taschenuhr, welche er von seinem Nachttisch langte, zeigte auf reichlich fünf Uhr.[3] Rasch war er aus dem Bette, zog den Vorhang von einem Guckfenster in der vorspringenden Seitenwand zurück und sah auf die Straße hinab. Von Osten her lagen die Häuserschatten noch auf 30 den feuchten Steinen und bis hoch an den gegenüberliegenden Gebäuden hinauf; vor der Treppe des brüderlichen Hauses hielt ein bespannter Reisewagen; Koffer wurden

---

1. Ihm war = Er hatte das Gefühl.
2. auf sie zuging, (went up to them).
3. auf reichlich fünf Uhr, (a little after five o'clock).

durch den alten Diener hintenauf geladen und Kisten und Schachteln unter den Wagenstühlen festgebunden. Bald darauf sah er seinen Bruder und Frau Christine in Reiserock und Mantel aus dem Hause treten; dann folgte eine gleichfalls reisefertige Magd mit einem anscheinend nur aus Tüchern bestehenden Bündelchen, an welchem die junge Frau Senatorin noch viel zu zupfen und zu stecken hatte, und worin Herr Friedrich nicht ohne Grund seinen ihm noch unbekannten jungen Neffen vermutete.

Endlich war alles auf dem Wagen. Herr Friedebohm, von der obersten Treppenstufe, schien eiligst noch mit Kopf und Händen die Versicherung getreuen Einhütens [1] zu erteilen; dann klatschte der Kutscher, und bald war die Straße leer, und Herr Friedrich hörte nur noch das schwache Rollen des Wagens droben in der Stadt, wo es zum Ostertor hinausführte.

Aber auch ihn selbst duldete es nun nicht länger im Haus; rasch war er angekleidet und ging in den frischen Morgen hinaus. Er war hinten um die Stadt herumgegangen, an der stillen Gasse vorüber, in welcher die Pforte zu dem Familiengarten sich befand; jetzt schritt er langsam, seinen Rohrstock unter dem Arme, drüben auf dem breiten Gange des Kirchhofes und schaute über den alten Hagedornzaun nach dem seit einem halben Jahre von ihm gemiedenen Familiengrundstück hinüber. Bäume und Sträucher standen schon in lichtem Grün, und dort von den jungen Apfelbäumen, die sein Vater, der alte Herr Senator, noch gepflanzt hatte, lachten ihn die ersten roten Blütensträuße an. Bald auch gewahrte er mit Verwunderung, daß der Garten, wie in jedem Frühjahr, in ordnungsmäßigen Stand gesetzt [2] war; und — täuschte ihn denn sein Ohr? — er hörte ein Geräusch, als ob geharkt und darauf Beete mit dem

1. die Versicherung getreuen Einhütens, (seemed to be assuring them that he would take good care of everything).
2. in ordnungsmäßigen Stand gesetzt = in Ordnung gebracht war.

Spaten angeklopft würden; aber der Pavillon und das hohe Gebüsch zu dessen Seiten verwehrte ihm die Aussicht.

Er blieb stehn und lauschte, während das Geräusch des Arbeitens sich ebenmäßig fortsetzte. Da wallte es in ihm 5 auf [1]; wer konnte sich unterstehn, den in Streit befangenen Garten anzufassen?"

„Heda!" rief er. „Was wird da getrieben?" [2]

Das Arbeiten hörte auf, und nach einigen Augenblicken trat der alte Andreas mit einem Spaten auf der Schulter 10 hinter dem Pavillon hervor.

„Er, Andreas?" herrschte ihn Herr Friedrich an. „Was hat Er hier zu schaffen? [3] Hat Ihn mein Bruder etwa hier zur Arbeit herbeordert?"

Der Alte schob seine Pudelmütze von einem Ohr zum 15 andern. Die Frage mochte ihm unerwartet kommen; hatte er doch noch von dem seligen Herrn her einen Schlüssel zu der Gartenpforte und seit über einem Vierteljahrhundert einzig nach dem Kalender, den er in seinem Kopfe trug, die Beete umgegraben, Erbsen und Bohnen nach seiner eigenen Wis- 20 senschaft gelegt und Bäume und Gesträuche angebunden und beschnitten. „Herbeordert?" sagte er endlich. „Nein, Herr, so herbeordert hat mich niemand; aber wenn's nicht alles in die Wildnis gehn sollte,[4] so war es just die höchste Zeit."

25 „Was kümmert Ihn das,"[5] rief Herr Friedrich, „ob es hier verwildert?"

Der Alte hatte seinen Spaten in die Erde gestoßen. „Was mich das kümmert?" wiederholte er und sah völlig verdutzt zu dem Sohne seines alten Herrn hinüber.

30 „Freilich Ihn!" fuhr dieser fort; „denn wer wohl, meint Er, wird Ihm seine Arbeit hier bezahlen?"

---

1. Da wallte es in ihm auf = Da stieg der Zorn in ihm auf.
2. Was wird da getrieben = Was geschieht dort (in dem Garten)?
3. Was hat Er hier zu schaffen? = Was tust du hier?
4. in die Wildnis gehn sollte = wenn nicht alles wild wachsen soll.
5. Was kümmert Ihn das? (What is that to you?)

„Nun, Herr, es wird schon alles angeschrieben."

„So schreib' Er's gleich nur in den Schornstein,"[1] rief Herr Friedrich, „und vertu Er seine Zeit nicht,[2] die Er besser brauchen kann!"

Andreas wischte mit der Hand den Schweiß von seiner Stirne. „Wenn das Ihr Ernst ist,[3] Herr Jovers," sagte er, „so kann ich freilich nur nach Feierabend hier noch arbeiten; das aber" — und er erhob den Spaten und zeigte damit nach dem Kirchhofe hinüber — „tu' ich meiner alten Herrschaft da zuliebe."

Herr Friedrich sagte nichts; Andreas aber ging mit seinem Spaten fort, und bald wurde wieder das einförmige Geräusch des Grabens in der Morgenstille hörbar.

Der andre stand noch eine Weile an derselben Stelle, als müsse er die Spatenstiche zählen, die er drüben den alten Arbeiter machen hörte; dann wandte er sich plötzlich und ging weiter in den Kirchhof hinein bis zu dem Grabe seiner Eltern. Hier saß er lange auf den Steinen, welche die Familiengruft bedeckten, und blickte auf den grünen Kog hinunter und darüber hinaus auf den silbernen Strich des Meeres, wo in der Ferne die Masten des guten, ihm so wohlbekannten Schiffes „Elsabea Fortuna" sichtbar wurden.

Als es in der Stadt vom Turme sieben schlug, stand er wieder an dem alten Gartenzaune. Der vorübergehende Totengräber, dessen Gruß er nicht zu bemerken schien, gewahrte mit Verwunderung, wie Herr Friedrich Jovers mit seinem Stocke recht unbarmherzig gegen einzelne der alten Büsche stieß, während doch, wie von einem frohen Entschluß, ein stilles Lächeln auf seinem Antlitz lag.

Plötzlich aber richtete Herr Friedrich sich auf und schritt aus dem Kirchhofe in die Stadt hinein; er schritt nicht seiner

1. schreib' Er's . . . in den Schornstein (chimney) fig.: (give it up as a bad debt! You may whistle for it!)
2. vertu Er seine Zeit nicht! (don't waste your time!)
3. Wenn das Ihr Ernst ist. (If you really mean that).

Wohnung zu, sondern die lange Osterstraße hinauf, wo das Haus des Meisters Hinrich Hansen lag.

13

Und acht Tage später, an einem sonnigen Spätnachmittage, hielt der Reisewagen des Senators wieder vor dessen
5 Haustür; die Reisenden samt Kind und Kindsmagd waren heimgekehrt. Als der schlafende Erbe glücklich vom Wagen und oben in der Kinderstube untergebracht war, lief die junge Frau, wie zu neuer freudiger Besitznahme, durch alle Räume ihres Hauses, und als sie hier überall gewesen war
10 und, dank[1] der alten schwiegerelterlichen Köchin, alles in musterhafter Ordnung vorgefunden hatte, schritt sie langsam den Gang hinab, der an der Küche vorbei zur Hoftür führte. Ihr Gesicht war plötzlich ernst geworden, und es dauerte eine Weile, bevor sie die Klinke aufdrückte und hinaustrat.
15 Allein so zögernd sie hinausgegangen war, so rasch kam sie jetzt zurück; sie flog fast an der Küche vorüber nach dem Hausflur; ihre Augen strahlten: „Christian, Christian Albrecht!" rief sie. „Wo steckst du?[2] Komm doch, komm geschwind!"
20 Da trat er schon mit heiterm Antlitz aus der Schreibstube auf sie zu.

„Komm!" rief sie nochmals und ergriff ihn bei der Hand. „Ein Wunder, Christian Albrecht, ein wirkliches Wunder! Wie aus dem Döntje[3] von dem Fischer un sine Fru!
25 Ein schwarzer jütscher Topf, ein Haus, ein Palast; immer höher und höher, und dann eines angenehmen Morgens —

1. dank, (thanks to).
2. Wo steckst du? = Wo bist du? (Where are you hiding?)
3. Döntje: komische Geschichte, berühmtes, niederdeutsches Märchen von „Der Fischer und seine Frau" (Grimm).

Mantje, Mantje Timpe Te! — da sitzen sie wieder in ihrem schwarzen Pott!“ Und sie sah mit glückseligen Augen zu ihrem Mann empor.

Auch aus seinen guten Augen leuchtete ein Strahl des Glückes. „Ich habe es schon gesehen,“ sagte er, „aber es ist kein Wunder, es ist viel besser als ein Wunder.“ 5

Und als sie dann Arm in Arm auf den Hof hinaustraten, der wieder hell und frei wie früher vor ihnen lag, da sahen sie die hohe Mauer bis auf ihr altes Maß hinabgeschwunden, und hinter der niedrigen Grenzscheide stand Herr Friedrich 10 Jovers und streckte schweigend dem Bruder seine Hand entgegen.

„Friedrich!“

„Christian Albrecht!“

Die Hände lagen ineinander; aber jetzt erhob Herr 15 Friedrich den Kopf, als ob er nach den Fenstern des elterlichen Hauses hinüberlausche.

„Worauf hörst Du, Bruder?“ fragte ihn der Senator.

Einen Augenblick noch blieb der andre in seiner horchenden Stellung, dann ging ein Lächeln über sein ernstes Gesicht. 20 „Ich meinte, Bruder, daß unser alter Papagei mich riefe, aber er hat es neulich abends schon getan.“

Und als er das gesagt hatte, legte er die eine Hand auf den obern Rand der Mauer, und mit einem Satze schwang er sich hinüber. 25

„Mein Gott, Friedrich,“ rief Frau Christine, indem sie einen raschen Schritt zurücktrat, „ich habe dich noch niemals springen sehen!“ Und dabei standen ihre Augen voll von Tränen.

Er faßte seine Schwägerin an beiden Händen. „Chri- 30 stine,“ sagte er, „dieser Sprung war nur ein Symbolum; ich werde künftig wieder hübsch auf ebener Erde bleiben.“

Der Senator blickte heiter in den nun wieder frei gewordenen Luftraum. „Lieber Bruder,“ begann er mit bedächtigem Lächeln, „die ganze Mauer war ja eigentlich 35

nur ein Symbolum, außer daß sie denn doch leibhaftig
dagestanden, und daß der alte Friedebohm sich seine Federn
nicht mehr schneiden konnte —"

Herr Friedrich unterbrach ihn: „Wenn's gefällig wäre,[1]
5 so nehmt noch einmal eure eben abgelegten Hüte und
begleitet mich auf einer kurzen Promenade."

„Was du willst, Friedrich!" rief Frau Christine, „alles, was
du willst!" Und da Herr Christian Albrecht gleichfalls
einverstanden war, so gingen sie miteinander durch das
10 elterliche Haus, und Herr Friedrich führte sie den bekannten
Weg hinten um die Stadt, an der grünen Marsch entlang
und wieder in die Stadt hinein.

Sie hatten längst bemerkt, daß er sie zu dem in Streit
befangenen Garten[2] führe; aber sie fragten nicht, sie gingen
15 schweigend und in freudiger Erwartung neben dem Bruder her.

Am Eingange empfing sie der alte Andreas, die Harke in
der Hand, ein schelmisches Schmunzeln im Gesicht; alles
zeigte sich in schönster Ordnung, an den jungen Apfelbäumen
20 waren alle Blütensträuße aufgebrochen.

Herr Friedrich beschleunigte seine Schritte, während er
den Muschelsteig zum Pavillon hinauf, dann aber an demselben vorbei und nach der Kirchhofseite zuschritt. Als sie
hier aus dem Gebüsch hinaustraten, stieß Frau Christine
25 einen leichten Schrei aus, wie er sich in freudiger Überraschung so anmutig von dem Frauenherzen löst[3]; denn an
der Stelle des krüppelhaften Zaunes, welcher sonst die
Grenze gegen den Kirchhof hin bezeichnet hatte, erhob sich
vor ihnen eine stattliche Mauer, wie Herr Christian Albrecht
30 sie sich immer gewünscht hatte. „Nun, gewißlich," rief die
hübsche Frau, „da steht es vor uns, auch die Liebe kann —"

---

1. Wenn's gefällig wäre, (If you don't mind).
2. in Streit befangenen Garten, (the garden which was in dispute).
3. wie er sich in freudiger Überraschung so anmutig von dem Frauenherzen löst, (such as can be uttered so charmingly by a woman whose heart is pleasantly surprised).

Aber Herr Friedrich nahm ihr das Wort vom Munde. „Die Frau Schwester[1] meinen," sagte er höflich, „Meister Hansens Leute können, wenn auch keine Berge,[2] so doch eine Mauer recht gescheit versetzen; was mich selber anbelangt,[3] so habe ich hierbei auf des Herrn Bruders gütigen Konsens gerechnet. Und, Christian Albrecht," fuhr er in herzlichem Tone fort, indem er sich zu seinem Bruder wandte, „hiermit, wenn du gleichen Sinnes bist, ist unser Prozeß zu Ende; du hast das Urteil unseres Magistrats für dich; meinen Einspruch habe ich zurückgezogen. Tue du nun ein übriges[4] und bestimme als der Ältere, wie es mit dem Garten werden soll. Wie du die Teilung vornimmst, ich bin es jedenfalls zufrieden."

Herr Christian Albrecht hatte dieser Rede zugehört wie einer, welcher zugleich einem eigenen Gedanken nachgeht. „Ist das dein Ernst, Friedrich?" sagte er, seinem Bruder voll ins Antlitz sehend; „dein wohlbedachter Ernst?"

„Mein voller, wohlbedachter Ernst," erwiderte Herr Friedrich ohne Zögern.

„Nun denn," rief Christian Albrecht freudig, „so teilen wir gar nicht, Bruder Friedrich! ‚Jovers Garten' hat es hier von Großvaters Zeiten her geheißen, so darf es jetzt nicht ‚Christian Albrechts' oder ‚Friedrichs Garten' heißen!"

Einen Augenblick lang zogen Herrn Friedrichs dunkle Brauen sich zusammen, als ob er über einen Gewaltstreich seines Bruders zürnen müsse; dann aber wurde es plötzlich hell auf seinem Antlitz, wie Christian Albrecht in so raschem Wechsel es nur bei ihrem Vater einst gesehen hatte. Lebhaft ergriff er seines Bruders Hand: „Topp, Christian Albrecht! Aber wie war's nur möglich, daß dies damals keinem von uns beiden eingefallen ist?"

---

1. Frau Schwester, (My dear sister (sister-in-law)), polite but obsolete form of address.
2. Berge ... versetzen: reference to Matthew 17, 20.
3. was mich selber anbelangt, (as for me).
4. Tue du nun ein übriges, (Now do one more thing).

Herr Christian Albrecht lächelte. „Ich glaube, Friedrich, wir haben damals beide etwas laut geredet; da konnten wir die eigene Herzensmeinung nicht vernehmen."

Frau Christine, die in stiller Freude dem Gespräch der 5 Brüder zugehört hatte, hob jetzt ihre Uhr empor, die sie, noch von der Reise her, an einem schweren Gürtelhaken bei sich führte. „Vesperzeit, wenn's beliebt!"[1] rief sie. „Und, Friedrich, du speisest doch heute abend bei uns? Die alte Margret wird schon löblich vorgesehen haben! Freilich — 10 deine perdrix aux truffes, die hast du ein für allemal verlaufen."[2]

Es war zu Ende Juli. Frau Antje Möllern saß bei Frau Nachbarn Jipsen auf der Beischlagsbank und erzählte dieser noch einmal, wie schon mehrere Male zuvor, daß es nun 15 nichts nütze, da drüben noch länger hauszuhalten; denn die da — und sie nickte nicht eben sanft nach dem alten Kaufherrnhaus hinüber — habe nun auch Herrn Friedrich Jovers ganz in ihren Schlingen; sie, Antje Möllern, habe dies dem letzteren auch rundheraus gesagt[3] und dann zugleich auf 20 Michael gekündigt[4]; und Frau Nachbarn Jipsen erwiderte darauf, heute gleichfalls nicht zum erstenmal, daß sie das alles längst vorausgesehen habe.

Unten im Ratsweinkeller saß an diesem warmen Nachmittage der goldene Advokat und demonstrierte dem Herrn

---

1. Vesperzeit, wenn's beliebt! (Time for afternoon tea, if you please!)

2. die hast du ein für allemal verlaufen! von denen bist du ein für allemal davongelaufen; die sind für dich für immer verloren.

3. rundheraus gesagt, (had told him so outright).

4. auf Michael gekündigt: she had given notice that she would leave on St. Michael's day (September 29). Contracts for domestic services in Germany usually expire on that day.

Stadtsekretär, der aus den obern Rathausräumen zu einem kühlen Trunk herabgestiegen war, wie er die scharfsinnigen Deduktionen seiner Klage- und Replikrezesse,[1] welche — ganz sub rosa — denn doch über den Horizont des ehrenwerten Magistrats hinausgingen,[2] nun leider ganz umsonst geschrieben habe; und der stets höfliche Herr Stadtsekretär tupfte dem Goldenen recht freundlich auf die Schulter und sagte lächelnd: „Umsonst, Herr Siebert Sönksen? Doch wohl nicht ganz umsonst! Da müßten wir die Herren Jovers sonst nicht kennen!" — Und der Goldene lächelte gleichfalls und griff behaglich nach seinem Spitzglas Roten.[3]

Draußen in den Gärten aber war es in der Stachelbeerenzeit, und in „Jovers Garten" war heute überdies ein großer Familienkaffee. Der Herr Onkel Bürgermeister und der Herr Vetter Kirchenpropst mit ihren Frauen waren da, und der alte Friedebohm und der alte Andreas waren da, jeder an dem Platze, der ihm zukam,[4] und der alte Papagei saß auf seiner hohen Stange vor dem Pavillon, und auch Musche Peters in seinem neusten Anzug mit einer kleinen Zopfperücke fehlte nicht. Selbst den kleinen Erbprinzen hätte man in seinem Kinderwagen an einem stillen Schattenplätzchen finden können, freilich bis jetzt nur schlummernd unter der Hut der treuen Kindermagd. Im Innern des Pavillons aber vor den weit geöffneten Flügeltüren waltete Frau Christine des blinkenden Kaffeetisches, während drunten vor der Staketpforte sich zusammendrängte, was die kleine Gasse an neugierigen Weibern und lustiger Jugend aufzubieten hatte. Die Weiber erzählten sich von der guten seligen Frau Senatorin und nickten dabei nach der innern Wand des Pavillons hinüber, wo die unermüdliche Dame

1. Klage- und Replik'rezes'se, (pleadings and briefs in connection with the suit and the appeal); ganz sub rosa (Lat.), (confidentially). To the Roman the rose was the symbol of reticence.

2. über den Horizont' . . . hinausgingen, (went over the head of).

3. Spitzglas Roten: (cone-shaped) glass of claret.

4. der ihm zukam, (to which he was entitled).

Flora nach wie vor[1] mit ihrer Rosengirlande tanzte; die Buben dagegen, die sich allmählich den ersten Platz vor der Pforte erobert hatten, wiesen mit ausgestreckten Armen nach den großen roten Stachelbeeren, die auf den Rabatten 5 in schwerer Fülle an den Büschen hingen. Mitunter hörte man sie den Namen des jungen Herrn Senators nennen; sie schienen auf ihn zu warten, dessen milde Hand ja auch nach dem Hintritt[2] der guten alten Frau Senatorin noch vorhanden war. „Da kommt he! Kiek mal,[3] da kommt he!" 10 riefen ein paar von ihnen, deren gierige Augen eben einen Schimmer seines pfirsichfarbenen Rockes erspäht hatten; aber sie wurden plötzlich stille, als sie ihn an der Seite des gefürchteten Herrn Friedrich Jovers aus einem belaubten Seitengange treten sahen.

15 Die beiden Brüder gingen schweigend nebeneinander; aber auf ihrem Antlitz lag noch der friedliche Ausdruck des traulichen Gespräches, welches sie vorhin die einsameren Seitengänge hatte aufsuchen lassen. Auch jetzt noch wandten sie sich nicht wieder zur Gesellschaft, sondern schritten in 20 stummem Einverständnis den breiten Muschelsteig hinab.

Ihnen im Rücken hatte inzwischen Musche Peters sich der Papageienstange genähert und suchte in Ermangelung gleichberechtigter Unterhaltung[4] mit dem gefiederten Gaste in bescheidenem Flüsterton anzuknüpfen; sogar ein Stückchen 25 Zucker wagte er dem Papchen hinzuhalten. Aber der grüne Unhold schien für diese Aufmerksamkeiten keinen Sinn zu haben; statt nach dem Zucker hackte er nach Musche Peters Finger und schrie dann gellend, als wolle er's nun ein für allemal[5] gesagt haben: „Komm röwer!"

---

1. nach wie vor, (now as before).
2. nach dem Hintritt, (after the death).
3. Da kommt he! Kiek mal! Dort kommt er! Sieh mal!
4. in Ermangelung gleichberechtigter Unterhaltung, (lacking any other conversation with his social equals he sought to engage in a whispered conversation with the feathered guest).
5. ein für allemal, (once for all).

Als der Schrei des Vogels das Ohr der beiden Brüder erreichte, flog über Herrn Friedrichs Angesicht ein Schatten, wie aus jener Nacht, von der er seinem Bruder heute zum erstenmal gesprochen hatte. Der Senator aber faßte seine Hand und sagte leise: „Mein Friedrich, das hat jetzt keine Bedeutung mehr; du bist nun ein für allemal herüber.“ 5

Als Herr Friedrich hierauf den Kopf erhob, um seinen Bruder anzublicken, blieben seine Augen auf dem Bubenhaufen vor der Pforte haften, und die finstere Miene wurde von einem fast schelmischen Lächeln fortgedrängt. „Keine 10 Bedeutung mehr?“ sagte er, die Worte des Bruders wiederholend. „Meinst du, ich verstünde ganz allein die Papageiensprache?“ und ohne eine Antwort abzuwarten, rief er mit lauter, kräftiger Stimme: „Holla, Jungens, wat seggt de Papagoy?“ 15

Da kam zuerst eine noch etwas zaghafte Stimme, dann aber eine nach der andern und immer lauter und lauter: „‚Komm röwer! Komm röwer!‘ seggt de Papagoy!“

Und lustig winkend erhob Herr Friedrich den Arm: „Nun denn, alle Mann hoch[1]: ‚Komm röwer!‘“ und ebenso 20 lustig wies seine Hand nach den brechend voll beladenen Stachelbeerbüschen.

Zuerst sahen die Jungen nur einander an und flüsterten angelegentlich zusammen; sie konnten sich's nicht denken, daß der böse Herr Friedrich Jovers mit einem Male so 25 erstaunlich gut geworden sei. Als aber jetzt die beiden Herren Jovers in ein unverkennbar herzliches Lachen ausbrachen, da war kein Halten mehr,[2] einer wollte noch eher als der andre, und bald sprang und fiel und purzelte der ganze Schwarm über die Pforte in den Garten hinab, und 30 unter jeder Stachelbeerstaude saß mit lachendem Angesicht ein unermüdlich schmausender Junge.

„Christian Albrecht,“ sagte Herr Friedrich, den Arm um

---

1. alle Mann hoch! (all hands aloft! All hands on deck!)
2. da war kein Halten mehr, (there was no stopping them).

seines Bruders Schulter legend, „wenn erst deine Jungen hier so in den Büschen liegen!“

Da erscholl hinter ihnen vom obern Teile des Gartensteiges ein helles fröhliches „Bravissimo!“ und als sie sich 5 hierauf umwandten, da stand in der offenen Tür des Pavillons inmitten aller Gäste die junge, anmutige Frau Senatorin; mit emporgehobenen Armen hielt sie den Brüdern ihr eben erwachtes Kind entgegen, das mit großen Augen in die bunte Welt hinaussah.

Fragen

Lesehilfen und Themen für Sprechübungen

1

Der alte Herr Senator.

1. Wer ist Christian Albrecht Jovers?
2. Wie hat er seine beiden Söhne versorgt?
3. Welchen Ruf hat er in der Stadt gehabt?
4. Wie zeigte er, daß er ein offenes Herz für die Armen der Stadt hatte?
5. Wie zeigte es sich, daß seine Mitbürger ihn ehrten?
6. Beschreiben Sie das Haus des alten Herrn Senators!
7. Was scheidet den Besitz des alten Herrn Senators von dem seines Sohnes Friedrich?

Der Familiengarten.

1. Wo liegt der Garten?
2. Wie ist er zu erreichen?
3. Beschreiben Sie den alten Herrn Senator auf seinem Wege zum Garten!
4. Beschreiben Sie einen Sonntagnachmittag im Garten des alten Herrn Senators!
5. Wer ist der alte Andreas?

6. Was erzählt die Geschichte von dem grünen Papagei aus Kuba?
7. Wie verhalten sich die Jungen an der Gartenpforte, wenn a) die freundliche Frau Senatorin, b) Herr Christian Albrecht, c) der alte Herr Senator, d) Herr Friedrich Jovers den Steig hinabkommt?

Die Familiengruft.

1. Wo liegt der Kirchhof?
2. Wer ist in der Familiengruft begraben worden?
3. Warum haben die Schulen der Stadt den alten Herrn Senator besonders verehrt?
4. Was hatte Herr Christian Albrecht noch vor dem Tode seiner Mutter getan?
5. Was trennt den Kirchhof von dem Garten?
6. Welchen Wunsch hatte Herr Christian Albrecht?
7. Warum hat er seinen Wunsch nicht ausgeführt?

2

Der Streit der Brüder um den Garten.

1. Was tun die beiden Brüder an einem Sonntagvormittag im großen Festsaal?
2. Welche Episode von seiner Mutter erzählt Christian Albrecht?
3. Was bekommt Christian Albrecht und was Friedrich Jovers von dem Besitz des Vaters?
4. Aus welchen Gründen will Christian Albrecht den Garten für sich haben?
5. Was war durch das Kodizill über den Garten bestimmt worden?
6. Was sollte die Mutter, nach dem Willen des Vaters, mit dem Kodizill tun?
7. Wann hat die Mutter den Willen des Verstorbenen erst ausgeführt?
8. Warum handelte die Mutter, nach der Ansicht Friedrich Jovers, in einem Irrtum?
9. Warum will Friedrich Jovers den Garten mit seinem Bruder nicht teilen?

10. Welchen neuen Vorschlag macht Christian Albrecht?
11. Wie stellt sich Friedrich Jovers zu diesem Vorschlag?
12. Welche symbolische Bedeutung hat der Ruf des Papageien „Komm röwer“?
13. Woran merkt die junge Frau Senator, daß die Brüder sich entzweit haben?
14. Was glaubt Christian Albrecht von seinem Bruder?

3

Das Wiederkommen hat gute Weile.

1. Wie sucht Friedrich Jovers ein Zusammentreffen mit seinem Bruder zu vermeiden?
2. Wie versucht die junge Frau ihren Mann aufzumuntern?
3. Was erzählt Christian Albrecht von dem Knaben Friedrich Jovers?
4. Inwiefern hat es Christian Albrecht leichter im Leben als Friedrich Jovers?
5. Warum kann Friedrich Jovers nicht „armer“ Bruder genannt werden?
6. Was verspricht Christian Albrecht seiner Frau?
7. Wie denkt die junge Frau über den Garten?

4

Der Advokat Siebert Sönksen tritt in die Geschichte ein.

1. Was beobachtet die junge Frau Senator von ihrem Fenster aus?
2. Warum sind die beiden Frauen auf der Beischlagsbank nicht eben ihre Freunde?
3. Warum wird der Advokat Siebert Sönksen „der Goldene“ genannt?
4. Was sagt die Geschichte über den Advokaten Siebert Sönksen?
5. Wem will die junge Frau über diese Dinge Nachricht geben?
6. Wie wird sie von ihrem Vorhaben abgehalten?

5

Der Prozeß nimmt seinen Anfang.

1. Warum gibt es heute in der Schreibstube viel zu tun?
2. Von welchem Klatsch hat der alte Friedebohm auch schon gehört?
3. Welche symbolische Bedeutung hat die niedrige Mauer für Friedebohm?
4. Was teilt Siebert Sönksen dem Senator mit?
5. Welche Vollmacht hat Siebert Sönksen?
6. Worauf spekulierte der Advokat Siebert Sönksen?
7. Ist Siebert Sönksen im ausdrücklichen Auftrage von Friedrich Jovers zum Senator gekommen?
8. Mit welcher Begründung weist der Senator die Dienste des „Goldenen“ ab?
9. Wie denkt Siebert Sönsken über die Söhne des Senators?
10. Was beschließt er als Advokat zu tun?
11. Warum kann Christian Albrecht jetzt nicht mehr zu seinem Bruder gehen?
12. Was beschließt Christian Albrecht jetzt zu tun?
13. Aus welchem Grunde glaubt er so handeln zu müssen?
14. Welchen Versuch hat die junge Frau noch hinter ihres Mannes Rücken gemacht?

6

Die Mauer wird gebaut.

1. Wer versucht in dem Streite zu vermitteln?
2. Warum wird diese Vermittlung von den Streitenden abgelehnt?
3. Welche Stellung nimmt die Bevölkerung der Stadt zu diesem Streit?
4. Welches besondere Ereignis passiert im Hause des Senators?
5. Was tun Meister Hansens Leute auf Friedrich Jovers Hof?

6. Zu welchem Urteil kommt die junge Frau über Friedrich Jovers?
7. Wie denkt aber der Senator über seinen Bruder?

7

Die Mauer ist Veranlassung zu weiterem Streit.

1. Welche Störung verursacht die Mauer in der Schreibstube?
2. Welche Störung verursacht sie im Kabinett des Senators?
3. Warum ist die Wiebke von der Frau Senator gescholten worden?
4. Auf welchen „Gegenstoß" hat sich der Senator besonnen?
5. Wie zeigt es sich, daß der Senator auch „einen Bock" hat?
6. Warum glaubt der Senator zu diesem Gegenstoß berechtigt zu sein?
7. Warum war die Frau in das „Allerheiligste" ihres Mannes gekommen?

8

Friedrich Jovers leidet unter der Feindschaft.

1. Warum glaubt Friedrich Jovers, es sei Hochzeit in der Stadt?
2. Welche Erklärung gibt ihm seine Haushälterin Antje Möllern?
3. Welchen Eindruck macht diese Nachricht auf Friedrich Jovers?
4. Was erzählt die Antje Möllern über die Freundschaft zwischen dem Großvater von Friedrich Jovers und dem Onkel ihres Vaters?
5. Wie zeigt es sich, daß diese Erzählung dem Friedrich Jovers unangenehm ist?
6. Von wo aus beobachtet Friedrich Jovers das Fest im Hause seines Bruders?
7. Warum hätte Friedrich Jovers bei dem Fest dabei sein müssen?

8. Was sieht er von seinem Steinhof aus?
9. Was glaubt er ganz deutlich zu hören?
10. Warum folgt er dem Rufe der jungen Frau und dem des Papageien nicht?

9

Christian Albrecht ist die Ursache, daß der Streit fortgesetzt wird.

1. Wieviel hat die Mauer gekostet?
2. Was beweist der Senator dem Meister Hinrich Hansen?
3. Welchen Auftrag bekommt Meister Hansen von dem Senator?
4. Warum zögert Meister Hansen, den Auftrag auszuführen?
5. Warum ist der „vergnügliche Ausdruck" auf dem Gesichte Christian Albrechts „mit einem Male wie fortgeblasen"?
6. Was meint Christian Albrecht, wenn er sagt: „Ich hatte alles in meiner Hand"? Vergleiche Seite 196, Zeile 1.

10

Friedrich Jovers läßt die Mauer höher bauen.

1. Welche Wirkung hat Meister Hansens Botschaft auf Friedrich Jovers?
2. Was beobachtet der junge Küfer?
3. Welchen Auftrag bekommt Meister Hansen von Friedrich Jovers?
4. Um wieviel wird die Mauer höher gebaut?
5. Welches „Verständnis" kommt plötzlich dem Meister Hansen?

11

Der Streit hat die Brüder vollständig voneinander getrennt.

1. Wer versucht von neuem in dem Streit zu vermitteln?
2. Welche Wirkung hat „das babylonische Beginnen" auf die Leute in der Schreibstube?

3. Welches Gefühl erweckt die immer höher werdende Mauer — das Symbol des wachsenden Streites — in Friedrich Jovers?
4. Welche Erinnerungen an seine Kindheit erweckt in Friedrich Jovers das Geräusch, das er eines Vormittags auf dem Hofe seines Bruders hört?
5. Welche Neuigkeit erzählt Frau Antje Möllern?
6. Aus welchen Gründen hält Frau Antje Möllern diese Reise für unsinnig und gefährlich?
7. Aus welchem Grunde hat, nach der Meinung von Frau Antje Möllern, die Frau Senator diese Reise unternommen?
8. Welche Antwort erhält sie von Friedrich Jovers?

12

Friedrich Jovers beschließt nachzugeben.

1. Warum hatte Friedrich Jovers plötzlich ein „Gefühl der Bestürzung", als er von seinem Steinhof zum alten Familiensaal hinaufsah?
2. Wie erscheint dem einsamen Friedrich Jovers der Ruf des Papageien: „Komm röwer"?
3. Was träumt Friedrich Jovers in der folgenden Nacht?
4. Was beobachtet Friedrich Jovers am nächsten Morgen von seinem Fenster aus?
5. Wohin geht Friedrich Jovers am nächsten Morgen?
6. Warum arbeitet der alte Andreas im Familiengarten?
7. Wie zeigt der alte Andreas seine Treue für die „alten Herrschaften"?
8. Wohin geht Friedrich Jovers vom Garten aus?
9. Was beobachtet der Totengräber an Friedrich Jovers?
10. Warum geht Friedrich Jovers zu Meister Hansen?

13

Die Brüder versöhnen sich.

1. Wie nimmt die junge Frau Senator wieder Besitz von ihrem Hause?

2. Welches „Wunder“ ist während ihrer Abwesenheit geschehen?
3. Mit welchem Märchen vergleicht die junge Frau den überraschenden Ausgang des Streites?
4. Wie folgt Friedrich Jovers dem Rufe des alten Papageien?
5. Inwiefern ist dieser Sprung „nur ein Symbol“?
6. Inwiefern ist die Mauer auch „eigentlich nur ein Symbol“ gewesen?
7. Wohin führt Friedrich Jovers seinen Bruder und dessen Frau?
8. Welche freudige Überraschung hat Friedrich Jovers für seinen Bruder?
9. Wie entscheiden die Brüder über den Besitz des Gartens?
10. Warum haben sie zu Anfang nicht gleich in dieser Weise entschieden?

14

Der Familienkaffee in Jovers Garten.

1. Wer ist alles beim Familienkaffee in Jovers Garten anwesend?
2. Wie ist dieses Gartenfest den früheren Festen zu Zeiten des alten Herrn Senators ähnlich?
3. Wer ersetzt die alte Frau Senator?
4. Wie zeigt es sich, daß die alte Frau Senator noch nicht vergessen ist?
5. Warum warten die Buben auf den jungen Herrn Senator?
6. Wie folgt diesmal Friedrich Jovers dem Rufe des Papageien: „Komm röwer“?
7. Mit welchem Ausblick auf eine friedliche Zukunft schließt die Novelle?

Die Hamelschen Kinder

Wilhelm Raabe

Wilhelm Raabe

Wilhelm Raabe is known as an outstanding humorist of the nineteenth century, — a man comparable to Jean Paul of the eighteenth and his great English contemporary, Dickens. "Humor" as employed by these men has a broader meaning than we usually give it. It is not the boisterous horseplay that we find in slapstick or farce, not the sly, shallow humor of the comedy of manners, nor even the stinging humor of irony or satire. Raabe's humor has its source in his profound understanding of human personality in all its imperfection. The pleasure that we derive from his stories is the recognition on our part of the follies, vanities, and errors of our fellowmen. Our impulse is not to laugh aloud, but to smile inwardly at the revelation of human foibles which Raabe gives us. Displayed against their backgrounds of vivid and memorable nature descriptions, Raabe's characters stand warmly alive, called into being by his ability to catch that which is typically human about each of them. Occasionally we may feel that Raabe sketches with too bold a hand and forms exaggerated, eccentric characters; yet even here the faults and the virtues are recognizable as being common to us all.

Raabe searches out the odd, unusual, and exotic as the subject matter for his stories, yet keeps a certain nobility and seriousness of tone in his writing. When he makes excursions into the past, he chooses the locales, characters, and situations which are most effective for his purposes. He takes us on visits to unexpected and bizarre places, — to a cobbler's workroom, a second-hand shop, a chocolate factory, a sugar refinery, or a rag disinfecting establishment. Raabe uses themes such as the contemporary advance of civilization, the spoliation of the landscape by industry, the growth of cities, and the struggle between city and country. He bestrews his stories with learned allusions to a bewildering variety of sources, the Bible, the Greek and Latin Classics, and the whole range of modern European literature and medieval history. When we study him closely we notice with what painstaking care he has drawn even the minutest details and with what subtlety he has introduced quotations and scraps of phrases from the Middle High German, French, Latin, English, Italian, or Arabic tongues. He took delight in unearthing medieval Latin or German manuscripts in the archives. The legends and inscriptions which he brought to light he often used as the basis for stories, as he did in the case of the present one, *Die Hamelschen Kinder*. Raabe does not construct elaborate plots, but rather keeps them simple and clear, with outcomes that are never unexpected. Yet in spite of this, his stories hold a great fascination for the attentive reader.

Raabe, of north German racial stock, was born in the little town of Eschershausen in the duchy of Brunswick on September 8, 1831. His father, a government official in the department of justice, was transferred to Stadtoldendorf. Here the boy attended school, later entering the Gymnasien at Holzminden and Wolfenbüttel. His first employment after leaving school in 1849 was in a bookstore in Magdeburg, where he had opportunity and leisure to satisfy his great appetite for reading, and where he sketched the plan for his historical story *Unseres Herrgotts Kanzlei*. By 1853 Raabe had decided that the world of business was not his proper sphere of activity; he returned to Wolfenbüttel to reenter the Gymnasium and to complete his studies. From 1854 to 1856 he attended lectures in philosophy, history, and literature at the University of Berlin. In 1856 his first book *Die Chronik der Sperlingsgasse,* written in 1854, was published under the pseudonym "Jacob Corvinus." From the first this has been Raabe's most popular work. Friedrich Hebbel, feeling the lack of sharply outlined characters in the work, said of it: „Eine vortreffliche Ouvertüre, aber wo bleibt die Oper?" The stories *Ein Frühling*, *Die Kinder von Finkenrode*, *Nach dem großen Kriege*, and *Unseres Herrgotts Kanzlei* were published shortly afterward on Raabe's return to Wolfenbüttel. In 1859 the author journeyed through Austria, South Germany, and the Rhine country. In 1862 he married and settled in Stuttgart, a town which so pleased him that he stayed there for eight years.

Der Hungerpastor, *Der Schüdderump*, and a collection of seven stories published later under the title *Der Regenbogen*, of which *Die Hamelschen Kinder* is the first, are all works of this productive period in Raabe's life. By 1866 in North German Raabe, because of the unfavorable turn of political events, found the South German capital no longer congenial to him. Being an outspoken supporter of the Prussian policy of uniting the German nation under Prussia, Raabe returned to his native province in 1870. From that time on his residence was in the city of Brunswick.

Der Dräumling was the first book to appear after his return to Brunswick. During the seventies and early eighties he remained comparatively obscure, working independently of the literary trends of the time. In 1890, however, he achieved recognition with *Stopkufchen*, and interest in him increased. His works sold in numerous editions, and his fame spread both in Germany and in the world outside.

Raabe thus had a long life of literary activity, but he did not reach the height of his fame until 1901. In that year, on the occasion of his seventieth birthday, on September 8, 1901, the citizens of Brunswick, Germany's foremost scholars, authors, and government officials, as well as his literary admirers, all joined to honor him with an elaborate tribute. He lived in quiet and retirement until his death on November 15, 1910.

Herbst

Auf allen Höhen
Da wollt' ich steigen,
Zu allen Tiefen
Mich niederneigen.
Das Nah' und Ferne
Wollt' ich erkünden,
Geheimste Wunder
Wollt' ich ergründen.
Gewaltig Sehnen,
Unendlich Schweifen,
Im ew'gen Streben
Ein Niergreifen —
Dies war mein Leben.

Nun ist's geschehen; —
Aus allen Räumen
Hab' ich gewonnen
Ein holdes Träumen.
Nun sind umschlossen
Im engsten Ringe,
Im stillsten Herzen
Weltweite Dinge.
Lichtblauer Schleier
Sank nieder leise;
Ein Liebesweben
Goldzauberkreise —
Ist nun mein Leben.

From the novel, *Der Hungerpastor*.

Die Hamelschen Kinder

I

Wer ist, in dessen Erinnerung die uralte Sage vom Pfeifer zu Hameln,[1] und wie der am Johannistage Anno Domini [2] zwölfhundert vierundachtzig mit hundertunddreißig Bürgerkindern in den Koppelberg zog, nicht nachklänge? Chroniken, verwitterte Steine, Ammen, Wärterinnen und Großmütter haben seit vielen hundert Jahren davon erzählt und erzählen heute noch davon, und wer die Geschichte einmal gehört hat, der vergißt sie so leicht nicht. Es ist ihr aber auch kaum eine andere gleichzusetzen, welche wie sie geheimnisvollen Schauder und dumpfes Grauen erregt.

Ach, es war eine arge Plage zu Hameln an der Weser! Mäuse und Ratten hatten so überhandgenommen in der Stadt wie Raubritter und Strolche im herrenlosen, Heiligen

---

1. Sage vom Pfeifer zu Hameln: Old German legend. Robert Browning, in "The Pied Piper of Hamelin" has given a metrical version. The legend recounts how a certain musician came into the town of Hameln and offered, for a sum of money, to rid the town of the rats with which it was infested. Having executed his task, and the promised reward having been withheld, he in revenge again blew his pipe and drew the children of the town to a cavern in the side of a hill — der Koppelberg — which, upon their entrance, closed and shut them in forever. Another version relates that the children reappeared in Siebenbürgen, Transylvania, settled there and established German colonies.

2. Johannistag Anno Domini, (St. John's Day (June 24) in the year of our Lord).

Römischen Reich Deutscher Nation.[1] Bürgerschaft und Rat hätten wohl dem fremden Mann im grünen Jägerkleid mit der roten Feder den bedungenen Lohn zahlen können, als er seinem Versprechen gemäß das nagende Geziefer unter 5 dem schrillen Klang seiner Pfeife in die Weser geführt hatte, daß kein Schwanz und Schwänzlein in der Stadt zurückblieb. Sie taten es aber nicht, — geiziges Volk! — der Plage waren sie ledig, das Gute hatten sie genossen; so machten sie's denn wie viele andere Leute und Gemein- 10 wesen auch: sie knöpften die Taschen zu,[2] und den Beutel öffneten sie nicht; mit Hohnlachen schickten sie den grünen Jägersmann mit der roten Feder und der künstlichen Pfeife zum Tor hinaus; sie verließen sich, wie manche andere damals, darauf, daß der Kaiser Rudolf [3] weit entfernt, und 15 Recht und Gerechtigkeit schwer oder nirgends zu finden sei.

Lauf, Pfeiferlein, lauf! Such den langnäsigen Habsburger [4] Grafen, klag ihm dein Leid und bring ihn mit Rossen und Mannen, mit Mauerbrechern, Blyden und Mangen [5] vor der Stadt Mauern! Wer weiß, was ge- 20 schehen kann! — Vielleicht kommen wir dann zu einem Vergleich. Wer weiß, was geschehen kann; das Ganze werden wir auch dann wohl nicht zahlen, vielleicht aber doch die Hälfte oder ein Viertel. Es soll darauf ankommen,[6]

---

1. das Heilige Römische Reich Deutscher Nation founded by Charlemagne in 800, revived by Otto I in 962, broken up by Napoleon in 1806. „Herrenlos" refers to the time of the Great Interregnum, 1254–1273.

2. knöpften die Taschen zu, ((buttoned their pockets), were tight-fisted.)

3. Kaiser Rudolf: Founder of the Hapsburg dynasty, was chosen king of Germany by the "electors" in 1273, thus ending the Great Interregnum. He died in 1291.

4. langnäsigen Habsburger, i.e. emperor Rudolf of Hapsburg; had a long, narrow nose.

5. mit Rossen und Mannen (horses and horsemen), mit Mauerbrechern (battering-rams), Blyden (ballista) und Mangen (catapults), (with his whole army and war equipment).

6. Es soll darauf ankommen, (It will all depend on).

wieviel Knechte, Ritter und Rosse der Habsburger mit sich bringt; — lauf, Pfeiferlein, lauf! —

Der grüne Jäger, der Pfeifer, lief aber nicht; er fluchte und wetterte auch nicht, als er unter dem Tore stand, und die Bürger von Hameln ihm nachlachten; er zog nur eine 5 Fratze, wie Rat und Bürgerschaft noch keine gesehen hatten, eine Fratze, vor welcher die Kinder in Haufen schreiend davonliefen oder das Gesicht in der Schürze der Mutter bargen; dann schüttelte er den Staub von den Schuhen und ging, und die Stadt ging auch an ihre Geschäfte, und die 10 Kinder vergaßen die Fratze und fingen ihre Spiele in den Gassen von neuem an.

Nun hätten die Bürger jedenfalls das Ganze und doppelt und dreifach das Ganze bezahlt, und die Mütter würden all ihren Schmuck, alle Kostbarkeiten, Haus und Hof[1] willig 15 dem Pfeifer hingeworfen und überlassen haben, wenn sie gewußt hätten, was die Fratze des Mannes bedeuten sollte; sie wußten es aber nicht und vergaßen das Gesicht, bis es sich ihnen auf die allerschrecklichste Weise in die Erinnerung zurückrief. 20

Was erzählen nun die Chroniken, Großmütter und Ammen?

Es war der Johannistag im Jahr Eintausend zweihundert achtzigundvier; in der Kirche befanden sich alle erwachsenen Einwohner Hamelns, nur die Kinder spielten draußen im 25 lichten Sonnenschein. In der Sankt Bonifaziuskirche sangen die Väter und Mütter die Messe, und so vernahmen sie vor den heiligen Klängen nicht den anderen Klang, der ihnen so großes Weh bedeutete. Über den Kirchplatz schrillte eine lustige Pfeifermelodie, und der grüne Jäger mit der Hahnen- 30 feder, dessen Gesicht man so schnell vergessen hatte, durchzog alle Straßen der Stadt, und alle Kinder in den Gassen

1. Haus und Hof: one of the many German alliterating phrases, like: Mann und Maus, Roß und Reiter, meaning: (all that they possessed).

schlossen sich ihm an, und alle Kinder in den Häusern, welche die Pfeife vernahmen, sprangen hervor und folgten ihr, wie einst ihr die Mäuse und Ratten gefolgt waren. Sie vernahmen nichts im Münster zu Sankt Bonifaz. Mit hundert-
5 unddreißig Hamelschen Kindern zog der Pfeifer aus dem Ostertor langsamen Schrittes, immerfort seine wildlustige Weise blasend. Tanzend und jauchzend folgten ihm die Kinder gegen den Koppelberg, und als der Zug davor angelangt war, öffnete sich der Berg — tat auf eine schwarze
10 Höhle, und hinein in die Höhle, in die dunkle Gruft zogen aus dem hellen Sonnenschein mit dem Pfeifer die Kinder von Hameln. Der Berg schloß sich wieder, und niemals hat man wieder etwas gehört von dem Pfeifer und den armen Kleinen. Der Kinderjubel war verstummt, und das Weh-
15 klagen und Jammern der Väter und Mütter begann in den Gassen und Häusern Hamelns und hallte durch die Jahrhunderte weiter.[1]

Im Jahre MCCLXXXIV na Christi Gebort
To Hameln worden utgevort
20 Hundert und drittig Kinder, dasülvest geborn,
Dorch einen Piper under den Koppen verlorn;[2]

lautet der alte Vers, und bis in die neueste Zeit durfte in der Bungelosenstraße,[3] welche nach dem Ostertor führt, keine Geige gestrichen, keine Trommel gerührt, keine Pfeife und
25 Flöte geblasen werden. Seltsamerweise wurden auch bis in die späteste Zeit die deutschen Kolonien in Siebenbürgen[4]

---

1. hallte durch die Jahrhunderte weiter, (echoed down through the centuries).

2. Im Jahre 1284 nach Christi Geburt
Zu Hameln wurden hinausgeführt
Hundert und dreißig Kinder, daselbst geboren,
Durch einen Pfeifer unter den Koppen verloren.

3. Bungelosenstraße: die Bunge = die Trommel, drum; bungelos = ohne Trommel, ohne Musik; eine Straße in Hameln, in der keine Musik gemacht werden durfte.

4. die deutschen Koloni'en in Siebenbür'gen: The first German

mit diesem „Hamelschen Kinderauszug" in Verbindung gebracht. Hinter den „sieben Bergen"[1] soll der Pfeifer mit seiner entführten Schar wieder aus der Erde hervorgetreten sein, und die Spuren dieses Glaubens finden sich auch in einem höchst merkwürdigen Briefe, welchen der Bürger- 5 meister, Herr H. Palm zu Hameln, an den Herrn Bergkommissarius Burchardi am 31. Mai 1741 schreibt.

Da der Herr Bürgermeister ein Mann ist, welcher die Welt mit einem gewissen Humor ansieht, so wollen wir sein Schreiben im Auszug folgen lassen. 10

„Hochedelgeborener, Hochzuehrender Herr![2]

Wenn derjenige, der Ew. Hochedelgeboren um die Nachricht des vor einigen Jahren allhier vor Hameln gefundenen, sogenannten wilden Knaben gebeten, es lieber gesehen, daß es damit seine Richtigkeit hätte, als daß man derselben hier in Hameln selbst nicht traue, so möchte ich wünschen, daß 15 Ew. Hochedelgeboren die Umstände davon zu beschreiben von mir nicht verlangt hätten! Denn es war 1724 eben in der Weizenernte, als ein hiesiger Bürger, namens Jürgen Meyer, des Nachmittags aus dem Felde in das Brückentor kam und einen nackenden Knaben von ungefähr 10 bis 12 20 Jahren mit sich hereinführte; er hatte schwarze, kurze, krause Haare, und sah an Farbe auf dem Leibe einem Zigeunerjungen nicht ungleich. Die Kinder in der Stadt

---

colonies in Siebenbürgen — Transylvania, now part of Rumania — were founded under the rule of Geisa II, king of Hungary, in 1141–1161 and in 1211–1225 under the protection of the Knights of the Teutonic Order and King Andrew. These colonists are known in history under the name: die Siebenbürger Sachsen.

1. hinter den „sieben Bergen": An expression found in German legends and fairy-tales, referring to some indefinite place, (over the hills); here it refers to Siebenbürgen.

2. Hochedelgeborener (lit.: of highly noble birth; illustrious) Hochzuehrender (highly to be honored) Herr! A very formal, now obsolete mode of address, but customary in the 18th century, Right Honorable Sir!

versammelten sich um diesen fremden Ausländer so viel häufiger, je weiter er in die Stadt kam; ich selbst habe solchem zugesehen; wenn man ihm zusprach, oder ihn fragte, legte er die Finger auf den Mund, um vielleicht anzuzeigen, daß er nicht reden könne; wenn ihm was gegeben wurde, küßte er seine eigene Hand, auch zuweilen die Erde und geberdete sich dabei freundlich; er schlief nicht wie andere Menschen liegend, sondern auf den Ellenbogen und Knien sitzend. Die erste Zeit lief dieser Knabe frei in der Stadt herum, versuchte aber öfters wieder aus dem Tor, wo er hereingebracht war, zu kommen, und wenn er bis an die Schildwachen, welche Ordre hatten, ihn nicht passieren zu lassen, gelangte, küßte er nach Art der Orientaler die Erde....

Auf den Straßen sah er sich gerne nach den vorbeifahrenden Schiebekarren um, und wenn solche ledig, sprang er darauf, und ließ sich, so weit man wollte, wegfahren; wenn aber die Zeugmacherjungen oder andere, die solchen Karren zogen, ihn herunterwarfen, wurde er im Gesichte ganz erbost und zeigte die Zähne wie ein Hund oder Affe. Er fing auch an, sich an Kindern seines Alters zu vergreifen, welches Senatum veranlaßte, ihn im Armenhause St. Spiritus, wohin er vorhin gebracht worden, etwas genauer in Aufsicht nehmen zu lassen. Seine Reinlichkeit war nicht die beste; und ob man ihn gleich mit Hemden und Kleidung versehen, zerriß er doch solche öfters, und wollte zuletzt keiner mehr die Aufsicht über ihn führen, welches veranlaßte, nachzusuchen, daß die Königliche Regierung ihn in das Tollhaus nach Celle [1] aufnehmen lassen möge.

Was mit dem Jungen nachher weiter vorgegangen, wie er vor Ihre höchstselige Königliche Majestät Georg den Ersten [2]

---

1. Celle: City in North Germany, province of Hanover; formerly residence of the Dukes of Brunswick-Lüneburg.

2. Georg den Ersten: King of England, 1714–1727, son of Ernest Augustus, elector of Hanover, and Sophia, granddaughter of James I, and the first English monarch of the house of Hanover.

nach Hannover und endlich nach London gebracht werden mußte, ist Ihnen besser als mir bekannt.†

Inzwischen gab diese Veränderung einigen hiesigen tiefsinnigen Köpfen Anlaß, ein und das andere dubium zu formieren: 5

1. ob dieser Junge auch etwa in einem im Orient entstandenen Gewitter gleich einem Frosch mit aufgezogen und allhier wieder niedergelassen worden sei;

2. ob er nicht etwa aus Siebenbürgen als ein Spion, der ehemals ausgegangenen Kinder Nachlaß 10 hierselbst zu erkundigen, abgesandt worden sei.[1]

Ich hätte meine Schuldigkeit im Antworten eher beobachten sollen, allein ich bekenne, ich habe nicht darauf gedacht; etwas Gedrucktes ist von dem Jungen nicht. Ich hoffe aber, Ew. Hochedelgeboren werden aus dem, was ich geschrieben, 15 mit mir der Meinung sein, daß der exitus puerorum Hamelensium und der introitus dieses wilden Jungen einerlei

† Diesen wilden Knaben, welcher durch den Herrn von Rothenberg, grün vom Kopf bis zu den Füßen gekleidet, dem Hof von St. James vorgestellt wurde, der Miss Walpole küßte, dem Lordschatzmeister den 20 Amtsstab entriß und den Hut vor dem Könige aufsetzte, das Pferd von Charing Croß [2] anwieherte, die Ohren wie ein Affe bewegen konnte, und gegen welchen beim Trüffelsuchen [3] ein Hund ein Esel war: diesen wilden Jungen aus dem Wesertal sah und beschrieb in London ein finsterer, am Schwindel und versetzten Ehrgeiz leidender Mann, der Dechant von St. 25 Patrik, Dr. Jonathan Swift. Der geistliche Herr war damals mit der Vollendung seiner Reisen Gullivers beschäftigt, und so läßt sich mit ziemlicher Sicherheit nachweisen, welcher zufälligen Begebenheit und Begegnung die schreckliche, aber unsterbliche Schilderung des vertierten Geschlechts der Yahoos ihre Entstehung verdankt. 30

---

1. abgesandt . . . sei: see note 1, page 229.

2. das Pferd von Charing Croß: A busy open space between the west end of the Strand and Trafalgar Square in London on the site of the old village of Cherringe. A Gothic cross had been erected here by King Edward I, the "Eleanor Cross", in 1291, in honor of his wife. This cross was removed in 1647 and later in 1675 a statue of Charles I was erected.

3. Beim Trüffelsuchen: dogs were trained to dig up truffles.

Glauben meritiere. Ich empfehle mich Ihnen gehorsamst und verharre nebst vielmaliger Empfehlung an Dero Frau Liebste von mir und meiner Frau

Hochedelgeboren, Hochzuehrender Herr
5 Dero ergebenster Diener
H Palm."

Also der Herr Bürgermeister von Hameln glaubte im Jahre 1741 nicht mehr so recht an die Aufzeichnungen und Traditionen seiner Stadt über den „Ausgang der Kinder"
10 im Jahre 1284, und so sind wir nicht weniger berechtigt, unsere eigene Meinung über den exitus der Hamelschen Kinder zu haben und unsern eigenen Bericht darüber zu geben, welches wir dann im folgenden nach besten Kräften tun.

15 Nicht 1284, wo der tapfere und kluge Kaiser Rudolf von Habsburg schon längst die Zügel des Reiches mit starker Hand hielt, manchen Raubritter gehängt und längst den böhmischen Ottokar auf dem Marchfelde geschlagen hatte,[1] war das Jahr, in welchem die Hamelschen Kinder auszogen
20 aus dem Ostertor und nicht wieder heimkehrten! Am achtundzwanzigsten Juli Eintausend zweihundert neunundfünfzig geschah's, und nichts ist leider zu sagen, welches das traurige Faktum in Zweifel stellen könnte.

2

Das Interregnum[2] stand in voller Blüte — bitterböser
25 Blüte; — kein Kaiser im Reich, kein Recht und Gesetz im

---

1. den böhmischen Ottokar auf dem Marchfelde geschlagen hatte: The Marchfeld, a plain east of Vienna, where Ottokar II, King of Bohemia, the most powerful adversary of King Rudolf, was defeated by Rudolf in 1278.

2. Das Interreg'num: The period between the downfall of the

Reich. Wer die stärkere Hand hatte, der ließ sie schwer dem schwächeren Nachbar auf den Nacken fallen; es war ein wirres Wogen und Zerren ohne Sinn und Verstand; Frieden und Ruhe war nirgends zu finden. In einem friesischen Sumpfe war der König Wilhelm von Holland[1] 5 versunken und mit ihm der letzte Halt des deutschen Volkes; zuletzt blieb den Geplagten, den Geschlagenen, den Blutenden und Weinenden keine andere Hoffnung als auf den nahen Weltuntergang und das Jüngste Gericht, wo alles Krumme doch wieder grade gemacht werden mußte. Wahr- 10 lich eine Zeit der Trauer und der Tränen, und kein Wunder, daß der Rat zu Hameln die Musik zum Maienfest Eintausend zweihundert achtundfünfzig verboten hatte.

Die Stadt Hameln konnte damals schon allerlei erzählen; der heilige Apostel der Deutschen[2] hatte hier mit dem 15 Wasser der Weser heidnische Sachsen getauft; Karl der Große hatte das Stift[3] Hameloa oder Hamelowe gegründet, und um das Münster hatten sich dann allmählich Pfaffen und Laien angesiedelt und ihre Wohnungen und ihr Rathaus

---

Hohenstaufen, 1254, and the election of a new king, Rudolf of Hapsburg, in 1273, a period of confusion and lawlessness, of Faustrecht, (' fist law '), as the Germans called it. The map of Germany showed a confused group of duchies, counties, archbishoprics, bishoprics, abbacies, and free towns, each one of which asserted its practical independence. „Die kaiserlose, die schreckliche Zeit."

1. König Wilhelm von Holland: elected German king by German archbishops and bishops of the Rhine regions as opponent to the German Emperor Konrad, was killed in an attempt to conquer the Frisians; he drowned in a swamp, 1256.

2. der heilige Apostel der Deutschen: St. Boniface, born in Devonshire about 680, was called the "Apostle of Germany." He became a priest in 710, went to Germany to preach the Gospel to the German tribes, founded churches and convents, became archbishop of Mainz in 746, and was killed while preaching in West Friesland, 755. His remains were taken to the Abbey of Fulda, founded by him.

3. Stift: church and property belonging to the church. Karl der Große (Charlemagne), 768–814, hatte das Stift Hameloa oder Hamelowe gegründet, es dem Kloster und späteren Bistum Fulda geschenkt, von diesem wurde es 1259 an das Bistum Minden verkauft.

mit Mauern und Türmen umgeben. Herr des Stiftes wurde der Abt zu Fulda, von welchem der Rat im Jahr 1109 den Forst- und Blutbann[1] kaufte. Die Vogtei[2] hatten die Grafen von Eberstein inne, ein stromauf und 5 -ab mächtiges Dynastengeschlecht. Reißend nahm die Stadt zu an Wohlstand und Volksmenge und trat bereits um 1250 dem Hansabunde[3] bei, — ein Zeichen, daß es ihr wohlging, und daß sie in ihren Mauern mancherlei barg, welches zu verteidigen der Mühe wert war. Reiche Kirchen 10 voll goldenen und silbernen Schmuckes und heiliger Reliquien gab es innerhalb dieser Mauern; nahrhafte, wohlbehäbige Bürgerhäuser mit wohlversehenen Vorratskammern und Kellern; ferner vor allen Dingen kluge, fleißige und fromme Männer und Frauen, manch würdiges Greisen- 15 haupt, manch zartes Kind, und dazu viel holde, liebliche Jungfrauen und mannhafte Jünglinge umschlossen diese Mauern. Auf das alles hätte sich nur allzugern mehr als eine von den bösen Fäusten gelegt, von denen weiter oben die Rede gewesen ist[4]; und es hatten sich auch bereits rings 20 um die Stadt Wolken zusammengezogen, nach welchen die Alten im Rat besorgt aufblickten, die Jünglinge und Jungfrauen aber noch nicht; denn deren Himmel war noch blau, keine Wolke war daran zu sehen, und sie wollten das Maienfest feiern.

25 Was aber die grauen Köpfe im Rat bewegte, das war dieses: es gingen Gerüchte, anfangs leise, dann aber immer

---

1. Forst- und Blutbann: The right to regulate and prohibit hunting in the municipal forests and the supreme judicial power.

2. Die Vogtei', (bailiwick), the office or jurisdiction of a bailiff, Landvogt; in the Middle Ages an officer representing the king and having wide powers of judicial, financial, and military administration.

3. Hansabund, (Hanseatic League): A federation of northern German cities, founded in the 13th Century, for mutual protection and assistance, particularly in trade. The organization at the height of its prosperity, in the 14th and 15th centuries, included about ninety cities.

4. weiter oben die Rede gewesen ist, (which have been mentioned above).

lauter: der Abt zu Fulda, höchst unzufrieden mit der Stadt Unbotmäßigkeit und Widerborstigkeit, dazu des Geldes nicht wenig bedürftig, gehe damit um,[1] Stadt und Stift dem Hochstift Minden [2] zu verkaufen. Boten und Briefe waren darüber zwischen dem Erzbischof Philipp zu Köln, den Herzögen zu Braunschweig-Lüneburg und den Grafen von Eberstein hin und wider gelaufen, und der Rat von Hameln mußte sich, um alle die Herrschaften im Auge zu behalten, so im Kreise drehen, daß ihm allmählich mehr als schwindlig darüber zumute wurde.

Bischof in Minden war damals Herr Wedekind, ein Mann, der Geld hatte und bar bezahlen konnte, was er kaufte.

Es war ein schlimmer Handel für den Rat von Hameln, zumal da er am allerwenigsten dabei um seine Meinung gefragt wurde. Schwere Sorgen lasteten auf ihm, und nicht mit Unrecht hatte er die Musik zum Maienfest verboten, konnte aber doch nicht hindern, daß die Jugend nichtsdestoweniger auf ihrem Recht bestand, des Frühlings Wiederkehr zu feiern.

Also waren die Jünglinge und Jungfrauen der Stadt zu einem lieblichen Ort im Wald am Ufer der Weser hinausgezogen, um daselbst wenn auch nicht nach gewohnter Art mit Tanz, doch den Tag in Fröhlichkeit mit Spiel und Gesang zu verbringen. Noch standen die hohen Bäume freilich in winterlicher Kahlheit; aber es trieb und drängte doch schon übermächtig in ihnen, und man merkte es ihnen wohl an, daß sie in kürzester Frist ihr frischgrünes Gewand angezogen haben würden. Grün war bereits das niedere, zarte Gebüsch, grün war der Rasen, und manch ein Blümlein blühte bereits die Weser entlang, und wer recht suchte, der fand gewiß genug Veilchen, Himmelsschlüssel, Anemonen und Lungenkräutlein zu einem bunten Kranz für sich, die Geliebte oder die schöne Nachbarin im Wald.

---

1. gehe damit (mit dem Gedanken) um, (was considering).

2. Hochstift Minden, founded by Charlemagne in 796, in Westphalia, on the river Weser, N.W. of Hameln.

Den Vögeln hatte der Rat auch nicht die Musik verbieten können; sie rührten die Schnäbel, jedes nach seiner Art, mächtig und anmutig; und die Mücken kehrten sich ebenfalls nicht an den Bischof Wedekind von Minden und den 5 Abt zu Fulda; im Sonnenschein tanzten sie über dem Strom und waren fröhlich nach ihrer Weise, und die Hamelschen Kinder hätten es nur allzugern ihnen nachgemacht und hätten ohne Musik auf der grünen Waldwiese den Reigen geschlungen.[1]

10 Früh waren die Hamelschen Kinder hinausgezogen aus der dunkeln Stadt mit ihren hohen Mauern; schnell genug war ihnen der Frühlingstag dahingeschwunden, und jetzt stieg die Sonne wieder abwärts und senkte sich gegen den Wald herab.

15 Sie waren stiller geworden, die Jünglinge und Jungfrauen, und saßen im Kreise ermüdet vom Spiel und Schweifen im Walde. Die lauteste Lust war verklungen, wie die Schatten der Bäume allmählich länger und länger über das grüne Gras fielen; und wie immer folgte auch jetzt 20 auf Tollheit, Freude, Jubel und Lust — Mattigkeit, Laschheit und stilles, träumerisches Sinnen; nur allein die Maienkönigin blickte noch mit klaren, blitzenden Augen im Kreise umher und schüttelte ärgerlich-verächtlich über die stillen Genossen und Genossinnen die schönen, ungebundenen 25 Locken.

Die Schönste muß die Königin des Maies werden; und recht gewählt hatten die Kinder von Hameln. Athela, die Tochter des Bürgermeisters, war das schönste Mädchen in der Stadt und wußte es auch. Von Hille, Reinhilde, 30 Mathilde, Oda und den anderen wurde sie deshalb auch nicht mit so günstigen Augen angesehen wie von Floris, Henning, Berthold, Konrad und den übrigen jungen Patriziern. Es war ein Glück für Athela, daß letzteren es

1. hätten . . . den Reigen geschlungen, (would have danced a roundelay).

zukam, die Königin zu wählen. Gerächt hatten sich aber die Mädchen doch so gut als möglich und hatten zum Verdruß und geheimen Neid der anderen Knaben den schönen Floris zum Maienkönig erkoren. Das Reich des ersten Frühlingstages war somit jedenfalls aufs beste versorgt, und die beiden 5
Zepter in den anmutigsten und in den stärksten Händen.

Aber das Reich und die Herrschaft neigten sich mit der Sonne ihrem Ende zu; der König lag nachlässig und stumm zu den Füßen der Königin im Grase, und die Königin blickte unmutig umher und sprach: 10

„Wie nun, ihr Vasallen? Mit Kummer merken wir, daß eure Launen sich verfinstern mit dem Tage. Was ist auf euch gefallen, daß ihr so faul euch dehnt und so träg und traurig in den roten Strahl seht? Unser Reich ist noch nicht zu Ende, und wir befehlen euch, unserer Krone Ehre zu 15 geben und fröhlich zu sein, bis der Tag vorüber ist und unser Zepter zerbricht. Wer noch ein Lied weiß von Herrn Heinrich von Ofterdingen oder dem von der Vogelweide,[1] der trete in den Kreis und erhebe seine Stimme!"

Niemand rührte sich, alle schwiegen; der lange Tag hatte 20 ihren Liederschatz und Born[2] vollständig erschöpft; nur Floris drehte sich auf die andere Seite, daß er der Königin bequemer in die dunkeln Augen sehen konnte, und summte:

„Die Hände ich falte
In Treuen zu ihren Füßen, 25
Daß sie als Isalde
Mir, Tristan, sich neige mit Grüßen."

Aber die Königin stieß ihn fort:

„Das kennen wir schon und wollen nichts mehr davon

---

1. Heinrich von Ofterdingen oder dem (Walther) von der Vogelweide: German bards of the 13th century, known as Minnesänger; minne, (love). Walther died in 1230; no historical facts are known concerning Heinrich von Ofterdingen.

2. Liederschatz und Born, i.e. Liederschatz und Liederborn.

hören. Ihr aber, Vasallen, auf und gebt eure Meinung, wie wir den Tag würdig beschließen, ehe wir heimkehren in die dumpfe Stadt. Sprecht, sprecht; nur kurze Frist ist uns noch zum freien Atemschöpfen vergönnt; sehet, wie die Sonne 5 gleich rotem Feuer zwischen den Baumstämmen blitzt. Womit können wir die Sonne und die Lust des Tages aufhalten? sprich, König Floris!"

König Floris richtete sich aus seiner bequemen Lage langsam auf, reckte und dehnte sich ein wenig mehr, als die 10 Grazie erlaubte, und stand dann plötzlich mit einem Satz auf den Füßen.

„Wer ist denn eigentlich heut Herr und Gebieter, wir oder Rat und Bürgermeister, Abt und Vogt zu Hameln?" rief er. „Ich meine, wir sind's; und wenn wir den ganzen Tag 15 über keinen vollen Gebrauch von unsern Maienrechten gemacht haben, so soll's doch in der letzten Stunde geschehen. Auf denn,[1] Vasallen und Vasallinnen, trotz Papst und Bischof, trotz Reich und Reiches Acht, trotz Abt und Vogt, trotz Stift und Stadt, zum Reigen, zum Reigen! Singet 20 den Rosenkranz,[2] da sie uns die Pfeifer, Flöter und Geiger verfemt haben."

Er hatte die Hand der Königin ergriffen, und emporgesprungen waren alle übrigen Mädchen und Junggesellen; des Königs Worte hatten aufs beste gezündet, und ver- 25 gessen war jedes Verbot und Gebot. Die Lust des Tages, welche mit dem Tage einzuschlafen drohte, erwachte in der letzten Stunde wild und toll. Die Herzen schlugen, die Augen glänzten; jubelnd und jauchzend reichten sich die Maien-Ritter und -Frauen die Hände zum Ringeltanz, und 30 plötzlich klang in ihr Jauchzen, kunstvoll geblasen, eine Pfeife im Wald, und im nächsten Augenblick trat der Musikant aus

---

1. Auf denn! (Get up and start! Away then!)
2. Singet den Rosenkranz: a roundelay to the tune of a rondeau or rondel, like: ring-a, ring-a, rosey, etc.

dem Gebüsch hervor und spielte unter lautem Zuruf die gewünschte Melodie.

Sie tanzten, sie versenkten sich ganz in die Lust des Tanzes und vergaßen darüber vollständig den Pfeifer, der immer wildere, erregendere Töne seinem Instrument entlockte 5 und wechselnd schnell aus einer Weise in die andere übergging.

Die Haare der Mädchen lösten sich aus ihren Bändern und Fesseln, die Gewänder flogen; — die Kinder von Hameln hätten doch auf den Pfeifer achten sollen! 10

Auf einer Erhöhung der Waldwiese stand er in den letzten Strahlen der Sonne, — jung und hager, halbverhungert, angetan mit bunten Fetzen; und schwarze, straffe Haare fielen über seine Stirne und seinen Nacken. Unter der Filzkappe, auf welcher eine zerzauste Hahnenfeder nickte, 15 hervor leuchteten zu den Tänzern feurigblinzelnde Augen herüber, die mehr vom Wolfe als vom Menschen hatten.

Nachdem der unbekannte, wunderliche Gesell einige Zeit dem Willen der Jünglinge gemäß aufgespielt hatte, brach er plötzlich mitten in der Weise ab, daß der Tanz sehr un- 20 vermutet zu Ende kam.

„Weiter! weiter!" rief man dem wilden Musikanten zu; aber dieser schob sein Instrument in die Ledertasche, die an seiner Seite hing, und entgegnete mürrisch mit fremdartigem Akzent, in halb unartikulierten Kehllauten: 25

„Will nicht! kann nicht! wer will Kiza zwingen?"

„Ein Wend! ein Heide! ein hündischer Wend!"[1] rief's aber jetzt unter den Hamelschen Kindern, und König Floris trat vor aus dem gelösten Kreis.

---

1. ein hündischer Wend, (dog of a Wend!) Wends or foreigners, a name first applied to all Slavs, but later limited to those Slavic tribes living between the Elbe and the Oder. During the 9th, 10th, and 11th centuries, they made intermittent raids into Germany. A long drawn out offensive against them was begun by the Saxons under Henry I (919–936), which culminated in the great Wendish Crusade of 1147, approved by St. Bernard of Clairvaux. Relations between Germans and Wends are described on page 250, line 26 ff.

„Du fragst, wer dich zwingen will? ich will's! Spiel auf, Wend, oder wir stürzen dich in die Weser gleich einem räudigen Hund, der du auch bist!"

„Kiza hungert, — Kiza kann nicht mehr pfeifen," ant-
5 wortete der fremde Bursch. „Gebt Kiza zu essen und einen Trunk, so will er euch weiter blasen."

„Gebt ihm einen Knochen," brummte Floris, „gebt ihm auch einen Trunk, aber zerbrecht das Glas, aus welchem er getrunken hat."

10 Man reichte dem Halbverhungerten von den übriggebliebenen Nahrungsmitteln, und gierig aß und trank er. Dann wurde, wie sich das von selbst verstand,[1] der Krug, aus welchem der verachtete „heidnische Hund" seinen Durst gestillt hatte, an einem Baumstamm zerschmettert, und von
15 neuem wurde Kiza, der Wende, von den jungen Patriziern mit drohend erhobenen Fäusten aufgefordert, ihnen zum Tanz aufzuspielen!

„Ans Werk,[2] Wend! ans Werk! pfeif, bis du platzest!"

Mit einem unbeschreiblichen Blick des Zornes und des
20 Hasses nahm Kiza seinen Platz auf der Anhöhe wieder ein und setzte das kunstlose Instrument, dem er doch so kunstfertig die seltsamsten Weisen zu entlocken wußte, von neuem an den Mund.

Die Sonne war bereits hinter den Horizont herabgesunken,
25 und nur noch die höchsten Gipfel der Bäume vergoldete sie mit ihren letzten Strahlen. Es war Zeit für die Kinder von Hameln, heimzuziehen; aber sie gingen nicht. Wie mit Zauberbanden hielt es sie auf der Waldwiese gefangen, und des fremden Spielmanns Tanzweisen wurden immer
30 verlockender, immer hinreißender für sie. Immer wilder raste der Tanz der Hamelschen Kinder, und die Maienkönigin Athela war zu keiner Stunde des sonnigen Tages so

---

1. wie sich das von selbst verstand, (as a matter of course).
2. Ans Werk! (Go to work! Start playing!)

schön gewesen wie in diesen kurzen Augenblicken vor dem Hereinbrechen der Dämmerung, der Nacht.

Mehr und mehr lösten sich die Locken der Mädchen aus ihren Bändern und Schlingen im tollen Reigen; höher und höher glühten die Wangen, schlugen die Herzen. Wie sich 5 die Paare drehten, wie die Gewänder flogen! Zu einer Raserei wurde der Tanz, und alle Besinnung ging unter in der wüsten Lust.

Und der Spielmann fing auch an, zu seiner eigenen Melodie taktmäßig zu hüpfen, zu springen und sich im Kreise 10 zu drehen. Vor den Augen der Tanzenden aber flimmerte es und zuckte es, und der Wald tanzte wie sie selber. Schrilles Jauchzen und Jubeln stieg auf von der dämmerigen Wiese; aber auch zornige Ausrufe mischten sich darein. Tiefer im Wald hüpften auf Sumpf und Moor gespenstige Irrlichter; 15 kein Vogel des Lichtes sang mehr; nur die Eule erhob sich aus ihrem Nest im hohlen Eichstamm, die Fledermäuse begannen ihren Flug, bald hoch, bald tief; es quakten die Frösche den Fluß entlang.

Wildes Jauchzen, — wilde Zornesrufe! Alle Leiden- 20 schaften weckte die Pfeife des wendischen Spielmanns in der Brust der Kinder von Hameln, und der Mond, der jetzt emporstieg, beleuchtete erhitzte, erzürnte Mienen. Es fingen die Jünglinge bereits an, in Eifersucht und Zorn die Messer gegeneinander zu zücken, und die Mädchen drängten 25 sich verschüchtert und angstvoll in Gruppen zusammen, oder redeten auch wohl zornig aufeinander ein.[1]

Böse endete der Tag, der so fröhlich und lieblich begonnen hatte!

Auf den beneideten Floris hatten sich Konrad und Otto 30 geworfen, erst mit wilden Worten, spottend und höhnend, dann mit blanken Waffen. Die schöne Athela, die Ursache des Streites, rang die Hände; aber sie vermochte die erreg-

1. redeten ... zornig aufeinander ein, (disputed angrily with each other).

ten Kämpfer nicht zu trennen. Immerfort, immerfort wie grimmigster Hohn klang in die Schimpfworte, das Weinen und Drohen die Pfeife Kizas. Es ließ aber der Spielmann die schöne Athela nicht aus dem Auge; sie vor allen den 5 andern Mädchen[1] hatte ihn vorhin verächtlich angesehen, und auch ihm erschien sie doch als die Schönste. Mit wildem Triumph sah er ihre Tränen, ihre vergeblichen Bitten, ihre gerungenen Hände. Zu Boden lag der stolze Floris, und einer seiner Gegner kniete ihm auf der Brust, den Dolch in 10 der Hand. Entsetzt flohen die Mädchen nach allen Seiten hin, — noch ein Augenblick, und das Maienfest der Hamelschen Kinder ging aus in Blut und Jammer; in Leid endete des Maienkönigs Fest:

als je diu liebe leide z'allerjungeste git.[2]

15 Da faßte aber noch in der höchsten Not eine starke, rettende Hand zu, und eine warnende Stimme brachte die Rasenden zum Bewußtsein zurück.

Ein Mönch, welchen der Lärm von seinem Wege durch den Wald abgelockt hatte, war auf der Stätte der Verwirrung 20 erschienen, gerade noch zur rechten Zeit, um den König Floris vom Tode zu erretten.

Die Pfeife des Spielmanns schwieg; zu Boden lag auch Athela und barg schluchzend das Gesicht in den Händen; finster und zähneknirschend erhob sich Floris. Er setzte die 25 abgerissene Maienkrone nicht wieder auf das Haupt. Auch alle andern — Mädchen und Junggesellen — nahmen die Kränze ab; betäubt, verwirrt standen sie, und das Ge-

---

1. sie vor allen den andern Mädchen = sie mehr als alle die andern Mädchen.

2. als je diu liebe leide z'allerjungeste git: Nibelungenlied 2378, 4; St. Gallen Hs. (B); git, pronounced with a long i, stands for gibt; the point of the quotation is that in the Nibelungenlied it was also a festival that ended like the Marienkönigs Fest in this story:

mit leide was verendet des küneges hochgezît
als je diu liebe leide z'allerjungeste gît.

schehene erschien ihnen jetzt fast wie ein böser Traum, aus welchem sie eben erwachten. Nur verworrenen Bericht konnten sie dem ehrwürdigen Greise geben, der dann wie ein warnender getreuer Eckart[1] die Hände hob und rief:

„Wehe euch, ihr törichten, ihr armen Kinder, ihr tanzt üppigen Reigen nach den schlimmen Weisen eines Schalks, zu nächtlicher Zeit, mitten im Wald? Sittsame Jungfrauen und edle Jünglinge, laßt ihr euch von der Sünde also zu den Werken der Finsternis verlocken, während daheim eure Väter und Mütter sich ängstigen und in Sack und Asche trauern,[2] während so großer Jammer und Schimpf sich über euren Häusern zusammenzieht? Wie könnt ihr mit Singen, Spiel und Tanz den Tag verbringen, während eure Stadt gekauft und verkauft wird wie ein Weizenacker? Wehe euch, ihr losen Gesellen, daß ihr tanzen könnt nach der Weise eines Schalksnarren, während eure Väter ihre Harnische anlegen, ihre Schwerter und Speere schärfen und ihre Bogen bereiten zur Abwehr! Wisset ihr gar nicht, was heut geschehen ist, daß ihr so schlimm und leichtfertig den Tag verbringt und selbst der Nacht in eurer tollen Lust nicht achtet?"

Die Mädchen drückten sich immer angstvoller zusammen, und die jungen Männer riefen:

„O ehrwürdiger Vater, wir wissen nicht, was geschah, während wir im Wald das Maienfest feierten."

„Eine schöne Zeit, Kränze zu winden, ihr Hamelschen Kinder! Verkauft ist heut zu Hallermünd[3] eure Stadt mit Stift und Vogtei. Verkauft ist sie von Heinrich, dem Abt zu Fulda, gekauft ist sie von Wedekind, dem Bischof zu Minden; ihr aber, ihr Kinder von Hameln, was kümmert's euch? Tanzt, tanzt, — o welche Zeit!"

---

1. getreuer Eckart: Eine Figur der deutschen Heldensage, die Unheil voraussagt und vor Gefahren warnt; zieht als solche dem „Wilden Heere" Wotans voran. Goethes Ballade: Der getreue Eckart.
2. in Sack und Asche trauern, (to do penance in sackcloth and ashes).
3. Hallermünd': city in Hanover, an old imperial Grafschaft.

„Es kann nicht sein! o ehrwürdiger Vater, sagt uns, daß Ihr uns nur schrecken wollt, unsern Leichtsinn zu strafen. O es ist nicht wahr!" riefen die Jünglinge.

„Es ist wahr," seufzte der Mönch, „und ich gehe, es 5 meinem Herrn Abt zu Corvey [1] zu verkünden, will auch auf der Burg zu Holzminden [2] einsprechen, dem Ebersteiner Grafen Nachricht zu bringen. Geschlossen, verbrieft und besiegelt ist der Handel; verkauft ist die Stadt Hameln cum omnibus attinentiis suis, advocatia, theloneo, moneta,[3] — 10 was weiß ich. Heim mit euch! und nehmt meinen Rat an: es ist die Zeit des Spielens, Singens, Tanzens, die Zeit der Maienfeste vergangen! Heim mit euch, und betet, daß Gott euch schützen möge und eurer Sünde nicht gedenke; Amen!"

15 Seines Weges fürder schritt der Corveysche Mönch durch den Wald, die Weser aufwärts; in tiefster Bestürzung blieben die Hamelschen Kinder zurück auf der Waldwiese. Sie wagten kaum, einander anzusehen; stumm und niedergeschlagen machten sie sich auf den Heimweg, den sie nicht 20 mit Gesang, Scherzen und Kosen kürzten.

In einiger Entfernung folgte ihnen der Pfeifer, der von Zeit zu Zeit seinen Gang unterbrach, um einen Bockssprung vor innerer Lust zu tun.

Und den Hamelschen Kindern nach schritt der Pfeifer in 25 das Tor der Stadt Hameln.

---

1. Corvey: (older spelling for Korvei) oldest and most famous Benedictine monastery in the northwestern part of Germany, founded in 816 by monks from the monastery Corbie of the Picardie.

2. Holzminden: Stadt an der Weser, südlich von Hameln, Residenz der Grafen von Eberstein. See page 238, line 4.

3. verkauft ist die Stadt Hameln . . . , (sold is the city of Hameln with all that appertains thereto: judicial rights, customs and market privileges, right of coinage).

3

Von seiner Burg zu Holzminden zog aus am folgenden Tage mit gewappnetem Gefolge der Graf Otto von Eberstein und ritt ein in das Tor von Hameln, um auf dem Rathause großen Lärm und Aufruhr zu stiften. Da schlug er mit der Faust im Eisenhandschuh auf den Tisch, daß der Ratsschreiber von seiner Bank hochauf hüpfte, und gar greulich ließ er sich vernehmen gegen die Pfaffen von Minden und Fulda. — Das wolle man sehen,[1] — wetterte er — ob auf eine so schmähliche Art eine so edle, stattliche Stadt verhandelt werden dürfe wie ein Sack, und Rat, Patrizier und Gemeine[2] wie die Nüsse im Sack.

Zum zweiten Mal schlug er auf den Tisch und schrie, rot, braun und blau vor Wut im Gesicht:

„Und wenn Stadt und Bürgerschaft den Nußsack vorstellen, nach welchem die Pfaffen von Minden so lüstern sind, so bin ich, der Vogt von Hameln, der Strick, welcher den Nußsack zubindet. Hoho, ich will schon halten, daß keine gierige Pfaffenpfote ungestraft in den Sack greift! Bei unsrer lieben Frau und Sankt Bonifaz[3]: wenn die Stadt zu mir steht[4] mit allen ihren Kräften, so soll noch viel Wasser die Weser hinunterlaufen, ehe die Mindenschen Dompfaffen ihre Eier in das Hamelsche Nest legen. Was hat der Bischof dem Abt gezahlt für euch, ihr edlen Herrn?"

„Fünfhundert Mark[5] reines Silber, sagt man!" lautete

---

1. Das wolle man sehen: wir wollen sehen, (ob es möglich ist, daß) ....
2. Gemeine = der gemeine Mann, (plain people); im Gegensatz zu den Patriziern der Stadt.
3. Bei unsrer lieben Frau (die heilige Jungfrau Maria) und Sankt Bonifaz: See note 2, page 237.
4. wenn die Stadt zu mir steht = wenn die Stadt mir hilft.
5. Fünfhundert Mark: the old mark was valued at one half pound of silver.

die betrübte und klägliche Antwort des Schultheißen, und der Graf von Eberstein stieß einen grimmigen Fluch aus:

„Steht zu mir und meinen Gevettern mit Gut und Blut,[1] so soll der Pfaff erfahren, was ihr wert seid; er soll keinen 5 Lobpsalm singen, wenn er die Rechnung abschließt."

Lauter Beifall erklang ob solchen Worten in der Ratsstube zu Hameln, und alle erhoben sich von ihren Sitzen und riefen:

„Herr Graf und Vogt, wir stehen mit allem, war wir 10 haben, zu Euch. Führet der Stadt Macht treulich und gut im Felde, wie es Eurem Amt und Eurer Würdigkeit zukommt; — heute noch schreiben wir dem Abt und dem Bischof ab. Der Ausgang stehe in Gottes Hand!"

Mit wildem Jauchzen erfüllte das vor dem Rathause 15 versammelte Volk die Luft, als es vernahm, was beschlossen sei. Ein jeder rüstete sich, so gut er es vermochte; aber — instabat ex illa venditione maxima nunc vicissitudo — größestes Unheil ging aus dem Handel hervor, und in dem entstehenden Kriegslärm erschallte die Pfeife Kizas, 20 des Wenden, schrill genug. Der fremde Spielmann konnte nicht allein sinnenverwirrende Tanzweisen blasen, auch den Kriegern konnte er zu ernsteren Tänzen aufspielen, und die Pfeife des Wenden wurde in diesen bewegten Tagen gar berühmt in der Stadt Hameln. Von dem Wenden müssen 25 wir jetzt erzählen.

Grimmig und nachhaltig war der Haß des deutschen Volkes gegen diese fremden Stämme, die einst so tief in das germanische Land eingedrungen waren und Besitz davon ergriffen hatten. Der Boden war durch Kriegerhand, 30 Bürger- und Bauernhand zum größten Teil wieder gewonnen; aber der Haß dauerte fort; bis in das achtzehnte Jahrhundert hinein lassen sich seine Spuren verfolgen; bis in das achtzehnte Jahrhundert hinein nahm keine deutsche

---

1. mit Gut und Blut, (with life and property).

Zunft und Gilde[1] einen Wenden in ihrer Mitte auf. Die Glieder des verachteten Volkes waren unehrlich[2] wie die Scharfrichter und andere anrüchige Leute. Niemand nahm sie gastfreundlich auf unter sein Dach, niemand setzte sich mit ihnen zu Tisch; „wendischer Hund" war im dreizehnten 5 Jahrhundert das ärgste Schimpfwort, welches ein germanischer Christ dem andern bieten konnte.

Unter den leichtfertigsten Gründen und Rechtstiteln wurden wendische Gemeinden aus ihrem Besitz getrieben; die wendischen Namen von tausend und abertausend[3] 10 Dörfern, in denen heute deutsche Bauern sitzen, zeugen davon. Herausgetrieben unter das hassende, erbarmungslose Volk, gingen dann die einzelnen Glieder der Gemeinden in der Zerstreuung unter, und zu den Versprengten eines solchen wendischen Dorfes gehörte Kiza, der Pfeifer. Alle 15 seine Verwandten und Freunde waren verhungert und erfroren, gestorben und verdorben[4]; ihn hatte seine Kunst errettet, obgleich sie ihm auch nur ein elendes, vogelfreies, allen Zufällen heimgegebenes Dasein gewährte.[5] Landaus, landein trieb er sich um, schlief selten unter Dach, trank aus 20 den Bächen und aß, was ihm in die Hände fiel. Aber wir haben gesehen, welche Macht in seiner Kunst lag; die Menschen, welche des Pfeifers Pfeife vernahmen, ballten oder entballten die Hände, hörten auf zu höhnen und zu schimp-

---

1. Zunft und Gilde, (trade and merchant guilds).

2. unehrlich, (dishonorable): During the Middle Ages some people on account of birth or their occupation, such as: criminals, usurers, the flayer, the hangman, illegitimate children, in some districts even the miller, weaver, barber-surgeon, bath-keeper, shepherd, were considered „unehrlich" and their occupation or profession „anrüchig", (disreputable). They could not become a member of the guild, could not occupy a public office and did not enjoy the full rights of a free citizen.

3. tausend und abertausend, (thousands upon thousands).

4. gestorben und verdorben, (dead and gone).

5. obgleich sie ihm nur ein elendes, vogelfreies, allen Zufällen heimgegebenes Dasein gewährte, (although it afforded him only a miserable, outlaw-existence, subject to every kind of hazard).

fen, oder fingen damit an. Mit Behagen oder mit aufsteigendem Grimm lauschten sie diesen seltsamen wendischen Weisen, die so fröhlich und dann so schmerzlich, so wild das Herz bewegten, und die man so gern hörte beim Tanz und 5 in der Schlacht, bei Hochzeiten und Kindtaufen, bei Gastereien im vornehmen Saal und beim Hirtenfeuer draußen im wilden Wald oder auf der öden Heide. Auch in Hameln, der Stadt an der Weser, bewährte sich das von neuem; sie konnten den Pfeifer wohl gebrauchen in dieser ängstlichen 10 Zeit. Nicht bloß zum Reigentanz konnte er aufspielen; nein, auch andere Weisen wußte er; Melodien, welche das Herz der Männer mutig und geschickt zum Streite machten, und solcher bedurften die Männer und Jünglinge von Hameln höchlichst; denn seinen Absagebrief hatte der 15 Bischof von Minden empfangen, und fast täglich fanden Scharmützel mit den Dienstmannen und Reisigen des Hochstifts im Stadtfelde statt. Manch ein tapferer Kämpfer wurde im Walde oder im grünen Felde begraben, manch toter Mann in den Weserstrom gestürzt, daß er sich seine 20 Begräbnisstelle selber suche.

Floris und die andern jungen Patrizier, welche wir am Maienfeste kennenlernten, trugen jetzt Helm und Harnisch statt Blumenkranz und Festtagsgewand. Mutig stritten sie für ihre Stadt. Von einem Pfeil durchbohrt wurde Bert- 25 hold in das Haus seiner Eltern getragen, Herwig fiel tapfer kämpfend von einer Mindenschen Lanze, und manch ein anderer, dessen Name wir nicht aufgezeichnet finden, mußte sein junges Leben hingeben, der fünfhundert Mark feinen Silbers wegen, welche der Abt zu Fulda eingesäckelt hatte. 30 Nun war noch weniger als früher von Tanz und „Hochzeiten" die Rede in Hameln. Die schönen Jungfrauen saßen in ihren Gemächern still und voll Sorgen, und manche weinten sich die Äuglein rot um den Geliebten, der beim Rückzug aus dem Feld nicht heimkehrte mit den andern. 35 Des Bürgermeisters Tochter Athela allein verlor nichts von ihrem hohen Mut und dem Glanz ihrer Augen. Sie wußte zu sehr, daß sie das schönste Mädchen der Stadt sei, und ihr Herz war so kalt und ruhig, wie ihre Schönheit groß war. Des Floris Huldigungen ließ sie sich gefallen,[1] weil er der Erste unter den städtischen Jünglingen war; 5 aber die rechte Liebe fühlte sie nicht gegen ihn; er jedoch wurde durch einen Blick oder ein Lächeln von ihr zu allem fähig gemacht, was Entsagung oder harte Arbeit kostete.[2] Nur für sie strebte er, sich überall auszuzeichnen; nur für sie kämpfte er so trefflich unter den Männern der Stadt, daß er 10 der Schrecken der Bischöflichen wurde.

Niemand unter den jungen Männern konnte sich ganz den Banden der Zauberin entziehen; aber zwei verfielen ihr vor allen,[3] der erste war, wie gesagt, der reiche, stattliche, bewunderte Floris, der andere der arme, verachtete wen- 15 dische Hund, Kiza, der Pfeifer.

In einem Loch unter den Bogengängen des Rathauses auf einer Strohschütte schlief der Wende. Der Rat hatte ihn, seiner Kunst wegen, in seinen Schutz genommen, daß er seinen Scharen im Felde vorspiele,[4] und Kiza hatte es seit 20 langer Zeit nicht so gut gehabt wie jetzt, obgleich der niedrigste, armseligste Bürger und Bettler der Stadt sich hoch über den Wenden erhaben dünkte [5] und mit Verachtung auf ihn herabsah.

Es war eine Wonne für den heimatlosen Musikanten, sich 25 unter Dach auf dem Stroh ausstrecken zu können, geschützt vor dem Regen und dem Wind. War das Kämmerlein

---

1. ließ sie sich gefallen, (she accepted).

2. was Entsagung oder harte Arbeit kostete, (that entailed sacrifice or hard work).

3. zwei verfielen ihr vor allen, (two especially fell completely under her spell).

4. daß er seinen Scharen im Felde vorspiele = daß er als Musikant dem Heere der Stadt voraufmarschiere.

5. sich hoch über den Wenden erhaben dünkte = glaubte ein viel besserer Mensch zu sein als der Wende.

unter dem Erdboden auch dunkel und feucht, so war der Boden im Walde zuzeiten doch noch feuchter; Kiza, der Wende, hätte recht glücklich sein können, wenn er sich zu bescheiden gewußt hätte und mit dem abgenagten Knochen,
5 welcher ihm vom Tisch des Lebens als sein Teil zugefallen war,[1] zufrieden gewesen wäre. Aber es ist ein eigen Ding um die Zufriedenheit, sie vor allen andern Vorzügen und Tugenden geht leicht dem Menschen verloren und nicht immer durch seine Schuld. Ein Wind bläst sie uns fort, ein
10 Schein, welcher vor unsern Augen vorübergeht, wirft sie über den Haufen,[2] daß sie zerbricht, und daß die zersprungenen Stücke sich nimmer wieder zusammenleimen lassen wollen. Ein Schein, der in das dunkle Loch unter dem Rathause fiel, zerstörte dem armen Kiza die ungewohnte
15 Behaglichkeit und brachte ihm und der Stadt das größte Unglück. Dieser Schein ging aus von der schönen Athela, und aus der Tiefe, aus Finsternis und Unwissenheit sah der Wende darauf wie auf den Glanz, welcher dem kommenden Tage vorausgeht. Er versäumte keine Gelegenheit, der
20 hohen Jungfrau in den Weg zu laufen. Wenn sie stolz und leicht zur Stiftskirche des heiligen Bonifazius ging, so sah ihr der Wende aus irgendeinem Winkel der Gasse mit klopfendem Herzen entgegen und nach. Vor ihres Vaters Tür saß er nächtlicherweile und blies seine schönsten,
25 sanftesten Weisen, und der Bürgermeister, der da[3] glaubte, daß das ihm zu Ehren und zum Vergnügen geschehe, hatte sein Wohlgefallen an den fremdartigen Weisen, wie die ganze übrige Stadt, und gebot den Stadtknechten, den armen, nächtlichen Musikanten gewähren zu lassen und ihn
30 nicht zu verjagen.

---

1. mit dem abgenagten Knochen, welcher ihm vom Tisch des Lebens als sein Teil zugefallen war, (with the gnawed bone which was his share of the " banquet table " of life).

2. wirft sie über den Haufen, (will upset it).

3. da, after the relative, in archaic or elevated style, has no reference to time or place.

Es war ein schöner, lieblicher Sommer anno gratiæ[1] zwölfhundert achtundfünfzig; schön und warm waren die meisten Nächte; aber auch der kälteste Regen konnte den Pfeifer von seiner Stelle auf den Treppenstufen unter dem Fensterladen Athelas nicht vertreiben. Da saß er und spielte die holdselige Athela, den Herrn Bürgermeister und zuletzt sich selbst in den Schlaf, und der Wächter blieb oft kopfschüttelnd vor dem Träumenden stehen und begriff nicht, wie solch ein zerlumpt, hungrig und elend Menschenkind so glückselig lächeln könne im Schlaf.

Im Wachen lächelte und lachte Kiza, der Wende, nie; er mußte allzuviel Verdrießliches ertragen von den jungen und alten Kriegern, welche dem Klang seiner Pfeife nachmarschierten. Floris vor allen war erbarmungslos gegen ihn und versäumte keine Gelegenheit, sein Mütlein an ihm zu kühlen.[2]

Unterdessen ging die Fehde mit dem Hochstift Minden hitzig fort. Mit aller Macht lagen die Bischöflichen den Sommer und Herbst durch im Feld,[3] und oft trafen die Streiter auf beiden Ufern der Weser aufeinander. Aber das Glück war meistenteils bei der Stadt, und der Bischof Wedekind bereute nicht selten gar sehr den Handel, welchen er mit dem Abt Heinrich zu Fulda eingegangen war. Viele gute Mannen und Reisige gingen ihm um die fünfhundert Mark feinen Silbers elend zugrunde, und der Graf von Eberstein mit seinen Vettern spielte ihm manchen bösen Possen.

Dann kam der Winter, und da damals Winterfeldzüge noch nicht so beliebt waren wie in jetziger Zeit, so zogen beide Parteien heim aus dem Feld, um das neue Jahr und besseres Wetter zum Austrag ihrer Sache abzuwarten.

---

1. anno gratiæ, (in the year of grace).
2. sein Mütlein . . . kühlen, (to vent his anger).
3. lagen . . . im Feld, (were in the field).

4

Manchen schlimmern Winter hatte der Wende, obdachlos
umherstreifend, verbracht, und er hatte manche Gründe,
sein Geschick unter der Rathaushalle zu loben; aber er lobte
es nicht. Viel wenigere Gelegenheiten waren ihm jetzt
5 gegeben, die schöne Athela zu erblicken, und nur tief ver-
hüllt schritt sie an Sonn- und Feiertagen zur Kirche. Auch
auf der Treppenstufe des Hauses des Bürgermeisters sollte
der Pfeifer nicht mehr sitzen, und das war fast noch schlimmer. Der Bürgermeister war ein guter Mann, und un-
10 behaglich war es ihm in seinem warmen Bett, wenn er den
Wintersturm vernahm und durch das Heulen und Brausen,
das Rieseln und Rauschen des Pfeifers Pfeife. Unmutig
wendete und warf er sich hin und her und gab zuletzt dem
Wächter Befehl, dem Musikanten zu bedeuten, daß er den
15 Mund halte und in sein Loch unter dem Rathaus krieche.
Seufzend fügte sich Kiza, kroch unter und rollte sich auf
seinem Strohlager gleich einem Igel zusammen. Nachtschwärmer und Trunkene beunruhigten und quälten ihn gar
oft auf die jämmerlichste Weise; aber noch mehr quälten ihn
20 doch seine eigenen wilden, halb tollen Gedanken. Es war
ein böser Winter für den armen Kiza, und er lobte Gott
sehr auf seine Weise, als endlich, endlich der Frühling
wiederkam und mit ihm die Mindenschen Reiter und Knechte
von neuem vor der Stadt Hameln erschienen. Nun ging
25 das Scharmützeln wieder mit frischen Kräften an, und
wieder hatten die Hamelschen mehr Glück als die Bischöflichen, welche in den meisten Gefechten unterlagen und oft
schmachvoll aus dem Feld weichen mußten. So kam der
erste Mai des Jahres zwölfhundert neunundfünfzig heran,
30 und seltsamerweise durfte das Maienfest diesmal mit einem
Jubel gefeiert werden, wie noch nie vorher.

Ein guter Streich war den Jünglingen am letzten April

durch Legung eines Hinterhalts gelungen,[1] und viele tapfere, aber naseweise Streiter des Bischofs Wedekind waren darin verloren gegangen, während die Hamelschen ohne allen Verlust, mit übermächtigem Triumphieren in ihre Mauern sich zurückgezogen hatten. Rat und Bürgerschaft, Greise, Frauen, Jungfrauen und Kinder hatten die heimkehrenden Tapfern mit Freudenschall am Tor empfangen und ihnen zum Markt das Geleite gegeben. Daselbst hatten Rat und Bürgermeister ihrer mutigen Jugend zum Lohn für ihren guten Kampf die Erfüllung eines Wunsches versprochen. Und es war Floris aufgetreten und hatte für die Genossen geredet: vor einem Jahre habe man Jungfrauen und Junggesellen Tanz und Musik zum Maienfeste wegen drohender Fehde und Not verweigert; da nun ein Jahr vergangen sei, die Stadt noch stehe und das Ding mit den Mindenschen so gut gehe, so möge man morgen des Festes Feier nach alter Sitte nicht verbieten, sondern den Tanz zu Ehren des Maies gestatten, wenn auch nicht im Wald, so doch auf dem Stadtmarkt. Solches bitte er — Floris — für die schönen Jungfrauen, seine tapfern und hochgemuten Kampfgenossen und sich selber.

Jubelnd und jauchzend umringte das leichtherzige junge Volk den Rat, und dieser konnte nicht umhin,[2] den heißen Wunsch zu gewähren. Es wurde erlaubt, am folgenden Tage das Maienfest auf dem Marktplatz zu feiern.

Wie es sich regte zu Hameln in den jungen Herzen! Selbst die stolze Athela lächelte milder und fröhlicher, als sie am Arme ihres Vaters nach Hause schritt. Laut schwatzend, lachend und Pläne für gegenwärtiges und zukünftiges Glück bewegend zogen die andern Mädchen in größeren und kleineren Scharen heim; die Jünglinge aber steckten die Köpfe zusammen und berieten große Dinge. Seit langer

---

1. Ein guter Streich war . . . gelungen, (They had been successful in a clever manœuvre).

2. konnte nicht umhin = konnte nichts anderes tun, als.

Zeit hatte nicht ein so heiterreges Leben in der bedrängten Stadt Hameln geherrscht, und jede jugendliche Brust hob sich höher in dem Gedanken [1] an den kommenden Festtag. Selbst die Alten vergaßen für einen Augenblick die Not der
5 Zeit, oder gaben sich wenigstens die Mühe oder den Anschein, sie zu vergessen. Nur die Armen, welche bereits einen Verwandten oder Freund im Kampfe verloren hatten, saßen still daheim und wollten von dem Fest nichts wissen.[2]

10 Noch einmal zogen an diesem Abend die Jünglinge aus den Toren, aber sie dachten diesmal nicht an den Feind, obgleich sie ihm trotz allem nicht trauten und deshalb doch Schild und Schwert mitnahmen. Grüne Zweige holten sie zum Schmuck des Festplatzes, und ungestört von den Bischöf-
15 lichen brachten sie ganze Karren voll heim. Die halbe Nacht durch arbeiteten sie und die Schreiner und Zimmerleute bei Fackel- und Mondenlicht; und als die Sonne des ersten Maies aufging, da war der Putz des Marktes der tapfern und freudigen Stadt vollendet und alles bereit zum Fest
20 und zum Empfang der Jungfrauen.

Met und Bier hatte der Rat aus seinem Keller in großen Fässern herbeifahren lassen; ein Faß edlen Rheinweins gab der Graf von Eberstein, der mit seiner Dame in der Nacht auch noch in das Tor einritt, zum besten.[3] So war alles
25 aufs beste vorbereitet, das Fest nahm seinen Anfang und fröhlichen Verlauf, und nur die Trauernden, die Kranken und die Wächter auf den Mauern nahmen nicht teil daran und erfuhren also auch das bittere Ende nur durch Hörensagen.

30 Auf einem mit Grün geschmückten Gerüst spielten die

---

1. und jede jugendliche Brust hob sich höher in dem Gedanken = und jeder junge Mann und jedes junge Mädchen freute sich bei dem Gedanken.

2. wollten von dem Fest nichts wissen = wollten mit dem Fest nichts zu tun haben.

3. gab ... zum besten, (donated).

Stadtpfeifer zum Tanz auf; der wendische Pfeifer Kiza aber blies nicht mit, sondern trieb sich finster im Gewühl des Volkes umher und warf zornige Blicke auf den stattlichen Floris, der wiederum zum König erwählt worden war, und den zwei rühmlich im Streite für die Vaterstadt erhaltene 5 Wunden noch würdiger dazu machten. Und wie Floris an Ehre zugenommen hatte, so schien Athela an Schönheit reicher geworden zu sein; auch sie trug wieder die Krone und das Zepter des Frühlings.

Unablässig folgten der holden Herrin die schwarzen Augen 10 des Wenden aus der Ferne, und mit immer unheimlicherem Glanze hafteten sie auf ihr, je milder sie den Flüsterworten des tapferen Floris horchte. Sein Leben hätte der Wende, der verachtete Heimatlose, darum gegeben, wenn er eine flüchtige Minute hindurch seinen Arm im Tanz um das 15 Mädchen hätte schlingen dürfen, wie es Floris erlaubt war.

Nichts störte den Tag über die Lust von alt und jung; vergeblich sahen die Wachtmannschaften auf den Mauern und Türmen nach streifenden Scharen des Feindes aus. Die Bischöflichen hatten gestern ein Haar in der Suppe 20 gefunden,[1] und nicht ein einziger Pfeil ward auf dem Stadtgebiet abgeschossen. So konnte sich denn auch die finsterste Stirne entfalten[2]; die Greise ergaben sich immer mehr dem Einfluß der jugendlichen Lust; fröhlich sahen sie in das bunte Gewühl, und des Festes Heiterkeit erreichte 25 ihren Höhepunkt.

Fort und fort paukten, geigten und bliesen die Stadtpfeifer, fort und fort kreiste der Tanz vom Morgen bis zum Mittag und wieder nach einer Pause vom Mittag bis zum Abend. Die Kraft ging eher den Musikanten als den 30 Tänzern und den Tänzerinnen aus, welche das während

---

1. hatten ... ein Haar in der Suppe gefunden, fig.: (had played a losing game).

2. die finsterste Stirne entfalten = die Falten der Sorge verschwanden auf der besorgtesten Stirne.

eines vollen Jahres Versäumte im Verlauf eines Tages schienen nachholen zu wollen. Vergebens reichte man den erschöpften, atemlosen Künstlern Krug auf Krug, die menschliche Natur trug's nicht mehr, und herunter von ihrer
5 Tribüne schlichen die Musikanten, durch kläglichstes Kopfschütteln, Schweißabwischen und Luftschnappen den Bitten, Beschwörungen, Drohungen der tanzlustigen Jugend antwortend. Die Alten mußten dazwischentreten, um Tätlichkeiten der zornigen jungen Patrizier zu verhindern; man
10 war nahe daran,[1] den unglücklichen Musikanten ihre eigenen Instrumente um die Ohren zu schlagen,[2] als eine Stimme im Haufen rief:

„Weshalb laßt ihr den Pfeifer, den wendischen Pfeifer nicht aufspielen?"

15 Ein lautes Hallo und Jauchzen antwortete diesem Rat, und Floris schlug sich vor die Stirn.

„Daß auch keiner von uns daran gedacht hat! Wo ist der Wende? Her mit [3] dem Wenden!"

„Wo ist der Wende? Her mit dem Wenden! Kiza!
20 Kiza! Kiza!" wiederholte die ganze Schar; nach allen Seiten eilten Jünglinge fort, den Pfeifer aufzusuchen. Binnen kurzem [4] wurde der Widerwillige, Widerstrebende von einem Haufen junger Leute herbeigeschleppt und zu dem Musikantenstand gezogen.

25 „Spiel auf,[5] spiel auf, Heide! spiel auf, Wend! spiel auf, Narr! spiel auf, Hund!" schrie man von allen Seiten, und die Mädchen klatschten in die Hände und lachten hell auf, wenn ein Fetzen des Wamses des armen Burschen in den Händen der ungestümen Dränger blieb; nur die schöne

---

1. man war nahe daran = schon wollten die Tänzer.
2. Instrumen'te um die Ohren zu schlagen, (to break their instruments over their heads).
3. Her mit! (Out with! Bring on!)
4. Binnen kurzem = nach kurzer Zeit.
5. Spiel auf! (Strike up!)

Athela rümpfte das Näschen[1] verächtlich und wandte sich stolz ab; der Wende war so tief unter ihrer Beachtung, daß sie nicht einmal über ihn lachen konnte und wollte.

Endlich stand Kiza auf der Musikantenbühne, weinend vor ohnmächtiger Wut, seine Pfeife in den zitternden Händen; 5 aber das wilde: Spiel auf, spiel auf! ließ nicht nach; er mußte seine Kunst zeigen, ob er wollte oder nicht.

Er spielte auf! Und in seltsamerer Weise hatten die Hamelschen Kinder noch niemals in ihrem Leben getanzt. Welch armselige Stümper waren doch die Stadtpfeifer von 10 Hameln gegen[2] diesen wendischen Pfeifer! Der Rhythmus der schrillen Töne entflammte die Herzen zu einer leidenschaftlichen Raserei, noch viel toller als an dem Maienfest des vergangenen Jahres, wo der Mönch von Corvey durch seine böse Kunde das Blutvergießen allein hindern konnte. 15

Die Alten hatten sich allmählich nach Hause begeben, nur die Jugend und das niedere Volk tummelten sich noch auf dem Festplatze. Kiza wurde nicht so leicht müde wie die Musikanten der Stadt, und augenscheinlich wurde er von seinen eigenen Melodien selbst mit fortgerissen. 20

Das Fest artete wieder aus, und da es diesmal von Tausenden gefeiert wurde, so wurde die Sache viel schlimmer als im vorigen Jahre. Bacchantisch fing die Menge an zu rasen; es war, als würde sie von dem wunderlichen epidemischen Wahnsinn des Mittelalters, dem Veitstanze[3] 25

---

1. rümpfte das Näschen, (turned up her nose (in contempt)).
2. gegen, (compared with).
3. Veitstanz: St. Vitus — Christian martyr of the 4th century — came to be regarded as the saint to invoke in cases of epilepsy and especially of the sickness known as St. Vitus's dance, or chorea. Raabe refers to the dance mania, an epidemic which began in Germany in 1374 and spread over Europe and was characterized by religious exaltation, dancing to exhaustion, and convulsions. Pilgrimages were made to various shrines in search of relief. That of St. Vitus in Zabern was especially famous, and it is from this shrine that the disease, chorea, obtained its common name of St. Vitus's dance.

gepackt, und der Feind hätte recht leichtes Spiel gehabt,[1] wenn er jetzt der Stadt im Sturme zugesetzt hätte.[2] Einer griff nach der Hand des andern; Männer und Weiber, Jünglinge, Jungfrauen und Kinder wurden in den Strudel
5 hineingerissen; ein Hüpfen und Kreisen, ein Jauchzen und Kreischen hob an, als sei Oberons Horn[3] erklungen; niemand widerstand dem tollen Schwindel. Durcheinander wirbelten Patriziersöhne und Gemeine, und ein Lärm stieg empor zum roten Abendhimmel, wie er noch nie
10 vernommen war in der Stadt Hameln. Auf seiner Bühne tanzte Kiza, der Pfeifer, wie die andern; er drehte sich im Kreise, wie unter ihm, um seinen Standpunkt herum, der wilde Reigen kreiste; doch nur auf einen blauen, mit Silber gestickten Schleier achtete er, und von dem Haupte der
15 schönen Athela flatterte dieser Schleier; denn willenlos fortgerissen tanzte Athela mit den andern. Die rechte Hand hatte sie einem zerlumpten Bettler gereicht, die linke hielt noch immer Floris. In dem engsten Kreise des Tanzes, dicht um die Musikantenbühne wurden sie herumgewirbelt ... da, was
20 war geschehen? was unterbrach so plötzlich den Reigen?

Des Pfeifers Pfeife schwieg, von der Tribüne war Kiza heruntergesprungen; er hatte den stattlichen Floris von Athelas Seite fortgeschleudert, zu Boden lag der Bettelmann; umschlungen hielt der Wende die Tochter des
25 Bürgermeisters; er hatte sie wild und heftig geküßt, und jetzt tanzte er selbst mit ihr, und sie — sie mußte ihm folgen, wie sehr sie sich auch sträubte, wie sehr sie auch schrie.

---

1. hätte recht leichtes Spiel gehabt, (would have encountered no difficulty).

2. der Stadt im Sturme zugesetzt hätte, (had tried to carry the city by sudden assault).

3. Oberons Horn: Oberon, king of the fairies, husband of Titania. Shakespeare introduces both Oberon and Titania in his "Midsummer Night's Dream." See also Wieland's "Oberon" and Weber's opera "Oberon." At the sound of Oberon's magic horn all are forced to dance.

Und von neuem und wilder flammte die wahnsinnige Lust auf; mitten in das Getümmel stürzte sich Kiza mit seiner widerstrebenden Tänzerin; das höchste Glück, das er sich in seinem Loch unter dem Rathaus erträumt, war ihm geworden,[1] hatte er ergriffen. Schaum stand vor dem 5 Munde des Patriziers Floris, als er mit gezogenem Dolchmesser, schwankend, betäubt, außer sich den beiden nacheilte. Aber immer neue Ringe der Tanzenden versperrten ihm den Weg; sein Fuß stolperte über die Körper atemloser, zu Boden geworfener Frauen und Kinder; von der Münster- 10 kirche klangen mit ängstlich-schnellen Schlägen die Sturmglocken; mit seinen Reisigen ritt der Graf von Eberstein auf die tollgewordene Menge ein[2]; beschwörend, bittend, drohend warfen sich die Ratsherren dazwischen, — lange, lange dauerte es, ehe der erste Schimmer von Bewußtsein[3] 15 dem tollgewordenen Volke zurückkehrte.

5

Die Sonne dieses Tages war längst untergegangen, der Mond spiegelte sich in der Weser; da fanden streifende Reiter des Bischofs Wedekind im Wald am Strome einen blutrünstigen, halbbewußtlosen, ächzenden Menschen, trugen 20 ihn aus dem Schatten der Bäume in den Mondschein, und einer holte aus dem Fluß eine Sturmhaube voll Wasser, welches man dem Verwundeten über den Kopf goß, um ihn auf solche Weise zur Besinnung zurückzubringen. Es gelang endlich, und die Mindenschen vernahmen, wer der zer- 25

---

1. das höchste Glück ... war ihm geworden, (his highest happiness had been realized).

2. ritt ... auf die tollgewordene Menge ein, (rode in on the mad crowd).

3. der erste Schimmer von Bewußtsein, (the first gleam (sign) of coming to their senses).

schlagene Mann sei, und wie er also elend in die Wildnis geraten sei.[1] Große Lust bezeigten [2] nun die Reisigen, den Wenden vollends totzuschlagen, und das Zusammentreffen mit ihm würde auch jedenfalls so ausgelaufen sein, wenn 5 nicht ein Kleriker des Hochstifts, der auf einem Saumtier mit den Reitern zog, schlau dem Dinge das rechte Ende abgewonnen [3] und den Pfeifer aus der Hand der Kriegsknechte errettet hätte.

„Da hast du uns eine schöne Historie erzählt, Heide! 10 Übel haben dir die Philister mitgespielt,[4] und keinen Dank bist du ihnen schuldig. Sicherlich wird's dir nicht nach einem zweiten Tanz mit der schönen Dirne gelüsten; und jener, den du Floris nennst — — —."

Der Pfaff brach ab; zähneknirschend griff Kiza in das 15 Gras in krampfhafter Wut.

„Alle Übel fallen auf ihn!" [5] ächzte er. „Dreifachen Fluch auf ihn, seinen Vater, seine Mutter, auf alles, woran sein Herze hängt!"

„Hoho," lachte der Pfaff, „lieb scheinst du den Floris nicht 20 zu haben, Wend; aber die andern Tänzer, Krämer und grobe Handwerker haben dich auch nicht mit Sammetpfoten gestreichelt."

„Wie einen Hund haben sie mich geschlagen, durch die Straßen geschleift —"

25 „Und aus dem Tore geworfen. Und auf allen Vieren bist du in den Wald, bis zu dieser Stelle gekrochen, — wahrlich ein fein Örtlein, um sich da zu Tod zu bluten und zu zürnen!"

---

1. und wie er also elend in die Wildnis geraten sei = und wie es kam, daß sie ihn in solchem Zustande hier in der Wildnis gefunden hatten.

2. Große Lust bezeigten nun die Reisigen = die Soldaten hatten Lust, waren bereit.

3. schlau dem Dinge das rechte Ende abgewonnen = gesehen hätte, wie er die Sache (den Wenden) zu seinem Vorteil gebrauchen konnte.

4. Übel haben dir die Phili'ster mitgespielt, (The philistines (narrow-minded townsmen) have treated you very badly).

5. Alle Übel fallen auf ihn, (May all evil befall him).

„Ich will mich nicht zu Tode zürnen; rächen will ich mich," murmelte Kiza, und der Mindensche Kleriker fing schnell das leise Wort auf.

„Komm mit uns," sprach er, „wer weiß, ob du nicht in unsrer Fehde einen Schlag gegen die Stadt führen[1] kannst. 5 Du kennst Ortsgelegenheiten, magst in allerlei Dingen Bescheid wissen und wirst vielleicht von Nutzen sein können. Komme mit uns, ich verspreche dir des Bischofs Schutz. Wenn du dich rächen willst, können wir dir wohl am besten Gelegenheit und Mittel dazu geben." 10

Ist also[2] mit den Dienstmannen des Hochstiftes Kiza, der wendische Pfeifer, fortgezogen, und bis in den Hochsommer vernahm die Stadt Hameln nicht das mindeste von ihm; aber man kann nicht sagen, daß sie ihn vergessen hätte. Wer in der Stadt hätte auch den Tumult, welchen er 15 angerichtet hatte, so leicht vergessen können? Mit Schaudern dachten Bürgerschaft und Rat daran, mit Tränen der Scham und des Zornes Athela und Floris. Aber die Fehde nahm ihren Fortgang und galt in keiner Beziehung ein langes Besinnen.[3] Tag und Nacht mußten die Städter zur Abwehr 20 des Feindes gerüstet sein; arg setzte der Bischof Wedekind dem Gemeinwesen zu, und wenig hatte Hameln in diesem Falle von der Genossenschaft des Bundes der Hansen.[4] Wer aber zwischen Überschätzung und Unterschätzung seiner Kräfte sich in die rechte Mitte stellt, unverzagt sich auf sich 25 selbst verläßt, der mag auch einem stärkeren Gegner lange und hart zu schaffen machen,[5] und so war es auch in diesem

1. einen Schlag gegen die Stadt führen, (carry out a scheme (plot) against the city).

2. Note the unusual position of ist in the sentence, also of horchten, page 269, line 14: Kiza, der wendische Pfeifer, ist fortgezogen. Die Leute von Hameln horchten mit gierigen Ohren.

3. und galt in keiner Beziehung ein langes Besinnen = und zum langen Nachdenken über vergangene Sachen hatte man wenig Zeit.

4. der Hansen: see note 3, page 238.

5. einem Gegner lange und hart zu schaffen machen, (to cause an opponent a good deal of trouble).

Falle. Oft genug holten sich die Mindenschen Pfaffenknechte blutige Köpfe unter den Mauern der Stadt auch in diesem neuen Sommer. Auch in diesem Jahre schlug der Bischof nicht die Zinsen seines ausgelegten Kapitals heraus; nur der Abt von Fulda strich sich immer wohlbehaglicher das Bäuchlein[1]; er war ungemein froh, daß er die widerhaarige, unbotmäßige Stadt los war. Er hatte sich lange genug mit ihr geplagt, nun mochte der Herr Konfrater von Minden zusehen, wie er am besten damit zurechtkomme.

Allerlei Listen und Anschläge versuchten die Mindenschen im Verlauf des Sommers, um sich der Stadt zu bemächtigen; aber alles schlug fehl, bis Kiza, der Pfeifer, ihnen wenn auch nicht zu der Stadt, so doch zu einem Erfolg im Felde verhalf, wie sie ihn nicht mehr erhofft hatten. In schrecklichster Weise rächte sich der Wende an der Stadt Hameln; und einen Tag, so blutig, wie sie ihn noch nie erlebt hatte, bereitete er ihr,[2] und die Unschuldigen mußten, wie es in der Welt zu geschehen pflegt, mit den Schuldigen leiden.

Am achtundzwanzigsten Juli, am Tage Sankt Pantaleonis [3] war's, am Morgen in der Frühe. Nicht lange war die Sonne aufgegangen, und ihre Glut hatte den Nachttau an Gras und Blume noch nicht verzehren können. Lieblich lag Feld und Wald und Fluß in jugendlicher Frische da; und hochgemutet, fröhlich und unbesorgt war die kleine Schar Hamelscher Bürger und Bürgerssöhne, welche die Nacht hindurch das Stadtvieh auf der Gemeindeweide gegen Räuber, Wölfe und streifende Knechte des Bischofs Wedekind bewacht hatte. Die Männer wußten die Stadt nahe genug, um im Fall der Not schnelle Hilfe zur Hand zu haben. Sie fürchteten auch nichts Böses, sondern lagen und saßen

1. strich sich immer wohlbehaglicher das Bäuchlein, ("he stroked his paunch with increasing contentment"; he alone gained from the quarrel).

2. bereitete er ihr = er bereitete ihr (der Stadt) einen Tag, so blutig, wie.

3. am Tage Sankt Pantaleo'nis: July 28; St. Pantaleone, a patron saint of physicians, martyred about 305.

träge um die Kohlen des niedergebrannten Feuers und erwarteten plaudernd die Genossen, durch welche sie von der Wacht abgelöst werden sollten. Am Rande des Waldes war das Feuer von ihnen angezündet worden, und von dieser Stelle aus hatten die Wächter über Wiesen und Kornfelder 5 einen guten Blick auf den Weg, der sich um den Koppelberg gen [1] Sedemünde zog.

Von Zeit zu Zeit erhob einer der Gesellen den Kopf und beschattete die Augen mit der rechten Hand, um diesen Weg entlang zu schauen; denn wenn Gefahr drohte, so kam sie 10 jedenfalls von dieser Seite, und jedesmal, wenn der Vorsichtige ausgelugt hatte, fragten ihn die Genossen:

„Siehst du was, Hänsel?"

Hänsel aber knurrte nur unwillig und ließ den schweren Kopf wieder ins Gras sinken bis zum neuen Auslug. 15

Von diesem und jenem sprach man im Kreis und endlich auch wieder einmal von dem tollen Pfeifer, dem Tanze, welchen derselbe angerichtet hatte,[2] und von der bitterbösen Austreibung des Schalks aus der Stadt. In dem Vierteljahr, welches seit dem Maienfest hingegangen war, war der 20 Zorn der weniger Beteiligten allmählich verraucht; man lachte bereits über das Abenteuer, und sehr viele gab's, welche dem „hochmütigen" Floris und der „naseweisen" Athela jenes böse Stündlein im geheimen ganz herzlich gönnten. 25

„'s ist doch schad,[3] daß wir den wendischen Schalk um solch einen Schabernack verjagt haben; was ist das ganze Quinkelieren der faulen Stricke,[4] der Stadtpfeifer, gegen des Heiden Pfeife? Es war doch ein ganz ander Ding, wenn wir ihn des Nachts hier am Wachtfeuer bei uns hatten!" 30

---

1. gen = gegen, nach.
2. dem Tanze, welchen derselbe angerichtet hatte, (mischief, row he had caused).
3. 's ist doch schad(e), (It's too bad, after all).
4. die faulen Stricke = die Stadpfeifer, (lazy rascals).

„Wahrlich er verstand seine Kunst! Gut pfiff er!“ riefen die andern, und in dem nämlichen Augenblick sah Hänsel endlich etwas. Auf seinen Ruf sprangen alle empor und griffen nach den Waffen. Es kam ein Mann im schnellsten
5 Lauf auf der Sedemünder Straße daher, und hinter ihm drein sprengten mit wildem Geschrei gewappnete Reiter, deren Helme und Harnische in der Morgensonne blitzten.

„Die Mindenschen! Die Mindenschen!“ schrien die Wächter. „Hie Hameloe! Hameloe hie!“ [1] Sie sprangen
10 mit Schwert, Spieß und Bogen über Knick und Hagen vom Rand des Waldes auf die Landstraße, und ihnen entgegen kam in langen, weiten Sätzen der Flüchtling, dessen Leben an seinen Beinen zu hängen schien. Mitten unter die Hamelschen sprang und fiel er, und mit großem Wunder
15 erkannten sie ihn und trauten ihren Augen kaum; denn wieder einmal war das alte Wort vom Wolf oder vom Teufel,[2] von denen man nicht reden soll, zu einer Wahrheit geworden.

Kiza, der Wende, war's, welcher zu ihren Füßen lag und
20 sie keuchend beschwor, ihn zu schützen gegen die Verfolger, die Reiter des Hochstifts Minden. Auch ohne diese Beschwörungen würden die Bürger von Hameln ihre Waffen gegen die verhaßten Feinde erhoben haben. Herausfordernde Rufe und scharfgespitzte Pfeile sandten sie den
25 Reisigen entgegen; aber diese nahmen die Herausforderung nicht an, sondern hielten eine Weile auf der Landstraße und sprengten dann, verfolgt von dem Hohngeschrei derer von Hameln, gegen den Koppelberg zurück.

Nun aber sollte der gejagte Pfeifer erzählen, und demütig
30 berichtete er, wie er lange erbärmlich auf die alte Art umhergezogen sei, und wie er dann zuletzt in die Hände der

1. Hie Hameloe! Hameloe hie! Hierher, ihr Hamelschen!
2. das alte Wort vom Wolf oder vom Teufel: an old German proverb reads: Wenn man vom Wolf spricht, so kommt er or Wer vom Teufel spricht, den holt er.

grausamen Bischöflichen gefallen und arg von ihnen gequält worden sei; wochenlang habe er mit ihnen ziehen müssen, um ihnen vorzupfeifen wie einst den Streitern der Stadt Hameln.

Auf dem Sedemünder Felde liege der Feinde Schar — 5
erzählte er —, sorglos liege sie und sei auf nichts Arges gefaßt[1]; wenn die tapfern Leute zu Hameln jetzt einen Streich gegen den Bischof führen[2] wollten, so könne keine Zeit und Stunde glücklicher gewählt sein. Er — Kiza — habe die Mindensche Unachtsamkeit benutzt, um auszureißen, 10
nun sei er wieder hier und wolle lieber von den Bürgern das Ärgste dulden, als noch länger den Pfaffenknechten zum Spielwerk und als Spielmann dienen.

Horchten gierigen Ohres die Leute von Hameln auf diesen Bericht des Wenden; die wilde Lust, erfolgreich auf den 15
Feind zu fallen, erstickte jede Vorsicht, alles Mißtrauen in ihnen. Eilends scheuchten sie ihre Rinder und Kühe der Stadt zu, und den Pfeifer nahmen sie mit sich, daß er auch den andern mutigen Herzen hinter der Mauer Rede stehe.[3]
Sie versprachen, ihn gegen jede Unbill zu schützen und das 20
Vergangene nicht wieder aufzurühren, wenn seine Worte sich als wahr erwiesen.

6

In die Stadt wurde die Herde getrieben und mit der Herde Kiza, der wendische Pfeifer. Wer sich nicht in der Kirche befand, zu Ehren des heiligen Pantaleons eine Messe 25
zu hören, der lief vor aus dem Hause, um das Nähere[4]

1. sei auf nichts Arges gefaßt = erwarte nichts Böses.
2. einen Streich . . . führen, see note 1, page 257.
3. Rede stehen, (to give an account).
4. um das Nähere = die näheren Umstände, die Gründe dafür.

über diesen frühen Heimzug zu erkunden. Vorzüglich die jungen Männer drängten sich heran und erkannten mit großer Verwunderung und lautem Geschrei unter den Ochsen, Kühen, Rindern und Kälbern den Pfeifer, welchem
5 sie so arg mitgespielt[1] hatten. Mehr als ein Hitzkopf schien Lust zu haben, das Spiel von neuem anzufangen; aber die heimkehrenden Wachtleute traten ihrem Worte gemäß dazwischen und schützten den Pfeifer vor abermaligen Mißhandlungen. Sie erzählten auch, auf welche Weise
10 der Wende zu ihnen geraten sei,[2] und diese Nachricht brachte eine ganz andere Stimmung in die mehr und mehr anwachsende Menge. Kiza wurde der Mittelpunkt eines lautlosen, horchenden Haufens; von neuem berichtete er, was er schon der Wacht am Holzrande erzählt hatte, und mit
15 blitzenden Augen sahen sich darob die mutigen Junggesellen an. Sie traten zusammen, streckten die Köpfe gegeneinander und hantierten gewaltig.[3] Boten liefen nach dem tapfern Floris, und es kam dieser schnellen Laufes heran und nahm den Pfeifer beim Kragen, als wolle er die Seele ihm
20 aus dem Leibe schütteln. Aber nur die Wahrheit wollte er augenblicklich heraus haben; die Kampfeslust überwog sogar seinen großen Zorn gegen den Pfeifer. Heulend blieb letzterer bei seinem Wort; auf alle Fragen und Gegenfragen gab er bündigen Bescheid, und er verwickelte sich nicht im
25 kleinsten. Endlich rief Floris:

„Holt die Waffen! wir wollen hinaus und sehen, was an der Hundes-Historie wahr ist. Er soll uns vorpfeifen wie sonst; aber zwei sollen auf ihn achtgeben und ihn zu Boden schlagen, wenn er gelogen hat nach seiner Art. Holt die
30 Waffen, ihr guten Gesellen und Kinder von Hameln; ’s

---

1. arg mitgespielt = stark mißhandelt.
2. zu ihnen geraten sei = zu ihnen zurückgekommen sei.
3. streckten die Köpfe gegeneinander und hantier’ten gewaltig, (they put their heads together and discussed, argued and busily bestirred themselves).

ist ein Morgengang nach Sedemünd. Hat der Wend gelogen und uns angeführt, so soll er diesmal nicht so gnädig davonkommen[1]; im Glockenteich wollen wir ihn ersäufen. Schild und Wehr! — wer mit will, der komm' zum Ostertor, wenn er Helm und Brünne angelegt hat." 5

„Heil Hameloe! wir kommen, wir kommen!" riefen die Hamelschen jungen Gesellen, und jeder lief nach seiner Wohnung, sich zu rüsten, und eilte dann zum Sammelplatz am Ostertor, wohin auch der Pfeifer unter guter Bedeckung geführt wurde. 10

In der Münsterkirche vernahmen die Alten nichts von den Vorgängen in der Stadt; sie waren zu tief in inbrünstige Gebete für das Wohl derselben versenkt. Wir wissen nicht, wie viele arme Väter und Mütter der ausziehenden jugendlichen Schar nachblickten, und um so[2] nachdenklicher und trauriger stimmen uns die wenigen Worte, 15 welche der berühmte Philosoph und Geschichtsschreiber Leibniz[3] in einem uralten Pergamentkodex auf der Ratsbibliothek zu Lüneburg[4] fand: Mater Domini Decani de Lüden vidit pueros exeuntes, die Mutter des Herrn Dekans 20 von Lüden sah die Jünglinge ausziehen.

Hundertunddreißig Söhne der Stadt, die Blüte der Gemeinde, hatten sich in Wehr und Waffen am Ostertor versammelt, kampfesmutig, hoffnungsreich, siegesgewiß. An ihrer Spitze zog Floris mit dem Pfeifer. Gegen den Koppel- 25 berg ging der Zug, und die am Tor und auf den Wällen

---

1. nicht so gnädig davonkommen, (not get off so easily).

2. um so, all the more.

3. Leibniz: Gottfried Wilhelm von, German philosopher and mathematician, 1646–1716, one of the most extraordinary examples of universal scholarship in intellectual history. In mathematics he was the inventor of differential and integral calculus, in philosophy his name stands for the doctrine of monads. In 1676 Leibniz entered the service of the Duke of Brunswick and was made privy councillor and librarian.

4. Lüneburg: city, S.E. of Hamburg; capital city of the former duchy of Lüneburg, from 1389 to 1866 united with Brunswick, then part of the Prussian province of Hanover.

Nachschauenden — unter ihnen jene eben erwähnte adelige Frau — haben gewiß die Augen verdecken müssen vor dem Leuchten der Waffen, Harnische und Helme, als der Kriegszug in der Sonne des Juli sich die Landstraße dahinwand. 5 Um den Berg wand sich der Weg, und der Berg schien die Schar der Jünglinge langsam zu verschlingen, — des Pfeifers Pfeife verklang — evocavit Hamelenses fistulator cum tympanotriba, mit seiner Pfeife lockte der Pfeifer die Hamelschen Kinder heraus, und lebendig sah kein Hamelsches 10 Auge sie wieder.

Blutig rächte sich der Pfeifer an der Stadt; er streifte ihre Blüten ab, daß nur die kahlen, traurigen Zweige übrigblieben. Bei Sedemünde brach der Bischof Wedekind in eigener Person mit übergewaltiger Macht aus dem 15 Hinterhalt hervor. Den Pfeifer erstach wohl Floris mit eigener Hand, aber er selbst fiel, und mit ihm starben alle Genossen. Verzweifelt wehrten sie sich, und manch guter Mann des Hochstifts sank unter ihren Streichen. Aber verloren gingen die Hamelschen Kinder: die meisten bei 20 Sedemünde, der letzte Rest am Koppelberg, wo das Gefecht zum letztenmal zum Stehen kam[1];

interibant, sie gingen zugrunde.

Unendliches Weh brachte der Tag St. Pantaleons über die unglückliche Stadt Hameln; aber der Bischof von Minden 25 vermochte trotz diesem schrecklichen Streiche nicht, sie zu gewinnen. Auf den Rat der Grafen von Eberstein ergab sie sich den Herzögen von Braunschweig, Albert dem Großen und dessen Bruder Johann. Wedekind von Minden aber starb schon im Jahre 1261 in vigilia beati Matthaei Apostoli, 30 am Abend vor dem Tag des Apostels Matthäus[2]; der böse Handel, welchen er mit dem Abt von Fulda geschlossen, zog ihn in die Grube. Auch der Abt ging mit Zweifeln zu Grabe,

1. das Gefecht . . . zum Stehen kam, (where the final stand was made).
2. Tag des Apostels Matthäus: St. Matthew's Day, Sept. 21.

ob seine fünfhundert Mark feinen Silbers soviel nutzlos vergossenes, edles Blut aufwögen.

Manch eine schöne und liebliche Jungfrau verkümmerte und verwelkte um[1] die Schlacht hinter dem Koppelberg zu Hameln in ihrem Kämmerlein oder im Kloster; aber die schöne Athela vergaß bald den tapfern Floris; ein reicher Kaufmann aus Bremen freite sie, und sie zog mit ihm aus dem so öde gewordenen Hameln fort in seine Heimat. Das größte Zeichen davon, wie schwer die Stadt Hameln ihren Verlust fühlte, liegt wohl darin,[2] daß sie vom Tag Pantaleons 1259 an aufhörte, nach Christi Geburt die Jahre zu zählen; von Unserer Kinder Ausgang an rechnete man; und erst Herzog Heinrich Julius[3] verbot solche Jahreszählung.

Bis in die neueste Zeit wurde das Gedächtnis der Schlacht bei Sedemünde feierlich in der Nikolauskirche gefeiert; die Sage aber hat sich auf ihre Weise der tränenvollen Geschichte bemächtigt und sie eindringlicher und lebendiger durch die Jahrhunderte geführt, als es alle Chroniken und Aufzeichnungen von Pfaffen und Laien vermocht hätten.

Fragen

Lesehilfen und Themen für Sprechübungen

1

Die Sage vom Pfeifer zu Hameln.

1. Warum wird diese Geschichte von jedem, der sie einmal gehört hat, nicht so leicht vergessen?
2. Warum konnte die Stadt Hameln mit dem Heiligen Römischen Reiche verglichen werden?

---

1. um, (on account of).
2. liegt wohl darin = zeigt sich wohl (am besten) darin.
3. Heinrich Julius: Duke of Brunswick, 1589–1613.

3. Was hatte der fremde Mann seinem Versprechen gemäß getan?
4. Wie behandelte Bürgerschaft und Rat den fremden Mann?
5. Warum konnten sie es wagen, das zu tun?
6. Worauf hofften die Bürger der Stadt, selbst wenn Kaiser Rudolf mit seinen Rossen und Mannen kommen sollte?
7. Was tat der grüne Jäger, als er sich von der Stadt betrogen sah?
8. Was hätten die Bürger getan, wenn sie gewußt hätten, was die Fratze des Mannes bedeuten sollte?
9. Was geschah am Johannistag im Jahre eintausend zweihundert achtzigundvier?
10. Was durfte, zum Andenken an den Auszug der Kinder, bis in die neueste Zeit in der Bungelosenstraße nicht geschehen?
11. Wo sollen, nach einer anderen Sage, die Kinder wieder aus der Erde hervorgetreten sein?

Der Brief des Bürgermeisters Palm an den Bergkommissarius Burchardi.

1. Wieviele Jahre nach dem Auszug der Kinder ist dieser Brief geschrieben worden?
2. Über wen gibt der Bürgermeister seinem Freunde Burchardi Nachricht?
3. Wie wird der „wilde Knabe" beschrieben?
4. Welche Gewohnheiten hatte er?
5. Warum wird er im Armenhause St. Spiritus unter genaue Aufsicht genommen?
6. Warum wird er in das Tollhaus nach Celle gebracht?
7. Wohin wurde dieser Knabe endlich gebracht?
8. Wie wurde das Erscheinen dieses Knaben in Hameln von einigen „tiefsinnigen Köpfen" mit den verschwundenen Kindern in Zusammenhang gebracht?
9. Wer hat später in London diesen Knaben beschrieben?
10. Was hat dieser Knabe in London getan?
11. Woran glaubt Bürgermeister Palm im Jahre 1741 nicht mehr so recht?

12. In welchem Jahre hat, nach Ansicht Wilhelm Raabes, der Auszug der Kinder aus dem Ostertor stattgefunden?

2

Schwere Zeiten in der Stadt Hameln.

1. Warum kann die Zeit des Interregnums eine „Zeit der Trauer und Tränen“ genannt werden?
2. Was hatte der Rat der Stadt Hameln im Jahre 1258 verboten?
3. Was hören wir von der Geschichte der Stadt Hameln von ihrer Gründung bis zum Jahre 1250?
4. Was bargen die Mauern der Stadt Hameln um das Jahr 1250?
5. Warum blicken „die grauen Köpfe im Rat“ besorgt in die Zukunft?
6. Wem gehören Stadt und Stift Hameln im Jahre 1258?
7. Wer will Stadt und Stift kaufen?
8. Warum war der Verkauf der Stadt „ein schlimmer Handel“ für den Rat von Hameln?

Die Jugend der Stadt feiert das Maienfest.

1. Wo feiert die Jugend von Hameln das Maienfest?
2. Wie feiern sie es in diesem Jahre anders, als sie es sonst gewohnt sind?
3. Was hätten die „Hamelschen Kinder“ allzugern getan?
4. Wer ist zum Maienkönig und wer zur Maienkönigin gewählt worden?
5. Welchen Befehl gibt die Königin?
6. Wie gehorcht der Maienkönig selber diesem Befehl?
7. Wie trotzt der Maienkönig dem Befehl des Rates und des Bürgermeisters, die die Musik verboten haben?
8. Beschreiben Sie „die Lust des Tages“ in der letzten Stunde des Festes!
9. Beschreiben Sie den fremden Pfeifer, der der Jugend von Hameln zum Tanze aufspielt!
10. Wer ist dieser „unbekannte, wunderliche Gesell“?
11. Warum will Kiza plötzlich nicht mehr spielen?

12. Wie zeigt die Jugend von Hameln ihre Verachtung gegen den Wenden?
13. Welches Gefühl hat der Wende gegen die Jugend von Hameln?
14. Beschreiben Sie den wilden Tanz auf der Waldwiese!
15. Beschreiben Sie wie das Maienfest der Hamelschen Kinder in „Blut und Jammer" auszugehen drohte!
16. Warum freut sich Kiza?
17. Wer rettet in der höchsten Not den König Floris vom Tode?
18. Welche Vorwürfe macht der Mönch, „der warnende getreue Eckart", den Kindern von Hameln?
19. Welche böse Nachricht bringt der Mönch?
20. Wo bleibt der Wende Kiza?

3

Hameln erklärt dem Bischof den Krieg.

1. Was sagt der Vogt der Stadt, Graf Otto von Eberstein, zu diesem Handel?
2. Was verspricht er, wenn die Stadt zu ihm steht?
3. Wieviel hat der Bischof dem Abt für die Stadt bezahlt?

Verhältnis der Deutschen zu den Wenden.

1. Welches Gefühl hat der Deutsche gegen den Wenden?
2. Wodurch hatten die Wenden den Haß bei den Deutschen hervorgerufen?
3. Was heißt das: die Wenden waren unehrlich?
4. Welches war das ärgste Schimpfwort, das ein Deutscher gebrauchen konnte?
5. Erzählen Sie von der Grausamkeit, mit der die Deutschen die Wenden vernichteten!
6. Wie kam es, daß sich Kiza gerettet hatte?
7. Was für ein Leben hatte er führen müssen?
8. Welche Macht besaß Kiza in seiner Kunst?
9. Warum kann ihn die Stadt Hameln in dieser Zeit gebrauchen?

Floris, Kiza und die „Zauberin" Athela.

1. Wie hat sich das Leben in der Stadt Hameln geändert?
2. Was sagt die Geschichte von Athela, der Tochter des Bürgermeisters?
3. Wie zeigt es sich, daß Floris ganz der Zauberin Athela verfallen ist?
4. Wo lebt der Wende Kiza?
5. Warum hätte Kiza mit seinem Leben in Hameln zufrieden sein können?
6. Was sagt Wilhelm Raabe über die Zufriedenheit?
7. Wodurch wird Kiza in seiner „ungewohnten Behaglichkeit" gestört?
8. Wie zeigt es sich, daß Kiza ganz der Zauberin Athela verfallen ist?

4

Das Maienfest im Jahre 1259.

1. Warum lobt Kiza sein Geschick unter der Rathaushalle nicht?
2. Warum darf im Jahre 1259 das Maienfest mit großem Jubel gefeiert werden?
3. Wo wird in diesem Jahre das Fest gefeiert?
4. Beschreiben Sie, wie die Bewohner der Stadt sich auf den kommenden Festtag freuen!
5. Beschreiben Sie die Vorbereitungen zu dem Feste!
6. Wer spielt zum Tanze auf?
7. Wo hielt sich Kiza auf?
8. Warum haßt er den stattlichen Floris?
9. Welchen Wunsch hat Kiza?
10. Warum hören die Musikanten zu spielen auf?
11. Wer wird gezwungen, zum Tanze aufzuspielen?
12. Warum wendet die schöne Athela sich stolz ab?
13. Welche Wirkung hat das Spiel des Wenden auf die Tanzenden?
14. Beschreiben Sie, wie das Fest schlimmer als im vorigen Jahre ausartete!
15. Was tat der Pfeifer Kiza plötzlich?

16. Warum kann Floris ihn an seinem Tun nicht hindern?
17. Wie wird das „tollgewordene Volk“ gezwungen, das Fest zu beenden?

5

Kiza auf der Seite des Bischofs von Minden.

1. Wie wird Kiza durch die Reiter des Bischofs vom Tode gerettet?
2. Was haben die Leute in Hameln dem Kiza getan?
3. Warum will Kiza sich nicht „zu Tode zürnen“?
4. Inwiefern kann Kiza dem Bischof in seiner Fehde gegen Hameln von Nutzen sein?
5. Was ist in der Stadt Hameln nicht so schnell vergessen worden?
6. Wie kam es, daß der Bischof auch in diesem Sommer „nicht die Zinsen seines angelegten Kapitals“ herausschlug?
7. Wer war der einzige, der in diesem ganzen bösen Handel gewonnen hatte?

Kiza rächt sich in schrecklicher Weise an der Stadt Hameln.

1. An welchem Tage geschah das Unglück?
2. Zu welchem Zweck war eine Schar von Bürgern und Bürgerssöhnen auf der Gemeindewiese?
3. Warum bewachen sie so scharf den Weg um den Koppelberg nach Sedemünde?
4. Wovon sprachen die Leute auch wieder einmal?
5. Wie dachten die Leute von Hameln bereits über das Abenteuer?
6. Warum bedauerten sie, daß sie „den wendischen Schalk um solch einen Schabernack verjagt haben“?
7. Was beobachtete Hänsel plötzlich auf der Sedemünder Straße?
8. Wie war „das alte Wort vom Wolf oder vom Teufel“ zu einer Wahrheit geworden?
9. Um was beschwor Kiza die Leute von Hameln?
10. Was taten die Reiter des Hochstiftes?
11. Was erzählt Kiza den Leuten von Hameln?

12. Wozu fordert Kiza die Leute von Hameln auf?
13. Wie kommt es, daß die Leute von Hameln dem Kiza so willig glauben?

6

Der Auszug der Hamelschen Kinder.

1. Was verursacht große Aufregung in der Stadt Hameln?
2. Welche Wirkung hat Kizas Bericht auf die Jugend der Stadt?
3. Welchen Befehl gibt Floris „den guten Gesellen und Kindern" von Hameln?
4. Warum vernehmen „die Alten" nichts von den Vorgängen in der Stadt?
5. Welche Ähnlichkeit besteht zwischen dem Auszug der Kinder von Hameln im Jahre 1259 und dem Auszug der Kinder in der Sage vom Pfeifer von Hameln?
6. Wie rächt sich Kiza an der Stadt Hameln?
7. Wie enden Floris und Kiza?

Sie gingen zugrunde.

1. Wie endet die Fehde zwischen der Stadt Hameln und dem Bischof Wedekind?
2. Was sagt unsere Geschichte von dem Bischof Wedekind?
3. Was ist von dem Abt von Fulda gesagt?
4. Was hören wir von der schönen Athela?
5. Was beweist uns, daß die Stadt den Verlust ihrer Kinder sehr schwer fühlte?
6. Inwiefern hat Raabe recht, wenn er sagt: „Die Sage hat diese tränenvolle Geschichte eindringlicher und lebendiger durch die Jahrhunderte geführt, als es alle Chroniken vermocht hätten"?

Das Heidedorf

Adalbert Stifter

Adalbert Stifter

Adalbert Stifter was born in the year of Schiller's death, on October 23, 1805, in Oberplan on the southern slope of the Böhmerwald. The house where he was born is preserved to the present day as he described it in the stories *Granit* and *Das Heidedorf*. His father was a linen-weaver, later a flax merchant, and died when Adalbert was twelve years old. Stifter's mother and grandmother had great influence on the development of the boy. The figure of the grandmother, — devout and well-versed in the scriptures as well as in the legends and tales of her country, — Stifter has immortalized in several stories, especially in *Das Heidedorf* and in *Der Hochwald*. The boy was thoughtful and studious. Experiences such as his first visit to church or the performance of Haydn's "Creation" made a permanent impression on him. He liked to sit outside the house-door day-dreaming in the sun and looking out over the lonely valley to the dim blue of the distant forest. Sometimes he carried home treasures of stones and gleaming shells, beetles, and plants and enjoyed their bright-colored beauty. Because of his outstanding talents Stifter was sent in 1818 to the Latin School of the Kremsmünster monastery to begin preparations for the ministry. Stifter's university experience is marked by an inability to decide upon his life work. When he entered the University of Vienna in 1826, he had decided to study in the faculty of law rather than in theology. But soon he was neglecting law for lectures in mathematics and in the natural sciences, and was devoting himself to painting. After a time he gave up law and decided to prepare for the profession of teaching. Although he worked at this with great industry, he again wavered in his decision and started anew. Finally, even after having passed a part of the examinations, he withdrew from the university. He now believed that he was destined to be an artist. He painted incessantly while supporting himself by giving private tutoring lessons. Not until later did he realize that writing was his profession.

During the vacations, usually spent in Oberplan, Stifter on his wanderings through the Böhmerwald was a welcome guest in the house of the merchant Greipl at Friedberg. Here he lost his heart to a daughter Fanny. But their love was hopeless. To be sure, Stifter undertook to work with renewed and more serious application, in order to achieve a secure position in the world, but this predilection for dreaming and his inclination to live the unconfined existence of the artist in the end paralyzed his energies. His future remained unsettled and the girl gave him up. Disappointed and dissatisfied with himself, Stifter sought comfort in a marriage (1837) very quickly contracted with Amalia Mohaupt. Because of his financial difficulties, which began soon after his marriage, he was obliged to try his hand at writing, and immediately with his first story *Kondor*, published in 1840, he won friends and admirers.

Stifter sought for a position in the Austrian government. Certain articles of his of a didactic and pedagogical nature turned the attention of the Department of Education to Stifter, and in 1850 he was appointed director of public schools for Upper Austria at Linz. With great zeal he dedicated himself to his duties in the service of youth, but only twelve years of activity at this post were granted him. In 1863 he became seriously ill and was forced to retire in 1867. Incurable, painful suffering was the prelude to death for this deeply devout, God-fearing man, who throughout his life had taught in word and deed the virtues of self-discipline, renunciation, and patient suffering. He died by his own hand on January 28, 1868.

The following are some of Stifter's more important works: *Das Heidedorf*, 1840; *Der Hochwald*, 1842; *Die Narrenburg*, 1843; *Studien*, a collection of stories begun in 1841; *Bunte Steine*, another collection of stories, 1853; *Nachsommer*, 1857; *Witiko*, 1867.

Stifter's stories were looked upon as strange and unconventional at the time when they appeared; they contrast sharply with the contemporary literature. Through the battle din of contemporary political writings this young poet quietly made his own way, going far afield of the fashion of that excited time. Both approval and adverse criticism followed on the appearance of his works, but attention was paid them on all sides.

Stifter is a child of Romanticism. Jean Paul is his honored master, whose influence is everywhere visible in the early stories, such as *Kondor* and *Das Heidedorf*. The revelling in feeling, the lack of restraint in the language, the tendency to obscure the course of events, and the continual presence of the narrator are traits borrowed from this source. Soon, however, a greater figure draws Stifter into his magic circle: Goethe, whose „großartige Ruhe und Heiterkeit den Streit der blinden Leidenschaften in edle Harmonie auflösen." Stifter's language now becomes more moderate, the story is told more quietly, the narrator recedes from the foreground of his tale, and the author strives for an accurate representation of reality. Problems and motives from *Dichtung und Wahrheit*, from *Wilhelm Meister*, and the *Wahlverwandtschaften* are to be found in the later works; the figure of Mignon comes in no less than three times, as Pia in the *Narrenburg*, as the brown maiden in *Katzensilber* and as Juliane in *Waldbrunnen*.

Yet neither in these later works nor in the early ones can we speak of mere imitation, since Stifter's individuality is never submerged in that of his models. His stories are no mere play of fantasy dependent on literary influences, but, rather, they are rooted in his personal experience. He embodies in his writing his own yearnings, hopes, and renunciation. He felt his lot in life to be a tragic one, and thus the problems of his stories usually are given a tragic coloring. But they avoid the catastrophe, just as the author's gentle, sensitive nature was repelled by all violence. Often he leads his heroes to the brink of murder or suicide, only to have them conquer their impulses in the end, renounce their passions, and find comfort and peace in the prospect of higher goals. We find that his characters settle in secret the issues of their inner conflicts and often have reached the stage of renunciation by the time they enter the stories.

Stifter likes to use nature description in his stories. Action and landscape are always conceived as interrelated, and the characters of the persons are determined by the moods of their natural surroundings. The most delicate receptivity to sense impressions, the painter's eye for light and color, thorough training in the natural sciences, a rich and fantastic imagination, and a gift for language, — all these combine in him to bring description of nature to a height not reached by anyone before or after him. The natural bent of Stifter's personality is toward the somber moods, and he likewise prefers the somber aspects of nature, — the solitude and quiet, the grave monotony of the heath, the steppes and desert places, and the gentle melancholy of his native forests.

In *Das Heidedorf,* which appeared in 1840 in the *Wiener Zeitschrift,* Stifter looks back to the days of his own childhood. He writes about this story: „Du wirst im ‚Heidedorf' schöne elterliche und kindliche Gefühle finden. Es war meine Mutter und mein Vater, die mir bei der Dichtung dieses Werkes vorschwebten, und alle Liebe, welche nur so treuherzig auf dem Lande und unter armen Menschen zu finden ist, wie sie im ‚Heidedorf' geschildert ist, alle diese Liebe liegt in der kleinen Erzählung. Es ist ein Mann [die Hauptfigur in der Novelle], der aus Liebe zur Dichtkunst die Liebe seiner Braut opfert und in dem glücklich war, was ihm Gott verliehen."

The solitude of the heath wakened and developed the fantasy of the day-dreaming shepherd. Left alone all summer long, he charms the natural objects about him into life and makes them his companions. The heath is his wide-spreading kingdom; its stones, plants, and animals are his vassals, allies, or enemies. He marches up and down his territory like a king protecting and punishing. But he has other society too. When the noonday sun blazes down upon the broad plains, then the teeming brood of his " inner " creations comes forth and populates the heath. The miracles, battles, and judgments of the Bible, about which his grandmother has told him,— these things also he brings to the heath. The king becomes prophet, his throne of stone becomes Mount Sinai or Mount Horeb; before him lies the promised land, with the river Jordan running through it. He conquers this land and divides it among the tribes of Israel. Uncurbed and undisturbed his fantasy grows and strengthens into real poetic invention. Now a yearning for the world outside seizes the maturing boy. The distance beckons to him, the problems of life torment him, he hungers for knowledge and love. He leaves the heath and returns a man. He has gathered much knowledge, has won friends in the world, acquired goods and wealth, has become acquainted with the splendor of life in high circles; but his heart has not found peace. A dark yearning drove him onward on all his travels even as far as the deserts of the orient. He comes to realize that this is the yearning for the splendid solitude of his native heath, from where he had started and to which he is returning. Immediately it becomes peopled with figures just as it did in his youth, with people who watch him with serious and blessed eyes and who tell him about happiness and sorrow, about great heroic deeds and profound yearnings, about the sufferings of life on earth and the anticipation of heaven. „Er wurde selig, daß er denken könne, was er dachte — und es war ihm, daß es nun so gut sei, wie es sei." He knows now that he is a poet. Only one tie with the world remains: his love for a girl of the higher classes. He hopes that she will follow him and share a poet's life with him, and in this hope he builds his house. But she does not come, and thus he is finally brought to a decision. „Bei wem eine Göttin eingekehrt ist, schöner als alles Irdische, der kann nicht anders tun, als ihr in Demut dienen." Henceforth his life belongs to poetry.

Felix, the man of the heath, is the poet himself. Fanny Greipl, whom he loved so passionately, could not become his wife, since his innermost being, — that which made him a poet, — prevented him from winning a place in the world, from carving out a solid bourgeois career. „Ich hatte nichts und war nichts. Die Mutter des Mädchens zweifelte daran, daß je etwas aus mir werden, daß ich je etwas haben würde und zwang ihre Tochter, einen anderen zu heiraten." Stifter too finally married another and found sufficient happiness in this marriage, but in his fantasy-life as a poet Fanny was his eternal bride. The stone house on the heath likewise remained a dream. Even if his later career kept Stifter away from his homeland and in the affairs of the world, the poet within him remained a man of the heath. The home of his poetry is the *Böhmerwald*, and here too it is that the golden harvest is reaped, — a harvest grown from the store of traditional tales and legends related to him by the grandmother who told fairy tales, " die Märchengroßmutter."

Im Gebirge

Wenn die Weste sich mit Röte malen
Und der Abend kühlt des Tages Glut,
Wenn die Bergesspitzen golden strahlen
Und auf Tälern schon das Dunkel ruht:

Lieg' ich in das hohe Gras gestrecket,
Schaue sehnend nach der Felsenwand,
Hinter welcher sich das Tal verstecket,
Wo ich noch glücksel'ge Alter fand.

Wo ein Dorf, von aller Welt geschieden,
Einsam sich an seine Berge legt
Und ein Volk in ewig gleichem Frieden
Harmlos seine Zeit zu Grabe trägt.

Sel'ge Insel, o bewahre immer
Deinen Himmel, dem dein Tal genügt,
Dein zufried'nes Glück erfahre nimmer,
Was denn jenseits deiner Berge liegt.

Adalbert Stifter

Das Heidedorf

Die Heide

Im eigentlichen Sinne des Wortes ist es nicht eine Heide, wohin ich den lieben Leser und Zuhörer führen will, sondern weit von unserer Stadt ein traurig liebliches Fleckchen Landes, das sie die Heide nennen,
5 weil seit unvordenklichen Zeiten,[1] nur kurzes Gras darauf wuchs, hie und da ein Stamm Heideföhre oder die Krüppelbirke, an deren Rinde zuweilen ein Wollflöckchen hing, von den wenigen Schafen und Ziegen, die zeitweise hier herumgingen. Ferner war noch in ziemlicher Verbreitung die
10 Wacholderstaude da, im weitern [2] aber kein andrer Schmuck mehr; man müßte nur [3] die fernen Berge hierher rechnen, die ein wunderschönes blaues Band um das mattfarbige Gelände zogen.

Wie es aber des öftern geht [4] daß tiefsinnige Menschen
15 oder solche, denen die Natur allerlei wunderliche Dichtung und seltsame Gefühle in das Herz gepflanzt hat, gerade solche Orte aufsuchen und liebgewinnen, weil sie da ihren Träumen und innerem Klingklang nachgehen können [5]: so geschah es auch auf diesem Heideflecke. Mit den Ziegen
20 und Schafen nämlich kam auch sehr oft ein schwarzäugiger

---

1. seit unvordenklichen Zeiten, (from time immemorial).
2. im weitern, (otherwise, aside from that).
3. man müßte nur, (unless one).
4. Wie es aber des öftern geht = Wie es aber oft der Fall ist.
5. ... innerem Klingklang nachgehen können, (can cherish their dreams and follow their inner melodies).

Bube von zehn oder zwölf Jahren, eigentlich um dieselben zu hüten; aber wenn sich die Tiere zerstreuten — die Schafe, um das kurze, würzige Gras zu genießen, die Ziegen hingegen, für die im Grunde [1] kein passendes Futter da war, mehr ihren Betrachtungen und der reinen Luft überlassen, nur so gelegentlich den einen oder andern weichen Sprossen pflückend — fing er inzwischen an, Bekanntschaft mit den allerlei Wesen zu machen, welche die Heide hegte, und schloß mit ihnen Bündnis und Freundschaft.

Es war da ein etwas erhabener Punkt,[2] an dem sich das graue Gestein, auch ein Mitbesitzer der Heide, reichlicher vorfand und sich gleichsam emporschob, ja sogar am Gipfel mit einer überhängenden Platte ein Obdach und eine Rednerbühne bildete. Auch der Wacholder drängte sich dichter an diesem Orte, sich breitmachend in vielzweigiger Abstammung [3] und Sippschaft nebst manch schönblumiger Distel. Bäume aber waren gerade hier weit und breit [4] keine, weshalb die Aussicht weit schöner war als an andern Punkten, vorzüglich gegen Süden, wo das ferne Moorland, so ungesund für seine Bewohner, so schön für das entfernte Auge, blauduftig hinausschwamm [5] in allen Abstufungen der Ferne. Man hieß den Ort den Roßberg; aus welchen Gründen, ist unbekannt, da hier nie seit Menschenbesinnen [6] ein Pferd ging, was überhaupt ein für die Heide zu kostbares Gut gewesen wäre.

Nach diesem Punkte nun wanderte unser kleiner Freund am allerliebsten, wenn auch seine Pflegebefohlenen weitab in ihren Berufsgeschäften gingen,[7] da er aus Erfahrung

1. im Grunde, (as a matter of fact).
2. ein etwas erhabener Punkt = eine erhöhte Stelle.
3. sich breitmachend in vielzweigiger Abstammung, (spreading out in many-branched progeny).
4. weit und breit, (far and wide).
5. blauduftig hinausschwamm, (extended in a blue haze).
6. seit Menschenbesinnen, (within the memory of man).
7. weitab in ihren Berufsgeschäften gingen, (went far afield in following their calling; i.e. in seeking pasturage).

wußte, daß keines die Gesellschaft verließ und er sie am Ende alle wieder vereint fand, wie weit er auch nach ihnen suchen mußte; ja, das Suchen war ihm selber abenteuerlich, vorzüglich, wenn er weit und breit wandern mußte. Auf
5 dem Hügel des Roßberges gründete er sein Reich. Unter dem überhängenden Blocke bildete er nach und nach durch manche Zutat und durch mühevolles Weghämmern einen Sitz, anfangs für einen, dann füglich für drei geräumig genug; auch ein und das andere Fach wurde vorgefunden oder
10 hergerichtet, wohin er seinen leinenen Heidesack legte und sein Brot und die unzähligen Heideschätze, die er oft hierher zusammentrug. Gesellschaft war im Übermaße da. Vorerst die vielen großen Blöcke, die seine Burg bildeten, jeder anders an Farbe und Gesichtsbildung, der unzähligen
15 kleinen gar nicht zu gedenken,[1] die oft noch bunter und farbenfreudiger waren. Dann war der Wacholder, ein widerspenstiger Geselle, unüberwindlich zähe in seinen Gliedern, wenn er einen köstlichen, wohlriechenden Hirtenstab sollte fahren lassen,[2] oder Platz machen für einen
20 anzulegenden Weg; — seine Äste starrten rings von Nadeln, strotzten aber auch in allen Zweigen von Gaben der Ehre, die sie jahraus jahrein[3] den reichlichen Heidegästen auftischten, die Millionen blauer und grüner Beeren. Dann waren die wundersamen Heideblümchen, glutfarbig oder
25 himmelblau brennend, zwischen dem sonnigen Gras des Gesteines, oder jene unzählbaren kleinen, die ein weißes Schnäbelchen aufsperren, mit einem gelben Zünglein darinnen; — auch manche Erdbeere war hier und da, selbst zwei Himbeersträucher, und sogar, zwischen den Steinen
30 emporwachsend, eine lange Haselrute. Böse Gesellschaft fehlte wohl auch nicht, die er vom Vater gar wohl kannte,

---

1. gar nicht zu gedenken, (to say nothing of).
2. sollte fahren lassen, (was supposed to let go; to give up).
3. jahraus jahrein = Jahr für Jahr.

wenn sie auch schön war, zum Beispiel die Einbeeren,[1]
die er nur schonte, weil sie so glänzend schwarz waren, so
schwarz wie gar nichts auf der ganzen Heide, seine Augen
ausgenommen, die er freilich nicht sehen konnte.

Fast sollte man von der lebenden und bewegenden 5
Gesellschaft nun gar nicht mehr reden, so viel ist schon da;
aber diese Gesellschaft ist erst vollends ausgezeichnet. Ich
will von den tausend und tausend goldenen, rubinenen,
smaragdenen Tierchen und Würmchen garnichts sagen, die
auf Stein, Gras und Halm kletterten, rannten und ar- 10
beiteten, weil er von Gold, Rubinen und Smaragden noch
nichts sah, außer was der Himmel und die Heide zuweilen
zeigten; — aber von anderem muß gesprochen werden.
Da war einer seiner Günstlinge, ein schnarrender purpur-
flügeliger Springer,[2] der dutzendweise vor ihm aufflog und 15
sich wieder hinsetzte, wenn er eben seine Gebiete durchreiste;
— da waren dessen unzählbare Vettern, die größern und
kleinern Heuschrecken, lustig und rastlos zirpend und schleifend,[3] daß an Sonnentagen ein zitterndes Gesinge längs der
ganzen Heide war; — dann waren die Schnecken mit und 20
ohne Häuser, braune und gestreifte, und sie zogen silberne
Straßen über das Heidegras oder über seinen Filzhut, auf
den er sie gerne setzte, — dann die Fliegen, summende,
singende, blaue, grüne, glasflügelige, — dann die Hummel,
die schläfrig vorbeiläutete,[4] — die Schmetterlinge, besonders 25
ein kleiner mit himmelblauen Flügeln, auf der Kehrseite
silbergrau mit gar anmutigen Äuglein, — dann endlich
war die Ammer, und sang an vielen Stellen; die Goldam-

---

1. die Einbeere, lit.: ('one-berry', true-love, Paris quadrifolia), die nur eine einzige, aber giftige Beere trägt; „böse Gesellschaft", weil giftig.

2. Springer = die Heuschrecke, (gryllus).

3. zirpend, schleifend: description of the sound produced by these insects, which resembles the whetting (schleifen) of scythes.

4. vorbeiläutete: der Ton der Hummel wird mit dem einer Glocke verglichen, (passed buzzing by).

mer, das Rotkehlchen, die Heidelerche, sodaß von ihnen oft der ganze Himmel voll Kirchenmusik hing; der Distelfink, die Grasmücke, der Kiebitz und andere und wieder andere. Alle ihre Nester lagen in seiner Monarchie und wurden aufgesucht und beschützt. Auch manch rotes Feldmäuschen sah er schlüpfen [1] und schonte es, wenn es plötzlich stillehielt und ihn mit den glänzenden erschrockenen Äuglein ansah. Von Wölfen oder andern gefährlichen Bösewichtern war seit Urzeiten keiner erlebt worden, manches eiersaufende Wiesel ausgenommen, das er aber mit Feuer und Schwert verfolgte.

Inmitten all dieser Herrlichkeiten stand er, oder ging, oder sprang, oder saß er — ein herrlicher Sohn der Heide. Aus dem tiefbraunen Gesichtchen voll Güte und Klugheit leuchteten in blitzendem, unbewußtem Glanze die pechschwarzen Augen, reichlich zeigend jenes gefahrvolle Element, das ihm geworden [2] und in der Heideeinsamkeit zu sprossen begann: eine dunkle,[3] glutensprühende Phantasie. Um die Stirn war eine Wildnis dunkelbrauner Haare, kunstlos den Winden der Fläche hingegeben. Wenn es mir erlaubt wäre, so würde ich meinen Liebling vergleichen mit jenem Hirtenknaben aus den heiligen Büchern,[4] der auch auf der Heide von Bethlehem sein Herz fand und seinen Gott und die Träume der künftigen Königsgröße. Aber so ganz arm wie unser kleiner Freund war jener Hirtenknabe gewiß nicht; denn des ganzen lieben Tages Länge [5] hatte er nichts als ein tüchtig Stück schwarzen Brotes, wovon er unbegreiflicherweise seinen blühenden Körper und den noch blühenderen Geist nährte und ein klares, kühles Wasser, das unweit des Roßberges vorquoll, ein Brünnlein füllte und

---

1. sah er (in und aus seinem Loche) schlüpfen.
2. das ihm (zuteil) geworden, (which had fallen to his share).
3. dunkle: because as yet not fully realized.
4. Hirtenknaben aus den heiligen Büchern: the Biblical David.
5. des ganzen lieben Tages Länge = den ganzen Tag lang.

dann längs der Heide forteilte, um mit andern Schwestern vereint jenem fernen Moore zuzugehen, dessen wir oben gedachten. Zu guten Zeiten waren auch ein oder zwei Ziegenkäse in der Tasche. Aber ein Nahrungsmittel hatte er in einer Güte und Fülle, wie es der überreichste Städter 5 nicht aufweisen kann, einen ganzen Ozean der heilsamsten Luft um sich und eine Farbe und Gesundheit reifende Lichtfülle über sich. Abends, wenn er heimkam, wohin er sehr weit hatte, kochte ihm die Mutter eine Milchsuppe oder einen köstlichen Brei aus Hirse. Sein Kleid was ein halb- 10 gebleichtes Linnen. Weiter hatte er noch einen breiten Filzhut, den er aber selten auftat,[1] sondern meistens in seinem Schlosse an einen Holznagel hing, den er in die Felsenritze geschlagen hatte.

Dennoch war er stets lustig und wußte sich oft nicht zu 15 halten [2] vor Frohsinn. Von seinem Königssitze aus herrschte er über die Heide. Teils durchzog er sie weit und breit, teils saß er hoch oben auf der Platte oder Rednerbühne, und soweit das Auge gehen konnte, so weit ging die Phantasie mit, oder sie ging noch weiter und überspann die ganze 20 Fernsicht mit einem Fadennetze von Gedanken und Einbildungen, und je länger er saß, desto dichter [3] kamen sie, so daß er oft am Ende selbst ohnmächtig unter dem Netze steckte. Furcht der Einsamkeit kannte er nicht; ja, wenn recht weit und breit kein menschliches Wesen zu erspähen 25 war, und nichts als die heiße Mittagsluft längs der ganzen Heide zitterte, dann kam erst recht das ganze Gewimmel seiner inneren Gestalten daher und bevölkerte die Heide. Nicht selten stieg er dann auf die Steinplatte und hielt sofort eine Predigt und Rede [4] — unten standen die Könige und 30

---

1. auftat = aufsetzte.

2. wußte sich oft nicht zu halten, (often did not know how to restrain himself).

3. desto dichter = in desto größerer Zahl (kamen die Gedanken).

4. Predigt und Rede: Notice the Biblical expressions: Könige und Richter, Kinder und Kindeskinder, wie Sand am Meer, predigte Buße, das

Richter, und das Volk und die Heerführer, und Kinder und Kindeskinder, zahlreich wie der Sand am Meere. Er predigte Buße und Bekehrung, und alle lauschten auf ihn; er beschrieb ihnen das Gelobte Land, verhieß, daß sie Helden-
5 taten tun würden, und wünschte zuletzt nichts sehnlicher, als daß er auch noch ein Wunder zu wirken vermöchte. Dann stieg er hernieder und führte sie [1] an, in die fernsten und entlegensten Teile der Heide, wohin er wohl eine Viertelstunde zu gehen hatte — und zeigte ihnen nun das ganze
10 Land der Väter und nahm es ein mit der Schärfe des Schwertes. Dann wurde es unter die Stämme ausgeteilt und jedem das Seinige zur Verteidigung angewiesen.

Oder er baute Babylon, eine furchtbare und weitläufige Stadt — er baute sie aus den kleinen Steinen des Roßber-
15 ges, und verkündete den Heuschrecken und Käfern, daß hier ein gewaltiges Reich entstehe, das niemand überwinden kann als Cyrus,[2] der morgen oder übermorgen kommen werde, den gottlosen König Belsazar zu züchtigen, wie es ja Daniel längst vorhergesagt hat.

20 Oder er grub den Jordan ab, das heißt den Bach, der von der Quelle floß und leitete ihn andere Wege — oder er tat das alles nicht, sondern entschlief auf der offenen Fläche und ließ über sich einen bunten Teppich der Träume weben. Die Sonne sah ihn an und lockte auf die schlummernden
25 Wangen [3] eine Röte, so schön und gesund wie an gezeitigten

---

Gelobte Land, das Land der Väter, mit der Schärfe des Schwertes, seine Lenden gürten, etc.

1. sie = seine Zuhörer (die inneren Gestalten).

2. Cyrus: Cyrus the Great, founder of the Persian empire, 600–529 B.C., conquered Media in 550 and Lydia in 546, and the king of Lydia, the famous Crœsus, fell into his hands; ultimately the whole of Asia Minor was subdued; in 539 the city of Babylon, the metropolis of Assyria, was captured. Through the instrumentality of Cyrus, the Jews were delivered from their "Babylonian" captivity and were allowed to return to Palestine).

3. die schlummernden Wangen = die Wangen des schlummernden Knaben.

Äpfeln, oder so reif und kräftig wie an der Lichtseite vollkörniger Haselnüsse, und wenn sie endlich gar die hellen großen Tropfen auf seine Stirne gezogen hatte, dann erbarmte sie sich des Knaben und weckte ihn mit einem heißen Kusse. 5

So lebte er nun manchen Tag und manches Jahr auf der Heide und wurde größer und stärker, und in das Herz kamen tiefere, dunklere und stillere Gewalten, und es ward ihm wehe [1] und sehnsüchtig, und er wußte nicht wie ihm geschah.[2] Seine Erziehung hatte er vollendet, und was die Heide 10 geben konnte, das hatte sie gegeben; der reife Geist schmachtete nun nach seinem Brote, dem Wissen, und das Herz nach seinem Weine, der Liebe. Sein Auge ging über die fernen Dunststreifen des Moores und noch weiter hinaus; als müsse dort draußen etwas sein, was ihm fehle, und als 15 müsse er eines Tages seine Lenden gürten, den Stab nehmen und weit, weit von seiner Herde gehen.

Die Wiese, die Blumen, das Feld und seine Ähren, der Wald und seine unschuldigen Tierchen sind die ersten und natürlichsten Gespielen und Erzieher des Kinderherzens. 20 Überlaß den kleinen Engel nur seinem eigenen inneren Gotte und halte bloß die Dämonen ferne, und er wird sich wunderbar erziehen und vorbereiten. Dann, wenn das fruchtbare Herz hungert nach Wissen und Gefühlen, dann schließ ihm die Größe der Welt, des Menschen und Gottes auf. 25

Und somit laßt uns Abschied nehmen von dem Knaben auf der Heide.

Das Heidehaus

Eine gute Wegstunde [3] von dem Roßberge stand ein Haus oder vielmehr eine weitläufige Hütte. Sie stand am

---

1. es ward ihm wehe, (he began to feel melancholy).
2. wie ihm geschah, (what all this meant).
3. Eine gute Wegstunde: In some regions of Germany, distances are counted by time, one hour's walk being about three English miles.

Rande der Heide weitab von jeder Straße menschlichen Verkehrs; sie stand ganz allein, und das Land um sie war selber wieder eine Heide, nur anders als die, auf der der Knabe die Ziegen hütete. Das Haus war ganz aus Holz, faßte zwei
5 Stuben [1] und ein Hinterstübchen, alles mit mächtigen braunschwarzen Tragebalken, daran manch Festkrüglein hing, mit schönen Trinksprüchen bemalt. Die Fenster, licht und geräumig, sahen auf die Heide, und das Haus war umgeben von dem Stalle, Schuppen und der Scheune. Es
10 war auch ein Gärtlein vor demselben, worin Gemüse wuchs, ein Holunderstrauch und ein alter Apfelbaum stand, weiter ab waren noch drei Kirschbäume und unansehnliche Pflaumengesträuche. Ein Brunnen floß vor dem Hause, kühl, aber sparsam; er floß von dem hohen starken Holzschafte in
15 eine Kufe nieder, die aus einem einzigen Heidestein gehauen war.

In diesem Hause war es sehr einsam geworden; es wohnten nur ein alter Vater und eine alte Mutter darinnen und eine noch ältere Großmutter. Alle waren sie traurig,
20 denn er war fortgezogen, weit in die Fremde, der das Haus mit seiner jugendlichen Gestalt belebt hatte, und der die Freude aller war. Freilich spielte noch ein kleines Schwesterlein an der Türschwelle, aber sie war noch gar zu klein und war noch zu töricht; denn sie fragte ewig, wann der Bruder
25 Felix wiederkommen werde. Weil der Vater Feld und Wiese besorgen mußte, so war ein anderer Ziegenknabe genommen worden; allein dieser legte auf der Heide Vogelschlingen, trieb immer sehr früh nach Hause [2] und schlief gleich nach dem Abendessen ein. Alle Wesen auf
30 der Heide trauerten um den schönen lockigen Knaben, der von ihnen fortgezogen.

Es war ein traurig schöner Tag gewesen, an dem er fortgegangen war. Sein Vater war ein verständig stiller Mann,

1. faßte zwei Stuben, (contained two rooms).
2. trieb (die Schafe) früh nach Hause.

der ihm nie ein Scheltwort gegeben hatte, und seine Mutter liebte ihn wie ihren Augapfel; und aus ihrem Herzen, dem er oft und gerne lauschte, sog er jene Weichheit und Phantasiefülle, die sie hatte, aber zu nichts verwenden konnte als zu lauter Liebe für ihren Sohn. Den Vater ehrte sie als den Oberherrn, der sich Tag und Nacht so plagen müsse, um den Unterhalt herbeizuschaffen,[1] da die Heide karg war und nur gegen große Mühe sparsame Früchte trug, und oft die nicht, wenn Gott ein heißes Jahr über dieselbe herabsandte. Darum lebten sie in einer friedsamen Ehe und liebten sich pflichtgetreu von Herzen und standen einander in Not und Kummer bei. Der Knabe kannte daher nie den giftigen Mehltau für Kinderherzen, Hader und Zank, außer wenn ein stößiger Bock Irrsal stiftete, den er aber immer mit tüchtigen Püffen seiner Faust zu Paaren trieb,[2] was das böseste Tier von ihm und nur von ihm allein gutwillig litt, weil es wohl wußte, daß er sein Beschützer und zuversichtlicher Kamerad sei. Der Vater liebte seinen Sohn wohl auch und gewiß nicht minder als die Mutter, aber nach der Verschämtheit gemeiner Stände [3] zeigte er diese Liebe nie, am wenigsten dem Sohne; dennoch konnte man sie recht gut erkennen an der Unruhe, mit der er aus und ein ging,[4] und an den Blicken, die er häufig gegen den Roßberg tat, wenn der Knabe einmal zufällig später von der Heide heimkam als gewöhnlich, und der Bube wußte und kannte diese Liebe sehr wohl, wenn sie sich auch nicht äußerte.

Von solchen Eltern hatte er keinen Widerstand zu erfahren, als er den Entschluß aussprach, in die Welt zu gehen, weil er durchaus nicht mehr zu Hause zu bleiben vermöge. Ja, der Vater hatte schon seit langem wahrgenommen, wie

---

1. den Unterhalt herbeizuschaffen, (to support his family; earn a living).

2. zu Paaren trieb, (worsted, mastered).

3. nach der Verschämtheit gemeiner Stände, (in accordance with the (usual) bashfulness of common people).

4. aus und ein ging, (went about).

der Knabe sich in Einbildungen und Dingen abquälte, die ihm selber von Kindheit an nie gekommen waren; er hielt sie deshalb für Geburten der Heideeinsamkeit und sann auf deren Abhilfe. Die Mutter hatte zwar nichts Seltsames an 5 ihrem Sohne bemerkt, weil eigentlich ohnehin ihr Herz in dem seinen schlug; allein sie willigte doch in seine Abreise aus einem dunklen Instinkte, daß er da ausführe, was ihm not tue.

Noch eine Person mußte gefragt werden, nicht von den 10 Eltern, sondern von ihm: die Großmutter. Er liebte sie zwar nicht so wie die Mutter, sondern ehrte und scheute sie vielmehr; aber sie war es auch gewesen, aus der er die Anfänge jener Fäden zog, aus welchen er vorerst seine Heidefreuden webte, dann sein Herz und sein ganzes 15 zukünftiges Schicksal. Weit über die Grenze des menschlichen Lebens schon hinausgeschritten, saß sie wie ein Schemen hinten am Hause im Garten in der Sonne, ewig einsam und ewig allein in der Gesellschaft ihrer Toten und zurückspinnend an ihrer innern ewig langen Geschichte. Aber so, 20 wie sie da saß, war sie nicht das gewöhnliche Bild unheimlichen Hochalters, sondern wenn sie oft plötzlich ein oder das andere ihrer innern Geschöpfe anredete, als ein lebendes und vor ihr wandelndes; oder wenn sie sanft lächelte, oder betete, oder mit sich selbst redete, wundersam spielend in 25 Blödsinn und Dichtung, in Unverstand und Geistesfülle: so zeigte sie gleichsam, wie eine mächtige Ruine, rückwärts auf ein denkwürdiges Dasein. Ja, der Menschenkenner, wenn hier je einer hergekommen wäre, würde aus den wenigen Blitzen, die noch gelegentlich auffuhren, leicht er- 30 kannt haben, daß hier eine Dichtungsfülle ganz ungewöhnlicher Art vorübergelebt worden war, ungekannt von der Umgebung, ungekannt von der Besitzerin, vorübergelebt in dem schlichten Gefäße[1] eines Heidebauernweibes. Ihre

1. in dem schlichten Gefäße = in der einfachen Person.

gemütreiche Tochter, die Mutter des Knaben, war nur ein schwaches Abbild derselben. Das alte Weib hatte in ihrem ganzen Leben voll harter Arbeiten nur ein einziges Buch gelesen, die Bibel; aber in diesem Buche las und dichtete sie siebenzig Jahre. Jetzt tat sie es zwar nicht mehr, ver- 5 langte auch nicht mehr, daß man ihr vorlese; aber ganze Prophetenstellen sagte sie oft laut her, und in ihrem Wesen war Art und Weise[1] jenes Buches ausgeprägt, so daß selbst zuletzt ihre gewöhnliche Redeweise etwas Fremdes und gleichsam Morgenländisches zeigte. Dem Knaben erzählte 10 sie die heiligen Geschichten. Da saß er nun oft an Sonntagnachmittagen gekauert an dem Holunderstrauch; und wenn die Wunder und die Helden kamen, und die fürchterlichen Schlachten, und die Gottesgerichte; und wenn sich dann die Großmutter in die Begeisterung geredet,[2] und der alte Geist 15 die Ohnmacht seines Körpers überwunden hatte; und wenn sie nun anfing, zurückgesunken in die Tage ihrer Jugend, mit dem welken Munde zärtlich und schwärmerisch zu reden, mit einem Wesen, das er nicht sah, und in Worten, die er nicht verstand, aber tief ergriffen instinktmäßig nachfühlte; 20 und wenn sie um sich alle Helden der Erzählung versammelte und ihre eigenen Verstorbenen einmischte, und nun alles durcheinander reden ließ: da graute er sich innerlich entsetzlich ab, und um so mehr, wenn er sie gar nicht mehr verstand. Allein er schloß alle Tore seiner Seele weit auf und 25 ließ den phantastischen Zug eingehen und nahm des andern Tages das ganze Getümmel mit auf die Heide, wo er alles wieder nachspielte.

Dieser Großmutter nun wollte er sein Vorhaben deuten,[3] damit sie ihn nicht eines Tages zufällig vermisse und sich 30 innerlich kränke, als sei er gestorben.

---

1. Art und Weise = der Charakter.
2. in die Begeisterung geredet, (had talked herself into enthusiasm; had become inspired).
3. deuten = andeuten = mitteilen.

Und so, an einem frühen Morgen, stand er neben den Eltern reisefertig vor der Tür, sein dürftig Linnenkleid an,[1] den breiten Hut auf dem Haupte, den Wacholderstab in der Hand, umgehängt den Heidesack, in welchem zwei Hemden waren und Käse und Brot. Eingenäht in die Brusttasche hatte er das wenige Geld, welches das Haus vermochte.[2]

Die Großmutter, immer die erste wach, kniete bereits nach ihrer Sitte inmitten der Wiese an ihrem Holzschemel, den sie dahingetragen, und betete. Der Knabe warf einen Blick auf den Heiderand, welcher schwarz den lichten Himmel schnitt, dann trat er zu der Großmutter und sagte: „Liebe Mutter, ich gehe jetzt, lebet wohl und betet [3] für mich!"

„Kind, du mußt der Schafe achten, der Tau ist zu früh und zu kühl!"

„Nicht auf die Heide gehe ich, Großmutter, sondern weit fort in das Land, um zu lernen und tüchtig zu werden,[4] wie ich es Euch ja gestern alles gesagt habe."

„Ja, du sagtest es," erwiderte sie, „du sagtest es, mein Kind — ich habe dich mit Schmerzen geboren, aber dir auch Gaben gegeben, zu werden wie einer der Propheten und Seher — ziehe mit Gott, aber komme wieder, Jakobus!"

Jakobus hatte ihr Sohn geheißen, der auch einmal fortgegangen, vor mehr als sechzig Jahren, aber nie wieder zurückgekehrt war.

„Mutter," sagte er noch einmal, „gebt mir Eure Hand." Sie gab sie ihm; er schüttelte sie und sagte: „Lebt wohl, lebt wohl."

„Amen, Amen," sagte sie, als hörte sie zu beten auf.

Dann wandte sich der Knabe gegen die Eltern; das Herz

---

1. sein . . . an, (with his . . . on, dressed in . . .).

2. welches das Haus (seine Eltern) ihm mitzugeben vermochte; vermochte, (afforded).

3. lebet und betet: In remote country districts it is not unusual for children to address a parent with the respectful „Ihr", while the parent will use the familiar „du" toward the child.

4. tüchtig werden, (to make something of myself).

war ihm so sehr emporgeschwollen — er sagte nichts, sondern auf einmal hing er am Halse der Mutter, und sie, heiß weinend, küßte ihn auf beide Wangen und schob ihm noch ein Geldstück zu, das sie einst als Patengeschenk empfangen und immer aufgehoben hatte, allein er nahm es nicht. Dem Vater reichte er bloß die Hand, weil er sich nicht getraute, ihn zu umarmen. Dieser machte ihm ein Kreuz auf die Stirne, auf den Mund und auf die Brust, und als hierbei seine rauhe Hand zitterte, und um den harten Mund ein heftiges Zucken ging, da hielt sich der Knabe nicht mehr. Mit einem Tränengusse warf er sich an die Brust des Vaters, und dessen linker Arm umkrampfte ihn eine Sekunde, dann ließ er ihn los und schob ihn wortlos gegen die Heide. Die Mutter aber rief ihn noch einmal und sagte, er möge doch auch das kleine Schwesterchen segnen, die man in ihrem Bettlein ganz vergessen habe. Drei Kreuze machte er über den schlafenden Engel, dann schritt er schnell hinaus und ging trotzig vorwärts gegen die Heide.

So ziehe mit Gott, du unschuldiger Mensch, und bringe nur das Kleinod wieder, das du so leichtsinnig fortträgst!

Als er an den Roßberg gekommen, ging die Sonne auf und schaute in zwei treuherzige, zuversichtliche, aber rotgeweinte Augen. Am Heidehause spiegelte sie sich in den Fenstern und an der Sense des Vaters, der mähen ging.

Das Heidedorf

Am ersten Abend war es öde und verlassen, und den beiden Eltern tat das Herz weh, als sie in der Dämmerung des Sommers zu Bette gingen und auf seine leere Schlafstelle sahen. Um denselben Menschen, der vielleicht eben jetzt noch auf dürrer Heerstraße wanderte und von keinem beachtet, ja von den meisten verachtet wurde, brachen fast zwei naturrohe Herzen im entlegenen Heidehause, daß[1]

1. daß = bei dem Gedanken, daß.

sie ihn von nun an, vielleicht auf immer, entbehren sollten; aber sie drückten den Schmerz in sich, und jedes trug ihn einsam, weil es zu schamhaft und unbeholfen war, sich zu äußern.

5 Aber es kam ein zweiter Tag und ein dritter und ein vierter, ein jeder spannte denselben glänzenden Himmelsbogen über die Heide und funkelte nieder auf die Fenster und das altersgraue Dach des Hauses ebenso freundlich und lieblich, wie als er noch dagewesen war.

10 Und dann kamen wieder Tage und wieder.

Die Arbeit und Freude des Landmanns, durch Jahrtausende einförmig und durch Jahrtausende noch unerschöpft, zog auch hier geräuschlos und magisch ein Stück ihrer uralten Kette durch die Hütte, und an jedem ihrer 15 Glieder hing ein Tröpflein Vergessenheit.

Die Großmutter trug nach wie vor[1] ihren Holzschemel auf die Wiese und betete daran, und sie und klein Marthe fragten täglich, wann denn Felix komme. Der Vater mähte Roggen und Gerste, die Mutter machte Käse und band 20 Garben, und der fremde Ziegenbube trieb täglich auf die Heide. Von Felix wußte man nichts.

Die Sonne ging auf und ging unter, die Heide wurde weiß und wurde grün, der Holunderbaum und der Apfelbaum blühten vielmal, klein Marthe war groß geworden 25 und ging mit, um zu heuen und zu ernten, aber sie fragte nicht mehr, und die Großmutter, ewig und unbegreiflich hinauslebend, wie ein vom Tode vergessener Mensch, fragte auch nicht mehr, weil er ihr entfallen war, oder sich zu ihren heimlichen Phantasiegestalten gesellt hatte.

30 Die Felder des Heidebauern besserten sich nachgerade,[2] als ob der Himmel seine Einsamkeit segnen und ihm vergelten wollte, und es ging ihm so gut, daß er schon manchen Getreidesack aufladen und mit schönen Ochsen fortführen

---

1. nach wie vor, (now as ever, the same as always).
2. nachgerade = nach und nach.

konnte, wofür er dann einige Taler Geldes und Neuigkeiten von der Welt draußen heimbrachte. Einmal kam auch ein Schreinergeselle mit seinem Wanderpack zu Vater Niklas, dem Heidebauern, und brachte einen Gruß und einen Brief von Felix und sagte, daß derselbe in der großen, weit entfernten Hauptstadt ein schmucker, fleißiger Student sei, daß ihn alles liebe und daß er gar eines Tages Kaplan in der großen Domkirche werden könnte. Der Schreinergeselle wurde über Nacht im Heidehause gut gehalten und ließ eitel Freude zurück, als er des andern Tages in entgegengesetzter Richtung von dannen zog.[1] So kam es, daß jedes Jahr ein- oder zweimal ein Wandersmann den Umweg über die Heide machte, dem schönen, freundlichen, handsamen Jünglinge zuliebe, der gern einen Gruß an sein liebes Mütterchen schicken wollte. Ja, sogar einmal kam einer geschritten und konterfeite das Häuschen samt dem Brunnen und Flieder- und Apfelbaume.

Auch andere Veränderungen begannen auf der Heide. Es kamen einmal viele Herren und vermaßen ein Stück Heideland, das seit Menschengedenken[2] keines Herrn Eigentum gewesen war, und es kam ein alter Bauersmann und zimmerte mit vielen Söhnen und Leuten ein Haus darauf und fing an, den vermessenen Fleck urbar zu machen. Er hatte fremdes Korn gebracht, das auf dem Heideboden gut anschlug, und im nächsten Jahre wogte ein grüner Ährenwald zunächst an Vater Niklas' Besitzungen, wo noch im vorigen Frühlinge nur Schlehen und Liebfrauenschuh geblüht hatten. Der alte Bauer war ein freundlicher Mann, ein Mann vieler Kenntnisse, und teilte gern seinen Rat und sein Wissen und seine Hilfe an die frühern Heidebewohner und hielt gute Nachbarschaft mit Vater Niklas. Sie fuhren nun beide in die Stadt, verkauften dort ihr Getreide weit besser, und am Getreidemarkt im goldenen

1. von dannen zog, (went on his way).
2. seit Menschengedenken, (within the memory of man).

Rosse[1] waren die Heidebauern wohlgekannt und wohlgelitten.[2]

Nach und nach kamen neue Ansiedler; auch eine Straße wurde von der Grundherrschaft über die Heide gebahnt, so
5 daß nun manchmal des Weges ein vornehmer Wagen kam, desgleichen man noch nie auf der Heide gesehen. Auch des alten Bauern Söhne bauten sich an, und einer, sagte man sich ins Ohr,[3] werde wohl Schön-Marthens Bräutigam werden. Und so, ehe sieben Jahre ins Land gegangen,[4]
10 standen schon fünf Häuser mit Ställen und Scheunen, mit Giebeln und Dächern um das kleine, alte, graue Heidehaus, und Felder und Wiesen und Wege und Zäune gingen fast bis auf eine Viertelstunde Weges[5] gegen den Roßberg, der aber noch immer so einsam war wie sonst. Am Pankratius-
15 tage[6] hatte Vater Niklas die Freude, zum Richter des Heidedorfes gewählt zu werden — er, der erste seit der Erschaffung der Welt, der solch Amt und Würde auf diesem Fleck bekleidete.

Wieder waren Jahre um Jahre vergangen, die Obst-
20 baumsetzlinge, zarte Stangen, wie sie der alte Nachbarsbauer gebracht und an Niklas mitgeteilt hatte, standen nun schon als wirkliche Bäume da und brachten reiche Frucht und manchen Sonntagstrunk an Obstwein. Marthe war an Nachbars Benedikt verheiratet, und sie trieben eigene
25 Wirtschaft. Die Heide war weiß und wieder grün geworden; aber des Vaters Haare blieben weiß, und die Mutter fing bereits an, der Großmutter ähnlich zu werden. Die Großmutter allein blieb unverwüstlich und unveränderlich, immer

---

1. im goldenen Rosse: Name of an inn frequented by grain dealers.
2. wohlgekannt und wohlgelitten, (well known and well liked).
3. sagte man sich ins Ohr, (people whispered, gossiped).
4. ehe sieben Jahre ins Land gegangen = ehe sieben Jahre vergangen waren.
5. eine Viertelstunde Weges, see note 3, page 297.
6. Pankra'tiustag: the twelfth of May. St. Pancras, the patron saint of children, died as a martyr at Rome around 300 A.D.

und ewig am Hause sitzend, ein träumerisches Überbleibsel, gleichsam als warte sie auf Felixens Rückkehr. Aber Felix schien, wie einst Jakobus, verschollen zu sein auf der Heide. Seit drei Jahren kam keine Kunde und kein Wandersmann. In der Hauptstadt, wohin Benedikt gegangen, um ihn zu suchen, war er nicht zu finden, und im Amte sagten ihm die Kanzleiherren aus einem großen Buche, er sei außer Landes gegangen, vielleicht gar über das Meer. Der Vater hörte schon auf, von ihm zu reden; Marthe hatte ein Kindlein und dachte nicht an ihn, die Heidedörfler kannten ihn nicht und liebten ihn auch nicht, die Großmutter fragte nur bisweilen nach Jakobus; aber das Mutterherz trug ihn unverwischt und schmerzhaft in sich, seit dem Tage, als er von dannen gezogen [1] und an ihrem Busen geweint hatte — und das Mutterherz trug ihn abends in das Haus, und morgens auf die Felder — und das Mutterherz war es auch allein, das ihn erkannte, als einmal am Pfingstsamstage durch die Abendröte ein wildfremder, sonnverbrannter Mann gewandert kam, den Stab in der Hand, das Ränzlein auf dem Rücken und stehenblieb vor dem Heidehause.

„Felix" — „Mutter!"

Ein Schrei und ein Sturz an das Herz.

Das Mutterherz ist der schönste und unverlierbarste Platz des Sohnes, selbst wenn er schon graue Haare trägt — und jeder hat im ganzen Weltall nur ein einziges solches Herz.

Das alte Weib brach an ihm fast nieder vor Schluchzen, und er, vielleicht seit Jahren keiner Träne mehr gewohnt, ließ den Bach seiner Augen strömen und hob sie zu sich auf und drückte sie und streichelte ihre grauen Haare, nicht sehend, daß Vater und Schwester und das halbe Dorf um sie beide standen.

„Felix, mein Felix, wo kommst du denn her?" fragte sie endlich.

---

1. von dannen gezogen = weggegangen.

„Von Jerusalem, Mutter, und von der Heide des Jordans. — Gott grüß' Euch, Vater, und Gott grüß' Euch, Großmutter! Jetzt bleib' ich lange bei euch und, geliebt es Gott,[1] auf immer."

5 Er schloß den zitternden Vater ans Herz und dann die alte Großmutter, die fast schamhaft und demütig beiseite stand — und dann noch einmal den Vater, den schönen, alten, braunen Mann mit den schneeweißen Haaren, den er mit noch dichten, dunklen Locken verlassen hatte, und der 10 doppelt liebenswert dastand durch die unbehilfliche Verlegenheit, in die er dem stattlichen Sohne gegenüber geriet. Das Mutterherz aber, sich immer ihres unverjährbaren Ranges bewußt, zeigte nichts dem Ähnliches. Sie sah nicht seine Gestalt und seine Kleider, sondern ihr Auge hing die 15 ganze Zeit über an seinem Angesicht, und es glänzte und funkelte und schäumte fast über vor Freude und vor Stolz, daß Felix so schön geworden und so herrlich.

Endlich, als sich sein Herz etwas gesättigt, fiel ihm klein Marthe ein; er fragte nach ihr, und sein Auge suchte am 20 Boden umher. Allein die Mutter führte ihm ein blühendes Weib vor, mit hellen blauen Augen, ein Kind auf dem Arm, wie eine Madonna, deren er in Welschland[2] auf Bildern gesehen. Er erkannte im Kinde klein Marthe, die Mutter des Kindes getraute er sich aber nicht zu küssen, und auch sie 25 stand blöde vor ihm und sah ihn bloß liebreich an. Endlich grüßten und küßten sie sich herzinnig als Geschwister, und der ehrliche Benedikt reichte ihm die Hand und sagte, wie er ihn vor zwei Jahren so emsig in der Hauptstadt gesucht habe.

„Da war ich im Lande Ägypten," sagte Felix, „und Ihr 30 hättet mich auch dort kaum erfragt; denn ich war in der Wüste."

Auch die Bauern und ihre Weiber und Kinder, die sich

1. geliebt es Gott = wenn es Gott gefällt.
2. Welschland: Italy, a designation that is rather common in German literature.

vor Niklas' Hause eingefunden hatten und ehrbar neugierig umherstanden, grüßte er alle freundlich, lüftete den Reisehut und reichte ihnen, obwohl unbekannt, die Hand.

Endlich ging man in das Haus, und nach Heidesitte gingen viele Nachbarn mit und waren dabei, wie er Geschenke und Berichte auspackte. Auf der Gasse wurde es stille, die Menschen suchten nach dortigem Gebrauche zeitig ihre Schlafstellen, und die roten Pfingstwolken leuchteten noch lange über dem Dorfe.

Der Heidebewohner

Als des andern Tages die ersten Sonnenstrahlen glänzten und die Heidedorfbewohner bereits im Festputze gerüstet waren, um zur fernen Kirche zu gehen: so war einer der Bewohner mehr, und einer der Kirchgänger mehr. Die Nacht hatte es manchem verwischt,[1] daß er gekommen, aber der Morgen brachte ihnen wieder neu den neuen Besitz, damit sie sich daran ergötzten: die einen mit ihrer Neugierde, die andern mit ihrer Liebe. Alle aber hatten eine unsichere Scheu, selbst die Eltern, was es denn wäre, das ihnen an ihm zurückgebracht worden sei, und ob er nicht ein fremdes Ding in der übrigen Gleichheit und Einerleiheit des Dorfes wäre.

Er aber stand schon angekleidet, und zwar in dem leinenen Heidekleide und dem breiten Hute im Freien, und schaute mit den großen, glänzenden, sanften Augen um sich, als die Mutter zu ihm trat und ihn fragte, ob er auch in die Kirche gehen werde, oder ob er müde sei und Gott zu Hause verehren wolle.

„Ich bin nicht müde," antwortete er freundlich, „und ich

---

1. hatte es manchem verwischt = mancher Heidebewohner hatte es während der Nacht schon vergessen.

werde mit euch gehen"; denn er sah, daß die Mutter zum Kirchengehen angezogen war, und daß auch der Vater in seinem Sonntagsrocke aus dem Hause kam.

Festliche Gruppen zeigten sich hier und da auf dem Anger
5 des Dorfes; manche traten näher und grüßten, andere hielten sich verschämt zurück, besonders die Mädchen, und wieder andere, welche zu Hause blieben und in der Festtagseinsamkeit das Dorf hüten mußten, standen unter den Haustüren oder sonstwo und schauten zu.

10 Und als noch Pfingsttau auf den Heidegräsern funkelte und glänzte, und als die Morgenkühle wehte, setzte sich schon alles in Bewegung, um zu rechter Zeit anzulangen. Felix führte das alte Weib an seiner Hand und leitete sie so zärtlich den sanften Heidebühl hinan, wie sie einstens ihn,
15 da er noch ein schwacher Knabe war und Sonntags vormittags die Ziegen und Schafe zu Hause lassen durfte, damit er hinausgehe und das Wort Gottes höre. Der Vater ging innerlich erfreut daneben, die andern teils voran, teils hinten. Endlich war die letzte Gruppe hinter dem Bühl
20 verschwunden, die Nachschauenden traten in ihre Häuser zurück, und kurz darauf war jene funkelnde Einsamkeit über den Dächern, die so gern an heitern Sonntagvormittagen in den verlassenen Dörfern ist. Die Stunden rückten trockener und heißer vor, eine dünne blaue Rauchsäule stieg hier und
25 da auf, und mitten in dem Garten des Heidehauses kniete die hagere Großmutter und betete. Wie endlich nach stundenlanger Stille durch die dünne, weiche, ruhende Luft, wie es sich zuweilen an ganz besonders schweigenden Tagen zutrug, der ferne feine Ton eines Glöckleins kam, da kniete
30 manche Gestalt auf den Rasen nieder und klopfte an die Brust. Dann war es wieder stille und blieb stille. Die Sonnenstrahlen sanken auf die Häuser nieder, mehr und mehr senkrecht, dann wieder schräge, daß die Schatten auf der andern Seite waren. Endlich kam der Mittag und mit
35 ihm alle Kirchgänger. Sie legten die schönsten Kleider und

Tücher von dem erhitzten Körper, taten leichtere an,[1] und jedes Haus verzehrte sein vorgerichtetes Pfingstmahl.

Und was war es denn, was ihnen an Felix zurückgebracht worden war, und warum ist er denn so lange nicht gekommen, und wo ist er denn gewesen? 5

Sie wußten es nicht.

In der Kirche war er mit gewesen. Fast so kindlich andächtig wie einst, hatte er auf die Worte des Priesters gehorcht, sanftmütig war er neben der Mutter nach Hause gekehrt, und wenn dann bei Tische der Vater das Wort 10 nahm, so brach Felix das seine aufmerksam ab und hörte zu. Gegen Abend saß er mit der Großmutter im Schatten des Holunderbusches und redete mit ihr, die ihm ganz sonderbare und unverständliche Geschichten vorlallte. Wenn dann so den Tag über die Neugier der Mutter in sein Auge blickte, 15 halb selig, halb schmerzenreich; wenn sie nach den einstigen weichen Zügen forschte — ihren ehemaligen heitern, treuherzigen, schönen Heideknaben suchte sie, und sie fand ihn auch: in leisen Spuren war das Bild des gutherzigen Knaben geprägt in dem Antlitze des Mannes, aber unendlich 20 schöner, so schön, daß sie oft einen Augenblick dachte, sie könne nicht seine Mutter sein; — wenn er den ruhigen Spiegel seiner Augen gegen sie richtete,[2] so verständig und so gütig; oder wenn sie die Wangen ansah, fast so jung wie einst, nur noch viel dunkler gebräunt, daß dagegen die 25 Zähne wie Perlen leuchteten, und um diese herum noch dieselben lieblichen Lippen, die aber jetzt reif und männlich waren und so schön, als sollte sogleich ein süßes Wort daraus hervorgehen, sei's der Liebe, sei's der Belehrung:

„Er ist gut geblieben," jauchzte in ihr dann das Mutter- 30 herz; „er ist gut geblieben, wenn er auch viel vornehmer ist als wir."

---

1. taten leichtere an = zogen leichtere Kleider an.
2. wenn er ... richtete = wenn er sie mit seinen leuchtenden Augen ruhig ansah.

Und in der Tat, es war ein solcher Glanz keuscher Reinheit um den Mann, daß er selbst von dem rohen Herzen des Heideweibes erkannt und geehrt wurde.

Was lebte denn in ihm, das ihn unangerührt durch die 5 Welt getragen, daß er seinen Körper als einen Tempel wiederbrachte, wie er ihn einst aus der Einsamkeit fortgenommen?

Sie wußten es nicht; nur immer heiterer und fast einfältiger legte sich sein Herz dar,[1] so wie die Stunden des 10 ruhigen Festtages nach und nach verflossen.

Spät abends erzählte er ihnen, da alle um den weißen buchenen Tisch saßen und auch Marthe mit ihrem Kinde da war und Benedikt und andere Nachbarn. Er erzählte ihnen von dem Gelobten Lande,[2] wie er dort gewesen, wie er 15 Jerusalem und Bethlehem gesehen habe, wie er auf dem Tabor[3] gesessen, sich in dem Jordan gewaschen; den Sinai habe er gesehen, den furchtbar zerklüfteten Berg, und in der Wüste sei er gewandelt. Er sagte ihnen, wie seine gezimmerten Truhen mit dem Postboten kommen würden; dann 20 werde er ihnen Erde zeigen, die er aus den heiligen Ländern mitgebracht, auch getrocknete Blumen habe er und Kräuter aus jenem Lande und Fußtritte des Herrn, und was nur immer dort das Erdreich erzeuge und bringe. Viel heiliger, viel heißer und viel einsamer seien jene Heiden und Wüsten, 25 als die hiesige, die eher ein Garten zu nennen. Wie er so redete, sahen alle auf ihn und horchten, und sie vergaßen, daß es Schlafenszeit vorüber, daß die Abendröte längst verglommen, daß die Sterne emporgezogen und in dichter Schar über den Dächern glänzten.

30 Von Städten, den Menschen und ihrem Treiben hatte er nichts gesagt, und sie hatten nicht gefragt. Die Worte seines

---

1. legte sich sein Herz dar = zeigte sich (der Mutter) sein Herz.
2. von dem Gelobten Lande, (the Promised Land (Palestine)).
3. Tabor: Mount Tabor in Palestine, the reputed scene of Christ's Transfiguration.

Mundes taten so wohl,[1] daß ihnen gerade das, was er sagte, das Rechte dünkte, und sie nicht nach anderm fragten.

Marthe trug endlich das schlafende Kind fort, Benedikt ging auch, die Nachbarn entfernten sich, und noch seliger und noch freudenreicher als gestern gingen die Eltern zu Bett, 5 und selbst der Vater dachte, Felix sei ja fast wie ein Prediger und Priester des Herrn.

Auch auf die Heide war er gleich nach den Feiertagen gegangen, auf seiner Rednerbühne hatte er gesessen. Die Käfer, die Fliegen, die Falter, die Stimme der Heidelerche 10 und die Augen der Feldmäuschen waren die nämlichen.[2] Er schweifte herum, die Sonnenstrahlen spannen, dort dämmerte das Moor, und es war ein Zittern und Zirpen und Singen. Wie der Vater ihn so wandeln sah, mußte er sich über die dünnen grauen Haare fahren [3] und mit der 15 schwielenvollen Hand über die Runzeln des Angesichts streichen, damit er nicht glaube, sein Knabe gehe noch dort, und es fehlen nur die Ziegen und Schafe, daß es sei wie einst und daß die lange, lange Zeit nur ein Traum gewesen sei. Auch die Nachbarn, wie er so Tag nach Tag unter 20 ihnen wandelte, wie ihn schon alle Kinder kannten, wie er mit jedem derselben, auch mit dem häßlichen, so freundlich redete, und wie er so im Linnenkleide durch die neuen Felder ging, glaubten ganz deutlich, er sei einer von ihnen, und doch war es auch wieder ganz deutlich, wie er ein weit anderer 20 sei als sie.

Eine Tat müssen wir erzählen, ehe wir weitergehen und von seinem Leben noch entwickeln, was vorliegt, eine Tat, die eigentlich geheim bleiben sollte, aber ausgebreitet wurde und ihm auf einmal alle Herzen der Heidebewohner gewann. 30

Als endlich die gezimmerten Truhen mit dem Postboten

---

1. taten so wohl = gefielen ihnen so sehr.
2. waren die nämlichen = waren dieselben.
3. über die Haare fahren, (pass his hand over his hair).

in die Stadt und von da durch Getreidewagen auf die Heide gekommen waren, als er daraus die Geschenke hervorgesucht und ausgeteilt, als er tausenderlei Merkwürdiges gezeigt, Blumen, Federn, Steine, Waffen — und alles genug be-
5 wundert worden war, — trat er desselben Tages abends zu dem Vater in die hintere Kammer, als er gesehen hatte, daß derselbe hineingegangen und, wie er gern tat, sich in den hineinfallenden Fliederschatten gesetzt hatte. Er trat beklommen hinein und sagte fast mit bebender Stimme:
10 „Vater, Ihr habt mich auferzogen [1] und mir Liebes getan, seit ich lebe; ich aber habe es schlecht vergolten, denn ich bin fortgegangen, daß Ihr keinen Gehilfen Eurer Arbeit hattet und Eurer Sorge für Mutter und Großmutter, und als ich wiedergekommen, warfet Ihr mir nichts vor,[2] sondern waret
15 nur freundlich und lieb; ich kann es nicht vergelten, als daß ich Euch nicht mehr verlassen und Euch noch mehr verehren und lieben will als sonst. So viel Jahre mußtet Ihr sein, ohne in mein Auge schauen zu können, wie es Eurem Herzen wohlgetan hätte; — aber ich bleibe jetzt immer,
20 immer bei Euch. — Allein weil mich Euch Gott auch zur Hilfe geboren werden ließ, so lernte ich draußen allerlei Wissenschaft, wodurch ich mir mein Brot verdiente, und da ich wenig brauchte, so blieb manches für Euch übrig. Ich bringe es nun, daß Ihr es auf Euer Haus wendet [3] und es
25 Euch im Alter zugute kommt,[4] und ich bitte Euch, Vater, nehmt es mit Freundlichkeit an."

Der Alte aber, hochrot vor Scham und vor Freude, war aufgesprungen und wies mit beiden Händen die dargebotenen Papiere von sich, indem er sagte: „Was kommt dir bei,[5]

---

1. auferzogen = aufgezogen = erzogen, (raised, reared).
2. warfet Ihr mir nichts vor, (you did not reproach me).
3. es auf Euer Haus wendet (verwendet), (use it for . . .).
4. es Euch im Alter zugute kommt, (you may benefit by it in your old age).
5. Was kommt dir bei? (What are you thinking of?)

Felix? Ich bin so erschrocken. Da sei Gott vor,[1] daß ich die Arbeit und Mühe meines Kindes nehme. Ach, mein Gott, ich habe dir ja nichts geben können, nicht einmal eine andere Erziehung, als die dir der Herr auf der Heide gab, nicht einmal das fromme Herz, das dir von selber gekommen. 5 Du bist mir nichts schuldig. Kinder sind eine Gottesgabe, daß wir sie erziehen, wie es ihnen frommt, nicht wie es uns nützt. Verzeihe mir nur, Felix, ich habe dich nicht erziehen können, und doch, scheint es mir, bist du so gut geworden, daß ich vor Freuden weinen möchte." 10

Und kaum hatte er das Wort heraus, so brach er in lautes Weinen aus und tastete ungeschickt nach Felix' Hand; dieser reichte sie, er konnte sich nicht helfen, er mußte sein Antlitz gegen die Schulter des Vaters drücken und das grobe Tuch des Rockes mit seinen heißesten Tränen netzen. Der 15 Vater war gleich wieder still, und sich gleichsam schämend und beruhigend, sagte er die Worte: „Du bist verständiger als wir, Felix. Wenn du bei uns bleibst, arbeite, was du willst; ich verlange nicht, daß du mir hilfst; da ist ja Benedikt und seine Knechte, wenn es not täte; auch habe ich 20 schon ein Erspartes, daß ich mir im Alter einen Knecht nehmen kann. Du aber wirst etwas arbeiten, wie es Gott gefällig und wie es recht ist."

Felix aber dachte in seinem Herzen, er werde doch in Zukunft, wenn es nötig sei, lieber durch die Tat selbst und 25 durch Leistung des eben Mangelnden beistehen, damit ihm das Herz nicht so weh täte, wenn er dem Vater gar nichts Gutes bringen könnte. Ach, das Beste hat er ja schon gebracht und wußte es nicht, das gute, das überquellende Herz, das jedem, selbst dem gehärtetsten Vater ein freudigeres 30 Kleinod ist, als alle Güter der Erde, weil es nicht Lohn nach außen ist, sondern Lohn in der tiefsten, innersten Seele.

Der Vater tat nun gleichgültig und machte sich mit diesem

---

1. da sei Gott vor = Gott bewahre, (God forbid).

und jenem im Zimmer zu tun. Kaum aber war Felix hinaus, so lief er eiligst zur Mutter und erzählte ihr, was der Sohn hatte tun wollen. Sie aber faltete die Hände, lief vor die Heiligenbilder der Stube und tat ein Gebet, das 5 halb ein Frevel stürmenden Stolzes, halb ein Dank der tiefsten Demut war.

Dann aber ging sie hin und breitete es aus.

Das war nun klar, daß er gut war, daß er sanft, treu und weich war, und das sahen sie auch, daß er schön und herrlich 10 war; — des weiteren forschten sie nicht, was es sei und was es sein werde.

Er aber ging und ließ sich, weit draußen von dem Dorfe entlegen, auf der Heide ein Stück Landes zumessen und begann mit vielen Arbeitern ein steinernes Haus zu errich- 15 ten. Daß es größer werde, als er allein brauche, fiel allen auf; aber als es im Herbste fertig war, als es eingerichtet und geschmückt war, bezog er es gleichwohl allein, und so verging der Winter. Es kam der blütenreiche Frühling, und Felix saß in seinem Hause auf der Heide und herrschte, wie 20 einst, über alle ihre Geschöpfe und über all die hohen, stillen Gestalten, die sie jetzt bevölkerten.

Was war es denn aber, was den Eltern und Nachbarn an ihm zurückgebracht worden ist?

Sie wußten es nicht.

25 Ich aber weiß es. Ein Geschenk ist ihm geworden, das den Menschen hochstellt und ihn doch verkannt macht unter seinen Brüdern — das einzige Geschenk auf dieser Erde, das kein Mensch von sich weisen kann. Auf der Heide hatte es begonnen, auf die Heide mußte er es zurücktragen. Bei 30 wem eine Göttin eingekehrt ist, lächelnden Antlitzes, schöner als alles Irdische, der kann nichts anderes tun, als ihr in Demut dienen.

Damals war er fortgegangen, er wußte nicht, was er werden würde. Eine Fülle von Wissen hatte er in sich 35 gesogen; es war der nächste Durst gewesen, aber er war nicht gestillt. Er ging unter Menschen, er suchte sie völkerweise, er hatte Freunde, er strebte fort, er hoffte, wünschte und arbeitete für ein unbekanntes Ziel. Selbst nach Gütern der Welt und nach Besitz trachtete er; aber durch alles Erlangte, durch Wissen, Arbeiten, Menschen, Eigentum 5 war es immer, als schimmere weit zurückliegend etwas wie eine glänzende Ruhe, wie eine sanfte Einsamkeit. Hatte sein Herz die Heide, die unschuldsvolle, liebe Kindheitsheide mitgenommen? Oder war es selber eine solche liebe, stille, glänzende Heide? Er suchte die Wüsten und die 10 Einöden des Orients, nicht brütend, nicht trauernd, sondern einsam, ruhig, heiter, dichtend. Und so trug ihn dieses sanfte, stille Meer zurück in die Einsamkeit und auf die Heide seiner Kindheit. Wenn er nun so saß auf der Rednerbühne, wie einst; wenn die Sonnenfläche der Heide vor ihm 15 zitterte und sich füllte mit einem Gewimmel von Gestalten, wie einst, und manche daraus ihn anschauten mit den stillen Augen der Geschichte, andere mit den seligen der Liebe, andere den weiten Mantel großer Taten über die Heide schleifend; wenn sie erzählten von der Seele und 20 ihrem Glücke, von dem Sterben und was nachher sei, und von anderem, was die Worte nicht sagen können, und wenn es ihm tief im Innersten so fromm wurde, daß er oft meinte, als sehe er weit in der Öde draußen Gott selbst stehen, eine ruhige, silberne Gestalt: dann wurde es ihm 25 unendlich groß im Herzen, er wurde selig, daß er denken könne, was er dachte, und es war ihm, daß es nun so gut sei, wie es sei.

Die blödsinnige Großmutter war die erste gewesen, die ihn erkannt hatte. 30

„Es sind der Gaben eine Unendlichkeit über diese Erde ausgestreut worden," hatte sie eines Tages gerufen, „die Halme der Getreide, das Sonnenlicht und die Winde der Gebirge; da sind Menschen, die den Segen der Gewächse erziehen und ihn ausführen in die Teile der Erde; da sind 35

Menschen, die Straßen ziehen, Häuser bauen; dann sind andere, die das Gold[1] ausbreiten, das in den Herzen der Menschen wächst, das Wort und die Gedanken, die Gott aufgehen läßt in den Seelen. Er ist geworden, wie einer 5 der alten Seher und Propheten, und ist er ein solcher, so hab' ich es vorausgewußt, und ich habe ihn dazu gemacht, weil ich die Körner des Buches der Bücher[2] in ihn geworfen; denn er war immer weich wie Wachs und hochgesinnt wie einer der Helden."

10 Die Großmutter war es aber auch, mit der er allein sich mehr beschäftigte, als alle andern mit ihr. Er war der einzige, der sie zu flüssigen Reden bringen[3] konnte, und der einzige, der ihre Reden verstand. Er las ihr oft aus einem Buche vor, und die hundertjährige Schülerin horchte emsig 15 auf, und in ihrem Angesichte waren Sonnenlichter, als verstände sie das Gelesene.

So war der Frühling vergangen, so waren wieder Pfingsten gekommen. Aber wie waren es diesmal andere Pfingsten als vor einem Jahre! Eine doppelte furchtbare 20 Schwüle lag auf beiden, auf dem Dorfe und auf Felix, und bei beiden löste sich die Schwüle am Pfingsttage — aber wie verschieden bei beiden!

Ich will noch, ehe wir von seinem einfachen Leben scheiden, dieses letzte Ereignis, das ich weiß, erzählen.

25 Wenn er so manchmal von der Heide kam und durch das Dorf ging, Geschenke für die Kinder seiner Schwester tragend, Steinchen, Muscheln, Schneckenhäuser und dergleichen, die Locken um die hohe Stirne geworfen, wie ein Kriegsgott, und doch die schwarzen Augen so sehnsuchtsvoll und 30 schmachtend: dann war er so schön, und es trug ihn wohl manche Dirne der Heide als heimlichen Abgott im Herzen

---

1. die das Gold (das Wort und die Gedanken, die Gott aufgehen läßt) ausbreiten, (to spread, develop, propagate).
2. das Buch der Bücher = die Bibel.
3. sie zu flüssigen Reden bringen, (induce her to talk freely).

verborgen. Aber er selber hatte einen Abgott im Herzen. Einen einzigen Punkt süßen, heimlichen Glückes hatte er aus der Welt getragen, als er ihre Ämter und Reichtümer ließ — einen einzigen süßen Punkt — und heute, morgen, in diesen Tagen sollte es sich zeigen, ob er sein Haus für sich 5
allein gebaut oder nicht. Alle Kraft seiner Seele hatte er zu der Bitte aufgeboten, und mit Angst harrte er der Antwort, die ewig, ewig zögerte.

Wohl kam Pfingsten näher und näher, aber zu der Schwüle, die unbekannt und unsichtbar über des Jünglings 10
Herzen hing, gesellte sich noch eine andere über dem ganzen Dorfe drohend, ein Gespenst, das mit unhörbaren Schritten nahte: es war jener glänzende Himmel, zu dem Felix sein inbrünstiges Auge erhoben, als er jene schwere Bitte abgesandt hatte. Jener glänzende Himmel, zu dem er 15
vielleicht damals ganz allein emporgeblickt, war seit der Zeit wochenlang ein glänzender geblieben, und wohl hundert Augen schauten nun zu ihm ängstlich auf. Felix, in seiner Erwartung befangen, hatte es nicht bemerkt; aber eines Nachmittags, da er gerade von der Heide dem Dorfe zuging, 20
fiel ihm auf, wie denn heuer gar so schönes Wetter sei. Eben stand über der verwelkenden Heide eine jener prächtigen Erscheinungen, die er wohl öfters, auch in morgenländischen Wüsten, aber nie so schön gesehen, nämlich das Wasserziehen der Sonne.[1] Aus der ungeheuren Himmels- 25
glocke, die über der Heide lag, wimmelnd von glänzenden Wolken, schossen an verschiedenen Stellen majestätische Ströme des Lichtes und schnitten aus der gedehnten Heide blendend goldne Bilder heraus, während das ferne Moor in einem schwachen milchichten Höhenrauche verschwamm. 30

So war es dieser Tage oft gewesen, und der heutige schloß sich wie seine Vorgänger; am Abend nämlich war der

1. das Wasserziehen der Sonne: "the drawing of water by the sun," the phenomenon sometimes observed before sunset. It is supposed to be a sign of rain.

Himmel gefegt und zeigte eine blanke hochgelb schimmernde Kuppel.

Felix ging zu der Schwester, und als er spät abends in sein Haus zurückkehrte, bemerkte er auch, wie man im Dorfe
5 geklagt, daß die Halme des Kornes so dünn standen, so zart, die wolligen Ähren pfeilrecht emporstreckend wie ohnmächtige Lanzen.

Am andern Tage war es schön, und immer schönere Tage kamen und schönere.

10 Alles und jedes Gefühl verstummte endlich vor der furchtbaren Angst, die täglich in den Herzen der Menschen stieg. Nun waren auch gar keine Wolken mehr am Himmel, sondern ewig blau und ewig mild lächelte er nieder auf die verzweifelnden Menschen. Auch eine andere Erscheinung
15 sah man jetzt oft auf der Heide, die sich wohl früher auch mochte ereignet haben, jedoch von niemand beachtet worden war. Jetzt aber, wo viele tausend und tausend Blicke täglich nach dem Himmel gingen, wurde sie als unglückweissagender Spuk betrachtet: nämlich ein Waldes- und
20 Höhenzug, jenseits der Heide gelegen und von ihr aus durchaus nicht sichtbar, stand nun öfters sehr deutlich am Himmel, daß ihn nicht nur jeder sah, sondern daß man sich die einzelnen Rücken und Gipfel zu nennen und zu zeigen vermochte. Wenn es im Dorfe hieß, es sei wieder zu sehen,
25 so ging alles hinaus und sah es an, und es blieb manchmal stundenlang stehen, bis es schwankte, sich zerstückte und auf einmal verschwand.

Die Heidelerche war verstummt, aber dafür tönte den ganzen Tag und auch in den warmen taulosen Nächten das
30 ewige einsame Zirpen und Wetzen der Heuschrecken über die Heide und der Angstschrei des Kiebitz. Das flinke Wässerlein ging nur mehr wie ein dünner Seidenfaden über die graue Fläche, und das Korn und die Gerste im Dorf standen fahlgrün und wesenlos in die Luft und erzählten
35 bei dem Hauche derselben mit leichtfertigem Rauschen ihre

innere Leere. Die Baumfrüchte lagen klein und unreif auf der Erde, die Blätter waren staubig, und von Blümlein war nichts mehr auf dem Rasen, der sich selber wie rauschend Papier zwischen den Feldern hinzog.

Es war die äußerste Zeit. Man flehte mit Inbrunst zu dem verschlossenen Gewölbe des Himmels. Wohl stand wieder mancher Wolkenberg tagelang am südlichen Himmel, und nie noch wurde ein so stoffloses Ding wie eine Wolke von so vielen Augen angeschaut, so sehnsüchtig angeschaut, als hier. Wenn es aber Abend wurde, erglühte der Wolkenberg purpurn schön, zerging, löste sich in lauter wunderschöne zerstreute Rosen am Firmamente auf und verschwand, und die Millionen freundlicher Sterne besetzten den Himmel.

So war der Freitag vor Pfingsten gekommen; die weiche, blaue Luft war ein blanker Felsen geworden. Vater Niklas war nachmittags über die Heide gegangen, das Bächlein war nun auch versiegt, das Gras bis auf eine Decke von schalgrauem Filze verschwunden, nicht Futter gebend für ein einzig Kaninchen. Nur der unverwüstliche und unverderbliche Heidesohn, der mißhandelte und verachtete Strauch, der Wacholder, stand mit eiserner Ausdauer da, der einzige lebhafte Feldbusch, das grüne Banner der Hoffnung. Er bot freiwillig gerade heuer eine solche Fülle der größten blauen Beeren, so überschwenglich, wie sich keines Heidebewohners Gedächtnis entsinnen konnte. Eine plötzliche Hoffnung ging in Niklas' Haupte auf, und er dachte als Richter mit den Ältesten des Dorfes darüber zu raten,[1] wenn es nicht morgen oder übermorgen sich änderte. Er ging weit und breit und betrachtete die Ernte,[2] die keiner gesät und auf die keiner gedacht, und er fand sie immer ergiebiger und reicher, sich, weiß Gott, in welche Fernen erstreckend. Aber da fielen ihm die armen tausend Tiere ein, die dadurch würden in Notstand versetzt sein, wenn man die

1. zu raten = zu beraten = Rat zu halten.
2. die Ernte = die großen blauen Beeren des Wacholders.

Beeren sammle. Allein er dachte, Gott der Herr wird ihnen schon eingeben, wohin der Krammetsvogel fliegen, das Reh laufen müsse, um andere Nahrung zu finden.

Da er heimwärts in die Felder kam, nahm er eine Scholle
5 und zerdrückte sie, aber sie ging unter seinen Händen wie Kreide auseinander, und das Getreide, vor der Zeit greis,[1] fing schon an, sich zu einer tauben Ernte zu bleichen. Wohl standen Wolken am Himmel, die in langen, milchweißen Streifen tausendfarbig und verwaschen die Bläue durch-
10 streiften, sonst immer Vorboten des Regens; aber er traute ihnen nicht, weil sie schon drei Tage da waren und immer wieder verschwanden, als würden sie eingesogen von der unersättlichen Bläue. Auch manch anderer Hausvater ging händeringend zwischen den Feldern, und als es Abend
15 geworden und selbst zerstückte Gewitter um den Rand des Horizontes standen und sich gegenseitig Blitze zusandten, da sah ein von der Stadt heimfahrender Bauer selbst die halbgestorbene Großmutter mitten im Felde knien und mit emporgehobenen Händen beten, als sei sie durch die all-
20 gemeine Not zu Bewußtsein und Kraft gelangt, und als sei sie die Person im Dorfe, deren Wort vor allen Geltung haben müsse im Jenseits.

Die Wolken wurden dichter, aber blitzten nur und regneten nicht.

25 Wie Vater Niklas zwischen die Zäune einbog, begegnete er seinem Sohne, und siehe, dieser ging mit traurigem Angesichte einher, mit weit traurigerem, als jeder andere im Dorfe.

„Guten Abend, Felix," sagte der Vater zu ihm, „gibst du
30 denn die Hoffnung ganz auf?"

„Welche Hoffnung, Vater?"

„Gibt es denn eine andere, als die Ernte?"

„Ja, Vater, es gibt eine andere; — die der Ernte wird in

---

1. vor der Zeit greis, (gray, old, aged before its time).

Erfüllung gehen, die andere nicht. Ich will es Euch sagen, ich selber habe etwas für Euch und das Dorf getan. Ich habe zu den Obrigkeiten der fernen Hauptstadt geschrieben und ihnen den Stand der Dinge[1] gemeldet; ich habe Freunde dort, und manche haben mich liebgehabt; sie werden euch 5 helfen, daß ihr keinen Hauch von Not empfinden sollt, und auch ich werde soviel helfen, als in meiner Kraft ist. Aber tröstet Euch und tröstet das Dorf; alle Hilfe von Menschen werdet ihr nicht brauchen, ich habe den Himmel und seine Zeichen auf meinen Wanderungen kennengelernt, und er 10 zeigt, daß es morgen regnen werde. — Gott macht ja immer alles, alles gut, und es wird auch dort gut sein, wo er Schmerz und Entsagung sendet."

„Möge dein Wort in Erfüllung gehen, Sohn, daß wir zusammen glückliche Festtage feiern." 15

„Amen," sagte der Sohn, „ich begleite Euch zur Mutter; wir wollen glückliche Festtage feiern."

Pfingstsamstagsmorgen war angebrochen und der ganze Himmel hing voll Wolken, aber noch war kein Tropfen gefallen. So ist der Mensch. Gestern gab jeder die Hoff- 20 nung der Ernte auf, und heute glaubte jeder, mit einigen Tropfen wäre ihr geholfen. Die Weiber und Mägde standen auf dem Dorfplatze und hatten Fässer und Geschirr hergebracht, um, wenn es regne und der Dorfbach sich fülle, doch auch heuer, wie sonst, ihre Festtagsreinigungen vorneh- 25 men zu können und feierliche Pfingsten zu halten. Aber es wurde Nachmittag, und noch kein Tropfen war gefallen, die Wolken wurden zwar nicht dünner — aber es kam auch Abend, und kein Tropfen war gefallen.

Spät nachts war der Bote zurückgekommen, den Felix in 30 die Stadt zur Post gesendet und brachte einen Brief für ihn. Er lohnte den Boten, trat, als er allein war, vor die Lampe seines Tisches und entsiegelte die wohlbekannte Handschrift:

---

1. Stand der Dinge, (state of affairs).

„Es macht mir vielen Kummer, in der Tat schweren Kummer, daß ich Ihre Bitte abschlagen muß. Ihre selbstgewählte Stellung in der Welt macht es unmöglich, Ihrem Wunsche zu willfahren. Meine Tochter sieht ein, daß so
5 nichts sein kann[1] und hat nachgegeben. Sie wird den Sommer und Winter in Italien zubringen, um sich zu erholen und sendet Ihnen durch mich die besten Grüße. Sonst Ihr treuer, ewiger Freund."

Der Mann, als er gelesen, trat mit schneebleichem An-
10 gesichte und mit zuckenden Lippen von dem Tische weg; an den Wimpern zitterten Tränen. Er ging ein paarmal auf und ab, legte endlich das erhaltene Schreiben langsam auf den Tisch, schritt mit dem Lichte gegen einen Schrein, nahm ein Päckchen Briefe heraus, legte sie schön zusammen, um-
15 wickelte sie mit einem feinen Umschlage und siegelte sie zu; dann legte er sie wieder in den Schrein.

„Es ist geschehen," sagte er atmend und trat ans Fenster, sein Auge an den dicken, finstern Nachthimmel legend. Unten stand ein verwelkter Garten, die Heide schlum-
20 merte, und auch das entfernte Dorf lag in hoffnungsvollen Träumen.

Es war eine lange, lange Stille.

„Meine selbstgewählte Stellung," sagte er endlich, sich emporrichtend, und im tiefen, tiefen Schmerze war es wie
25 eine zuckende Seligkeit, die ihn lohnte. Dann löschte er das Licht aus und ging zu Bett.

Am andern Morgen, als sich die Augen aller Menschen öffneten, war der ganze Heidehimmel grau, und ein dichter, sanfter Landregen träufelte nieder.

30 Alles, alles war nun gelöst. Die freudigen Festgruppen der Kirchgänger rüsteten sich und ließen gern das köstliche Naß durch ihre Kleider sinken, um nur zum Tempel Gottes zu gehen und zu danken. Auch Felix ließ es durch seine

---

1. daß so nichts sein kann = daß sie sich (unter diesen Verhältnissen) mit Ihnen nicht verheiraten kann.

Kleider sinken, ging mit und dankte mit, und keiner wußte, was seine sanften, ruhigen Augen bargen.

Soweit geht unsere Wissenschaft von Felix, dem Heidebewohner. Von seinem Wirken und dessen Früchten liegt nichts vor[1]: aber sei es so oder so, trete[2] nur getrost dereinst vor deinen Richter, du reiner Mensch, und sage: „Herr, ich konnte nicht anders, als dein Pfund pflegen, das du mir anvertraut hast," und wäre dann selbst dein Pfund zu leicht gewesen, der Richter wird gnädiger richten als die Menschen.

Fragen

Lesehilfen und Themen für Sprechübungen

1

Die Heide.

1. Warum wird das Fleckchen Land die Heide genannt?
2. Warum gewinnen manche Menschen gerade solche Orte, wie diese Heide, lieb?
3. Was tat der Knabe, wenn er seine Ziegen und Schafe nicht zu hüten brauchte?
4. Beschreiben Sie den Roßberg!
5. Erzählen Sie, wie der Knabe auf dem Roßberg sein Reich gründete!
6. Erzählen Sie von der Gesellschaft, die der Knabe hier fand!
7. Welche „lebende Gesellschaft" findet der Knabe hier vor?
8. Beschreiben Sie den Knaben, den „herrlichen Sohn der Heide"!
9. Erzählen Sie, wie er über die Heide herrscht!
10. Erzählen Sie von dem Sehnen des Knaben, in die weite Welt zu wandern!

---

1. liegt nichts vor, (there is no record).
2. trete = tritt; archaic form.

2

Das Heidehaus.

1. Erzählen Sie von dem Heidehaus und seiner Umgebung!
2. Warum war es einsam und traurig in diesem Hause geworden?
3. Was wird von dem Vater und der Mutter des Knaben gesagt?
4. Wie zeigen Vater und Mutter ihre Liebe zu dem Knaben?
5. Warum erheben die Eltern keinen Einspruch, daß der Knabe fortgeht?
6. Was erzählt die Geschichte von der Großmutter des Knaben?
7. Was würde der Menschenkenner in der Großmutter erkannt haben?
8. Welchen großen Einfluß hatte die Großmutter auf den Knaben gehabt?
9. Erzählen Sie, wie der Knabe Abschied von der Großmutter nimmt!
10. Erzählen Sie, wie der Knabe von seinen Eltern und seiner Schwester Abschied nimmt!

3

Das Heidedorf.

1. Wie kämpfen die Eltern mit ihrem Schmerz über den Verlust ihres Sohnes?
2. Erzählen Sie, wie der Knabe allmählich von den Heidebewohnern vergessen wird!
3. Wie bekommen die Eltern Nachricht von ihrem Sohne?
4. Welche Veränderungen gehen auf der Heide vor?
5. Welche Veränderungen sind im Heidehause vorgegangen?
6. Wie ist die Großmutter aber immer die gleiche geblieben?
7. Wer allein denkt nur noch an den fortgezogenen Knaben?

8. Erzählen Sie, wie Mutter und Sohn sich begrüßen!
9. Erzählen Sie von der Begrüßung zwischen Vater und Sohn!
10. Wo ist der Sohn in allen diesen Jahren gewesen?

4

Der Heidebewohner: Der Fremde.

1. Welche „unsichere Scheu" hatten die Heidebewohner, selbst die Eltern?
2. Beschreiben Sie den Kirchgang am Pfingstsonntag!
3. Für welche Fragen über Felix suchen die Eltern eine Antwort?
4. Erzählen Sie, wie die Mutter ihn beobachtet und zu welchem Schluß sie kommt!
5. Was erzählt Felix seinen Eltern und den Heidebewohnern?
6. Was denkt der Vater und was denken die Nachbarn von ihm?
7. Erzählen Sie von dem Gespräch zwischen Sohn und Vater!
8. Zu welchem Schlusse kommen die Eltern über ihren Sohn?

Der Siedler.

1. Was fällt den Leuten an dem Hause, das Felix bauen läßt, auf?
2. Welches Geschenk ist Felix geworden, das ihn so hoch über seine Mitmenschen stellt?
3. Erzählen Sie, wie dieses Geschenk ihn unruhig durch die Welt getrieben hat!
4. Warum ist Felix glücklich, „daß er denken konnte, was er dachte"?
5. Erzählen Sie, wie die Großmutter die erste gewesen ist, die ihn erkannt hat!

Der Heimgefundene.

1. Inwiefern sind es diesmal andere Pfingsten als vor einem Jahre?

2. Welche heimliche Hoffnung hatte Felix aus der Welt mit ins Heidedorf gebracht?
3. Der glänzende Himmel, ein drohendes Gespenst über der verwelkenden Heide.
4. Die Angst der Heidebewohner.
5. Die verwelkte Heide.
6. Der verachtete Strauch, der Wacholder, bietet eine überschwengliche Ernte.
7. Felix hilft den Leuten im Dorfe und kündigt Regen an.
8. Was steht in dem Briefe, den Felix erhält?
9. Wie begräbt Felix seine Hoffnungen auf die Welt?
10. Wie ist er glücklich in dem Gefühl seiner „selbstgewählten Stellung"?

Wortschatz

Since this text is designed for the use of students who have passed beyond the elementary stages of their language study, the vocabulary has been somewhat compressed. Omitted are: the majority of the thousand words of greatest frequency for first year high school in Wadepuhl and Morgan's *Minimum Standard German Vocabulary* (New York, 1934), infinitives used as nouns, diminutives, a number of nouns ending in –ung, –heit, –keit, when their meaning is made clear by the corresponding verb or adjective, and compound nouns whose meaning may be readily gathered from their component parts. In all of these cases idiomatic use receives special attention.

Verbs: The principal parts of strong and irregular verbs are indicated.

Nouns: The gender of nouns is given. The genitive singular and nominative plural are indicated when these do not follow the regular type. They are, accordingly, omitted:

In the case of masculine and neuter nouns that have the regular endings of –es (–s) in the genitive singular and –e in the nominative plural. It is assumed that the student knows that masculine and neuter nouns in –el, –en, –er take no further ending in the plural. In the case of feminine nouns that have the regular ending –n or –en in the plural.

Accent: Except in the case of the prefixes: be–, er–, ge–, etc., all words not accented on the first syllable bear the accent mark.

Wortſchatz

A

Abbild *n.* –es –er image
ab=binden a u: kurz — to cut a matter short
ab=brechen a o to stop; das Wort — to stop talking
Abbruch *m.* –s ¨e diminution
Abendglanz *m.* twilight
Abendherr *m.* –n –en evening guest
Abendröte *f.* sunset-glow
Abendſchein *m.* twilight
Abenteuer *n.* adventure
abenteuerlich strange; — reizend with a romantic charm
Abenteurer *m.* adventurer
Aberglaube *m.* –ns superstition
abermalig anew, repeatedly; new
abermals again
Abfahrt *f.* departure
abgängig in his decline, deteriorating (mentally)
ab=geben a e to deliver
abgenagt gnawed off
abgerichtet trained
abgeriſſene Worte disconnected words
Abgott *m.* –es ¨er idol
ab=graben u a to drain
ab=grauen (ſich) to be terrified
ab=halten ie a to detain, hinder
ab=hängen i a to depend
abhängig dependent
ab=heben (ſich) o o to stand in strong relief
Abhilfe *f.* relief
ab=holen to bring from, fetch, get
Abkommen *n.* arrangement, agreement
Abkunft *f.* descent; family
ab=laden u a to unload
ab=lauſchen to learn by listening; get into the secrets of
ab=legen to bear testimony
ab=lehnen to refuse
ab=lenken to turn off
ab=locken to distract, entice from
ab=löſen to relieve (guard)
ab=nötigen to draw from, force from
ab=quälen (ſich) to torment, struggle, drudge
ab=raten ie a to advise against
Abreiſe *f.* departure, starting
Abſagebrief *m.* letter breaking off relations
Abſchied *m.* departure, farewell; — nehmen to take leave
ab=ſchlagen u a to refuse, repel, repulse
Abſchluß *m.* –es ¨e settlement
ab=ſchreiben: dem Biſchof — to break relations with
ab=ſchwenken to wheel aside
ab=ſehen: es darauf — to aim at
Abſicht *f.* intention
abſichtlich intentionally, on purpose
abſon'derlich odd
ab=ſpiegeln (ſich) to be reflected
ab=ſtatten: Beſuch — to pay a visit
ab=ſtechen a o to contrast
ab=ſtehen a a to stand out from
ab=ſtreifen to strip off
Abſtufung *f.* gradation; shade (of a color)
Abt *m.* –es ¨e abbot
ab=tragen u a to clear (the table)
ab=treiben ie ie to repel, refuse
ab=treten a e to give up to

ab=wägen o o to counterbalance
ab=warten to wait for
ab=wechseln to change, alternate
Abwechslung *f.* change
Abwehr *f.* defense
ab=wehren to ward off, keep off
ab=weisen ie ie to refuse, reject
ab=wenden to turn (aside, away from)
abwesend to be absent
Abwicklung *f.* settlement, winding up
ab=ziehen o o to depart
Abzug *m.* –s ⁻̈e withdrawal
Acht: Reiches — ban of the Empire; sich in acht nehmen to take care, be careful
achten to take heed, be mindful of, pay attention to, notice
achtgeben a e to pay attention to, watch
achtlos inattentive, careless
achtungsvoll respectful
ächzen to groan, moan
Adel *m.* nobility; von — sein to be of nobility
adelig noble
Adler *m.* eagle
Advokat' *m.* –en –en lawyer
Affe *m.* –n –n monkey
affektioniert' well-disposed, gracious
Agent' *m.* –en –en agent
Ahnherr *m.* –n –en ancestor; umgehender — ancestral ghost
ähnlich similar
Ahnung *f.* idea, suspicion, notion
Ähre *f.* ear of corn
Ährenwald *m.* field of corn
Aka'zie *f.* acacia
akkurat' = sorgfältig carefully, exactly
albern foolish, silly
all alle alles all, each, every, everything, everybody; alle und jede any
alledem: bei — with all this
Allee' *f.* avenue
allein' but
allerhand all sorts of, all kinds of
allerlei all sorts of; kinds of
allerliebst: am —en (to like) best
allerorten everywhere
allerschrecklichst most terrible
allerwenigst least of all
allezeit always
allgemein common, general
allmählich gradually
allseitig on every hand
allzugern all too gladly
alsobald immediately
alsogleich immediately
Altar' *m.* –s ⁻̈e altar
altehrwürdig time-honored
Alter *n.* age, old age; glückselige — happiness of the good old days
alterie'ren (sich) to get upset
altmodisch old-fashioned
Altstimme *f.* alto voice
Amme *f.* nurse
Ammer *f.* yellow-hammer (a bird)
Amoret'te *f.* amourette, little Cupid
Ampel *f.* (hanging) lamp
Amt *n.* –es ⁻̈er office; position; court-house; — und Würde office; — bekleiden to hold an office
Amtsperson *f.* official
Amtsstab *m.* –es ⁻̈e staff of office
an=bauen (sich) to establish oneself
anbelangend (mich) as far as I'm concerned
anbeten to worship, adore
an=bieten o o to offer
Anblick *m.* appearance; sight, view
an=brechen a o to break; dawn
andächtig devout, pious; mit —em Aufblick with a pious look
Andenken *n.* memory, memorial; souvenir
ändern to change
anders else
an=deuten to hint, suggest
Andeutung *f.* allusion, hint
Andrang *m.* rush, crowding

Anemo'ne *f.* anemone
Anerbieten *n.* offer
an=fachen to fan, incite
an=fahren u a to address harshly
Anfang *m.* –s ⁻e beginning, start
anfänglich in the beginning, at first
an=fertigen to make, prepare; — lassen to have made
an=feuern to animate, excite
an=flehen to plead, implore
Anflug *m.* –es ⁻e trace, tinge; — von Lachen desire to laugh
an=führen to lead; to deceive
Angabe: wörtliche — verbal account
an=geben a e to report, announce
angeboren innate
angegossen: saß wie — 'fitted to a T.'; 'like a glove'
an=gehen i a to start; das geht nicht an that won't do
an=gehören to belong to
Angehörige *m.* –n –n inmate, staff
Angelegenheit *f.* affair, situation, matter
angelegentlich urgent, earnestly, concernedly; um so —er so much the more solicitously
angenehm pleasant, comfortable
Anger *m.* common, the village green
angesehen respected
Angesicht *n.* face
angesichts in sight of, because of
Angestellte *m.* –n –n employee
angetan dressed
angrenzend bordering, adjoining
Angriff: in — nehmen to attack
ängstigen to be frightened, alarmed; fear
ängstlich nervous, uneasy, timid, disquieting, alarming
Anhalt *m.* stopping
an=halten ie a to stop
anhaltend continuously
an=heben o o to start
an=herrschen to talk overbearingly
Anhöhe *f.* hill, elevation
an=kaufen to purchase
an=klagen to accuse
an=klopfen to pat down; knock
an=knüpfen to start (a conversation)
an=kommen a o to arrive; darauf — to depend on
an=kündigen to announce
an=langen to arrive
Anlaß *m.* –es ⁻e occasion; cause; feierlicher — solemn occasion
an=legen to lay out, build; put on
Anleihe *f.:* eine — machen to raise a loan
anliegend adjoining; close fitting
an=lügen o o to deceive (by lying)
an=melden to announce
an=merken to notice
anmutig charming, graceful, sweet
an=nehmen a o to accept, assume
anno gratiae in the year of grace
an=ordnen to order, arrange
Anordnung *f.* arrangement; geschäftliche — erteilen to give a (business) order
an=pochen to knock, rap
an=prallen to bump into; — lassen to pull up short (of horses)
an=reden to address, speak to
Anregung *f.* stimulation
an=richten to incite, cause; start, arrange
anrüchig disreputable
an=sagen to announce
an=schauen to look at, behold
Anschein: sich den — geben to give the appearance of; den — gewinnen to have the appearance; it seems
anscheinend apparently
Anschlag *m.* –s ⁻e scheme, plan
an=schlagen: gut — to thrive
an=schließen (sich) o o to attach, join; eng —d closely fitting
an=schreiben ie ie to charge to one's account
an=sehen a e to look at; sich — to look, see

Ansehen *n.* respect, air, prestige, reputation; ohne — der Person without regard of person
ansehnlich considerable
Ansicht *f.* opinion, idea
an=siedeln to settle
Ansiedler *m.* settler
an=spannen to hitch up (a horse)
Anspielung *f.* allusion
an=sprechen a o to address
Anstand *m.* air, dignity; mit gutem — with great dignity
anständig respectable, decent, reasonable
anstatt instead
an=stecken to infect; attach; light
an=stellen to set on foot, institute; appoint, place; arrange (sich); to go to work, set about
an=stimmen to strike up (a song)
anstoßend neighboring
an=strengen (sich) to exert, strain oneself
Anstrengung *f.* effort, exertion
Antlitz *n.* face
Antrag *m.* –s ‥e proposal
an=treiben ie ie to urge on
an=vertrauen to entrust to
anwachsend growing
Anwalt *m.* –s ‥e advocate, attorney
an=weisen ie ie to appoint, assign
an=wenden a a to use, apply
anwesend (to be) present
an=wiehern to neigh, whinny (at)
Anzahl *f.* number
an=zapfen to tap
an=zeigen to indicate
an=ziehen o o to put on, dress; pull up (reins)
Anziehungskraft *f.* ‥e attraction
Anzug *m.* –s ‥e suit of clothes, attire
Apriko'se *f.* apricot
arg bad, evil; das Ärgste dulden to suffer the worst; — mitspielen deal harshly with; — zusetzen harass; auf Arges gefaßt sein expect (be prepared for) hostility
ärgerlich vexed, disdainfully
ärgern anger, make angry
Ärgernis *n.* scandal
arglos unsuspecting
Argwohn *m.* suspicion; auf — geraten to suspect; einem — nachhängen indulge in a suspicion; leisester — slightest suspicion
arm poor, wretched, miserable; der Ärmste the poor unfortunate
Arma'da *f.* Armaden armada, army
Armband *n.* –es ‥er bracelet
Armbrust *f.* ‥e crossbow
ärmlich poor, scant, meager, miserable
armselig wretched, miserable, poor
Armut *f.* poverty
Art: nach seiner — in his own manner; auf die — in that way; nach gewohnter — in the usual manner; feinere — nice manners; wie es die — ist as is the custom
artig nice, good, well-behaved
Ast *m.* –es ‥e branch
Atem *m.* breath
Atemschöpfen *n.* breathing
Atemzug *m.* –s ‥e breath, breathing
Äther *m.* air, ether
Attentat' *n.* criminal attempt, attack
auf=bahren to lay out
auf=bieten o o to rouse; exert
auf=binden a u to tie up
auf=blitzen to flash
auf=blühen to flourish
auf=brausen to flare up
auf=brechen a o to break up
auf=bürden to saddle upon, impose
aufdringlich obtrusive
aufeinan'der=treffen a o to clash
Aufenthalt *m.* hiding place, abode
auf=fahren u a to drive up; rise abruptly, flare up
auf=fallen ie a to notice, strike, attract attention

auffallend striking
auffällig conspicuous
auf=fassen to regard, construe
auf=flammen to blaze, kindle; flare up, flash
auf=fordern to ask; urge; order
auf=führen to erect
Aufgebot *n.* publication (bans of matrimony); enrollment for military service; calling out of conscripts
aufgedrungen forced upon
aufgehend ripping
aufgeregt excited
aufgeschlagen open, spread out
aufgeweckter Kopf bright mind
auf=greifen i i to pick up
auf=halten ie a to detain, hinder
auf=heben o o to save, keep, care for
auf=heitern to cheer up
auf=horchen to listen (attentively), be all ears
auf=hören to stop
auf=klappern to tap, rap
Aufklärung *f.* enlightenment, rationalism
auf=laden u a to load up
auf=lesen a e to pick up
auf=lodern to flare up
auf=lösen (sich) to separate, dissolve; (re)solve
auf=machen (sich) to set out, go
aufmerksam watchful, careful; attentively, closely
auf=muntern to cheer up, encourage
Aufnahme *f.* reception
auf=nehmen a o to receive, accept, take in
auf=quellen o o to spring up, open with a gush
auf=raffen (sich) to pull oneself together; regain one's composure
auf=rechnen to charge to
aufrecht upright; — halten to maintain
auf=regen to stir up, excite
Aufregung *f.* excitement
auf=reißen i i to open violently, jerk open
auf=richten (sich) to straighten up, sit up, rise
aufrichtig sincere, frank
Aufruhr *m.* riot, excitement
auf=rühren to stir up
Aufschlag *m.* –s ¨–e lapel
auf=schlagen u a to lift; throw back; tuck up
auf=schließen o o to unlock, open
Aufschrift *f.* inscription
auf=setzen to put on
Aufsicht *f.*: — führen to supervise
auf=sperren to open (wide)
auf=spielen to strike up, play music; zum Tanze — play music for a dance
auf=stacheln to stimulate
auf=stellen to set up, serve
Aufstellung *f.* position, arrangement
auf=suchen to search for, hunt up
auf=tauchen to arise, occur
auf=tischen to serve
Auftrag *m.* –s ¨–e commission, instruction, order
auf=tragen u a to bring in, serve
auf=treten a e to step forth, appear
Auftritt *m.* scene; empörender — revolting scene
auf=tun a a to open (up)
auf=warten to wait on, serve; oblige with; pay one's respects
aufwärts up
Aufwehen *n.* rising wind
auf=weisen ie ie to exhibit, produce
auf=wiegen o o to counterbalance
auf=zeichnen to write down, put on record
Aufzeichnung *f.* record
auf=ziehen o o to draw up (open); take up; rear, raise
Auge: im — behalten to keep an eye upon; nicht aus dem — lassen keep one's eye upon; ins — fassen observe, notice

Augenaufschlag *m.* casting (raising) of the eyes; looking up
augenblicklich instantly
Augenbraue *f.* eye-brow
augenscheinlich evidently
aus=arten to get out of bounds
aus=atmen to breathe one's last; die
aus=beuteln to fleece, clean out
Ausbildung *f.* culture, training
aus=bleiben ie ie to stay away; fail (to come)
Ausblick *m.* view, prospect
aus=breiten to spread, divulge
Ausbruch *m.* –s ⁼e outburst
Ausdauer *f.* perseverance
Ausdruck *m.* –s ⁼e expression
ausdrücken (sich) to express oneself; 'to represent'
ausdrücklich explicit
auseinan'der apart, separated
aus=führen to export; carry out
Ausgabeposten *m.* item of expenditure
Ausgang *m.* –s ⁼e exit, issue, outcome, end
aus=geben (sich) a e to pass oneself off, pretend
aus=gehen i a to go out; come to an end; um Arbeit — look for work
ausgehungert starved, famished
ausgenommen except, with the exception of
ausgeschlagen lined (coat)
ausgestampft paved, packed down
ausgesucht choice, far-fetched; selected
ausgezeichnet excellent
aus=gleichen i i to equalize
aus=halten ie a to endure, bear
aus=heben o o to recruit
aus=klopfen to clean, beat
Auskommen *n.* livelihood
Auskunft *f.* ⁼e information
Ausländer *m.* foreigner
aus=laufen ie au to result in, end
Ausläufer *m.* errand boy
aus=legen to interpret
aus=löschen to blot out, extinguish
Auslösungssumme *f.* price for redeeming
Auslug *m.* look-out
aus=lugen = aus=gucken to scan
ausnahmsweise exceptional
ausnehmend exceptionally
aus=packen to unpack
aus=prägen to stamp, impress
aus=reißen i i to run away, escape
Ausruf *m.* exclamation
Ausrufungszeichen *n.* exclamation mark
aus=rüsten to furnish
Aussage *f.* statement
aus=schauen to look
aus=schlagen u a to refuse, decline, reject; line a garment
ausschließlich exclusively
aus=sehen a e to look
Aussehen *n.* appearance
außer besides; — sich sein to be beside oneself
äußer external, outward
außergewöhnlich extraordinary
äußern (sich) to express oneself
äußerst extremely, exceedingly; aufs —e treiben to go to the utmost; die —e Zeit high time
Aussicht *f.* prospect, view
aus=spannen to unhitch
aus=sprechen (sich) a o to express, pronounce; to talk matters over
Ausspruch *m.* –s ⁼e speech, remark
Ausstellung: — der Klage filing of a complaint
aus=stoßen ie o to utter
aus=streuen to spread, scatter; sow; circulate
aus=teilen to distribute
Austrag *m.* –es ⁼e decision, settlement; zum gütlichen — for a friendly settlement
aus=treiben ie ie to evict
aus=üben to exercise

aus=weichen i i to turn away from, avoid, evade
aus=zeichnen to distinguish oneself
aus=ziehen o o to take off
Auszug *m.* –s ¨–e emigration, departure; abstract; im — abridged
Axel = Alexander

B

bacchan'tisch bacchantic
Backenbärtchen *n.* light beard
Backwerk *n.* pastry, cakes
bahnen to build (a road)
bald: — **bald** alternately
ballen: die Hände — to clinch the hands
Ballfrack *m.* –s ¨–e dress coat
Band *n.* –es ¨–er ribbon; —es –e bond
bang anxious, uneasy
Bankett' *n.* –s –e banquet
Bankier (pronounce Ban–ki–é) *m.* –s –s banker
Banner *n.* banner
bar bare, naked; cash; — Geld cash
Bär *m.* –en –en bear
bärbeißig grumpy
barfüßig barefooted
barhäuptig bareheaded
barmherzig merciful
Bart *m.* –es ¨–e beard
Bartwichse *f.* cosmetic (mustache paste)
Base *f.* cousin
Basel city in Switzerland
bauen to build, construct, cultivate
Bauernknecht *m.* farmer's hired man
Bauholz *n.* –es ¨–er building block
Baumwipfel *m.* tree-top
bäurisch boorish, rude
Bausche *f.* pad, compress
beachten to observe, notice
Beachtung *f.* consideration
Beängstigung *f.* anxiety
beanstanden to object to
beargwöhnen to suspect
beben to tremble
bedächtig thoughtful(ly), slow(ly), careful(ly)
bedachtlos thoughtlessly
bedauern to regret, be sorry
bedecken to cover
Bedeckung *f.* escort, safe-guard
bedenken a a to consider
bedenklich thoughtful, serious; — werden to become dubious
bedeuten (with dat.) to direct, tell; mean, signify
bedeutend important, significant, considerable
bedeutsam significant
Bedeutung *f.* meaning
bedienen to serve; (sich) make use of, employ
bedrängen to press hard
bedrohen to threaten
bedungen (bedingen to agree): der —e Lohn the reward agreed upon
bedürfen bedurfte bedurft to need, be necessary
Bedürfnis *n.* need, necessity; zum — werden to become a necessity
befangen sein to be overcome; embarrassed, taken up by
Befehl *m.* order, command
befehlen a o to order
befehligen to command
befestigen to establish, confirm, strengthen
befinden (sich) a u to find oneself
Beförderung *f.* furtherance, promotion
befremdet surprised, astonished
befugt sein to be authorized
Befürchtung *f.* apprehension, fear
begeben (sich) a e to go, venture; betake oneself; es begab sich it happened
Begebenheit *f.* event, incident
begegnen to meet

begehen i a to celebrate; walk through; einen Fehler — make a mistake
Begehr *m.* desire
begehren to desire, request, ask, demand, wish
begeistert enthusiastic
Begeisterung: von — ergriffen overcome with enthusiasm
Begierde *f.* eagerness
begierig desirous
begleiten to accompany
Begleiter *m.* companion, escort
begnügen (sich) to be satisfied
begraben u a to bury
Begräbnis *n.* burial
Begräbnisstelle *f.* burial place
begreifen i i to comprehend, understand
Begriff *m.* concept; im — sein be about to; mindesten — faintest conception
begründen to establish; found, base
Begründung *f.* foundation; justification
Begünstigung *f.* support, approval
begütert sein to be wealthy
begütigen to soothe, appease
behagen to please
behaglich pleasant, comfortable, agreeable
behalten ie a to keep
behandeln to treat
beharrlich persistent
behaupten to maintain; das Schlachtfeld — win the battle
behende quick, rapid, agile
Behendigkeit *f.* quickness, agility
beherrschen (sich) to control oneself
beherzigen to take to heart
behilflich sein to assist, be of help to
behüten to guard, protect
behutsam cautious
bei=behalten ie a to retain
bei=bringen a a to impart, teach, instil, convey
beichten to confess
Beichtvater *m.* –s ¨ father confessor
beide both; die —n the two
Beifall *m.* applause
beifällig approving
bei=fügen to add
Beihälterin *f.* –nen mistress
beiläufig incidental
bei=legen to settle
bei=messen a e to attribute to
beina'he almost
Beischlagsbank *f.* ¨e a bench on the raised platform before the front of a house
beisei'te aside
Beistand: unter — with the aid of
bei=stehen a a to help, assist
bei=stimmen to agree
Beitrag *m.* –s ¨e contribution
bei=tragen u a to contribute
bei=wohnen be present at, witness
bejahen to assent, answer in the affirmative
bejauchzen to greet with cheers
bekannt known
Bekehrung *f.* conversion
bekennen (sich) a a to acknowledge, confess, avow
bekleiden to clothe; ein Amt — hold an office
beklemmend oppressive; suppressed
beklommen uneasy, depressed
bekränzt garnished
bekriegen (sich) to wage war
Bekrönung *f.* top
bekümmern to care about
Bekümmernis *f.* –se sorrow, solicitude
bekümmert oppressed, concerned, troubled
beladen laden
belaubt covered with foliage
belauschen to watch, overhear
beleben to enliven, animate
Belegstück *n.* document
Belehrung *f.* instruction, information
beleidigen to insult, offend, injure

beleuchten to light up
beliebt favorite; — **sein** to be in favor
belustigen (sich) to take pleasure in, be amused, make merry
bemächtigen (sich) to take possession of
bemalen to decorate, paint over
bemeistern to control
bemerken to notice, remark
Benehmen *n.* behavior, action
beneiden to envy
Benennung *f.* appellation, name
benutzen to use, take advantage of
beobachten to see, observe, watch
bepackt loaded
bequem' commodious, comfortable, convenient
beraten ie a to advise, counsel, plan; (beschließen) to decide on
Beratung *f.* deliberation
berauben to rob, deprive of
berauschend thrilling
berauscht intoxicated
berechnen to calculate
berechtigt sein to be entitled, have a right to
Berechtigung *f.* justification
beredt ready in speech, eloquent
bereift frosted
bereit ready
bereiten to prepare, cause, get ready
bereits already
bereuen: den Handel — to regret the transaction
bergen a o to shelter, harbor, hide
Bergkommissa'rius (pl.) Kommissa'rien commissioner of mines
Bericht *m.* account, report
berichten to tell, inform, state, give an account
Beruf *m.* business, profession, trade
beruhigen to calm, appease
beruhigt fühlen (sich) to feel reassured
berühmt famous
berühren to touch, move, affect, enter upon
Berührung *f.* contact
besagt aforesaid
beschäftigen to occupy; keep busy
beschäftigt busy, occupied
beschämen (sich) to disgrace oneself
beschämend mortifying, disgraceful
beschämt ashamed
beschatten to shade
beschauen to look at
Bescheid *m.* information; **bündig — geben** to answer to the point; — **wissen** be acquainted with, informed
bescheiden moderate, unassuming, discreet
bescheiden (sich) ie ie to moderate one's desires, allot
Bescheidenheit *f.* modesty
beschenken to present (with a gift)
bescheren to give, make a present of
beschieden sein to be allotted
beschimpfen to curse, insult
beschirmen to protect
beschleichen i i to prowl about
Beschleichung *f.* stealing upon, prowling about
beschleunigen to quicken, hasten
beschließen o o to decide, resolve; end
beschneiden i i to prune
beschränkt dull, limited
beschreiben ie ie to describe
beschuldigen to accuse
beschützen to protect
beschwerlich troublesome
beschwichtigen to pacify
beschwören u o to declare, plead, adjure, implore, affirm
Besenstiel *m.* broom-stick
besetzen to fill, occupy
besiegelt sealed
besinnen (sich) a o to reflect, reconsider, devise
Besinnung *f.* reason, senses; consciousness

Besitz: — ergreifen to take possession
besitzen a e to possess, own
Besitznahme *f.* occupation
Besitzung *f.* property
besonder special, separate, particular; besonders particularly; ein ganz Besonderes something special (extra)
Besonnenheit *f.* discretion
besorgen to attend to, secure, take care of
Besorgnis *f.* –se fear, alarm
besorgt sein to fear, be concerned, disquieted; take care
bespannt hitched
besser better; sich bessern to improve, change for the better
Besserung *f.* reform, correction
Besserungshaus *n.* –es ⸗er home of correction
best: zum —en geben to tell
beständig constantly
bestärken to strengthen, confirm
bestätigen to confirm, affirm
bestatten to bury
Bestechung *f.* bribery
Besteck *n.* (sewing) outfit
bestehen a a to consist of
bestehlen a o to rob
besteigen ie ie to mount, ascend
bestellen to order; cultivate; get
bestimmen to intend, determine
bestimmt definite, determined
bestürmen to assail, importune (a person)
Bestürzung *f.* dismay, consternation; in tiefster — in great bewilderment
Besuch: auf — wollen to intend a visit
betäubt confused, bewildered, stunned
Beteiligte *m.* party concerned
beten to pray
beteuern to affirm, assure, assert
betonen to emphasize
betrachten to look at, survey, observe
beträchtlich considerable
Betrachtung *f.* meditation
Betrag *m.* –s ⸗e amount
betragen (sich) u a to behave
Betragen: gefälliges — pleasant manner
betreten a e to enter; betreten (partic.) embarrassed
betroffen embarrassed, perplexed
betrübt grieved, sad
Betrug *m.* –es deception
betrügen o o to deceive
Betrüger *m.* impostor
betrunken drunk, drunken
betteln to beg
betten to bed, lay out (in death)
Bettler *m.* beggar
beunruhigen to disturb
Beurlaubung *f.* leave, granting of leave
beurteilen to judge
Beute *f.* booty, prize
Beutel *m.* pouch, purse
bevölkern to populate
bevollmächtigen to authorize
bevor=stehen a a to impend
bewachen to guard, watch
bewaffnen to arm
bewahren to preserve, safeguard; Gott bewahre! God forbid!
bewähren (sich) to prove true, hold good
bewegen to move, disturb
beweglich nimble, quick-moving, sprightly; touchingly; schwer= — moving with difficulty
bewegt agitated, moved; —e Tage exciting days
Bewegung *f.* agitation, commotion; sich in — setzen to start moving
beweisen ie ie to show, manifest, prove
bewerkstelligen to accomplish
bewirten to entertain
bewohnen to inhabit, occupy
Bewohner *m.* resident; dweller; occupant

bewölkt cloudy; —e **Stirn** clouded brow
bewundern to admire
Bewunderung *f.* amazement
bewußt sein (sich) to be conscious of, be aware of, know
bewußtlos unconscious
Bewußtsein: zum — zurückbringen to bring back to one's senses; zu — gelangen become conscious
bezahlen to pay
bezeichnen to mark, designate
bezeigen (sich) to show oneself
beziehen o o to move into (a house); sich — refer to
Beziehung *f.* connection, respect
Bibliothek' *f.* library
bieder honest, worthy
bieten o o to offer, hand to
Bilanz'rechnung *f.* balance-account
bilden to form, develop; sich — to educate oneself
Bildnis *n.* –ses –se portrait
bildsam plastic, pliable
Bildwerk *n.* picture, relief
binnen kurzem shortly, ere long
Birne *f.* pear
Bischof *m.* –s ⁻̈e bishop
bisher' up to this time
bißchen bit, little
Bissen *m.* bit, bite
biswei'len occasionally
Bitte *f.* request
bitten a e to ask, request, beg; — lassen send a request
bitterböse dreadful; extremely angry
blach bleak
blank bright, shining, polished; mit —en **Waffen** with drawn weapons
blasen ie a to blow, play
blaß pale
Blatt *n.* –es ⁻̈er sheet of paper
blauduftig in a blue haze
Bläue *f.* blue color, blueness
blauen to turn blue, shine with a blue lustre
bleiben ie ie to stay, remain, adhere to
bleich pale, pallid
bleichen to bleach; pale, blanch, make pale
blenden to blind, dazzle
Blendwerk *n.* delusion, deception, illusion
Blick *m.* glimpse, glance, look; einen — werfen cast a look
blinken to shine, sparkle, gleam
blinzeln to blink, wink
Blitz *m.* lightning, flash of thought
blitzen to flash, gleam
blitzschnell quick as lightning
Block *m.* –es ⁻̈e stone, rock
blöde bashful; stupid; dim
Blödigkeit *f.* bashfulness
Blödsinn *m.* nonsense; idiocy
blödsinnig idiotic, silly, feeble-minded
bloß mere, bare; auf —em **Leibe** on the bare body; nicht — not only
bloß=legen to lay bare
Blüte *f.* blossom
Blütenstrauß *m.* –es ⁻̈e bunch of flowers, blossoms
blutjung very young
blutrünstig running with blood, bloody
Blutzeuge *m.* –n –n 'blood' witness; martyr
Bock *m.* –es ⁻̈e high office-stool; box of a carriage; he-goat; stößiger — vicious goat
Bocksprung *m.* –s ⁻̈e leap, skip, caper
Bogen *m.* bow; in weitem — in a wide circle
Bogengang *m.* –es ⁻̈e archway
böhmisch Bohemian
bolzgerade straight, bolt upright
Born *m.* source
böse evil, wicked, bad
Bösewicht *m.* –s –er villain
boshaft mischievous

Bosheit *f.* malice
Bote *m.* –n –n messenger
Botschaft *f.* message, news
Böttcher *m.* cooper
brandmarken to brand, stigmatize
Branntwein *m.* brandy
Braten *m.* roast
Bratenwender *m.* turn-spit
brauchen to need
Braue *f.* eyebrow
bräunen to become brown, tanned
Braunschweig Brunswick
brausen to burst forth, rage, roar
Braut *f.* ⸚e bride; affianced, fiancée
Brautfahrt *f.* wooing journey
Bräutigam *m.* bridegroom
Brautstaat *m.* wedding clothes
brav good, worthy
Bravour' (French) valour, bravery
brechen a o to break; grow dim (in death)
Brei: — aus Hirse millet-pudding
breit broad, diffuse
breiten to spread
Brettspiel *n.* game of chess (or) checkers, "board game"
Briefumschlag *m.* –s ⸚e envelope
Brigg *f.* — –s brig (a two-masted, square-rigged vessel)
bringen: über sich — bring oneself to do something
Brocken *m.* odds and ends
Bruchstück *n.* fragment
Brücke *f.* bridge
Brühe *f.* broth, soup
brüllen to low, roar, bellow
brummen to growl, grumble
Brünne *f.* armor-plate, breast-plate
Brunnen *m.* well, spring
Brustbild *n.* –es –er half-length portrait
Brustharnisch *m.* breast-plate
Brusttasche *f.* breast-pocket
brüten to brood
Bube *m.* –n –n boy, lad; rascal; scoundrel
bubenhaft boy-like
buchen of beechwood
Buchhalter *m.* book-keeper
Büchschen *n.* small box
Buchseinfassung = Buchsbaumeinfassung *f.* boxwood-border
Büchsenstein *m.* flint
Buchstabe *m.* –n –n letter of alphabet; handwriting
Bügel = Steigbügel *m.* stirrup
Bügeleisen *n.* flat-iron
bügeln to iron
Bühl *m.* (South German) hill
Bühne *f.* stage, platform
bündig conclusive, convincing
Bündnis: — schließen to make an alliance, a friendship
bunt varicolored
Burg *f.* castle
bürgen to guarantee, vouch for, trust
bürgerlich civil, common
Bürgermeister *m.* mayor
Bürgerschaft *f.* citizens
Bürgertugend *f.* civic virtue
Bursch *m.* –en –en youngster, lad
Bürste *f.* brush
Busen *m.* bosom, chest
Buße *f.* penance, repentance
büßen to atone, satisfy

C

Camellia = Kame'lie *f.* camellia
Champagner *m.* champagne
Chor *m.* –es ⸚e choir
Chronik *f.* chronicle
Comptoir'stuhl *m.* (French): Comptoir = (German): Kontor'

D

dabei' sein to be present
dage'gen on the other hand
dagewesen sein to be present, exist
daher' hence, therefore
daher=kommen a o to approach, come along

dahin' along, to that place; bis — till then
dahin=schwinden a u to pass away
dahin=winden a u to wind, move along
damals at that time
Damastdecke *f.* damask curtain
dämmerig dusky, dim
dämmern to dawn
Dämmerstunde *f.* twilight
Dämmerung *f.* twilight; das Hereinbrechen der — the coming of dusk
Dä'mon *m.* –s Dämo'nen demon, fiend
dämpfen to soften, muffle
dankbar thankful, grateful
dann then, under those circumstances
dannen: von — away
dar=bieten o o to offer
darein' into it
dar=legen to disclose, show, explain
darob' thereupon, upon that
dar=stellen (sich) to present, portray
Darstellung *f.* performance, exhibition
dar=strecken to hand out, offer
darum therefore; about it
Dasein *n.* existence; würdiges — worthy existence
daselbst there
dauern to last
davon'=gehen i a to depart
davon=laufen ie au to run away from
davon=reisen to leave
davon=tragen u a to carry off
dazu' in addition
da'zumal then
dazwi'schen=treten a e to intercede, intervene, interfere
dazwischen=werfen (sich) a o to intervene
Dechant' *m.* –en –en deacon, dean
Decke *f.* ceiling, cover
Deckel *m.* cover, upper crust (of pastry)
decken: den Tisch — to set the table
Degen *m.* sword
dehnen to spread; (sich) — stretch
demaskie'ren unmask, discover
dem'gemäß accordingly
demnach' accordingly, on that account
Demut *f.* humility
demütig humble
denkbar thinkable, imaginable
Denkspruch *m.* –es ¨–e motto, maxim
denkwürdig notable
dennoch nevertheless
Deposition': gerichtliche — legal testimony, sworn before the court
derb sound, rough, coarse, hard, sharp, heavy
dereinst' some future day
derentwillen: um — on whose account
dergleichen such things, such, the like, such as
derjenige that (one), that (which)
Dero Frau Liebste your dear wife (dero = old gen. of der)
dersel'be the same, the latter, he
derzeit' at that time
desglei'chen such as
deshalb for this reason
Desna, Weichsel Russian and Polish rivers
desperat' desperate; heedless
desto besser all the better
deswegen on that account
Deut *m.* doit, trifle, 'a tinker's dam'
deuten to point, nod; — auf point to
deutlich plain, clear, distinct, definite
Devi'se *f.* device, motto
dicht dense, close
dichtgedrängt closely crowded
Dichtung *f.* poetry; phantasy
Dichtungsfülle *f.* richness of imagination
Diele *f.* floor

Dienst *m.:* — leisten to serve; in —en sein be in the service
Dienstbote *m.* –n –n servant
dienstfertig useful; obligingly
Dienstleistung *f.* service
Dienstmagd *f.* ⸗e servant-girl
Dienstmann *m.* –es Dienstmannen vassal, soldier, bondsman
Ding *n.* affair, matter; ein eigen — a strange matter (or) thing
Dirne *f.* maiden; wench, hussy
Distel *f.* thistle
Distelfink *m.* gold-finch
doch nevertheless, surely, still
Dolch *m.* dagger
Domkirche *f.* cathedral
donnern to thunder
Donnerwetter by Jove! by George!
Doppelgänger *m.* double
Doppelpult *n.* double desk
dortig there, of there; die Dortigen the people of that place
Dose *f.* (snuff) box
Drache *m.* –n –n dragon
Draht *m.* –es ⸗e wire
drako′nisch Draconian, summary
Drang *m.* desire, passionate longing
drängen (sich) to press, crowd, urge
drapie′ren (sich) to drape
draußen outside
drehen to turn
dreifach threefold
Dreifuß *m.* –es ⸗e tripod
drein = darein thereinto; hinter ihm — right after him
Dreispitz *m.* three-cornered hat (such as worn in colonial days)
dreist bold
dringen a u to penetrate, press forward
dringend = dringlich urgent, pressing
drohen to threaten; mit dem Finger — shake one's finger threateningly
dröhnend resounding
drollig comical, droll, funny
drüben over there
drücken to press, squeeze; die Hand — to shake hands
dubium doubt
ducken (sich) to duck, dodge, crouch
Duell′ *n.* duel
Duft *m.* –es ⸗e smell
duften to exhale fragrance
duftig fragrant
Duftstreif *m.* –ens –en mist, haze
Duftwolke *f.* cloud of fragrant (smoke)
Duka′ten *m.* ducat
dulden to endure
dumpf oppressive, gloomy
dunkel dark
dünkelvoll conceited
dünken to seem
Dunst *m.* –es ⸗e streak of mist
durchaus positively, absolutely
durchboh′ren to pierce
durchdringend penetrating
durcheinan′der in confusion, all in a muddle
durchflie′gen o o to run over, peruse hastily
durch=führen to carry through
durch=gehen i a to run away
durchschau′en to see through, notice
durchstrei′fen to roam through, cross
durchtrie′ben sly
dürftig needy, shabby, plain, homely
dürr: —e Heerstraße (dusty) highway
Durst: den — stillen to quench thirst
düster gloomy
dutzendweise by the dozens
Dyna′stengeschlecht *n.* –s –er dynasty; of noble blood

E

eben flat, plain; just, just now
Ebenbild: leibhaftiges — the very picture

ebenfalls likewise
ebenmäßig regularly, continuously
ebenso likewise, just so, just as
echt genuine
edel noble, precious; fine (wine)
Edelmann *m.* –s Edelleute nobleman, man of honor
edelschlank "nobly" slender
Edelsitz *m.* nobleman's estate
Efeu *m.* ivy
Ehe *f.* marriage, married life; die — brechen to commit adultery
Ehebrecher *m.* adulterer
Ehebruch *m.* –s ⸗e adultery
Eheleute (plur.) married couple
ehelich marital, legitimate
Eheliebster *m.* husband
ehemalig former
ehender = eher sooner
eher sooner, before, rather
ehrbar honest, serious
Ehre *f.* honor; die — erweisen to do the honor; um die — a matter of honor; zu —n in honor of; in —n stehen to be honorable
ehren to esteem, honor
ehrenfest honorable
Ehrengeschenk *n.* gift of honor; testimonial
ehrerbietig respectful; sich — halten to conduct oneself respectfully
Ehrerbietung *f.* deference
Ehrfurcht *f.* respect, reverence
ehrfurchtsvoll respectfully
Ehrgefühl: adliges — sense of honor
Ehrgeiz *m.* ambition; versetzten — misplaced ambition
ehrsam respectable
ehrwürdig dignified, venerable
Eichstamm *m.* –s ⸗e oak-tree
eiersaufend egg-sucking
Eifersucht *f.* jealousy
eifrig eager, lively, busily
eigen own, peculiar to, characteristic of
eigenhändig in one's own handwriting
Eigenschaft *f.* characteristic, quality
eigentlich real, really, properly; to be exact
Eigentum *n.* (plur. Eigentümer) property
eigentümlich peculiar, singular
Eile *f.* haste; — haben to be in a hurry
eilen to hurry; es eilt we must hurry
eilfertig hasty, hurriedly
eiligst hasty, speedy, swift
Eimer *m.* pail
ein=bilden (sich) to think, imagine
Einbildung *f.* imagination
ein=büßen to lose
ein=dringen a u to invade
eindringlich impressive, penetrating, urgently
Eindruck *m.* –s ⸗e impression
Einerlei *n.* monotony
ein=ernten to reap
einfach simple
Einfall *m.* –s ⸗e idea, fancy
ein=fallen ie a to occur, think of
einfältig silly, stupid; simple
ein=fassen to encircle
ein=finden (sich) a u to gather, assemble, appear, return
Einfluß *m.* –es ⸗e influence
einförmig monotonous
Einfuhr *f.:* hastig belebte — sudden vigorous stowing away
Eingang *m.* –s ⸗e entrance
ein=geben a e to inspire
eingedenk (with genit.) mindful of
ein=gehen i a to enter into; auf den Handel — enter into a transaction
eingehend thoroughly
Eingemachte *n.* preserves
eingeschlossen inclosed
eingewickelt wrapped up
ein=graben u a to engrave
ein=greifen i i to interfere with

ein=heizen to make a fire
einher' along
einher=gehen i a walk along
Einhorn *n.* –s ⁻er unicorn
ein=hüllen to cover, wrap up, envelop
einig werden to agree
einigen (sich) to come to an agreement
ein=kassie'ren to cash
Einkauf: eines —s halber on account of a purchase
ein=kehren to reveal oneself; stop (at a hotel)
ein=laden u a to invite
ein=leiten to start
ein=lenken to check oneself, change the subject
einleuchtend self-evident
ein=machen to preserve
einmal: nicht — not even; auf — all at once
ein=mischen to mix, insert; (sich) to interfere
ein=nähen to sew up
ein=nehmen a o to capture, conquer
einnehmend engaging, captivating
ein=nisten (sich) to nestle; get established, settle
Einöde *f.* solitude
ein=prägen to instil, inculcate
ein=reiten: auf die Menge — to ride into the throng
ein=richten to furnish (a home)
eins: mit — at once
ein=säckeln to pocket
einsam alone, lonely
Einsatz *m.* –es ⁻e stake
ein=saugen o o to draw in
ein=schenken to pour out
ein=schlagen: den Weg — to set out on the way; take a certain direction
ein=schließen o o to inclose
ein=schüchtern to intimidate, abash
ein=sehen a e to realize
ein=setzen to lay down; stake; begin; strike up (music)
Einspänner *m.* one horse vehicle
Einsprache erheben to raise protest
ein=sprechen a o to call
Einspruch *m.* –s ⁻e claim; — **tun** to protest
einst once upon a time, sometime; wie — as once upon a time
Einstehen *n.* substitution
einstens = einst once
einstudiert rehearsed
einstweilen for the present
ein=teilen to divide, classify
eintönig monotonous
Eintracht *f.* harmony
ein=treiben ie ie to collect
ein=treten a e to enter, set in; enter the service; für jemanden — take someone's place
Eintritt *m.* entrance
einverstanden sein to agree
Einverständnis *n.* agreement, understanding
ein=willigen to consent, agree
einzeln single, alone
ein=ziehen o o to enter, make one's entrance
einzig only, alone
Einzug *m.* –s ⁻e entrance; — halten to make an entry
Eisenhändler *m.* dealer in hardware
Eisenhut *m.* –es ⁻e helmet
Eisenschimmel *m.* iron gray horse
Eisenstange *f.* iron bar
eisern of iron
eisig icy, cold
eitel pure; vain; — Freude nothing but joy
Ekel *m.* disgust
ekelerregend disgusting
Eleganz' *f.* elegance
elend miserable
Elle *f.* measuring stick (ell = 7/10 yard)
Ellenbogen *m.* elbow
empfangen i a to receive

empfehlen a o to recommend; sich — take leave, give one's respects to
Empfehlung *f.* regards
empfinden a u to feel, be aware of
Empfindung *f.* feeling, emotion
empor' up, upwards
empö'rend revolting
Emporkömmling *m.* upstart
empor=ragen to tower, stand out
empor=richten (sich) to straighten up
empor=schieben o o to push up
empor=steigen ie ie to rise
emsig industriously, diligently, attentively
endlich finally, at last
eng narrow, crowded
Engel *m.* angel
Enkelin *f.* –nen granddaughter
entbehren to do without
Entbehrung *f.* privation
entblößt bare, bared
Entblößung *f.* deprivation, exposure
entdecken to discover
entehren to dishonor
entfallen ie a to escape (the memory)
Entfärbung *f.* turning pale
entfernen (sich) to depart, disappear
entfernt distant; im —esten in the least
Entfernung *f.* distance
entflammen to rouse
entfliehen o o to escape, run away
entführen to spirit away, kidnap; run off; snatch away
Entführung *f.* abduction
entgegen towards
entgegengesetzt opposite
entgegnen to answer
entgehen i a to escape
enthalten ie a to contain; (sich) to restrain, refrain from
enthülsen (sich) to shell, reveal
entkräften to weaken, deprive of power
entlarven to unmask, discover
Entlarvung *f.* unmasking, discovery
entlassen ie a to dismiss
entlegen remote, distant
entlocken to draw forth
entreißen i i to snatch away
entrinnen a o to escape
entrüstet indignant
Entrüstung *f.* indignation; heilige — righteous indignation
entsagen to renounce, resign
Entsagung *f.* self-denial, resignation
entscheiden ie ie to decide
entschlafen ie a to fall asleep, pass away, die
entschlossen determined, firm
entschlummern to fall asleep
entschlüpfen to slip away, escape; sich — lassen let slip
Entschluß *m.* –es ¨–e decision; einen — fassen to resolve
entschwinden a u to disappear, fade away
entsetzlich terrible; extremely
entsetzt horrified, terrified
entsiegeln to break the seal
entsinnen (sich) a o to remember
entspringen a u to escape, run away
entstehen a a to arise, result, ensue, spring forth, come into existence
Entstehung *f.* origin
entstellend disfiguring
entwaffnen to disarm
entweder either
entwerfen a o to outline, sketch, delineate
entwickeln to develop; (sich) turn out to be
Entwicklung *f.* development, revelation
entwirren to disentangle
entwölken (sich) to clear up
entziehen (sich) o o to withdraw from
entziffern to decipher
entzücken to charm, joy
entzückt delighted
entzweien (sich) to quarrel, be at odds

entzwei=gehen i a to break in two
erbarmen (sich) to take pity on
erbärmlich pitifully
erbarmungslos unmerciful
erbaulich edifying
Erbauung *f.* edification
Erbe *m.* –n –n heir
Erbe *n.* inheritance
erbeben to tremble
erben to inherit
Erbgang *m.* –s ⸚e succession
erbieten (sich) o o to offer one's services
erblassen to turn pale
erbleichen to turn pale
erblicken to see, catch sight of
erbost furious
Erbprinz *m.* –en –en princely son, heir
erbrechen a o to break open
Erbsache *f.* matter pertaining to a legacy
Erdbeere *f.* strawberry
Erdkugel *f.* terrestrial globe
ereignen (sich) to occur
Ereignis *n.* –ses –se event, occurrence, incident
ererben to inherit
ererbt inherited, hereditary
erfahren u a to learn, find out; experience, understand
Erfahrung *f.* experience
erfinden a u to invent, devise
Erfindung *f.* invention, fib
Erfolg *m.* success
erfolgen to ensue
erfolgreich successful
erfragen to find out by asking
erfreuen to rejoice, delight; (sich) be able to boast of, possess
erfrieren o o to freeze (to death)
erfrischen to refresh
Erfüllung *f.* fulfilment
ergänzen to complete, supply, add, supplement
ergeben (sich) a e to happen; surrender; submit oneself
ergebenst yours respectfully; humbly yours
Ergebnis *n.* –ses –se result
ergehen i a to pass, go; walk, stroll; wohl — be well taken care of; sich — in break out into (invectives), expatiate on something
ergiebig abundant
erglänzen to shine
erglühen to glow
ergötzen to enjoy, delight
ergötzlich delightful
ergrauen to turn gray, old
ergreifen i i to seize
ergreist grown gray
ergriffen sein to be affected, moved
ergründen to fathom, sound, unravel
erhalten ie a to receive; (sich) — to preserve, save
Erhaltung *f.* preservation
erhaschen to catch
erheben o o to raise; (sich) get up, arise
erhitzt flushed, heated
Erhöhung *f.* elevation
erholen (sich) to recover
erinnerlich: es war ihm nicht — he did not remember
erinnern (sich) to remember
Erinnerung *f.* reminder, memory
erkennen a a to recognize; discover; understand
erkiesen erkor erkoren to choose, select
erklären to declare, announce; explain
erklingen a u to sound, ring out
erkunden to investigate, explore, examine
erkundigen to inquire, investigate
erlangen to attain, obtain
erlauben to allow, permit
Erlaubnis *f.* permission
erlaucht illustrious

erleben to experience, notice; live to see
Erlebnis *n.* –ſes –ſe event, occurrence
erleichtern to relieve, unburden
Erleichterung *f.* relief
erleiden erlitt erlitten to suffer
erlöschen o o to go out, burn out
erluſtigen = beluſtigen (ſich) to be amused
ermahnen to warn, admonish
Ermangelung: in — for lack of
ermitteln ascertain
ermüden to become weary
ernähren (ſich) to support
Ernährer *m.* supporter, breadwinner; der — ausgehoben the family supporter recruited
Erniedrigung *f.* humiliation
ernſthaft earnestly
ernten to harvest
erobern to win, acquire, conquer
eröffnen to open, clear, reveal, establish
Erquickung *f.* refreshment, pleasure
erraten ie a to guess, suspect
erregen to cause, bring forth; excite; erregt excited
Erregung *f.* agitation, excitement; in — geraten to become excited
erreichen to attain, achieve, reach
erretten = retten to save
errichten to build, erect
erröten to blush
erſäufen to drown
erſchaffen u a to create
erſchallen o o (also weak) to sound
erſcheinen ie ie to appear, seem
Erſcheinung *f.* appearance, body, person; sight; figure, phenomenon
erſchleichen i i to obtain by trickery
erſchloſſen opened; friſch — newly opened
erſchöpfen to exhaust
erſchrecken a o to become frightened, startled
erſchüttern to shake, affect, agitate; im tiefſten erſchüttert stirred to the depths of his soul
erſetzen to replace
erſpähen to espy, catch sight of
Erſparnis *n.* –ſes –ſe savings
Erſparte *n.* savings
erſt just; first; — recht all the more; der erſtere the former
erſtarrt benumbed, stunned
Erſtarrung *f.* numbness, torpidity
erſtaunen to be astonished, amazed
erſtechen a o to stab
erſteigen ie ie to ascend
erſtens in the first place, firstly
erſterben a o to die
erſticken to smother, kill
erſtrecken to spread out, stretch
erſuchen to request
ertappen to detect, catch
ertönen to resound
ertragen u a to endure, bear
erwachen to awaken
erwachſen grown-up
erwähnen to mention
erwarten to expect
Erwartung *f.* expectation
erwartungsvoll expectantly
erwecken to awaken, arouse
erwehren (ſich) to resist, suppress
erweiſen (ſich) ie ie to prove
Erwerb *m.* acquisition
erwerben a o to obtain, acquire
erwidern to reply
erzeugen to produce
erziehen o o to raise
erzürnt angry
Erzvater *m.* –s ¨ patriarch
Eskor'te *f.* escort
Etui' (French) *n.* –s –s case, box
etwas somewhat
Eule *f.* owl
Evange'lium *n.* –s Evangelien Gospel
Ew. = **Euer** your
ewig continually, forever; fragte — was always asking

Expreß' *m.* -en -en special (messenger)

F

Fabel *f.* fable, story; romance; eine — spielen to act out a piece, play
Fabelgeschöpf *n.* fabulous creature, monster
fabeln to prate, fable, tell
Fabrikant' *m.* -en -en manufacturer
Fach *n.* -es ¨-er compartment
Fackel *f.* torch; lodernde — "flashing eyes"
Faden *m.* -s ¨- thread
fadenscheinig threadbare
fähig: zu allem — capable of anything
fahl pale, livid
fahnden: auf jemanden — to search for, pursue
Fahne *f.* flag; feather (of a quill); unter die — treten to enlist
Fahrt *f.* journey, travel
Fahrzeug *n.* vehicle
Faktum *n.* -s Fakta fact
Fall *m.* -es ¨-e case; für den — in case of; unerhörter — shocking situation
Falliment' *n.* bankruptcy, failure
Fallstrick *m.* trap; deception
fälschen to counterfeit, adulterate
Falte *f.* fold
Falter *m.* butterfly
faltig folded
Fami'liengewalt *f.* paternal authority
Fami'liengruft *f.* ¨-e family vault
famos' precious, splendid
Farbe *f.* color
Farbenwesen *n.* colors
farbig colored
Faß *n.* -es ¨-er cask, keg, barrel
fassen to hold, contain, comprehend, express, sum up; ins Auge — observe, notice
Fasten days of fasting, fast
Fastnacht *f.* Shrove Tuesday
Fastnachtslüge *f.* carnival lie
faßlich conceivable, tangible
Fatum *n.* fate
Faust *f.* ¨-e fist
fechten o o to fight, fence
fegen to sweep
Fehde *f.* feud, quarrel, war, strife
fehlen to be lacking
Fehler *m.* mistake, error; natürlicher — physical defect
fehl=schlagen u a to prove a failure, go wrong
Feierabend *m.* cessation from work in the evening
feierlich solemn, festive
feiern to celebrate, honor
Feiertag *m.* holiday
feige cowardly
Feigheit *f.* cowardice
feingewölbt finely arched
Feld *n.* -es -er (army) field, battlefield
Feldherr *m.* -n -en general, commander
Feldstuhl *m.* -s ¨-e camp chair
Feldzug *m.* -s ¨-e campaign
Felsen *m.* rock
Felsenritze *f.* crevice of a rock
Fensterflügel *m.* wing of a French window
Fensterladen *m.* (window) shutter
Fenstersims = Fenstergesims *n.* window-sill
Ferne *f.* distance
fern=halten ie a to ward off
Fernsicht *f.* view, distance
fertig sein to be finished
Fessel *f.* fastening, clasp
fesselnd captivating, attractive
fest bleiben to remain firm
Festigkeit *f.* determination, firmness
Festkrug *m.* -es ¨-e banquet-pitcher, mug
festlich festive
Festputz *m.* holiday attire

Feſtſaal *m.* –s **Feſtſäle** banquet-hall
feſt⸗ſtellen to determine
Feſtzug *m.* –s ¨–e festive procession
fett fat, rich
Fetzen *m.* rags
feucht damp
feurig fiery, spirited, red-hot
Fieber *n.* fever
Filz *m.* felt
Filzkappe *f.* felt cap
Fingerhut *m.* –s ¨–e thimble
finſter gloomy
Finſternis *f.* –ſe darkness, obscurity
fixie'ren to stare at
flach flat, hollow
Fläche *f.* plain
Flachskopf *m.* –s ¨–e tow-head
flackern to flicker
flaggen to display flags
flammen to flame, blaze, shine
Flammenbündel *n.* 'fascicle of flame'
Flaſche *f.* bottle
flattern to flutter
Flechte *f.* braid, plait
Fleck Flecken *m.* place, spot
Fledermaus *f.* ¨–e bat
flehen to plea, implore
fleißig industrious
flicken to patch
Flieder *m.* lilac
fliehen o o to flee
flimmern to dazzle, sparkle, glisten
flink nimble, quick, swift; clever
Flittergold *n.* tinsel
Flitterwochen (pl.) honeymoon
Flitzbogen *m.* (boy's) crossbow
Flocke *f.* (snow) flake
Flora Roman Goddess of flowers
Flöte *f.* flute; **Flöter** *m.* flute player
Fluch *m.* –es ¨–e curse; **einen — ausſtoßen** to utter a curse
fluchen to swear, curse
Flucht *f.* succession
flüchten to flee; secure
flüchtig quick, hasty, fleeting, fugitive
Flüchtling *m.* fugitive
Flug *m.* –es ¨–e flight, flying
Flügel *m.* wing
flügelſchlagend flapping the wings
Flügeltür *f.* folding door
Flur *m.* hall, vestibule
flüſſig: **zu —en Reden bringen** induce one to talk fluently
flüſtern to whisper
Flut *f.* flood, water
Fohlen *n.* colt
folgenſchwer eventful
folgſam obedient, obliging
Folter *f.* torture, torment
fordern to demand, request
Forel'le *f.* trout
Format' *n.* size
Formel *f.* formula, expression
formie'ren to formulate
förmlich formally
forſchen to search, inquire, seek
fort off, away; on, onward; further; **— und —, in einem —** on and on
fortan henceforth, from now on, in the future
fort⸗dauern to last
fort⸗fahren u a to continue
Fortgang nehmen to continue
fortgeriſſen werden to be carried away
fort⸗helfen (ſich) a o to continue
fort⸗ſchaffen to get (someone, something) out of the way
fort⸗ſchleudern to hurl away
fort⸗ſetzen to continue
fort⸗ſtoßen ie o to thrust aside, push away
fort⸗ſtreben to struggle, aspire
fortwährend continuously
fragwürdig questionable
Fratze *f.* grimace; **eine — ziehen** to make a grimace
Frauenzimmer *n.* woman
frech impudent, brazen
Frechheit: **nackte —** barefaced impudence

frei free; sich — machen to disengage oneself; ins Freie outdoors, into the open country
freien to court, marry
freilich to be sure, of course, indeed
Freitreppe *f.* outside stairs
freiwillig voluntary, willingly
fremd strange, foreign
fremdartig strange, foreign
Fremde *f.* foreign country, abroad
Fremdling *m.* stranger, foreigner
fressen a e to eat (of animals)
Freude *f.* joy, pleasure
Freudenschall: mit — shouts of joy
freudestrahlend beaming with joy
freuen (sich) to be glad
Freundlichkeit *f.* friendliness, kind(li)ness
freundnachbarlich neighborly
freundschaftlich friendly, amicably
Frevel *m.* crime, sacrilege, wickedness
frevelhaft wicked, criminal
Frieden = Friede *m.* –ns –n peace, quietude
Friedensrichter *m.* justice of the peace
Friedestifter *m.* peacemaker, mediator
friedländisch of the Duke of Friedland, Wallenstein
friedlich peaceful
friedsam peaceful
frisch! be quick!
frisiert' curly or well-dressed hair
Frist *f.* time
fröhlich joyful, happy, glad
Frohsinn *m.* happiness, cheerfulness
fromm pious
frommen to be to a person's advantage, benefit
Frosch *m.* –es ¨–e frog
fruchtlos ineffectual, fruitless
früh early; früher earlier, previous, prior, former; weniger als früher less than before; in aller Frühe early in the morning
Frühlicht *n.* –s –er dawn
frühreif precocious; premature
Fuchs *m.* –es ¨–e bay horse; fox
Fuchsstute *f.* bay mare
fügen: es fügte sich it came to pass
füglich easily, very well
Fügung *f.* dispensation (of Providence)
fühllos without feeling
führen to lead
Fuhrwerk *n.* vehicle, carriage
Fulda city in Hesse-Nassau
Fülle *f.* abundance; in schwerer — in great abundance
funkeln to glow, flash, sparkle
Fünklein *n.* (dim. of) der Funke spark, flake of light
für und für for ever and ever
Furcht *f.* fear
furchtbar fearful
fürchterlich terrible, dreadful
furchtsam timid
fürder: seines Weges — continuing on one's way
fürdervorig second to the last
fürnehmlich = vornehmlich = besonders especially
fürsorglich careful, by way of precaution
Fürst *m.* –en –en prince
fürstlich princely, regal
Fürstlichkeit *f.* prince
Fußgänger *m.* pedestrian
Fußtritt *m.* footprint
Futteral' *n.* case
Futterhemd *n.* –s –en coarse shirt; blouse
füttern to feed; line (a garment)

G

Gabe *f.* gift, talent, quality
Galion' figure-head (of a ship)
Galopin' (French) messenger, orderly
Gang *m.* –es ¨–e walk; hall, passage way

Gans *f.* ⸚e goose
Gänsehaut *f.* ⸚e goose chill, goose-flesh
gänzlich completely, wholly
gar quite, even; possibly; — nichts nothing at all; — vergnügt quite pleased; — nie never for a moment; — sehr very much; — wohl quite well
Garbe *f.* sheaf
Gardi'ne *f.* curtain
gären to ferment
garstig dirty, offensive
Gasse *f.* (narrow) street, alley
Gassenbrut *f.* group of street urchins
Gasterei' *f.* drinking-feast, banquet
Gastfreund *m.* host
gastfreundlich hospitable
Gastfreundschaft *f.* hospitality
Gasthaus *n.* –es ⸚er hotel, inn
Gasthof *m.* –s ⸚e inn
gastlich hospitable
Gattung *f.* class, kind
Gaukelei' *f.* trick, illusion, imposture
Gazegewand *n.* –s ⸚er gauze garment
geartet: ihr gleich — similar in disposition
gebannt: wie — as if enchanted
Gebärde *f.* gesture, bearing
gebärden (sich) to act, behave, carry on
Gebärdenspiel *n.* pantomime
Gebaren *n.* demeanor, course of action
Gebet *n.* prayer
Gebiet *n.* field, region, territory
gebieten o o to command, dictate
Gebieter *m.* ruler, master
gebieterisch commanding, peremptory
Gebilde *n.* structure, form
gebildet cultured, refined
Gebirge *n.* mountains
geboren born, native
Gebot *n.* command, order
gebrandmarkt branded, stigmatized
Gebrauch = Brauch *m.* –es ⸚e custom; — machen to make use of
gebräunt tanned
Geburt *f.* birth, product
Gebüsch *n.* thicket
Gedächtnis *n.* –ses –se memory, remembrance
Gedanke *m.* –ns –n thought
Gedankentausch *m.* line (exchange) of thought
gedeckt sein to be covered
gedenken a a to think of, mention; der Sünde nicht — not to bear in mind —
Gedränge *n.* crowd
Gedruckte *n.* printed matter
Geduld *f.* patience
Gefahr *f.* danger; in — schweben to be in danger
gefährden to endanger
gefährdet imperilled
gefährlich dangerous
Gefährt *n.* vehicle
Gefährte *m.* –n –n companion
gefallen ie a to please
gefällig pleasing
Gefälligkeit *f.* kindness
gefälscht forged, mock
Gefängnis *n.* –ses –se prison
Gefäß *n.* vessel
gefaßt sein to be ready for
Gefecht *n.* combat, battle
geflickt patched
Gefolge *n.* followers, escort, retinue
Gefühl *n.* feeling, sentiment
gegen toward
Gegend *f.* vicinity, region
Gegenfrage *f.* cross-question
Gegengruß *m.* –es ⸚e return greeting
gegenseitig mutual
Gegenstand *m.* –s ⸚e object, subject
Gegenstoß *m.* –es ⸚e return blow, 'come-back'
Gegenteil *n.* opposite, contrary; im — on the contrary

gegenü'ber opposite, towards
Gegenwart *f.* present
gegenwärtig present
Gegenwehr *f.* self-defense
geglückt successful, happy, fortunate
Gegner *m.* opponent
geharnischt armed, armored
gehärtet hardened
geheim secretly
Geheimnis *n.* –ses –se secret, mystery
geheimnisvoll mysterious
Gehilfe *m.* –n –n helper, assistant
Gehirn *n.* brain, mind
Gehöft *n.* country place, farm
gehorchen to obey, follow
gehören to belong to
gehörig appropriate, necessary
Gehorsam *m.* obedience
Geige *f.* violin; — streichen to play the violin
Geiger *m.* violin player, fiddler
Geist *m.* –es –er spirit, mind
geistergläubig believing in ghosts, superstitious
geisterhaft ghostlike, ghostly
geistesabwesend with wandering thoughts, distracted, out of one's mind
Geistesfülle *f.* abundance of intellect
Geistesgegenwart *f.* presence of mind; — entwickeln display presence of mind
geistesgegenwärtig with presence of mind
geistlich ecclesiastic; —er Herr clergyman; reverend Sir, your Reverence
geistreich ingenious
geizig stingy
Gelächter *n.* laughter
geladen sein to be invited
Gelage *n.* banquet
gelähmt lamed, paralyzed
Gelände *n.* landscape, country region
gelangen to come to, reach, attain; arrive
gelangweilt bored
Gelaß *n.* room, accommodation
gelassen calm, composed
gelegen located, situated
Gelegenheit *f.* opportunity, occasion
gelegentlich occasionally, incidentally
gelehrig docile
Gelehrsamkeit *f.* learning
Gelehrtenschule *f.* secondary school with classical curriculum
Geleite: das — geben to accompany; geleiten to accompany
gelenkig nimble, active
Geliebte *f.* & *m.* –n –n beloved one
gelingen a u to succeed
gellend shrill
geloben to vow
gelten a o to rate; adhere to; be of value
Geltung *f.* value
Gelüst *n.* desire
gelüsten to have the desire, be tempted
Gemach *n.* –es ¨–er room, chamber, apartment
gemacht affected, artificial
Gemahl *m.* husband
gemahnen = mahnen to remind, warn
gemäß according to; in accordance with; der Wahrheit — truthfully; dem Willen — to the satisfaction of; dem Worte — according to the promise
gemein common, ordinary; der Gemeine plain man, common soldier
Gemeinde *f.* community
Gemeindeweide *f.* common, communal pasture
gemeinsam in common with
gemeinschaftlich joint, in common
Gemeinwesen *n.* community
Gemurmel *n.* murmuring

Gemüse *n.* vegetables
Gemüt *n.* –s –er disposition, mind
gemütlich friendly, kindly, jovial; with feeling
gemütreich full of feeling; tender-hearted
gen = gegen toward
genau exactly
geneigt sein to be inclined
General'gewaltige *m.* –n –n chief executioner, high sheriff
genießen o o to enjoy; eat, partake of; Unterricht — receive instruction
Genosse *m.* –n –n fellow man, associate, comrade
genötigt sein to be compelled; sich — sehen find it necessary
genügen to suffice, satisfy
genugsam sufficiently (long)
Genugtuung *f.* satisfaction; zur — gereichen to afford satisfaction
Genuß *m.* –es ⁻̈e enjoyment
genußvoll full of enjoyment
Gepäck *n.* baggage
geputzt finely dressed
gerade (adj.) exact, very; (adv.) just, exactly
geradeaus straightway
geradezu right out, outright
geradlinig straight (lined)
Gerassel *n.* clatter, rattling
Gerät *n.* furniture
geraten ie a to fall, hit upon, come into, come to a place
geraum: seit —er Zeit for quite a long time
geräumig large, spacious
Geräusch *n.* noise, sound
geräuschlos quiet, calm, silent
geräuschvoll noisy
gerecht just
Gerechtigkeit *f.* justice
Gerede *n.* talk, talking
gereichen afford
gereizt irritated, provoked, annoyed
Gericht: das Jüngste — the last judgment
gerichtlich legal, sworn before the court
gering insignificant, slight, little; im —sten in the least; —e Leute common people
Gerippe *n.* skeleton
gern with pleasure, gladly; — haben to like
Gerste *f.* barley
Gerücht *n.* report, rumor
Gerüst *n.* scaffold, frame, stand
gerüstet sein to be armed, prepared
Gesandte *m.* –n –n ambassador
Gesandtschaft *f.* delegation
Gesang *m.* –es ⁻̈e song, singing
gesättigt satisfied
Geschäft *n.* business; ein tüchtiges — a flourishing business; —e besorgen to take care of business
Geschäftigkeit *f.* haste, bustle
Geschäftseifer *m.* zeal for business
geschäftserfahren experienced in business
Geschäftsraum *m.* –s ⁻̈e place of business
Geschäftsschwankung *f.* fluctuation of business
geschehen a e to happen, take place
gescheit clever
Geschenk *m.* present, gift
Geschichte *f.* story; affair
geschichtlich historical
Geschichtsschreiber *m.* historian
Geschick *n.* fate; lot; luck
Geschicklichkeit *f.* dexterity
geschickt capable, strong, skilful
Geschirr *n.* dishes
Geschirrkammer *f.* room where china is kept
Geschlecht *n.* –s –er race; sex
Geschmack *m.* –s ⁻̈e taste
geschmeidig flexible, supple
Geschmiede *n.* piece of smithcraft
Geschöpf *n.* creature
Geschütz *n.* cannon, gun

geschwächt weakened
Geschwader *n.* squadron
geschwind quick
Geschwindigkeit *f.* haste, hurry; in der — at that moment
Geschwister (pl.) brother and sister
Geselle *m.* –n –n companion, fellow, journeyman
gesellen (sich) to join, associate
Gesellschaft *f.* party, company
Gesetz *n.* law
gesetzlich legally
Gesichtsbildung *f.* physiognomy
Gesichtszüge (pl.) features
Gesinde *n.* domestics; household
Gesinge *n.* sing-song
gesinnt minded
Gespann *n.* team
gespannt fixed, tense, intense
Gespenst *n.* –es –er ghost
gespenstisch gespenstig like a specter, ghostly
Gespiele *m.* –n –n playmate
Gespräch *n.* conversation; das — fallen lassen to drop the subject
Gestalt *f.* form, figure, vision; — annehmen to take shape
gestatten to permit, allow
gestehen a a to confess
Gestein *n.* stone, rock
Gestick = die Stickerei' embroidery, cover
Gestirn *n.* star, constellation
gestoßen offended, repulsed
Gesträuch *n.* shrubbery
gestreift striped
gestreng = streng stern, strict
gestrig of yesterday
Gesuch *n.* request
gesucht select
Gesundheit ausbringen to drink one's health
Getränk *n.* drink, beverage
getrauen (sich) to dare, venture
Getreide *n.* grain
Getreidewagen *m.* grainwagon, farmwagon
getreu faithful, true
getrost confidently, courageously
Getümmel *n.* stirring multitude, tumult, crowd
Gevatter *m.* –n –n godfather
Gevattersfrau *f.* godmother
Gevatterstand *m.* dignity as godfather
Gevettern (pl.) kith and kin
Gewächs *n.* plant
gewahren to notice, become aware of
gewähren to grant, permit, furnish; — lassen to let alone
Gewalt *f.* force, power
gewaltsam by force
Gewaltstreich *m.* arbitrary deed
Gewand *n.* –es ¨–er garb, garment
Gewandstück *n.* piece of clothing
gewandt clever, dexterous
gewappnet armed
gewärtigen to expect, await
gewichtig heavy, weighty
Gewimmel *n.* crowd
Gewirr *n.* confusion, entangled mass
gewiß certain
Gewissen *n.* conscience; ehrliches — good conscience
Gewissenhaftigkeit *f.* reliability
Gewissenlosigkeit *f.* unscrupulousness
gewissermaßen to a certain extent; so to say, in a way
Gewißheit *f.* certainty, assurance
Gewitter *n.* thunder-storm
gewogen sein to be well-disposed
gewöhnen (sich) to accustom oneself to
Gewohnheit *f.* custom, habit
gewöhnlich usual; common, ordinary
gewohnt accustomed; zur —en Stunde at the usual hour
Gewölbe: — des Himmels firmament
gewölbt arched

Gewühl *n.* crowd, throng
gezeitigt ripe
Gezelt = Zelt *n.* tent
Geziefer *n.* vermin
Giebelhaus *n.* –es ⸗er house built with gable roof
Gier *f.* desire; greed; avidity
gierig greedy, eager
gifteln to speak spitefully, with angry scorn
giftig poisonous
Gipfel *m.* top; peak
Gipsdecke *f.* plaster ceiling
gipsern of plaster
Glanz *m.* light, brightness; splendor
glänzen to shine
Gläserklingen *n.* clinking of glasses
glasflügelig with glassy wings
Glaube *m.* –ns belief
Glaubensgenosse *m.* –n –n fellow believer
gläubig credulous
gleich similar; — setzen to render equal; — darauf thereupon, immediately
gleichen i i to resemble
gleicherweise likewise
gleichfalls likewise
gleichgültig indifferent; — tun to act indifferent
Gleichheit *f.* uniformity
gleichsam as it were, so to say, as to say
gleichwohl yet, nevertheless, as well
gleichzeitig at the same time
gleiten i i glide, slip
Glied *n.* –es –er member; limb; link
glimmen to glimmer, glow faintly
Glocke *f.* bell; die — ziehen to ring the bell
glorreich glorious
glücklicherweise luckily
glückselig happy, blissful
Glückswechsel *m.* change of fate, or luck
glühen to glow, gleam; be ardent
Glut *f.* glow, heat
glutensprühig sparkling, flashing
glutfarbig of glowing colors
Gnaden: Euer — Your Grace
gnädig merciful; — davonkommen to get off leniently
Goldammer *f.* goldfinch
gönnen to grant, allow; not to begrudge; favor
Gönner *m.* benefactor
gottesfürchtig God-fearing
Gottesgericht *n.* divine judgment
gottlos impious, wicked
Gottvertrauen *n.* trust in God
Götze *m.* –n –n idol
Grab *n.* –es ⸗er grave
Grabstätte *f.* burial place
Grad *m.* degree
Graf *m.* –en –en earl, count
Grafenrock *m.* –s ⸗e count's coat
gramvoll grievous
Granat'baum *m.* –es ⸗e pomegranate tree
grasen to graze; fett gegrast pasture-fattened
Grasmücke *f.* hedge-sparrow
Grauen *n.* horror
grausam cruel, gruesome
grauseiden gray silk
Gravität' *f.* gravity
Grazie (pronounce: Gra=zi=e): als — erlaubt as good grace (or) manner allows
greifen i i to grasp, take hold of; über sich greifend reaching out above and behind
Greis *m.* aged man
grell gaudy, loud
Grenze *f.* boundary, border
grenzen to border
Grenzmauer *f.* bounding (party) wall
Greuel *m.* abomination
greulich abominable, shocking
Grimas'se *f.* grimace, grin
Grimm *m.* hate; grimness, fierceness

grimmig grim-looking, ferocious, violent; ein —es Zucken enraged twitching
grinſend grinning
grob rough, rude, coarse
grollen to grumble
großartig great, imposing
Größe *f.* size, height
Großmaul *n.* –es ¨er boaster, braggard
Grube *f.* tomb, grave
grübelnd brooding
Gruft *f.* ¨e cavern; grave, tomb
Grund *m.* –es ¨e ground; reason; — und Boden property; zu —e gehen to go to ruin, perish
gründen to found, establish
Grundherrſchaft *f.* owner of a large territory; state
gründlich thorough, solid
grundſätzlich as a matter of principle
Gruppe *f.* group, grouping
Gruß *m.* –es ¨e greeting, message
gucken to look, peep, peer; guck einmal take a look
Guckfenſter *n.* peep(ing)-window
Gulden *m.* guilder, florin
günſtig favorable
Günſtling *m.* favorite
Gurke *f.* pickle
Gurt *m.* girdle, belt
Gürtelhaken *m.* clasp on a belt
gürten to gird; make ready
Guſtel = Auguſte
Gut *n.* –es ¨er estate, property, possessions; höchſtes — highest possession
Güte *f.* kindness; purity; in der — amicably
gutgeartet well-behaved, good-natured
gütig kind
gutmachen to make amends
gutmütig good-natured
Gutsherr *m.* –n –en lord of a manor, landed proprietor
gutwillig good-natured

H

Haarbeutel *m.* hair-bag, (wig)-bag
Haarbürſte *f.* hair-brush
Habit' *n.* dress, costume
Habitus *m.* costume
Habſeligkeit *f.* possession, property
hacken to peck
Hader *m.* quarrel
Hafen *m.* –s ¨ harbor
haften to cling, stick, be fixed; — bleiben to remain fixed
Hagedornzaun *m.* –s ¨e hawthorn hedge
Hagen *m.* hedge, grove, meadow
hager haggard, lean, thin
Hageſtolz *m.* bachelor
Hahn *m.* –es ¨e cock
Halbbogen *m.* half-circle
halber on account of
halbgebleicht half-bleached
Halbſchied *f.* half
halbverhungert half-starved
Hälfte *f.* half
hallen to echo
Halm *m.* blade (of grass)
Halsader *f.* jugular vein
halsgefährlich matter of life and death
Halsöffnung *f.* opening for the neck (dress)
Halt *m.* support
halt⸗machen to stop
halten ie a to stop, remain, stick to; (ſich) to act, hold, maintain; neben ſich — to keep (company); gut gehalten treated well
Haltung *f.* bearing, attitude; untadlige — irreproachable attitude; übermütige — arrogant bearing; beſcheidene — modest attitude
Hammelbraten *m.* roast of mutton
Hammelskeule *f.* leg of mutton
hämmern to hammer
Handbewegung *f.* motion, (or) movement with the hand
Handel *m.* matter, affair, deal,

transaction, bargain; der ganze — the whole affair; böser —, schlimmer — bad bargain
handeln to act, behave; trade
Handelsgeschlecht *n.* –s –er family of merchants
Handelsherr *m.* –n –en merchant
handfest solid
Handgriff *m.* grasp, grab
handsam skilful, capable
Handschuh *m.* glove
Handstreich *m.* sudden attack, surprise
Handwerker *m.* artisan; kleine — (more) humble artisans
Hänfling *m.* linnet
Hang *m.* –es ¨–e inclination, desire
hängen hangen, i a to hang, attach, depend
Hänsel = Hans
hantie′ren = arbeiten to handle, manage; work
harken to rake
harmlos harmless, peaceful
Harnisch *m.* armor
harren to await
hart hard, harsh
Härte *f.* harshness, severity
Haselnuß *f.* ¨–e hazelnut
Haselrute *f.* hazel switch
Haspe *f.* hasp (casement lock)
haspeln to reel
hassen to hate
häßlich ugly
Hast *f.* hurry, haste
hastig hasty, quick, active
Häubchen *n.* hood, cap
Hauch *m.* breath, breeze; trace
hauen hieb, gehauen (or weak) to hew; strike, hack; — in to cut into
Haufen *m.* band, crowd, throng, gathering; ein gewaltiger — a tremendous pile
häufig frequently; in great numbers
Hauptbestandteil *m.* main element
Hauptmann *m.* –s Hauptleute captain
Hauptmannschaft *f.* position as a captain
Hauptquartier′ *n.* headquarters
Hauptsache *f.* main thing
Haus= und Festgenosse *m.* –n –n member of the household and participant in festivities
hausen to dwell, remain
Hausgeist *m.* –es –er ministering spirit, servant
Haushälterin *f.* –nen housekeeper
Haushaltungsbeutelchen *n.* little bag for the house-keeping money
Haushaltungsbuch *n.* –es ¨–er household account book
Hausknecht *m.* porter
heda! hey there!
Heer *n.* army
heften to fasten, fix
heftig violent, severe, vehement, passionate, excited
Heftigkeit *f.* violence, vehemence
hegen to nurture, cherish; contain, enclose
Heide *m.* –n –n heathen
Heide *f.* heath
Heideföhre *f.* ‘heath-fir’
Heidelerche *f.* meadow-lark
heidnisch heathen
heil unhurt, unharmed
Heil *n.* safety, health, healing
heilig holy, sacred, righteous
Heiligenbild *n.* –es –er holy image
heilsam salutary, healthful
heim = nach Hause home
heimatlich native
heim=führen to take home
heimisch sein to be at home
heim=kehren = heim=kommen to return home
heimlich secretly
heim=suchen to pursue, harass
heim=ziehen o o to march home
heiraten to marry
heißen ie ei be called; es soll nicht

— it shall not be reported; was soll das —? what does that mean? es hieß it was said
heiter cheerful, gay
heiterrege cheerful and busy
Held *m.* –en –en hero
Heldentat *f.* heroic deed
hell(e) bright, light
hellbeleuchtet brightly illuminated
hellsehend seeing clearly
helve'tisch Helvetian, Swiss
Hemd *n.* –es –en shirt
Henker *m.* executioner, hangman; hol' dich der —! hang it!
herablassend condescending
herab=neigen to bend down
herab=rutschen to slide down
heran on, near, up to
heran=treten a e to step up, approach
heran=wehen to spring up (of a breeze)
heraus=fordern to challenge, defy
heraus=geben a e to hand over
heraus=gucken to look out
heraus=schlagen u a to get out of, realize
heraus=wagen to venture out
herb bitter
herbei here, hither, on, near
herbei=führen to bring about
herbei=rufen ie u to call up
Herbergskammer *f.* bed-room (in a guild inn, where journeymen put up)
Herde *f.* herd
herein=brechen a o to break in, befall
herein=dringen a u to rush in
hernach afterwards
hernieder=sehen a e to look down
hero'isch like a hero
Herr *m.* –n –en Our Lord; master, Mr., Sir
her=richten to prepare
herrlich glorious, stately, splendid
Herrschaft *f.* master and mistress; (pl.) gentlemen, authorities
herrschaftlich belonging to a person of rank; noble, lordly
Herrschaftsleute (pl.) noble people
herrschen to rule, reign, govern
her=sagen to recite (by heart)
herüber=schallen o o to sound over
herum=fahren u a to travel about
herum=hauen to fight, slash about
herum=sägen to saw around (at); cut into clumsily
herum=schweifen to wander about
herunter=machen to humiliate, call down
herunter=stürzen to rush down
hervor forth, forward, out
hervor=heben o o to emphasize, point out, bring out
hervor=holen to produce, utter
hervor=quellen o o to protrude, stand out prominently; gush forth
hervorragend outstanding
hervor=rufen ie u to call forth, provoke
hervor=treten a e to come forth
hervor=wandeln to walk out of
hervor=ziehen o o to draw forth, produce
her=wachsen = herkommen
Herz *n.* –ens –en: mein — hängt an my heart is set on, attached to
herzen to caress, embrace
Herzenslust *f.* heart's desire
Herzensmeinung: eigene — real opinion
herzinnig cordially, heartily
Herzklopfen *n.* beating of the heart
herzlich hearty, heartfelt
Herzog *m.* –s ⸚e duke
herzverwandt dear to the heart
Heu *n.* hay
heucheln to pretend
Heuchler *m.* hypocrite
heuen to make hay
heuer this year, this season
heulen to cry, howl, scream
Heuschrecke *f.* grass-hopper

hexen to bewitch
hie = hier here
hierauf thereupon
hiesig in this place; the one here
Hilfe *f.* help
hilflos helpless
hilfreich helpful, benevolent
Himbeere *f.* raspberry
Himmel: gen — to heaven
Himmelreich *n.* heaven; happiness
Himmelsglocke *f.* celestial dome
Himmelskugel *f.* celestial globe
Himmelsschlüssel *m.* primrose
Himmelszelt *n.* canopy of heaven
himmlisch heavenly, of the heavens
hin und wider here and there; back and forth
Hin- und Widerreden argument back and forth
hinan up, up to
hinan-geleiten to conduct up
hinaus: darüber — beyond that
hinaus-schleichen i i to slip out
hinaus-stürzen to rush out
hinaus-ziehen o o to leave for
Hindernis *n.* –ses –se hindrance
hinein-fahren u a to run in
hinein-geraten ie a to get into
hinein-gucken to look, peak
hinfort henceforth
hin-geben a e to give up, surrender, deliver
hingegen = dagegen on the other hand
hin-geleiten to accompany
hin-gleiten i i to slide toward
hin-reichen to suffice
hin-reißen i i to carry away; hinreißend fascinating, charming; hingerissen enraptured
Hinscheiden *n.* death
hin-starren to stare at
hin-stellen to represent
hinten behind, at the back
hinterbrin'gen a a to inform, notify
hintereinan'der in succession
Hinterhalt *m.* ambush; einen — legen to ambush
hinterlas'sen ie a to leave behind, bequeath
hin-treten a e to step up to
hinüber-winken to motion at
hinunter-löffeln to spoon (up)
hinunter-rasseln to rattle down
hinweg-nehmen a o to take away
hin-weisen ie ie to point out, refer
hin-werfen a o to jot down, dash off, throw out a remark
hin-ziehen o o to extend, stretch; linger
hinzu-fügen to add something
hinzu-setzen to add
hinzu-treten a e to step up to
Hirn = Gehirn *n.* brain
Hirsebrei *m.* millet-pudding
Hirtenfeuer *n.* fire of a shepherd's encampment
Hirtenstab *m.* –s ⸚e shepherd's staff
Histo'rie *f.* history, story
hitzig fierce, vehement
Hitzkopf *m.* –es ⸚e hot-headed person
hoch! long live!
Hochalter *n.* well stricken in age, very old
Hochebene *f.* plateau
hochgemutet proud, courageous, high-spirited
hochgesinnt high-minded
höchlichst greatly
Hochmut *m.* arrogance
hochmütig haughty, proud
hochrot scarlet-faced, flushed
Hochsommer *m.* midsummer
Hochstift *n.* –es –er bishopric; church, cathedral
höchstselig 'blessed be his illustrious memory'
Hochzeit *f.* wedding; festival day
Hof *m.* –es ⸚e court, yard
Hoffnungslosigkeit *f.* hopelessness, despair
Hofkirche *f.* court church

Hofleute (pl.) courtiers
höflich polite
Höflichkeit *f.*: **gefällige** — obliging politeness
Hofmeisterin *f.* **–nen** governess
Höhe *f.* height, dignity; **in die** — up
Hoheit: **die** — Your Highness
Höhenrauch *m.* haze, mist
Höhenzug *m.* **–s ⸚e** mountain chain
hohl hollow, empty, shallow
Höhle *f.* cave
Hohn *m.* scorn, mockery; **neckender** — jeering scorn
höhnen to mock, jeer, scorn
Hohngeschrei *n.* shouts of scorn, derision
Hohnlachen *n.* scornful laughter
hold charming, sweet
holdselig sweet, charming, gracious
holen lassen to send for, get, order
Hölle *f.* hell
Holun'derstrauch *m.* **–es ⸚er** elder-bush
Holzrand = **Waldrand** *m.* edge of a forest
Holzschaft *m.* **–es ⸚e** wooden stem, cylinder
Holzschnitt *m.*: **wohlgetroffener** — good likeness in woodcut
Honoratio'ren (pl.) local society
horchen to listen
Hörensagen: **durch** — by or from hearsay
Horizont' *m.* horizon
Horndose *f.* (horn) snuff-box
Hort *m.* retreat, refuge
Hose *f.* trousers
hübsch pretty, nice
hudeln to make a fool of; tease, call down
Hufschlag *m.* **–s ⸚e** hoofbeat; kick
Hüfte *f.* hip
Hügel *m.* hill, elevation
huldigen to devote oneself; give credence to
Huldigung *f.* homage, admiration, courtship
huldreich graciously
hüllen to envelop, cover
Hummel *f.* bumble-bee
Humpen *m.*: — **dröhnten** bumpers clashed
hündisch currish, cringing
hungern: **mich hungert** I am hungry
hüpfen to hop, jump
Hut *f.* guard, custody, care
hüten to take care of, guard, watch, be confined to
Hütte *f.* hut, cottage

I

Igel *m.* hedgehog
ihrerseits in her turn
immer: — **und ewig** forever and aye; — **noch war** continued to be
immerfort continually, constantly
immerhin after all, still
inbezug in reference to, applied to
Inbrunst *f.* fervor
inbrünstig devout, fervent
indem' while, in that
indes'sen while, meanwhile
Indi'zium *n.* **–s Indizien** clue, circumstantial evidence
ineinander=schlagen: **die Hände** — to clasp one's hands
infam'sein to be disgraced
Ingrimm: **stiller** — concealed or sullen rage
Inhaber *m.* proprietor
Inhalt *m.* contents
inländisch native, domestic
inmit'ten amidst, in the midst of
inne=haben to hold, occupy
inne=halten ie a to stop, pause
inne=werden to become conscious of
innig intimate, hearty, ardently
insbesondere = **besonders** especially
Inschrift *f.* inscription
instinkt'mäßig instinctively
intim' intimate

intro'itus (Latin) entrance
Inventa'rienstück *n.* fixture, relic
inwiefern in what respect
inwieweit to what extent
inzwi'schen in the meantime
irdisch earthly, worldly
irgendein some kind of; any, some
irgendwo somewhere
irre wandering, confused
irren to wander, pass over, play; (sich) to be mistaken; du irrst gewaltig you are sadly mistaken
Irrgänger *m.* one who goes astray (from the straight and narrow path)
Irrlicht *n.* –s –er will-o'-the-wisp, misleading light
Irrsal *n.*: — stiften to cause confusion
Irrtum *m.* –s ¨–er error
irrtümlich erroneous

J

Jagd *f.* hunt, chase, hunting
jagen to drive, chase
Jäger *m.* hunter
jäh sudden, abrupt
jählings suddenly, abruptly
Jahreswechsel *m.* beginning of the new year
Jahrhundert *n.* century
Jammer *m.* misery, grief
Jammerbild *n.* –es –er picture of misery
jämmerlich piteous; auf die —ste Weise in the most despicable manner
jammern to wail
jauchzen to rejoice, shout joyfully
je each, ever; — zwei two and two; — mehr, desto besser the more the better
jedenfalls at any rate, doubtless, in any case
jeder everybody
jederzeit always
jedoch however
jeglich each
Jenseits *n.* other world
jetzig present
Johannistag *m.* St. John's day, June 24
Jubel *m.* rejoicing, merriment, jubilation
jüdisch Jewish
jugendlich: in —er Frische in new (green) freshness
Junge *m.* –n –n boy
Jungfer = Jungfrau miss, maiden, young lady
Junggeselle *m.* –n –n young man; bachelor
Jüngling *m.* youth
Junker *m.* young nobleman, squire
just exactly, just
jütscher = jütischer = jütländischer of Jutland

K

Kaba'le *f.* plot, intrigue
Kabinett' *n.* cabinet, office
Käfer *m.* bug, beetle
kahl bare
Kalb *n.* –es ¨–er calf
Kalkpfeife *f.* clay-pipe
Kämbel *m.* (Swiss) = das Kamel' camel
Kamerad' *m.* –en –en comrade, companion
Kamm *m.* –es ¨–e comb
Kammer *f.* room, chamber; die — hüten to be confined to one's room
Kammerdiener *m.* valet
Kampf *m.* –es ¨–e combat
kämpfen to fight, battle
Kämpfer *m.* fighter, soldier
Kampfeslust *f.* desire for combat
Kanapee (French) *n.* = das Sofa sofa
Kana'rienkäfig *m.* canary cage
Kanin'chen *n.* rabbit

Kantor *m.* –s Kanto'ren leader of a choir
Kanzlei'herr *m.* –n –en government official
Kapital': das ausgelegte — money paid out, invested
Kapitän' *m.* captain
Kapi'tel *n.* chapter
Kapi'telsherr *m.* –n –en canon, member of a (church) chapter
Kaplan' *m.* –s ¨–e chaplain
Karaf'fe *f.* decanter
karg poor, meager, scant; sterile (of soil)
karneol'farbig carnelian-colored
Karte *f.* map
karten to play cards
Käse *m.* cheese
Kassie'rer *m.* cashier
Kasten *m.* box
Katastro'phe *f.* catastrophe
Kate *f.* cottage
Kathin'ka Polish woman's name
kauern to cower, squat
Kaufherr *m.* –n –en merchant
Kauf'kontrakt' *m.* –s –e contract of purchase
käuflich on the market
Kaufmannsgeselle *m.* –n –n merchant's employee
kaum hardly, scarcely
Kautabak *m.* chewing-tobacco
keck bold; ein —es Bubengesicht a pert, roguish face
Keckheit *f.* boldness
Kegel *m.* nine-pin
Kehllaut *m.* guttural sound
kehren to turn, return; (sich) to care
Kehrseite *f.* back
keineswegs by no means, not at all
Kelch *m.* chalice, goblet
Kelle *f.* (mason's) trowel
Kellner *m.* waiter
keltern to make wine
Kenntnis *f.* –se knowledge
Kerl *m.* fellow, servant
Kern *m.* kernel
Kerze *f.* candle
Kette *f.* chain
Ketzer *m.* heretic
keuchen to gasp, pant
keusch innocent, pure
Kiebitz *m.* –es –e lap-wing
Kinderei' *f.* childish trick, childish offense
Kinderhäubchen *n.* child's small cap
Kindermädchen *n.* nurse-maid
Kinderstreich *m.* childish trick; in —e verfallen to revert to childish ways
Kindheit *f.* childhood
kindisch childish, of childhood
Kindtaufe *f.* christening (of a child)
Kinn *n.* chin
Kirchenpropst *m.* –es ¨–e provost (of a chapter)
Kirchensäule *f.* church-pillar
Kirchhof *m.* –s ¨–e cemetery
Kirsche *f.* cherry
Kiste *f.* chest
Kiza proper name
klaffend open; gaping
Klage: Anstellung der — starting of a law-suit; Klage= und Replik'=rezes'se claim and counter claim
klagen to complain, lament
kläglich sorrowful, miserable, plaintive
Klang *m.* –es ¨–e sound, tone
klar: im —en sein to see one's ways clearly
klatschen to clap, snap (a whip)
Klatsch *m.* gossip
Klatschmaul *n.* –s ¨–er gossip
klauben to pull, pluck
Klavier' *n.* piano
kleiden to dress; be becoming to
Kleidung *f.* clothing
Kleinigkeit *f.* trifle, light matter
kleinlaut downcast, crestfallen
Kleinod *n.* treasure, jewel
Kleinstädterin *f.* –nen inhabitant of a small town; provincial
Kleriker *m.* clergyman

klettern to climb
Klinge *f.* blade, sword
klingeln to ring, clink
klingen a u to sound
Klinke *f.* latch
Klinkerſteig *m.* brick steps, path
Klippe *f.* cliff
klirren to clink, rattle
klopfen to beat, hammer, knock
Kloß *m.* –es ¨e dumpling
Kloſter *n.* –s ¨ cloister, monastery
klug intelligent; nicht — werden aus not to understand, comprehend
Klugheit *f.* prudence, cleverness
knabenhaft boylike, boyish
knapp short, thin, slender; —er Wuchs slender figure
Knebelbart *m.* –s ¨e turned-up moustache
Knecht *m.* servant, hired man, farm-hand; soldier
kneifen i i to pinch, close, shut
Knick *m.* hedge, wall
Knicks *m.* courtesy
Knie *n.* knee
knien to kneel
kniſtern to crunch
Knöchel *m.* ankle
Knochen *m.* bone
Knopf *m.* –es ¨e hilt (of sword); button
Knoten *m.* knot
knurren to growl, grumble
Kobold *m.* goblin; rascal
Koffer *m.* trunk
Kog *m.* –es ¨e reclaimed land (from the ocean)
kokett' coquettish
Kollekteur *m.* (pron. Kollektör') keeper of a lottery-office; agent
koloſſal' colossal
Komman'do *n.* –s –s (military) command
Komö'die *f.* comedy
Kompagnon (pron. Kom-pan-jon') *m.* –s –s partner
Konfekt' *n.* sweets
Konfra'ter *m.* confrere, colleague
Königliche Regierung royal government
Konjunktur': himmliſche — conjuncture of the heavens
Konſens' *m.* = die Zuſtimmung consent
Konterfei' *n.* likeness, portrait
konterfei'en to paint, sketch
Kontor' *n.* counting-room, office
Kontoriſt' *m.* –en –en accountant, clerk
köpfen to behead
Korb *m.* –es ¨e basket
Korn *n.* –es ¨er grain
Körper: blühender — healthy body
Körperbau *m.* stature, figure
koſen to caress, make love
koſtbar costly; valuable; splendid
Koſtbarkeiten (pl.) valuables
koſten to taste, enjoy, cost
köſtlich precious
koſtümiert' in costume
Kotelett' *n.* –s –e cutlet
Kraft *f.* ¨e energy; mit friſchen Kräften with renewed energy; nach beſten Kräften to the best of one's ability
kräftig strong, powerful; nourishing
Kragen *m.* collar
Krähe *f.* crow
Krämer *m.* shop-keeper
Krammetsvogel *m.* –s ¨ fieldfare or small thrush
krampfhaft convulsive
kränkeln to be sickly, ailing
kranken to be sick (from)
kränken (ſich) to grieve
Kranz *m.* –es ¨e wreath
kraus curly
kräuſeln to curl
Kraut *n.* –es ¨er herbs
Kreis *m.* circle
kreiſchen to shriek, scream
kreiſen to whirl, dance, circle
Kreſſe *f.* cress
Kreuz *n.* cross

Kreuz- und Querzüge wanderings up and down
kreuzbrav thoroughly honest
Kreuzer *m.* kreutzer, penny
kriechen o o to crawl
kriechend cringing, crouching
kriegen to get, get hold of, take hold of
Krieger *m.* soldier, warrior
kriegerisch martial, military
Kriegsherr *m.* –n –en commander-in-chief
Kriegslärm *m.* tumult of war
Kriegszeug *n.* weapon, implements of war
Kriegszug *m.* –s ⁻̈e military expedition
Krischan = Christian Christian
Kristall'krone *f.* crystal chandelier
Kroa'te *m.* –n –n Croatian
Krone *f.* crown
Krug *m.* –es ⁻̈e jug; tavern
Krügelchen *n.* (pouch-shaped) wine bottle; jug
krumm crooked, awry
krümmen (sich) to bend, grovel
Krüppelbirke *f.* dwarf-birch
krüppelhaft rickety
Kuckuck *m.* cuckoo; zum — confound it
Kufe *f.* tub
Küfer *m.* cooper, cellar-man
Kugel *f.* bullet
kugelfest bullet-proof
kühn bold, courageous, daring
Kummer *m.* sorrow
kümmerlich wretched
kümmern (sich) to be concerned; bother
Kunde *f.* information, news
kundig experienced, expert; die Kundigen such as know
künftig future
Kunst *f.* ⁻̈e art, skill
kunstfertig skilled (in the arts)
Künstler *m.* artist
künstlich artfully; artificial; clever
kunstlos simple, artless
kunstvoll skilful
Kupferschmied *m.* coppersmith
Kuppel *f.* cupola
kurz: seit kurzem recently; — zuvor shortly before; vor —em a short time ago
Kürze *f.* brevity, conciseness
kurzsichtig short-sighted, near-sighted
kurzweg simply, briefly
Küstenstadt *f.* ⁻̈e sea-side town; seaport
Kutscher *m.* coachman
kutschie'ren to drive (a coach)

L

Lachchor *m.* –s ⁻̈e chorus of laughter
lächeln to smile
lachen to laugh; hell auflachen to burst out laughing
lächerlich laughable, ridiculous, amusing
lackiert' varnished
laden = einladen to invite
Ladung *f.* load
Lage *f.* position, situation; — der Dinge state of affairs
Lager *n.* camp, couch; das — aufheben to break up camp
Lagerausdruck *m.* –s ⁻̈e camp expression
Lagerraum *m.* –s ⁻̈e storage-room
lahm lame, weak, poor
lähmen to lame, paralyze
Laie *m.* –n –n (pronounce Lai-e) layman
lako'nisch laconic, Spartan, terse
Lamm *n.* –es ⁻̈er lamb
landaus' landein' from one country into another
Landeswohl *n.* well-being of the country
landläufig customary in the country
Landregen *m.* wide-spread, persistent rain

Landsmann *m.* –es **Landsleute** fellow-countryman
Länge *f.* length; **der — nach** full length
langen to seize, take, grasp
langgestreckt stretching out to a great length
längs (prep. gen.) along, over
längst: — **vergessen** long since forgotten
langweilig tedious, a bore
Lanze *f.* lance, dart, javelin
Lappen *m.* rag; trifle
Lärm *m.* noise, uproar, tumult, hubbub
lärmen to be noisy, bluster, tumultuous
Larve *f.* mask, disguise, ghost
Laschheit *f.* limpness, weakness
lassen ie a to let, let be, leave, neglect to do, leave undone, let (one) have; **von etwas** — give up
läßlich passable, acceptable
Last *f.* load
lasten to rest upon
Laster *n.* vice
Lästerung *f.* slander, calumny
lau lukewarm
Lauf *m.* –es ¨–e course, gait; barrel (of gun); full gallop; **im —e** in the course
Laufbahn *f.*: **welche —!** what a career!
Laune *f.* frame of mind, mood, humor; **guter** — in good humor
lauschen to listen (attentively)
laut loud; (prep. gen.) according to; — **werden** to be audible
lauten to be, go, run; **die Antwort lautet** the answer is; **der Vers lautet** the verse reads; **folgendermaßen** — to read as follows; **mußte** — had to be
lauter nothing but, all, all of them, none but; **die —e Wahrheit** the plain truth
lautlos silently, breathless; hushed; — **gespannt** in breathless suspense
leben to live, fare; **es lebe** long live; **lebewohl** goodbye; **hoch** — **lassen** to cry hurrah for!
Leben *n.* life; **am — sein** to be alive
leben'dig alive, astir, living
Lebensfeuer *n.* vitality
Lebensgeister (pl.): **die matten** — drooping spirits
lebensgroß life-size
Lebensweise *f.* manner of living; habits
lebhaft lively, brisk; living
leblos lifeless
lebt wohl! farewell!
lecker delicious
Leckermaul *n.* –s ¨–er epicure
Leder *n.* leather
Ledertasche *f.* leather case
Lederwams *n.* –es ¨–er leather doublet
ledig empty; — **sein** to be rid of
leer empty, vacated, mere
legen to lay, put, place; (**sich**) subside
legitimiert' sein to have the legal right
lehnen to lean
Lehnsessel *m.* arm-chair
Lehramt *n.* –s ¨–er instructorship
Lehre *f.* teaching, doctrine, lesson
Lehrling *m.* apprentice
Leib *m.* –es –er body
Leibdienst *m.* (page's) service
Leibgericht *n.* favorite dish
leibhaft = **leibhaftig** actual, very, own, true
leiblich real, own
Leiblied *n.* –s –er favorite song
Leibroß *n.* favorite charger
Leichnam *m.* corpse
leicht light, easy, soft
leichtbeschwingt light-winged
leichtbezecht slightly intoxicated, tipsy

leichtfertig unscrupulous, thoughtless, frivolous
leichtgepudert lightly powdered
leichtherzig light-hearted, cheerful
leichthin lightly, carelessly
Leichtlebigkeit *f.* happy disposition
leichtlich easily
leichtsinnig lightly, carelessly; thoughtless
Leid *n.* trouble, sorrow
leiden litt gelitten to suffer, ail; — mögen like; — können like, love
Leidenschaft *f.* passion
leidenschaftlich passionate, violent
leider unfortunately
leinen linen
leise soft, slight
leisten to do, perform, accomplish; provide; render
leiten to lead
Leiterwagen *m.* rack, hay-wagon
Leitseil *n.* reins
Lende: —n gürten "to gird one's loins"
lenken to direct, guide
Lenkerin *f.* –nen driver
Lenz *m.* spring, 'prime of life'
Lese *f.* harvest; Weinlese vintage
letztens lastly
letztlich lately, of late
leuchten to shine, glisten
Leumund *m.* repute
leutselig affable
Levko'ienbeet *n.* flower-bed of stocks
Libertät' *f.* liberty, freedom
licht bright; in —em Grün light bright green
Lichter *m.* lighter; barge
lichtgefüllt 'light filled', bright
Lichthülle *f.* abundance of light
Lichtschein *m.* bright light, lamp
Lid *n.* –es –er eyelid
lieb: Liebes tun to be kind to
liebenswürdig amiable, likable
lieber rather
Lieber Herr! Dear Sir!
Liebesweben *n.* bonds of love, ties of affection
liebevoll affectionate, loving
Liebfrauenschuh *m.* 'lady's slipper'
liebgewinnen to become fond of
liebhaben to love
Liebkosung *f.* caress
lieblich pleasant, dear, lovable
Liebling *m.* favorite
Lieb'lingsmeta'pher *f.* favorite metaphor
liebreich lovingly
Liebschaft *f.* love affair
liefern to deliver, hand over
liegen=bleiben ie ie to remain lying, be left lie
Lindenkranz *m.* –es ¨–e circle of linden trees
link left; die Linke the left hand
links to the left
Linnenkleid *n.* linen suit
Lise = Louise
lispeln to lisp
List *f.* trick, ruse
listig crafty, cunning
loben to praise, thank
löblich praiseworthy
Lobpsalm *m.* –s –en psalm, song of praise
Loch *n.* –es ¨–er hole
Locke *f.* lock of hair
locken to lure, call
lodern to burn, blaze, flare
Lohn *m.* –es ¨–e reward, compensation, wages
lohnen to reward, pay
Lordschatzmeister *m.* Lord Treasurer
Los *n.* ticket (lottery); lot, fate
los sein to be rid of
los=brechen a o to burst out, break loose
löschen to go out, die out
Löschen *n.* unloading of a ship
los=drücken to fire (a gun)
lose: — Gesellen dissolute fellows
losen to draw lots
lösen to solve; fire; discharge;

(sich) to loosen, break, become free, resolve
los=lassen ie a to leave, set free
los=machen (sich) to set oneself free
los=springen a u to rush at
löten to solder
Lotterie' *f.* lottery
Louisdor' *m.* louis d'or, a gold coin
Löwenhaut *f.* ⸗e lion skin
Lübecker from Lübeck, German city on the Baltic
Luft *f.* ⸗e air
lüften: den Hut — to lift one's hat
Lufthauch *m.* breeze
Luftschnappen *n.* gasping for breath
lügen o o to lie, lying
Lügner *m.* liar
Lungenkraut *n.* –s ⸗er lung-wort (a lichen growing on trees)
Lust *f.* ⸗e pleasure, delight, mirth; desire; — haben to desire, have an inclination
Lust= und Nutzgarten pleasure and utility garden
Lustbarkeit *f.* merriment
lustig jolly, gay

M

Macht *f.* ⸗e power, authority; influence
mächtig immense, potent
Magd *f.* ⸗e girl, maid, maiden
magisch magical
Magistrat' *m.* town-council
Magistrats'siegel *n.* official seal
mähen to mow
Mähne *f.* mane
mahnen to warn
maidlich maidenly
Majestät' *f.* majesty
Mal *n.* time
mal just
malen to paint
malerisch picturesque
Malheur (French, pron. Malör') *n.* misfortune
mancherlei all sorts of things
manchmal frequently, sometimes
Mangel *m.* –s ⸗ lack
mangeln to be wanting
Manier' *f.* manner, way
Männertracht *f.* men's clothing
Mannesalter *n.* age of manhood; im vorgeschrittenen — middle-aged
mannhaft manly
männlich manlike; energetic; resolute
Mantelsack *m.* –s ⸗e valise, bag
Mär *f.* news, rumor; die — vernehmen to hear the news
Marchand=Tailleur (French) merchant-tailor
Märchen *n.* story, fairy-tale
Mark *n.* pith, marrow
markig vigorous, strong, deep; angenehm — pleasantly deep, low
Marmor *m.* marble
marschie'ren to march
Marschweide *f.* marshy meadow, pasture
Maske *f.* mask; pretense
Maskenfahrt *f.* masquerade trip
Maskenzug *m.* –s ⸗e masquerade procession
Maß *n.* measure, size; über alles — beyond all measure
Masse *f.* mass
maßgebend representative, influential
mäßig groß moderately large
mäßigen to restrain, moderate
Mast *m.* –es –en mast
Mastochse *m.* –n –n a fattened ox
Matro'ne *f.* matron, house-keeper
matt weak, weary
Matte *f.* meadow
mattfarbig pale-colored
Mattigkeit *f.* fatigue
Mauer *f.* wall
Maueraufsatz *m.* –es ⸗e coping
Mauerbild *n.* –es –er painting, fresco

Mauermeister *m.* master-mason
Maul *n.* –es ¨er mouth
mauldreist impudent; —e Personnage impudent person
Maurer *m.* mason
mäuschenstill as quiet as a mouse, dead quiet
Meerwunder *n.* sea-monster
Mehltau *m.* mildew
mehr more; nicht — no longer
mehrmals several times
Mehrzahl *f.* majority
meiden ie ie to avoid, shun
meinen to be of the opinion, think, suppose; ich meine I should think; meinst du? do you think so?
meinethalben on my behalf; for all I care
meinetwegen for all I care
Meinung *f.* meaning, opinion, intention; — einholen to get one's opinion
meistens mostly, for the most part
meistenteils mostly, in most cases
melden (sich) to announce; present oneself, arise
Melodie' *f.* melody, tune
Memme *f.* coward
Menge *f.* crowd
mengen to mix
Menschenbesinnen: seit — within the memory of man
Menschenkind *n.* –es –er human being
menschlich human, humane
meritie'ren to deserve
merken = bemerken to notice
merkwürdig strange, queer, remarkable
Messe *f.* mass; die — lesen to say mass
messen a e to measure, examine; take in from head to foot
Messingbrille *f.* brass-rimmed spectacles
Met *m.* mead
Metall' *n.* metal; timbre, quality
meucheln to assassinate
Meuchler *m.* assassin
Miene *f.* manner, expression, countenance, face; finstere — gloomy expression
mieten to rent
milchicht milky, milk-white
Milde *f.* kindness, mercy
mildern to soften, temper
Militär'dienst *m.* military service
Militär'zeit *f.*: — abdienen to serve one's time in the army
Mindenschen people of Minden
minder less; mindest least
Mira'kel *n.* miracle
mischen to mix, mingle, shuffle
Mischung *f.* mixture, admixture
mißbrau'chen to misuse, abuse
mißdeu'ten misinterpret
Missetat *f.* misdeed, crime
mißfal'len ie a to displease
mißfarbig impure in color
mißhan'deln to maltreat
Mißtrauen *n.* mistrust
Mitbesitzer *m.* joint owner
Mitbürger *m.* fellow-citizen
mit=führen to carry along, carry on at the same time
Mitglied *n.* –s –er member
mitleidig sympathetic
mitsam'men together
mitsamt' together with
Mittag *m.* noon
mit=teilen to say, communicate; give, share
Mittel *n.* means
Mittelalter *n.* Middle Ages
mittelst by means of
mitten in the middle (of)
mittler middle, medium
mittlerweile meanwhile
mitun'ter from time to time, at times
Mode *f.* fashion, custom, style
modern' modern
mögen o o may, want, like; möchte would like to

möglich possible
möglicherweise possibly
Moment′ *n.* impetus, momentum, factor; *m.* moment, instant, minute
Mönch *m.* monk
mondbeglänzt illuminated by the moon
mondenblaß pale from the moonlight
Monsieur (French) = **mein Herr** Sir, Mr.
Moor *n.* moor
Mord *m.* murder
morgend of the morrow
Morgenfrühe *f.* early morning
Morgengang *m.* –s ⸗e morning-walk
Morgengruß *m.* –es ⸗e morning greeting; **den — bieten** to say good morning
morgenländisch oriental
Mücke *f.* insect, gnat; trifle
müde tired
Muff *m.* muff
Mühe *f.* trouble, effort; **sich — geben** to exert oneself; **der — wert sein** to be worth while
mühen (sich) to trouble oneself
mühevoll laborious
Münster *n.* cathedral, church
Münsterkirche *f.* cathedral
munter cheerful, lively
Münze *f.* coin, money
murmeln to mumble, mutter
mürrisch morose, sullen
Musche = **Musje′** (colloquial for French) **Monsieur**
Muschel *f.* shell
Muschelsteig *m.* path lined with shells
Musikant′ *m.* –en –en musician
Musikan′tenstand *m.* –es ⸗e bandstand
Musiker *m.* musician
müßig idle
Müßiggang *m.* idleness
musterhaft perfect, model
mustern to survey, examine
Mut *m.* courage, spirit; **— fassen** to summon up courage
mutig courageous
mutmaßlich presumable, suspected
mutterseelenallein all by oneself
Mutwille *m.* –ns roguishness, waggishness
mutwillig pert, roguish
Mütze *f.* cap

N

nach und nach gradually
nach=ahmen to imitate
Nachbarhof *m.* –es ⸗e neighboring yard
Nachbarschaft: gute — halten to be a good neighbor
nach=denken a a to consider, reflect, ponder
nachdenklich thoughtful, contemplative
nachdrücklich emphatic, impressive, terse
Nachforschungen anstellen to search, investigate
nachfühlen to enter into a person's feelings
nach=geben a e to yield, relent, give in
nach=gehen i a to follow up
nachhaltig lasting
nach=hängen to be addicted to, indulge in
nachher afterwards
nach=holen to make up (for lost time)
Nachhut *f.* rear-guard
nach=klingen a u to linger in the memory
Nachlaß *m.* –es ⸗e estate, inheritance
nach=lassen ie a to stop, cease
nachlässig listless, careless, indifferent
nach=machen to imitate

nachmals afterwards
nach=plappern to repeat after; babble
Nachricht *f.* news, information, account
nach=schauen to look after, follow with one's eyes
nach=schicken to send after
Nachschrift *f.* postscript
nach=setzen to pursue, dash after
nach=sinnen a o to reflect on
nach=sprengen to dash after
nach=suchen to petition
Nachtisch *m.* dessert
nächtlicherweile in the night-time
Nachtschwärmer *m.* night-reveller
Nachttau *m.* night-dew
nach=weisen ie ie to prove, point out
Nachwuchs *m.* offspring
Nacken *m.* neck
nackt nackend naked, bare, barefaced
Nadel *f.* needle
Nagel *m.* –s ⁻̈ nail
nagen to gnaw; die Lippe — bite one's lips
nah(e) near, close; nahegehen to affect closely, concern; —liegen suggest itself; das Nähere further details
Nähe *f.* proximity, presence, vicinity; in der — von around, near
nahen (sich) to approach
nähen to sew
nähern (sich) to draw near, approach
Nähkissen *n.* sewing cushion
nähren to nourish; den Wunsch — cherish the desire
nahrhaft rich, nourishing
Nahrung *f.* food, nourishment; sustenance
Nahrungsmittel *n.* food
Naht *f.* ⁻̈e seam
Nahtbeflissene *m.* –n –n person engaged in sewing, tailor
namens by the name of
namhaft considerable
nämlich: die —en sein to be the same; im —en Augenblick at the same moment
Narbe *f.* scar
Narr *m.* –en –en fool
Narre = Närrin *f.* fool
närrisch foolish
Näschen *n.* little nose
Nasenstüber *m.* rap on the nose
naseweis inquisitive, conceited, impertinent; das —e Ding the inquisitive thing, (pers.)
Nasloch *n.* –es ⁻̈er nostril
naß wet
natür'lich natural, of nature
natur'roh natural, simple
Nebel *m.* fog, mist
nebenan' next door, near-by
Nebengasse *f.* side-street
Nebensteig *m.* –es –e side-path
nebst along with, in addition
necken to tease, jeer; neckisch teasing; droll, roguish
Negerlied *n.* –es –er negro song
nehmen: zu sich — to eat; an sich — take possession of
Neid *m.* envy, jealousy
neigen (sich) to bend
nennen a a to name, call
Nettchen = Annette Nettie
Netz *n.* net
netzen to wet
neu: aufs —e anew
Neubau *m.* new building
Neugier Neugierde *f.* curiosity
neugierig curious (to see), inquisitive
Neuigkeit *f.* news
neulich recently
Neuling *m.* novice
Nichte *f.* niece
nichtig slight, insignificant
nichtsdestowe'niger nevertheless
nichtssagend inexpressive, insignificant
nicken to nod, droop

nie never
nieder low; down
nieder=blitzen to sparkle down
niedergeschlagen depressed
niederländisch of the Netherlands, Dutch
nieder=lassen ie a to let down; (sich) to sit down, settle
nieder=schlagen u a to put a stop to
nieder=stechen a o to strike down, stab
niedrig low
niemals never
niesen to sneeze
nirgend(s) nowhere; **nirgend anders** nowhere else
noch just, still
Not *f.* ¨–e distress, misery; in — geraten to fall into want; in höchster — in greatest distress; not tun to be necessary, be urgent
Notar' *m.* notary
nötig sein to be necessary
nötigen to necessitate, compel; urge, invite
Notpfennig *m.* spare money, money laid aside for a rainy day
Notstand: in — versetzen to reduce to want
notwendig necessary
nüchtern sober
nunmehr' now
nunmeh'rig present
Nuß *f.* ¨–e nut
Nutzen: von — sein to be of service; bescheidenen — small benefit
nützen nutzen to be of use, be profitable
nutzlos useless

O

ob whether; = über about
Obdach *n.* refuge
obdachlos without shelter
obenauf uppermost, on top
Oberherr *m.* –n –en lord, master
Oberst *m.* –en –en colonel
obgleich' (also ob — gleich) although
ob=liegen a e to apply oneself, attend to
Obrigkeit *f.* government
obschon' although
Obst *n.* fruit
Obstbaumsetzling *m.* young fruit-tree
obwohl' although
Ochse *m.* –n –n ox
öde desolate, dreary, quiet
Öde *f.* wilderness
offenbar obvious, evident
öffentlich public
offerie'ren to offer
oft often; öfters frequently
Ohm = Oheim = Onkel uncle
ohnehin' besides, all the same
Ohnmacht *f.* weakness; fainting, faint
ohnmächtig weak, faint, helpless; — werden to faint
Ohr: um die —en schlagen to box a person's ears
Ohrlappen *m.* lobe of the ear; ear
Opfer *n.* victim
opfern to sacrifice
ordentlich proper, fitting, real, fine; severely
ordnen (sich) to arrange
Ordnung *f.* order; in — finden to consider right and proper
Ordonnanz' *f.* orderly
Orienta'ler: nach Art der — in an oriental fashion
Ortschaft *f.* place, town
Ortsgeistliche *m.:* greise — venerable local clergyman
Ortsgelegenheit *f.* locality, lay of the land
Ostertor = Osttor *n.* East gate
Ostschweiz *f.* eastern part of Switzerland
Ostseeroggen *m.* rye from the Baltic region

P

Paar *n.* pair, couple
paarweise two by two
packen to seize
Page *m.* –n –n (French, pron. Pahsche) page
Paket' *n.* package
Panzer *m.* coat of mail
Panzerhemd *n.* –s –en shirt of mail
Papagei' *m.* –en –en parrot
Papchen *n.* polly, poll-parrot
Pappel *f.* poplar
Papst *m.* –es ⁻̈e pope
Paradies'vogel *m.* –s ⁻̈ bird of paradise
parie'ren to obey
Partei' *f.* partner in a game, party
Partie' *f.* party, company; eine — Karten a game of cards; eine — spielen to play a game (of cards)
Partisan' *m.* partisan, party follower
passend fitting, suitable
passie'ren to happen
Paste'te *f.* pie, meat-pie
Patchen *n.* godchild
Pate *m.* –n –n godfather
Patengeschenk *n.* christening-gift
Patin *f.* –nen godmother
Patrizier *m.* (pron. Pa-tri'-zi-er) patrician
pauken to play, beat a drum
Pause *f.* intermission; eine — entstand a pause ensued
Pavillon (French) = das Gartenhaus garden or summer house
pechschwarz pitch-black
Pedanterie': lächerliche — absurd pedantry
peinlich painful, distressing
Peitsche *f.* whip
peitschen to whip, beat, flog
Peitschenknall *m.* cracking of a whip
Pelz *m.* fur (coat)
Pelzmütze *f.* fur cap
Pelzwerk *n.* fur
Pergament'kodex *m.* codex, old parchment manuscript
Perle *f.* pearl, bead
Persönlichkeit *f.* personality, person
Personnage (French) *f.* person
Perü'cke *f.* wig
Pfaffe *m.* –n –n priest, cleric
Pfaffenknecht *m.* priest-ridden person
Pfanne *f.* pan
Pfarre *f.* parsonage
Pfarrer *m.* clergyman
Pfarrhof *m.* –s ⁻̈e parsonage
Pfau *m.* –en –en peacock
Pfeife *f.* fife; pipe
Pfeil *m.* arrow
Pfeiler *m.* pillar, post
pfeilrecht = senkrecht upright, vertically
pferchen to be penned up; huddle together
Pfingsten (pl.) Pentecost, Whitsuntide
pfirsichfarben peach-colored
Pflan'zerzigar're *f.* planter's cigar
Pflaster *n.* pavement
Pflaume *f.* plum
Pflegebefohlene *m.* –n –n one entrusted to one's care
pflegen to hold, engage in; cultivate; be accustomed to, care for; zu tun — be accustomed to do, be wont to do
Pflichterfüllung *f.* fulfilment of duty
pflichtgemäß in accordance with one's duty
pflichtgetreu true to one's duty faithful
pflichtvergessen forgetful of one's duty, negligent
pflücken to pluck
Pforte *f.* gate
Pfote *f.* paw
Pfründe *f.* benefice; fette — a fat living

pfui! (interjection) fie!
Pfund *n.* (Bibl.) talent
Phantaſie' *f.* fantasy, imagination
Philoſoph' *m.* –en –en philosopher
Pikenier' *m.* pikeman; soldier
Pilgerſtab *m.* –es ¨e pilgrim's staff
Plage *f.* plague
plagen (ſich) to bother with, worry oneself
Plan *m.* –es ¨e plan
Planke *f.* plank, (thick) board; fence
plattdeutſch Low German (dialect)
Platte *f.* (elevated) plain, plateau
plattgedrückt flat
Platz *m.* –es ¨e place, spot, square; am Platze in place
platzen to burst
plaudern to chat, chatter
plötzlich sudden, suddenly
pochen to knock
Polackei' *f.* Poland
Polizei'macht *f.* police force
polniſch Polish
Polſter *n.* cushion
pompös' pompous
portio'nenweiſe in portions
Poſſen *m.* trick
Poſtbote *m.* –n –n mail-carrier, post-man
Poſten *m.* item account
Poſthornton *m.* –s ¨e sound of a postilion's horn
potz my goodness, 'the deuce you say'
prächtig magnificent, splendid, stately
Prachtkleid *n.* –es –er festive garment
prägen to imprint
prahlen to boast
Prahlerei' *f.* boastfulness
prahleriſch boastful; flagrant
Prahlſucht *f.* boastfulness
Prälat' *m.* –en –en prelate
predigen to preach, discourse
Prediger *m.* clergyman
Predigt *f.* sermon; es wirkt wie eine — it works like a charm
Preis: um jeden — at any price
preſſen to force, squeeze
Prie'ſtertalar' *m.* cassock of a priest
Prinzipal' *m.* employer, manager
Priſe *f.* pinch (of snuff)
probie'ren to try (on)
Profos = der Generalgewaltige high sheriff
Prokuriſt' *m.* –en –en managing clerk
Promena'de *f.* little walk
Prophet' *m.* –en –en prophet
Prophe'tenſtelle *f.* passage from the Prophets (Bible)
propre (French) proper, neat
Proviant' *m.* provisions, supplies
Prozeß' *m.* law-suit; einen — anheben to start a law-suit
prozeſſie'ren to carry on a law-suit
prüfen to test
prunken to show off
prunkend pompous, showy
Pudelmütze *f.* fur cap
Puff *m.* –es ¨e blow
puh (interjection) whew
Pulverdampf *m.* –es, ¨e powder smoke (battle-field)
Punkt: auf den — exactly, an even —
pünktlich punctual
Punſch *m.* punch
purpurn purple
Purpurwolke *f.* purple cloud
purzeln to tumble
Putz *m.* decoration
putzen to clean

Q

quaken to croak, caw
quälen to torment, torture
Quartband *m.* –es ¨e quarto volume
Quartier' *n.* quarters
Quaſte *f.* tassel
Quelle *f.* spring

quellen o o to flow, gush (from the eyes)
quer diagonally
Quinkelie'ren *n.* piping
Quittung *f.* receipt; — erteilen to give a receipt

R

Rabat'te *f.* border (-bed) of a garden
Rache *f.* revenge
rächen (sich) to take revenge
Radmantel *m.* –s ¨– cape
Rand *m.* –es ¨–er edge
Rang *m.* –es ¨–e rank
Ranun'kelbeet *n.* bed of ranunculi
Ranzen *m.* paunch, knapsack
Ränzlein *n.* little knapsack
rasch quick, fast
Rasen *m.* grass, lawn, turf
rasen to dash; rage
rasend frantic, furious
Raserei' *f.* fury, frenzy, madness
rastlos restless; ceaselessly
Rat *m.* –es ¨–e advice; city council; — holen to get advice
raten ie a to guess, advise; auf etwas — surmise
Rathaus *n.* –es ¨–er town-hall
ratlos perplexed, embarrassed
ratschlagen to deliberate, consider
rätselhaft mysterious
Ratsherr *m.* –n –en member of the council, alderman
Ratssaal *m.* –es –säle council chamber
Ratsschreiber *m.* town-clerk
Ratsweinkeller *m.* wine restaurant in the basement of the town-hall
rauben to rob
Räuberhauptmann *m.* –s –leute chieftain of bandits
Raubgier *f.* greed for plunder
Raubritter *m.* robber-knight
Raubtier *n.* wild beast
rauchen to smoke
Rauchsäule *f.* column of smoke
Rauchzeug *n.* smoking material
räudig mangy
Raufbold *m.* rowdy, brawler
Raufdegen *m.* –s – rapier
rauh rough, cold
Raum *m.* –es ¨–e space
Rausch *m.* –es ¨–e intoxication, turmoil, excitement
rauschen to rush, rustle
räuspern (sich) to clear one's throat
Reb'huhnpaste'te *f.* partridge-pie
Rechenschaft: sich — geben to give account to oneself
Rechnung: — abschließen to wind up an account
recht right, correct; quite; erst — really, all the more
Recht *n.* right, law; etwas —es something worth while; auf seinem — bestehen to insist upon one's right
Rechtlichkeit *f.* righteousness
Rechtsanwalt *m.* lawyer
rechtschaffen honest, thorough
Rechtsstreitigkeit *f.* legal dispute
Rechtstitel *m.* legal paragraphs
rechtzeitig in time, opportunely
recken (sich) to stretch one's limbs
Rede: der — wert worth mentioning; — stehen to give an account; zur — stellen call to account
Redensart *f.* phrase, expression, saying, remark, "gossip"
redlich honest
Redlichkeit *f.* integrity
Rednerbühne *f.* tribune, platform
Reede *f.* roadstead (protected anchorage for ships)
regelmäßig regular(ly)
regen (sich) to move, stir
regie'ren to guide, manage; rule, govern
Regisseur' *m.* (French) stage manager
reglos motionless
regnen to rain

Regung: mitleidige — feeling of sympathy
Reh *n.* deer
reiben ie ie to rub
reichen to pass, hand, hold out
reichlich in abundance
reichvergoldet ornately gilded
reifen to ripen, mature
Reifen *m.* hoop
Reigen *m.* dance
Reihe *f.* turn, row, list
rein pure, regular, real
Reinigung *f.* (house-)cleaning
Reinlichkeit *f.* cleanliness
Reise *f.* journey, travel
Reisige *m.* –n –n trooper, soldier
reißend rapidly; savage
reiten i i to ride (on horseback)
reitermäßig horsemanlike, trooper-like
Reithose *f.* pair of riding breeches
Reiz *m.* charm
reizbar irritable, sensitive
reizen to irritate, stimulate, provoke
reizend charming
Rekognoszie'rungsritt *m.* reconnoitering ride
Reliquie *f.* (pron. Re=li'=qui=e) relic
Remedur' *f.* remedy
Rentkammer *f.* exchequer
reputier'lich respectable
Residenz' *f.* capital
Respekt': schuldigen — all due respect
Respekts'person *f.* person of standing
respekt'widrig lacking in respect, annoying
retten to save; help
Rettung *f.* deliverance, rescue
reuig penitent
richten to judge, condemn; direct; execute; (sich) in die Höhe — to rise, lift oneself up; die Augen — to fix the eyes
Richter *m.* mayor, judge
Richtigkeit: seine — haben to be based on fact
Richtung *f.* direction
riechen o o to smell
rieseln to trickle
riesenhaft gigantic
riesig immense, enormous
Rind *n.* –es –er ox, cow
Rinde *f.* bark
Rindfleisch *n.* beef
Ringeltanz = Reigen *m.* rondelay
ringen a u to wring
Ringmauer *f.* wall around a town
rings um round about, all around
Rippe *f.* rib
Riß *m.* rent, tear
Ritt *m.* ride
Ritter *m.* knight
ritterlich knightly, horsemanlike
röche (see) riechen
röcheln to have the death rattle in one's throat
Rock *m.* –es ¨e coat; skirt
Rockschoß *m.* –es ¨e coat-tail
Roggen *m.* rye
roh crude; plain, simple
Rohrstock *m.* –es ¨e cane
Rollen: verteilte — assigned parts
Roman' *m.* novel; romance
römisch Roman; Roman Catholic
Ro'sengirlan'de *f.* garland of roses
Rosenkranz *m.* –es ¨e rosary
Roß *n.* horse, steed; mit Rossen und Mannen with horses and horsemen
Roßgestampf *n.* stamping of horses
Rot: von — übergossen suffused with blushes
Röte *f.* redness, red color
röten to redden
Rotkehlchen *n.* robin
rötlich reddish
rotseiden red silk
Rotwein *m.* claret, red wine
ruchlos wicked, unscrupulous, restless
Ruck *m.* pull, jerk

Rückhalt: sich ohne — hingeben to devote oneself without reserve
Rückkehr *f.* return
Rückwand *f.* ⁻̈e back wall
rückwärts fliehend retreating
Rückzug *m.* –es ⁻̈e retreat
Ruf *m.* call; reputation; ihm war der — gefolgt the reputation had followed him to the grave
rügen to reprove
Ruhe *f.* tranquility, peace
Ruhebett *n.* –s –en couch, bed
ruhen to rest, sleep
ruhig at rest, peaceful, silent
Ruhm *m.* fame
rühmlich honorable
ruhmreich glorious
rühren (sich) to move, affect, touch, stir
rührend moving, touching
Rührung *f.* emotion
Rui'ne *f.* ruins, wreck, remains
rümpfen: die Stirne — to frown
Runzel *f.* wrinkle
rüsten (sich) to get ready, arm, prepare
rüstig active
Rüstung *f.* outfit, costume, armor
rütteln to shake

S

Saal *m.* –es Säle drawing-room, hall
Sache *f.* matter, affair, cause
sachkundig experienced
Sachwalter *m.* attorney
säen to sow
Saft *m.* –es ⁻̈e sap, juice
Sage *f.* tale, story
Sal'vokondukt' *m.* safe-conduct, passport
sammeln to gather, collect
Sammet *m.* velvet
Sammetfutter *n.* velvet lining
Sammetpfote *f.* velvet glove
Sammetweste *f.* velvet vest
samt = sämtlich all, altogether, together with
sanft gentle, peaceful, sweet
sänftiglich = sanft peacefully
sanftmütig gentle
Sankt Bonifa'ziuskirche Church of St. Boniface
sata'nisch fiendish, devilish
satt bekommen to become tired; — essen to eat one's fill
sättigen (sich) to satisfy one's hunger
sattsam sufficiently
Satz *m.* –es ⁻̈e stride, leap; sentence; in weiten Sätzen in big strides; mit einem — with a leap
sauber tidy; carefully; — gehalten neatly kept
sauersüß lächeln to smile a sickly smile
saugen o o to suck, draw, absorb
Säugling *m.* infant
Säule *f.* pillar
Saum *m.* –es ⁻̈e hem
Saumensch *n.* slovenly person
Saumtier *n.* sumpter, burro
säuseln to rustle
Sausergelüste *n.* appetite for "Sauser"
Schabernack *m.* hoax, trick
Schach = das Schachspiel chess
Schachtel *f.* box
schade sein to be a pity
Schädel *m.* skull
Schaden *m.* –s ⁻̈ loss
schaden to harm, injure
schadenfroh malicious
schaffen to get, put; zu — machen trouble, worry; sich zu — machen be busy
Schafspelz *m.* sheepskin
Schale *f.* shell
schalgrau pale grey
Schalk *m.* rogue
schalkhaft roguish
Scham *f.* shame, modesty
schämen (sich) to be ashamed

schamhaft bashful, modest; embarrassed
Schande *f.* scandal, disgrace, shame; offenbare — a public scandal
Schar *f.* troop, crowd, host
Schärfe *f.* sharpness, edge
Scharfrichter *m.* executioner
scharfsinnig clever, skilful
Scharmüt'zel *n.* skirmish
scharren to paw the ground (of horses)
Schatten *m.* shadow, shade
Schatul'le *f.* money-box, jewelry-box
Schatz *m.* –es ¨–e treasure, treasury; sweetheart, beloved
schätzen to value, admire, appreciate
Schauder *m.* horror, terror
schaudern to shudder
schauen to look, scan, watch
schauerlich gruesome
Schaum *m.* froth
schäumen to foam, churn
Schauplatz *m.* –es ¨–e scene
Schauspiel *n.* sight, scene; ein — aufführen to present a play
Schauspieler *m.* actor
schaust aus you look like
Schaustellung *f.* exhibition, pageant
Schautanz: — aufführen to present a dance
Scheffel *m.* bushel; mit —n in great abundance
Scheibe *f.* window-pane
Scheide *f.* border; sheath
Scheidemauer *f.* partition-wall
scheiden ie ie to part; separate; divorce
Schein *m.* light; brightness
scheinbar seemingly
Scheinbild *n.* –s –er deception, disguise
scheinen ie ie to seem; shine
Scheinjüngling *m.* pseudo-youth
schellen to ring
Schellenklang *m.* ringing of bells
Schelm *m.* rogue, rascal
schelmisch roguish
schelten a o to scold; call
Scheltwort *n.* word of reproach, imprecation
Schemel *m.* footstool, stool
Schemen *m.* = Schattenbild *n.* shadow-picture
Schere *f.* scissors
scheren o o to shear, cut; sich — (weak verb) to care, bother about
scherzen to jest, joke
Scherzrede *f.* pleasantry
scheu shy, timid; unsichere Scheu *f.* uncertain timidity, respect
scheuchen to shoo, drive away
scheuen to dread, be afraid of, shun, be shy of
scheuern (sich) to rub
Scheune *f.* barn
schicken to send; (sich) (impers.) to be becoming, befitting
schicklich fitting
Schicksal *n.* fate, destiny
Schiebkarren *m.* push-cart
schief crooked
schikanös' bothersome, vexatious
Schild *m.* shield
schildern to describe, picture
Schilderung *f.* portrayal
Schildwache *f.* sentry
schimä'risch chimerical
Schimmer *m.* gleam, beam, ray
schimmern to glitter, shine
Schimpf *m.* disgrace
schimpfen to curse, scold
Schimpfwort *n.* abusive word, insult
Schlacht *f.* battle
Schlachtbank *f.* ¨–e slaughter
schlachten to butcher
Schlaf der Gerechten the "sleep of the just"
Schläfe *f.* temple
Schlafgemach *n.* –s ¨–er bed-room
Schlafstelle *f.* bed, berth
Schlafwandel *m.* sleep-walking
Schlag *m.* –es ¨–e blow; carriage

door; **wie mit einem** — all at once
schlagen u a to strike, beat, paw (of horses); cross; **im Brettspiel** — beat in a game; (of birds) sing, warble
schlagend striking, cogent
schlank slender
schlankweg simply, outright, willingly
schlau sly, cunning, quick-witted
schlechthin simply
Schlegel *m.* drumstick
Schlehe *f.* blackthorn
schleichen (sich) **i i** to creep, steal, sneak
Schleier *m.* veil
schleifen (weak) to drag, pull along; (strong: **i, i**) to sharpen, whet
schleppen to drag
Schlesier *m.* Silesian
schleudern to hurl
schlicht simple; — **und recht** right and proper
schließlich finally
schlimm bad, evil; **—er werden** to grow worse
Schlinge *f.* clasp, fastening; snare, mesh; tie
schlingen a u to swallow; wind, twist
Schlitten *m.* sleigh
Schlittenbahn *f.* sleighing
Schloß *n.* –es ⁻̈er castle
schlottern to tremble, wabble
Schlucht *f.* ravine
schluchzen to sob
Schluck *m.* swallow
schlucken to swallow
schlummern to slumber, sleep
schlüpfen to slip
schlürfen to sip
Schluß ziehen to draw a conclusion
Schlüssel *m.* key
Schlüsselbund *m.* bunch of keys
Schmach *f.* disgrace
schmachten to languish
schmächtig frail, thin
schmachvoll dishonorable; disgraceful
schmählich disgraceful, outrageous, insulting
schmal thin, narrow
schmausen to feast
Schmeichelei' *f.* flattery
schmeißen i i to throw, fling
schmerzen to pain
schmerzlich painful
Schmetterling *m.* butterfly
schmettern to sound, crash
Schmiedekunst *f.* ⁻̈e armorer's craft
schmiegsam flexible
Schmuck *m.* ornament, jewels
schmuck neat, nice; elegant
schmücken to decorate
schmunzeln to grin, smirk
Schmutz *m.* dirt
Schnabel *m.* –s ⁻̈ bill, beak
schnalzen to smack
schnappen to snap
schnarren to rattle, hum
Schnecke *f.* snail
Schneeglanz *m.* glitter of the snow
schneidermäßig like a tailor
Schneiderwesen *n.* tailor's profession
Schnepfe *f.* snipe
Schneuz: einen — tun to blow one's nose
schneuzen to blow (nose)
schnöde contemptible
Schnörkel *m.* flourish
schnupfen to take snuff
Schnupftuch *n.* –s ⁻̈er handkerchief
schnuppern to snuffle
Schnur *f.* ⁻̈e cord, string, lace; **mit Schnüren besetzt** bordered, trimmed with cords or lace
schnüren to lace
Schnurrbart *m.* –s ⁻̈e mustache
Scholle *f.* clod
schonen to spare
schöpfen to draw, get, breathe
Schöppe = **Schöffe** *m.* –n –n a layman judge

Schoß *m.* –es ¨e lap; (coat) tails
schräg slanting, sidelong
Schragen *m.* camp-bed
Schrank *m.* –s ¨e closet, cupboard
Schreck Schrecken *m.* fright, terror
schrecklich horrible
Schrei *m.* outcry; yell, scream
Schreiben *n.* letter, document
Schreiber *m.* secretary
Schreibstube *f.* office, counting room
schreien ie ie to scream; call out
Schreihals *m.* –es ¨e young child, 'cry baby'
Schrein *m.* desk, bureau
Schreiner *m.* carpenter (joiner)
Schreinergeselle *m.* –n –n journeyman, joiner
schreiten i i to walk, stride, step
Schrift *f.* record, document
schriftlich in writing
Schriftsteller *m.* author, poet
Schriftstück *n.* document
Schriftzug *m.* –s ¨e handwriting
schrill shrill, piercing, grating
schrillen to shrill; chirp, buzz
Schritt *m.* step; im — gehen to go at a walking pace
Schublade *f.* drawer
schüchtern timid, shy
Schuh hoch foot high
Schulbediente *m.* –n –n school employee
Schuld *f.* blame, fault, debt
Schuldenschreiber *m.* recorder
schuldig sein to be in debt, owe
Schuldigkeit *f.* duty
schulgerecht approved, in approved manner
Schultheiß *m.* –en –en mayor (of a village); governor
Schuppen *m.* shed
Schürze *f.* apron
Schuß *m.* –es ¨e shot
Schüssel *f.* bowl, dish
schütteln to shake, toss
schütten to pour
Schutz *m.* protection
schützen to protect
Schutzwache *f.* safe-guard
Schwager *m.* –s ¨ brother-in-law
Schwamm *m.* –es ¨e sponge
schwanken to stagger, sway, waver
schwankend unsteady
Schwanz *m.* –es ¨e tail
schwärmerisch enthusiastic
schwarzseiden black silk
schwatzen to chat
schweben to hover, soar
schwedisch Swedish
schweifen to roam, travel
schweigen ie ie to be silent
Schweinestall *m.* –s ¨e pig-pen
Schweiß *m.* perspiration
Schweizerdegen *m.* Swiss sword
Schwelle *f.* threshold
schwellen o o to swell
schwer=fallen ie a to prove difficult
schwerfällig ponderous
schwerlich hardly
schwermütig melancholy, dejected
Schwert *n.* –es –er sword
schwiegerelterlich belonging to one's parents-in-law
Schwiegersohn *m.* –s ¨e son-in-law
Schwiegertochter *f.* ¨ daughter-in-law
Schwiegervater *m.* –s ¨ father-in-law
schwielenvoll callous, calloused
Schwindel *m.* dizziness, whirl; tollen — bustle and confusion
schwinden a u to disappear
schwindlig: — zumute werden to become dizzy
schwingen a u to swing
schwören u o to swear
schwül sultry
Schwüle *f.* closeness, oppressiveness
Seele *f.* soul; sterbliche — mortal soul
seelenruhig calm, placid
Segel *n.* sail
Segen *m.* blessing
segnen to bless

Seher *m.* seer, prophet
sehnen (sich) to long for; sich heiß — to long for intensely
sehnlich ardent, passionate
Sehnsucht *f.* longing
sehnsüchtig longing
sehnsuchtsvoll longing
Seide *f.* silk
seiden of silk
Seifenblase *f.* soap-bubble
seinerseits on his part
seinesglei'chen men of his kind or class
seitab = abseits apart, out of the way
seitdem' since then
Seite: von seiten on the part of
seither' since then
seitwärts to the side, aside
sekret' private, personal
sekundie'ren to act as second
selbiger the same
selbständig independent
Selbstgefälligkeit *f.* self-satisfaction
Selbstgespräch *n.* soliloquy
selbstgezogen home-grown
selbstsüchtig selfish, self-seeking
Selbsttäuschung *f.* self-deception
selig late, deceased; happy blessed, blissful; Gott hab' ihn — may God have mercy on his soul
Seligkeit *f.* blessedness, happiness; salvation
selten seldom; rare; nicht — frequently
seltsam strange, singular, unusual
seltsamerweise in a strange manner, strange to say
Sena'tum (Latin, accus. of senatus) = Senat' city council
senken to lower, let fall
senkrecht vertical
Sense *f.* scythe
Service (French) = das Tafelgeschirr *n.* tableware, silverware
servie'ren to serve
Serviet'te *f.* napkin
Serviteur (French, pron. Ser-vi-tör') your servant
Sessel *m.* easy-chair
seufzen to sigh
Sichel *f.* sickle; crescent
sicher safe, secure, certain
Sicherheit *f.* certainty, security
sicherlich certainly
sichern to make secure, assure
sichtbar visible
sichtlich clearly, visibly; obvious; — gerührt visibly touched
sickern to ooze
Siebensachen (pl.) belongings
sieden to boil
Sieg *m.* victory
siegeln to seal
Silbe *f.* syllable
silbern of silver
Sinn *m.* mind, thought, sense; ohne — und Verstand without sense and reason; gleichen —es sein to be of the same opinion
Sinnbild *n.* –s –er symbol, emblem
sinnen a o to think, reflect, meditate; düster —d pondering gloomily
Sinnspruch *m.* –es ¨–e saying, motto
sinnverwirrend bewildering
Sippe *f.* tribe, set, lot, crowd
Sippschaft *f.* relationship
Sitte *f.* manner, custom; nach der — according to the custom
Sitteneinfalt *f.* simplicity of manners, artlessness
Sittlichkeit *f.* befestigte — sound morals
sittsam reservedly, modestly
Sitz *m.* seat
sitzen a e to sit; fit
Sitzung *f.* meeting, discussion
Slawo'nierin Slavonian woman
Smaragd' *m.* emerald
sobald' as soon as
sodann' then; secondly, in the second place
soe'ben just
sofort' immediately, at once

sogar' even
solchergestalt in the following way
Solda'tenrock *m.* –s ⸚e soldier's coat
soli'd(e) respectable, reliable
somit' so, consequently
sonach' consequently, therefore
sonderbar strange, peculiar
sonderbarerweise strangely
sonderlich special, particular
sondern but, on the contrary
Sonntagsschlafrock *m.* –s ⸚e best dressing-gown
sonst in other respects, else, at other times
sonstwo somewhere else
Sorge *f.* anxiety, concern, care, worry
sorgen to care for
sorgenhaft careworn, worried
sorgfältig carefully
sorglich careful
soviel nur such as only
sowieso' as it is
sozusagen so to say
Spalte *f.* crack, cleft
Span *m.* –es ⸚e kindling, chip
spannen to stretch
Spannschraube *f.* screw for tuning a drum
sparen to save
sparsam sparse, scant, scarce; thin; sparing(ly)
Spaß *m.* –es ⸚e: — machen to play a trick; tüchtigen — good fun
Spaten *m.* spade
Spätglut *f.* evening glow
spazie'ren to walk
Spediteur (pron. Speditör') *m.* forwarding agent
Speer *m.* spear
Speise *f.* food
speisen to eat
Speisesaal *m.* –s –säle banquet-hall
Speisezimmer *n.* dining-room
sperren to obstruct, block up, close
Spiegel *m.* mirror
Spiegelaufsatz *m.* –es ⸚e mirror-top
spiegeln (sich) to reflect
Spiel: verdecktes — covert, hidden, dishonest behavior; ein — machen to have a game
Spielgeselle *m.* –n –n playmate
Spielmann *m.* –s Spielleute musician
Spielwerk *n.* plaything
Spieß *m.* spear
spinnen a o to spin
Spinnerei' *f.* spinning-mill
Spinnweb = Spinngewebe *n.* cobweb
Spion' *m.* spy
spitz pointed
Spitzbube *m.* –n –n rogue, rascal
spitzen to prick up; sharpen
Spitzenkragen *m.* lace collar
spitzfindig subtle, crafty
spitzig sharp; afraid of deceit
sporenklirrend with clanking spurs
Sporn *m.* –s Sporen spur
spotten to ridicule, mock
spreiten to spread out
sprengen to burst, dash; ride at full speed
springen a u to dart, jump, break
spritzen to splash; sputter, sparkle
Sproß *m.* sprout
Spruch *m.* –es ⸚e saying, motto
Sprung *m.* –es ⸚e leap, jump
Spuk *m.* apparition
Spur *f.* trace, track; **verwischte** Spuren obliterated traces (action)
spüren to notice
spurlos without a trace
sputen (sich) to make haste
St. (**Sankt**) **Spiritus** Holy Ghost
Stab *m.* –es ⸚e bar, picket
Stabsoffizier' *m.* staff-officer, field officer
Stachelbeere *f.* gooseberry
Städter *m.* inhabitant of a city
Stadtfeld *n.* –es –er area around a town

Stadtgebiet *n.* territory around a town
Stadtknecht *m.* (city) soldier
Stadtmarkt *m.* –es ¨–e market-place
Stadtpfeifer *m.* town-musician
Stadtschreiber *m.* town-clerk
Stadttambour *m.* town drummer
Stadtwage *f.* public scales, public weighing house
Stahl *m.* steel
Stake'tenzaun *m.* picket fence
Staket'pforte *f.* (picket) gate
Stallknecht *m.* hostler, stable boy
Stallwinkel *m.* corner of a stable
Stamm *m.* –es ¨–e tribe, race; tree-trunk
stammeln to stammer
stammen = abstammen to be descended from
stämmig stocky
Stammschloß *n.* –es ¨–er ancestral castle
Standesgenosse *m.* –n –n peer, equal in rank
standhaft resolute
Standplatz *m.* –es ¨–e position, station
Standpunkt *m.* standpoint, point of view; level
Stange *f.* pole, perch
starkgewölbt high-arched
starr staring, fixed
starren to stare; bristle
Starrkopf *m.* –s ¨–e stubborn head
statt instead of
Stätte *f.* place
statt=finden a u to take place
stattlich fine, splendid, grand, handsome
staubig dusty
stauen (sich) to block, get blocked
Staunen *n.* astonishment; wie vor — as if in astonishment
stechen a o to prick, prod; come over
stecken to put (together), stick; be inherent in
Steig *m.* path
Steigbügel *m.* stirrup
steil steep
steinern of stone
Steinhof *m.* –s ¨–e a yard laid with stones
Stelle *f.* place, position
stellen (sich) to appear, pretend
Stellung *f.* position; — nehmen to take up an attitude (towards)
stemmen to lean, prop, brace
Stengel *m.* stalk, stem, stick
sterblich mortal
Sternstellung *f.* grouping of stars
stets always
sticken to embroider
Stiefel *m.* boot
Stift *n.* –es –er monastery, bishopric
stiften to create, endow
Stiftsdame *f.* canoness
Stiftskirche *f.* cathedral (church)
Stil *m.* style
still quiet; —halten to submit quietly, stop
stillen to satisfy, quench
Stimme *f.* voice; unter der — in an undertone
stimmen to tune
Stimmung *f.* sentiment, attitude, mood; die — schlug um the mood changed
Stirn(e) *f.* forehead, brow
Stöckelschuh *m.* high-heeled shoe
stocken to hesitate
Stockwerk *n.* story (of a house)
stofflos = wesenlos without substance
stolpern to stumble
stolz proud; Stolz *m.* pride
stopfen to mend, darn, patch
stören to disturb
Stoß *m.* –es ¨–e shock; push, kick; pile, heap
stoßen ie o to knock, butt; — (auf) meet, encounter, fall in with
stößig: —er Bock vicious goat, given to butting

Stoßseufzer *m.* short abrupt prayer
stottern to stammer, stutter
strafen to punish
straff: —e Haare bristling hair
Straffall: geringen — mild cause for punishment
Strahl *m.* –es –en ray, beam; — des Glücks radiant happiness
strahlen to shine, beam
Strand *m.* seashore
Straßenrand *m.* –es ¨–er edge of the road
sträuben (sich) to struggle, resist
Strauch *m.* –es ¨–er shrub, bush
streben to strive for, aspire
strecken to stretch
Streich *m.* blow, stroke; sudden attack; prank; dumme —e machen to play foolish tricks, do stupid things; einen — begehen play a trick
streicheln to stroke, caress
streichen i i to stroke
streifen to wander, rove, roam; graze
Streit *m.* strife, battle, quarrel; in — befangen entangled in a quarrel
streiten i i to fight
Streiter *m.* combatant, fighter
Streithengst *m.* charger
streng stern, strict
Strenge *f.* strictness, austerity; finstere —, bigoted sternness
Strich *m.* line, streak
Strick *m.* rope
stricken to knit
Strohpuppe *f.* straw figure
Strohschütte *f.* layer of straw
Strolch *m.* vagabond
strotzen to abound
Strudel *m.* whirlpool, turmoil; — des Geschehens whirl of events
Strumpf *m.* –es ¨–e stocking
Stube *f.* room
Stubenmädchen *n.* servant girl
Stück *n.* piece, sheet; cannon; in —e springen to break to pieces; Stücke lösen to fire cannon
Stuckroset'te *f.* stucco rosette
Stufe *f.* step
Stukkatur' *f.* stucco-work
stülpen to put on, cock on
stumm silent, mute
Stümper *m.* amateur
Stündlein *n.* last hour, hour of death
stündlich hourly
Sturm *m.* –es ¨–e assault; storm
Sturmglocke *f.* alarm-bell
Sturmhaube *f.* steel-skullcap, morion
Sturz *m.* –es ¨–e fall
stürzen to fall, throw, rush, plunge, fling
stützen to support
stutzen to be taken aback
subskribie'ren to subscribe
suchen to seek, search
summen to hum
summie'ren to add up
Sumpf *m.* –es ¨–e swamp
Sünde *f.* sin
Szene *f.* scene, sight; in — setzen to act out, put (on the stage)

T

Tabak *m.* tobacco
Tabor mountain in Palestine
Tadel *m.* censure, blame
tadeln to blame, find fault with
Tafel *f.* gedeckte — set table
Tag *m.* day; den — über all day
Tagelöhner *m.* day laborer
tagesmüde tired out from the day's work
täglich daily
Takt *m.* time (music)
taktmäßig with measured tread
Tal *n.* –es ¨–er valley
tannenschlank (lit.): as slender as a fir tree; 'as straight as a poplar'
tanzlustig fond of dancing

tapfer brave, valiant, courageous
Tasche *f.* pocket, bag
tasten to reach for, feel, grope
Tat *f.* deed, action, performance; in der — in fact, indeed
Tätigkeit *f.* activity
Tätigkeitstrieb *m.* inclination to activity (work)
Tätlichkeit: —en verhindern to prevent acts of violence
Tatsache *f.* fact
Tau *m.* dew
taub: —e Ernte a barren crop
Taube *f.* dove
tauchen to dive, plunge, dip
taufen to baptize, christen
Taufname *m.* –ns –n given name
Taugenichts *m.* good-for-nothing
tauglich sein to be appropriate, useful
Taumel *m.* revelry
täuschen to deceive, cheat
Täuschung *f.* deception
Teich *m.* pond, pool
Teil *m.* part, share, portion
teilen to share
Teilnahme *f.* participation
teil=nehmen a o to participate, take part
teils: — teils partly — partly, now — now
Teppich *m.* carpet
Testament' *n.* last will
teuer dear, expensive
Teufel *m.* devil; zum — confound it
tief deep, low
tiefeingeschnitten cut in deeply
tiefsinnig thoughtful, serious
Tisch: nach — after dinner; zu — bitten to call to dinner
Tittel (Tüttel) *m.* jot, tittle
Tod: sich den — geben to commit suicide
tödlich deadly, mortal, fatal
Todsünde *f.* deadly sin
Toilet'tenwerkzeug (pronounce first syllable as in French) *n.* toilet articles
Tokaier *m.* Tokay (wine)
toll foolish, insane, mad, wild
Tollhaus *n.* –es ⸚er insane asylum
Tollheit *f.* prank, absurdity
Ton *m.* –s ⸚e tone, voice
tönen to sound
topp agreed!
Tor *m.* –en –en fool
Tor *n.* gate
Torbogen *m.* arched gate
Torheit *f.* folly
töricht foolish, stupid
Torte *f.* tart
Tortenpfanne *f.* pan for baking tarts
Totengang *m.* cemetery lane
Totengräber *m.* grave digger
Totenschein *m.* death-warrant
Trab *m.* trot
Tracht *f.* costume, uniform, clothing
trachten to aspire
träge lazy, idle
Tragebalken *m.* rafter
tragen u a to carry, wear, bear
tragie'ren to act
Tragweite *f.* range
Träne *f.* tear
Tränenguß *m.* –es ⸚e burst of tears
Tränenvergießen *n.* shedding of tears
Transport' *m.* transport, conveyance
trauen (with dat.) to trust, believe
Trau'ermusik' *f.* funeral music
trauern to mourn, grieve
träufeln to drip, trickle
traulich intimate; snugly
Traum *m.* –es ⸚e dream
träumen to dream
traurig sad
traut: beim —en Lichtschein in cosy lamplight
treffen a o to hit, strike, meet; enter upon
trefflich excellent, admirable

treiben ie ie to stir, urge, drive; carry on
Treiben *n.* doings; life
trennen (sich) to separate, part from
treppansteigend ascending the stairs or steps
Treppe *f.* staircase
Treppenstufe *f.* step (of a stairway)
treten a e to step, come; enlist
treubrüchig faithless
Treue *f.* fidelity, loyalty, faith; — halten to keep one's word; in Treuen (old plural)
treuherzig true-hearted, loyal, sincere
Tribü'ne *f.* platform, stage
Trinkgeld *n.* –s –er tip
Trinkschale *f.* drinking cup, goblet
Trinkspruch *m.* –es ¨–e motto referring to drinking
Tritt *m.* step
triumphie'ren to triumph
trocknen to dry, wipe
Troddel *f.* tassel
Trommel: die — rühren to beat the drum
Trompe'tenstoß *m.* –es ¨–e trumpet blast
Tropfen *m.* drop
Trost *m.* consolation
trostbedürftig in need of consolation
trösten to console
Trotz *m.* defiance
trotz in spite of; zum — for spite
trotzdem' in spite of, after all
trotzen to sulk; defy, brave
Trotzkopf *m.* –es ¨–e obstinate person
trüben to dim, darken
trübselig sad-looking, sorrowful
Trüffel *f.* truffle
trügen = betrügen o o to deceive
Truggestalt *f.* deception
Truhe *f.* trunk, chest, ' coffin '
Trunk *m.* –es ¨–e draught, drink
trunken intoxicated
Tuch *n.* –es ¨–er cloth, covering
Tuchhändler *m.* dealer in cloth
Tuchherr *m.* –n –en draper
tüchtig thorough(ly), able, smart; sound
Tüchtigkeit *f.* ability
tückisch spiteful, mischievous
Tugend *f.* virtue
Tugendbild *n.* –es –er image of virtue
tummeln (sich) to romp, move about; spur on, ride merrily
Tumult' *m.* tumult, uproar, noise
tun a a to do, practise, cause, take; sich zu — machen to busy oneself
tupfen touch with the tip of one's fingers
Turm *m.* –es ¨–e tower
Turmknopf *m.* –s ¨–e knob on top of a steeple
Türschwelle *f.* threshold
tutte quante (Ital.) one and all

U

übel bad, poor; übelgesinnt ill disposed; übelnehmen to take offense at; übel mitspielen play a mean trick
Übel *n.* evil
üben to practise, exercise, train
überall' everywhere
überaus exceedingly
Überbau *m.* superstructure
Überbleibsel *n.* relic
überbrin'gen a a to deliver
überden'ken a a to think over, reflect
überdies' moreover
überfal'len ie a to surprise
überflie'gen o o to glance over
Überfluß *m.* –es ¨–e superabundance
überge'ben a e to hand over
über=gehen i a to pass over
übergeschnappt off one's balance, ' cracked '
übergewaltig powerful
übergie'ßen o o to suffuse

überhand'nehmen a o to increase
überhaupt' altogether, in general, on the whole, indeed
überhe'ben o o to be exempt, spare the necessity of
überhö'ren fail to hear, miss
überlas'sen ie a to leave to
überlaut very loud
überle'gen to consider
überlie'fern to deliver, hand over to a person
übermächtig irresistible, overwhelming
überman'nen to overcome
Übermaß: im — in superfluity, in abundance
übernächtigt worn out, jaded
über=quellen: —des Herz a heart full to overflowing
überra'gen to overtop
überrascht' surprised, astonished
Überraschung *f.* surprise
überre'den to persuade
überrei'chen to hand over, deliver, present
Überrock *m.* –s ⁻e overcoat
überschät'zen to overestimate, overrate
über=schäumen to brim over
überschrei'ten i i to pass, going beyond
Überschrift *f.* inscription
überschwenglich unbounded, abundant
Überset'zung *f.* translation
über=siedeln to move to
überspin'nen a o to spin over, cover; embrace
überwach'sen u a to overgrow
überwäl'tigen to overpower, drown out
überwie'gen o o to predominate, prevail, exceed
überwin'den a u to conquer, overcome
überzeu'gen (sich) to become convinced
Überzeugung *f.* conviction
übrig remaining, left, other; im —en besides; —bleiben to remain, be left; —lassen to leave; alle —en all the rest; die —e Stadt the rest of the city
übrigens besides
Übung *f.* exercise, practice, observance
Ufer *n.* shore
Uhrwerk *n.* clockwork, clock
um at, around, for; in order to; — ein Jahr jünger younger by a year; — die Hälfte by half; — so mehr all the more
um: — willen (with gen.) for the sake of
umar'men to embrace
um=bilden to change, transform
um=bringen a a to kill, ruin
Umfang *m.* –s ⁻e extent, scope
umfan'gen i a to surround, embrace
Umgang *m.* company, association
umgar'nen to ensnare
umge'ben a e to surround, envelop
Umgebung *f.* surroundings
um=gehen i a to manage, handle; to haunt
umgehend by the next mail; haunting
umgekehrt opposite, reverse
um=hängen i a to put on; shoulder
umhan'gen i a hang around, surround
umher' around
umher=hüpfen to hop around
umher=irren wander about
umher=streifen to wander about
umher=ziehen o o to wander about
Umkehrung *f.* reverse
umkram'pfen to embrace, press
Umlauf: im — in circulation
umrin'gen to surround
Umschlag *m.* –s ⁻e envelope
um=schlagen u a to change, turn, cover, throw around

umschlei'chen i i to steal about, prowl about
umschlin'gen a u to embrace
um=sehen: sich weit in der Welt — to see much of the world
Umsicht *f.* precaution, discretion
umsichtig cautious
umsonst' in vain
Umstand *m.* -s ⸚e circumstance, situation
umständlich circumstantial, lengthy, minute, in detail
um=treiben = umher=treiben (sich) ie ie to wander about, rove about, roam
um=wandeln (sich) to change
Umweg *m.* detour, roundabout way
um=werfen a o to upset
umwi'ckeln to wrap around
umwo'gen to surround, surge around
unabänderlich invariable; unalterably
Unabhängigkeit *f.* independence
unablässig incessantly, steadily
unabsehbar immeasurable
Unachtsamkeit *f.* carelessness
Unadel *m.* ignobleness, ignobility
unähnlich unlike, dissimilar
unangefochten: — ziehen lassen to let go unmolested
unangenehm unpleasant, unwelcome
unangerührt undisturbed
unansehnlich of poor appearance
unantastbar unimpeachable
unartikuliert' inarticulate
unaufhaltsam unchecked
unaus=führbar impossible, infeasible
unbändig unrestrained
unbarmherzig merciless
unbedenklich unhesitatingly
unbedingt unlimited, implicit
unbefangen natural, unassuming, unconcerned
unbegreiflich incomprehensible
unbehaglich uncomfortable
unbehilflich awkward
unbeholfen embarrassed; awkward
unbekannt unknown
unbemerkt unnoticed
unbequem bothersome
unbeschreiblich indescribable
unbesorgt carefree
unbestimmt indefinite
unbeteiligt impartial
unbewacht unguarded
unbeweglich motionless
unbewußt unconscious
unbezweifelt unquestioned
Unbill *f.* wrong, injustice
unbotmäßig rebellious
Unbotmäßigkeit *f.* insubordination
Undank *m.* ingratitude
undenkbar inconceivable
uneingedenk unmindful
uneinnehmbar impregnable
unendlich endless, immense
Unendlichkeit *f.* infinity; immense amount
unentschlossen hesitatingly
unerbittlich inexorable
unerhört unheard of, unprecedented
unermeßlich immeasurable
unermüdlich untiring
unersättlich insatiable
unerschöpft unexhausted
unerschüttert unshaken
unerträglich unbearable, intolerable
unerwartet unexpected
unerwogen unconsidered
unfehl'bar without fail
unfern not far from
unfreundlich disagreeable
ungebührlich improper, unseemly
ungeduldig impatient
ungefähr about; von — as though by chance
ungefüge clumsy
ungeheizt unheated
ungeheuchelt truly, sincerely
ungeheuer great(ly), enormous(ly) terrible
ungekannt unknown

ungemein froh very happy
Ungerechtigkeit: schreiende — crying injustice
ungeschickt awkward
ungestüm impetuous, wild
Ungewohnheit *f.* novelty, being unaccustomed to
ungewöhnlich unusual
ungewohnt unused, unaccustomed
ungläubig incredulous; unbelieving
unglaublich incredible
ungleich unequal; nicht — sehen to look similar
Unglück *n.* misfortune, calamity; in — geraten to fall into misfortune
unglückweissagend prophesying misfortune
Ungnade *f.* disfavor
ungrisch = ungarisch Hungarian
Unheil *n.* trouble, calamity, misfortune; geheimnisvolles — mysterious calamity
unheimlich uneasy, weird, uncanny
Unhold *m.* rogue, fiend
unhörbar inaudible, noiseless
unlängst recently
unmäßig immoderate, unusual
unmerklich imperceptibly
unmöglich impossible
unmündig under age, dependent
Unmut *m.* anger, indignation
unmutig ill-humored, peevish, displeased, angry
unnahbar unapproachable
unnötig unneeded, superfluous
unordentlich untidy, disorderly
Unrecht: nicht mit — not without justice; himmelschreiendes — outrageous injustice
unritterlich unchivalrous
Unruhe *f.* restlessness
unruhig troubled
unsäglich unspeakable, indescribable
unsanft rough, hard
unschlüssig undecided
Unschuld *f.* innocence, simplicity, purity of heart
unschuldig innocent, guileless
unselig luckless, accursed, miserable, unhappy
unsichtbar invisible
unsinnig mad, crazy; foolish
unsittlich immoral
untadlig irreproachable, perfect
unten below, beneath, downstairs
unterblei'ben ie ie to be left undone
unterbre'chen a o to interrupt
unter=bringen a a to put away, dispose of
unterdes'sen in the meantime
unterdrü'cken to repress, suppress
untereinander among themselves
Untergang *m.* ruin
unter=gehen i a to disappear
Unterhalt *m.* support, living
unterhal'ten ie a to entertain, maintain
Unterhal'tung *f.* conversation
Unterhand'lung *f.* negotiation
Unterkommen suchen to seek shelter
Unterlage *f.* foundation
unterlas'sen ie a to neglect, omit; ohn' Unterlaß without intermission
unterlie'gen a e to be defeated, succumb to, be a victim of
Unterneh'mung *f.* undertaking, enterprise
Unterricht *m.* instruction
Unterschied *m.* difference
Unterschrift *f.* signature
unterste'hen (sich) a a to dare
Untertan *m.* –en –en subject
Unterwei'sung: zur gefälligen — kindly be informed
unterzeich'nen to sign
untunlich impracticable, infeasible
unüberwindlich invincible
unveränderlich unchangeable
unverderblich imperishable
unverdorben unspoiled, innocent
unverhohlen unconcealed
unverjährbar unchanged by time
unverkennbar unmistakable

unverlierbar what cannot be lost
unvermerkt unnoticed
unvermutet unexpected
unversehens unawares, unexpectedly
Unverstand *m.* folly; lack of understanding
Unverständige *m.* fool, senseless person
unverständlich unintelligible; dark
unverwandt incessantly; fixedly
unverweilt without delay
unverwischt ineffaceably
unverwüstlich everlasting; indestructible
unverzagt undaunted, undismayed
unweit not far from
unwillig angry, indignant, ill-humored
unwillkürlich involuntary
unwirsch crossly, brusquely
Unwissenheit *f.* ignorance
unzählbar numberless
unzweifelhaft doubtless, undoubtedly
üppig wanton, unrestrained
uralt old, ancient
urbar machen to make arable
Urlaub *m.* furlough
urplötzlich all of a sudden
Ursache *f.* cause
Ursprung *m.* –s ¨–e origin
Urteil *n.* judgment, decision; opinion
urteilen to judge
Urzeit: seit —en beyond man's memory

V

Vasall' *m.* –en –en vassal
väterlich paternal, of a father
Vaterstadt *f.* native town
Veilchen *n.* violet
Veitstanz *m.* St. Vitus Dance
Vene'dig Venice
verabreden to agree upon
Verabredung *f.* agreement
verabscheuen to despise
verachten to look down upon, despise, scorn
verächtlich contemptuous, scornful
Verachtung *f.* contempt
verändern to change
veranlassen to cause, induce
Veranlassung *f.* cause, occasion
veranstalten to arrange
verbannen to exile, banish
verbergen a o to hide, conceal
Verbesserlichkeit *f.* corrigibility
verbeugen (sich) to bow
verbieten o o to forbid, prohibit
verbinden a u to unite, join to; bind, tie
verbindlich courteous, polite
Verbindlichkeiten nachkommen to fulfil obligations
Verbindung *f.* connection; in — bringen to connect
verbleiben ie ie to stay
Verbleiben *n.* whereabouts, staying away
verblendet blinded, misguided
verblichen: Todes — with death departed
verblüfft dumbfounded
Verblüffung: in unsäglicher — in indescribable astonishment
verborgen concealed
Verbot *n.* prohibition
verbrämt trimmed
verbrauchen to use up
Verbrechen *n.* crime
verbrechen a o to commit a crime
verbreiten to spread, circulate
Verbreitung *f.* frequency, abundance
verbrieft confirmed, documented
verbringen a a to spend (time)
Verdacht *m.* suspicion
verdammen to condemn
verdanken to owe
verderben a o to perish, ruin
verderblich destructive

verdienen to deserve, earn
Verdingsumme *f.* stipulated sum
verdopplen = verdoppeln to double
verdorben destroyed, ruined
verdrießlich vexed, annoyed
Verdruß *m.* –es ⸗e annoyance
verdüstert gloomy
verdutzt taken aback, disconcerted
veredeln to ennoble
verehren to respect, admire, worship
vereinen = vereinigen to unite, join
vereiteln to frustrate
verewigt dead, deceased
Verfahren *n.* procedure
verfallen ie a to fall victim to; fall into, decline
verfänglich: —er Handel unpleasant affair
verfassen to compose, write, draw up
Verfassung *f.* constitution
verfehlt unsuccessful
verfemen to outlaw, prohibit
verfertigen to make, produce
verfiel (verfallen) fell victim to
verfließen o o to pass by, pass
verflossen by-gone, past
verfolgen to pursue, persecute
Verfolgung *f.* persecution
verfügen (sich) to betake oneself
vergänglich transitory
vergeben a e to forgive, pardon
vergebens in vain
vergeblich in vain
vergehen i a to end, elapse, pass
Vergehen *n.* transgression, offense
vergelten a o to reward, repay
vergessen a e to forget
Vergessenheit *f.* oblivion
vergiften to poison
vergilbt yellowed (by age)
Vergleich *m.* agreement, compromise, reconciliation
vergleichen i i to compare
verglimmen o o to die away
Vergnügen *n.* pleasure, delight
vergnügen (sich) to amuse, enjoy oneself
vergnüglich pleasant
vergnügt cheerful, joyous, pleased
vergolden to gild
vergönnen to grant, allow
vergöttern to idolize
vergreifen (sich) i i to maltreat, treat ill
vergrößern to enlarge; open wider
vergüten to reimburse
verhaften to arrest
verhallen to die away
verhalten ie a to suppress; (sich) to conduct oneself
Verhältnis *n.* –ses –se relation, connection
verhandeln to transact, trade, sell
Verhängnis *n.* –ses –se fate
verhängnisvoll fateful
verharren to remain
verhaßt hated
verhehlen to conceal
verheiraten to marry
verheißen ie ei to promise
verhelfen a o to help, assist
verhexen to bewitch
verhindern to hinder, prevent
verhöhnen to scorn, ridicule
verhüllen to cover, veil, wrap, muffle up
verhunzt spoiled (by unskilful handling)
verirren (sich) to lose one's way
Verirrung *f.* error, going astray
verjagen to chase, drive away
verkannt misunderstood
verkaufen to sell, dispose of
Verkehr *m.* communication, traffic, transaction, business; association
verklagen to sue, take legal proceedings
verklären to transfigure, glorify, light up
verklingen a u to die away
verkümmern to languish, pine away

verkünden to announce, proclaim
verkündigen to announce
verlangen to desire, demand
verlarvt masked, disguised
Verlarvung *f.* disguise
verlassen ie a to desert; (sich) to depend upon, rely upon
Verlauf *m.* course; im (nach) — in the course of
verlauten lassen to let out a secret
verleben to experience, spend
verlegen embarrassed
Verlegenheit: in — geraten to become embarrassed
verleihen ie ie to confer, invest, give
Verleumdung *f.* slander, calumny
verliebt sein to be in love
Verlobte *f.* fiancée
Verlobung *f.* betrothal
verlocken to entice
verloren gehen to become lost
Verlorensein *n.* destruction; death
Verlust *m.* loss
verlustig gehen to lose
Vermahnung *f.* admonition
vermaledeit′ (Lat.: maledictus) cursed
vermeiden ie ie to avoid
vermerken to set down, interpret
vermessen a e to survey
vermischen (sich) to blend, mix
vermissen to miss
Vermittler *m.* mediator, go-between
vermögen vermochte vermocht to be able to
Vermögen *n.* fortune, possession
vermuten to suspect, guess, assume, surmise
Vermutung *f.* presumption, suspicion
vernehmen a o to hear, see, learn, perceive; sich — lassen give one's opinion
vernehmlich audible
verneigen (sich) to bow
vernichten to destroy, annihilate
verpflanzen to transplant
Verrat *m.* treachery, treason
verraten ie a to betray
verraucht cooled, calmed down
verreiten i i to ride away
verrichten to do, perform
Verrichtung *f.* deed, piece of business
verriegeln to bolt, bar
verrinnen a o to pass away, elapse
versagen to deny
versagt sein to have an engagement
versammeln (sich) to gather, assemble
versäumen to miss; neglect, let pass unheeded
verschaffen to procure
verscherzt forfeited, trifled away
verschieben o o to put off, postpone
verschieden various, different
Verschlag *m.* –s ⸚e compartment
verschlingen a u to swallow, devour
verschlossen reserved, taciturn
verschlucken to swallow
verschmähen to scorn
verschmitzt cunning, crafty
verschollen lost to knowledge; disappeared
verschüchtert frightened
verschulden to do wrong, commit an offense
Verschuldung *f.* indebtedness
verschwimmen a o to mingle, blend
verschwinden a u to disappear
versehen a e to perform; provide with; administer; — sein to be provided with; aus Versehen by mistake
versenken (sich) to be lost in
versetzen to answer, reply; move
versetzt: sich — sehen to find oneself transferred; —er Ehrgeiz misplaced ambition
versiegen to dry up
versilbern to illuminate, light up
versöhnen to reconcile
versöhnlich conciliatory

Versöhnungswerk: — betreiben to attempt to effect a reconciliation
versorgen to provide
verspäten be late; backward
versperren to block
versprechen a o to promise
Versprengte *m.* the detached, scattered
verspüren to notice, feel, experience; Lust — feel a desire
Verstand *m.* reason, sense
verständig sensible, intelligent
verständlich intelligible
Verständnis *n.* comprehension, understanding
verstecken to hide
verstehen: sich von selbst — to be a matter of course
verstohlen stolen, secret
verstorben deceased
verstört troubled
Verstoß *m.* –es ¨–e: gesellschaftlichter — social error
verstoßen ie o to cast off; disown
verstreichen i i to pass
verstummen to become silent
versuchen to try, attempt
vertändeln to idle, trifle away
vertauschen to exchange, change (one's identity)
verteidigen to defend
verteilen to divide, distribute, assign
vertiefen (sich) to become absorbed in
vertiert brutish, bestial
vertragen (sich) u a to settle one's differences
Vertrauen *n.* trust, confidence, reliance
vertraulich intimate, confident, familiar
verträumen to dream away
vertreiben ie ie to drive away
vertreten a e to represent
vertrocknet dried up, withered
verüben to practise
verursachen to cause
verurteilen to condemn, convict
verwalten to preside over
verwandeln to change
verwandt related
Verwandte *m.* –n –n relative
verwaschen bleached, faded
verwechseln to mistake for
verwegen bold, daring
verwehren to prevent
verweigern to deny, refuse
Verweilen *n.:* ohne ferneres — without further waste of time
Verweis: sich einen — zuziehen to bring a reproof upon oneself
verweisen ie ie to banish, expel
verwelken to die, wither away
verwenden a a to use, apply, employ
verwickeln (sich) to get entangled, contradict oneself; in ein Gespräch — draw into a conversation
verwinden = überwinden a u to suppress, overcome
verwirren (sich) to get confused
verwirrt confused
verwischen to efface, cause to forget
verwischt obliterated
verwittern to become weather-worn
verwitwet widowed
verwöhnt pampered, spoiled
Verworfene *m.* –n –n outcast person
verworren confused
verwunden to wound
Verwunderung *f.* astonishment, surprise
verwünscht accursed
Verwünschung *f.* imprecation, curse
verwüstet devastated, destroyed
verzagen to be dismayed
verzehren to absorb; consume, eat; spend
verzeichnen to record, catalogue
verzeihen ie ie to pardon, forgive
Verzeihung: um — bitten to ask forgiveness

verzerren (sich) to become distorted
verzichten to refrain from
verziehen o o to distort, screw up, pucker up; wait, tarry; move
verzieren to decorate, adorn
verzogen distorted, spoiled
verzweifeln to despair
verzweifelt desperate
Vetter *m.* –s –n cousin
Vieh *n.* cattle
vielbeschäftigt very busy
vieldeutig ambiguous
vielfach variously, numerously, in various ways
vielmehr' rather, on the contrary
vierschrötig squarely built
vierspännig drawn by four horses
Vogelschlinge *f.* bird-snare
Vogt *m.* –es ¨–e patron, protector
Vogtei' *f.* patronage; jurisdiction and territory of a governor
völkerweise by tribes
Volkslied *n.* –s –er ballad, popular song
Volkstum *n.* people, nation, nationality
vollbracht completed
vollen'den to complete
vollends completely; particularly
vollfüh'ren to carry out
völlig: — werden to become realized
volljährig of age
Volljährigkeit *f.* majority
vollkom'men complete, perfect
vollkörnig full-grained
Vollmacht *f.* authorization, power of attorney
vollständig complete, entire; perfect
Vollwert *m.* full worth, 'prime of life'
Vorabend *m.* eve, evening before
voran' ahead
voraus': zum — in advance
voraus=fahren u a to ride ahead, precede
voraus=gehen i a to precede
voraus=sehen a e to foresee
voraus=wissen u u to know beforehand
vorbedacht considered beforehand
vorbei=schießen o o to dash by
vor=bereiten to prepare
Vorbote *m.* –n –n harbinger
vor=bringen a a to utter, get off
voreingenommen preoccupied; Voreingenommenheit *f.* preoccupation
Voreltern ancestors
vorerst' = zuerst for the time being; first, first to be mentioned
Vorfahr *m.* –en –en ancestor
vor=fallen ie a to occur
vor=finden (sich) a u to be found, exist
vor=führen to present, lead before
Vorgang *m.* –s ¨–e event, occurrence, incident
Vorgänger *m.* predecessor
vor=geben a e to pretend
Vorgefallene *n.* occurrence, incident
vor=gehen i a to happen
vorgerichtet prepared
vorgeschritten advanced
vorgesehen! look out! sich — haben to be prepared
vor=haben to intend, plan
vor=halten ie a to show, present
vorhan'den sein to be present, at hand
Vorhang *m.* –s ¨–e curtain
vorher before
vorher'=sagen to predict
vorhin a short while ago
Vorhut *f.* Nachhut *f.* van-guard, rear-guard
vorig former
vor=kommen a o to occur; seem; es kam mir vor it seemed to me
vor=lallen to prattle, to babble
vorläufig preliminary
vorlaut saucy, pert
vor=legen to place before, serve; put on a plate

vor=lesen a e to read aloud
vorlieb=nehmen a o to be content with
vor=liegen a e to be at hand
vor=machen (sich) to imagine
vornehm elegant; distinguished; aristocratic
vor=nehmen a o to proceed to; (sich) to decide on
Vorposten: auf — liegen to be stationed at an advanced post
vor=quellen o o to spring up
Vorratskammer *f.* store-room
vor=richten to prepare, get ready
Vorrichtung *f.* contrivance
vor=rücken to advance
Vorsatz *m.* –es ⁻̈e intention; den — nähren to cherish the intention
Vorschein: zum — kommen to appear, come to light
vor=schlagen u a to suggest, propose
vor=schreiben ie ie to dictate
Vorschub leisten to further
vor=sehen a e to foresee, exercise prudence
vor=setzen to serve, place before
vorsichtig cautious, careful
vor=spiegeln (sich) to delude oneself with, deceive
vor=sprechen a o to call, step in
vor=springen a u to project, protrude, stand out prominently
vor=stellen to present to, represent, portray, introduce, tell; etwas — be someone, amount to something
Vorstellung *f.* idea, conception; —en machen to remonstrate
Vorstunde *f.* the hour before
Vorteil *m.* advantage, profit
vor=tragen u a to relate, propose, report
vortreff'lich excellent
vor=treten a e to step forward
Vortritt *m.* precedence
vorü'ber past; at an end
vorüber=leben to pass through, live through
vorvorig one preceding the last, last but one
Vorwand *m.* –s ⁻̈e pretence
vorwärts ahead, forward
vorweg=stehlen a o to steal away from
Vorwurf *m.* –s ⁻̈e reproach, charge
vor=ziehen o o to choose, prefer
Vorzimmer *n.* ante-chamber
Vorzug *m.* –s ⁻̈e merit, advantage, excellence, preference
vorzüg'lich especially, particularly

W

wach awake, on the alert, astir
Wache *f.* guard
wachend awake
Wachol'der *m.* juniper
Wachol'derstaude *f.* juniper-bush
Wachs *n.* wax
wachsam watchful, vigilant
wachsfarben wax colored, waxen
Wacht = Wache *f.* guard
Wächter *m.* watchman, guard
Wachtfeuer *n.* bivouac-fire
Wachtmannschaft *f.* picket, watch
wacker valiant, good, honest
Waffe *f.* weapon, arms
Waffenstillstand *m.* –s ⁻̈e truce
wagen to dare, venture
Wagenstuhl *m.* –s ⁻̈e carriage-seat
Waghalsigkeit *f.* rashness, foolhardiness
Wagwirt *m.* landlord of the hotel „Zur Wage"
Wahl *f.* choice
wählen to elect, choose
Wahnsinn *m.* madness
wahnsinnig insane, crazy
wahr: nicht —? not so?
wahren to keep, observe, protect, guard
währen to last, continue
wahrhaft true
wahrhaftig true
Wahrheit *f.* truth

Wahrheitsbedürfnis *n.* need of telling the truth
wahrlich to be sure, indeed, in truth
wahr=nehmen a o to notice, detect
wahrſchein'lich probably
Waldesſaum *m.* –es ¨e edge of the woods
Wall *m.* –es ¨e rampart, wall
walten (with genitive) to preside over
Wams *n.* –es ¨er jacket, doublet, jerkin
Wandel *m.* career, life; change
wandeln to walk, wander; (ſich) to change
Wandergans *f.* ¨e migratory wild goose
wandern to go, wander, travel
Wanderpack *m.* –s –e (or) ¨e traveller's bag, knapsack
Wandſpalte *f.* crack in the wall
Wange *f.* cheek
wanken to totter, stagger, reel
Wappen *n.* coat of arms
Wappenſpruch *m.* –s ¨e motto on the escutcheon or coat of arms
Warenlager *n.* assortment of goods
warnen to warn
Wärterin *f.* attendant
Wäſche *f.* linen
Waſſerfrau *f.* water-nymph, river-nymph
Wäſſerlein *n.* streamlet, tiny brook
weben to weave
Wechſel *m.* change; bill of exchange
Wechſelfälle (pl.) vicissitudes, ups and downs
Wechſelgeſpräch *n.* dialogue, conversation
wechſeln to change
wecken to awake, arouse
weder neither
weg away
Wegelagerer *m.* highwayman
wegen on account of
weg=fangen i a to capture, carry off
wegraſie'ren to shave off
wegwerfend disdainfully
weg=winken to dismiss
Weh *n.* woe, grief; weh euch! woe to you! o weh! alas!
weh tun to hurt
wehen to blow, flutter, wave, sway
wehklagen to lament
wehleidig plaintive, sorry for oneself
wehmütig melancholy, doleful
Wehr: in — und Waffen with armor and weapons; Schild und — shield and arms; ſich zur — ſetzen to defend oneself
wehren (ſich) to defend oneself
wehrhaft able-bodied
wehrlos defenseless
Weib *n.* –es –er woman, wife
Weibergut *n.* –s ¨er dowry
Weibsbild *n.* –es –er woman, 'female'
Weibſen (pl.) women folk
weich soft, tender, delicate
weichen i i to yield, retreat, depart, stir
Weide *f.* meadow
weigern (ſich) to refuse, decline
weiland formerly, once
Weile *f.* while
weilen to linger
weinerlich whining, peevish
Weingeſchäft *n.* firm dealing in wines
Weiſe *f.* melody, strain; manner; nach ſeiner — in his own way; auf gewandte — in a clever manner; in gleicher — in like manner
weiſen ie ie to point; von ſich — to send away, reject
Weisheit *f.* wisdom
Weißdornzaun *m.* –es ¨e hedge of hawthorn
Weiſung *f.* order, instruction
weit und breit far and wide

Weite *f.* distance; unbekannte —n unknown countries far away
weiter: ohne —es without further ado, straightway; des —en furthermore
weithin far, to a great distance, far off
weitläufig vast, spacious
Weizen *m.* wheat
Weizenernte *f.* wheat harvest
welk withered, wrinkled
Weltall *n.* universe
Weltkind *n.* –es –er worldly person
weltliche Herren laymen
Weltmann *m.* –s ¨–er gentleman, man of the world
Weltschaukel *f.* "world" seesaw
Weltuntergang *m.* end of the world
Wendeltreppe *f.* winding staircase
wenden a a to turn
Wendung *f.* turn, change
wenigstens at least
wenn if, when, whenever; — auch even if
werben a o to woo
Werg *n.* tow
Werk *n.* work; — der Finsternis sinister deed; ans —! action! set to work! im —e sein to be on foot
Wert *m.* value; auf seinem — beruhen to rest on its merits
wertgeschätzt valued, esteemed
Wesen *n.* being, thing, manner, way, character; nature; menschliches — human being
wesenlos lifeless
Weste (pl.) = der Westen (poet. expr.) the West
Westenstoff *m.* cloth for vests
Westrand *m.* western edge
weswegen for which reason
wettern to storm, curse, swear
wetzen to whet, grind
wichtig important
wickeln to wrap
Widerborstigkeit *f.* refractoriness, stubbornness
widerhaarig cross-grained, stubborn
Widerhall *m.* echo
widerspenstig obstinate
widerspre'chen a o to contradict
Widerspruch *m.* –s ¨–e contradiction
Widerstand: — erfahren to meet with opposition
widerstre'ben to resist, be reluctant
Widerwille *m.* –ns aversion
widerwillig unwilling
widmen (sich) to devote oneself to
wieder=geben a e to return; render; repeat
wiederho'len to repeat, reiterate
wiederholt' repeatedly, again
Wiederkehr *f.* return
wiederum again, in turn
Wiege *f.* cradle
Wiese *f.* meadow
Wiesel *n.* weasel
Wildfang *m.* –s ¨–e tomboy, unruly youth
wildfremd utterly strange, unknown
Wildnis *f.* — –se wilderness
wildwüchsig wild, wild-grown
willenlos irresolutely, involuntarily
willfah'ren to comply with
willigen to agree to
wimmelnd von swarming with, covered with
Wimper *f.* eye-lash, 'eye'
winden a u to bind
Windfahne *f.* weathervane
windig bragging, swaggering
Windlicht *n.* –s –er shaded light, candle
Winkel *m.* corner; im rechten — at an angle
winken to beckon, motion, signal
Winterfeldzug *m.* –s ¨–e winter campaign
Winterkohlkopf *m.* –s ¨–e head of 'winter' cabbage

wirbeln to twirl, whirl
Wirken *n.* deeds, works
wirklich really
wirksam effective
Wirkung *f.* effect
Wirrwarr *m.* confusion; reaction, impression
Wirt *m.* innkeeper
wirtlich: —e Bäume fruit-bearing trees
Wirtschaft *f.* farming, business
wirtschaften to rummage
Wirtschaftssorgen (plur.) household cares
Wirtssaal *m.* –s ⁻̈e hotel parlor
Wischtuch *n.* –s ⁻̈er dust-cloth
Wissenschaft *f.* science, knowledge
Witwe *f.* widow
Witz *m.* wit
witzig bright, witty, intellectual
wogen to wave
Wohl *n.* welfare
wohlbedacht well-considered
wohlbehäbig commodious, comfortable
wohlbehaglich comfortable
wohlbehalten safe and sound
wohlbesorgt well taken care of
wohlduftend fragrant
wohlerworben honestly obtained
wohlgebildet well-formed, shaped
Wohlgefallen *n.* pleasure, liking
wohlgetroffen of striking likeness
wohlmeinend well-meant
wohlrasiert' well-shaved
Wohlsein *n.* well-being, prosperity
wohlselig blessed, deceased
Wohlstand *m.* wealth
wohl=tun a a to please
wohlversehen well supplied
Wohlwollen *n.* good-will, benevolence, kindliness
wohlwollen to be favorably disposed to
wohnlich commodious, comfortable
Wolhynien (pron. Wol=hy'=ni=en) Polish province of Wolhynia
Wolke *f.* cloud
Wollflöckchen *n.* flock, tuft of wool
Wonne *f.* pleasure, joy, bliss
woran' wherein
worauf' whereupon, for which
Wort: zu —e kommen to make oneself heard
wortlos without a word
Wortwechsel *m.* dispute, quarrel, squabble
wortwechseln to consult, scold
wozu' for what purpose, why
Wuchs *m.* –es ⁻̈e growth, figure, shape
Wunder: ein — wirken to work a miracle
wunderbar wonderful
wunderlich queer, strange
wundersam strange
Wunsch: heißer — ardent wish
wünschbar desirable, desired
Würde *f.* dignity
würdig dignified, worthy
Würdigkeit *f.* worthiness
würfeln to play at dice, gamble
würzig fragrant, spicy
wüst wild, mad
Wüste *f.* desert
Wut *f.* rage, anger, wrath
wütend furious

Z

zag: sein —es Herz his faintheartedness
zaghaft timid
zähe tough
Zahl *f.* number
zahlreich numerous
zähmen to tame
zähneknirschend grinding, gnashing (one's teeth)
zanken to quarrel, object, dispute
zart tender, delicate
zärtlich fond, tender
Zauber *m.* charm, spell
Zauberband *n.* magic bond

Zauberin *f.* –nen enchantress
zaudern to hesitate, delay
Zaun *m.* –es ⸚e fence
Zeche *f.* bill
zechen to drink, carouse
Zedernholz *n.* cedar-wood
Zehe *f.* toe
Zehntel *n.* tenth
Zeichen *n.* indication, sign
zeichnen (ſich) to be visible, stand out
Zeigefinger *m.* index finger
zeihen ie ie to accuse
Zeile *f.* line
Zeit: äußerſte — high time; vor der — before the (proper) time
Zeitalter *n.* age
zeitig early
Zeitlang *f.* a time
zeitlebens all one's life
zeitlich present; das Zeitliche ſegnen to die, depart this life
Zeitpunkt *m.* moment
zeitweiſe at times
Zelt *n.* tent
zerbrechen a o to break, shatter, smash
zergehen i a to melt
zerklüftet rugged, fissured
zerknirſcht in contrition
zerlumpt ragged, shabby
zerren to snatch, tear, pull
Zerrüttung *f.* distraction
zerſchmettern to shatter, crash
zerſprengen to burst, split
zerſpringen a u to shatter, break, crack
zerſtechen a o to pierce, prick all over
zerſtören to destroy, disturb
zerſtreuen (ſich) to scatter
zerſtreut absent-minded
Zerſtreuung *f.* distraction; scattering
zerſtücken to divide
zertrümmern to break, cut off, make a fragment
zerzauſt tousled, crumpled
Zettel *m.* slip of paper
Zeug *n.:* mit glänzendem — with shining (table) ware
Zeuge *m.* –n –n witness
zeugen to prove, testify, beget
Zeugmacherjunge *m.* –n –n boy apprentice; weaver of materials
Zeugnis *n.* –ſes –ſe testimony
Ziege *f.* goat
Ziegenbock *m.* –s ⸚e he-goat, billy-goat (associated with tailors in German folklore)
ziehen o o to draw, pull, drag; travel; eine Straße — build a road
Ziel *n.* goal, place of destination
zielen to aim at
ziemlich rather, some, fair, fairly, moderately
Zierat *m.* –s –en (or) *f.* ornament
zieren to adorn
zierlich artistic(ally), elegant, neat, graceful
Zigar'renben'gel *m.* very large cigar
Zigeu'ner *m.* gypsy
Zimmermann *m.* –s Zimmerleute carpenter
zimmern to build
zimperlich squeamish, prudish, gingerly
Zinſen: — herausſchlagen to obtain interest
Zinsherr *m.* –n –en landlord
Zipfelhaube *f.* peaked hood
zirpen to chirp
zittern to tremble, vibrate
zögern to hesitate, linger
Zopf'perü'cke *f.* wig with a pig-tail, tie-wig
Zorn *m.* anger; lodernder — burning anger
zornig angry; enraged, irate
zu=bereiten to prepare
zu=bringen a a to pass, spend
Zucht *f.* propriety, discipline; in Züchten with due propriety, modestly

züchtig modest, decent
züchtigen to reproach, reprove; punish
Züchtigung: sich eine — zuziehen to incur punishment, reproof
Zuchtlosigkeit: — begehen to commit an act of immodesty
zucken to dart, flash; vibrate, tremble; jerk, twitch, shrug; gewisses Zucken a kind of twitching
zücken to draw (knife)
Zuckerbeck = der Zuckerbäcker confectioner
zudringlich forward
zuerst' first, at first
Zufall *m.* –s ⸚e chance, accident; mochte es nun ein — sein whether it was by chance or not
zufällig by chance; accidentally
zu=fassen to seize, grasp
zufrie'den satisfied
Zufrie'denheit *f.* contentment
Zug *m.* –es ⸚e draught, swallow, feature; train; procession; crowd; mit kunstfertigem — with a skillful stroke; in tüchtigen Zügen in large draughts; in den letzten Zügen liegen to lie at the point of death; strenge Züge severe lines; phantastischer — fantastic procession
zuge'gen sein to be present
Zügel *m.* rein
zugleich' at the same time
zugrun'de gehen to perish; be lost
zugun'sten in favor of
Zuhörer *m.* listener, audience
zu=klappen to snap shut
zu=knöpfen to button (up)
zu=kommen a o to fall to a person's share; be entitled to
Zukunft *f.* future
zukünftig future
zulei'de tun to do harm
zuletzt' finally, at the end, at last
zulie'be for the sake of; — tun to do something to please
zumal' especially as; since; — dessen — especially as his . . .
zumu'te disposed; wie ist dir — how do you feel
zunächst' first of all; next to
zu=nähen to sew up
zünden to kindle; rouse
zu=nehmen a o to increase, gain
zu=neigen to lean towards
Zuneigung *f.* attraction, affection
Zunge *f.* tongue; mit hastiger — with hasty words
zupfen to pull, tug
zurecht=kommen a o to get along
zurecht=rücken to put in the right place
zurecht=schneidern to get into shape for wear
zu=reden to urge, try to persuade
zürnen to be angry
zurück=bleiben ie ie to remain
zurück=drängen to press back
zurück=gewinnen a o to regain
zurück=halten (sich) ie a to stay, hold back
zurück=kehren to return
zurück=schlagen u a to throw back
zurück=sinken a u to fall back
zurückspinnend dreaming, reminiscing
zurück=traben to trot back
zurück=weichen i i to retreat, fall back
zurück=weisen ie ie to decline, reject
zurück=ziehen (sich) o o to retreat; withdraw
Zuruf *m.* shout, exclamation, cheer
Zusammenhang *m.* –s ⸚e connection
zusammen=klappen to fold up
zusammen=leimen to glue together
zusammen=rotten (sich) to band together
zusammen=schlagen: die Hände —

throw up one's hands in surprise (or) terror

zusammen=schrecken a o to start from fright

Zusammenstoß *m.* –es ⸗e encounter, battle

zusammen=ziehen o o to gather, collect, concentrate

zu=schauen to look on, watch

Zuschauer *m.* spectator

zu=schieben o o: ein Geldstück — to give a piece of money secretly

zuschulden: sich etwas — kommen lassen to become guilty of —

zu=sehen a e to observe, look on, see to it

zusehends visibly

zu=setzen to add to; attack, harass

zu=sprechen a o to address

zustande bringen to achieve

zu=strömen to crowd to, rush to

Zutat *f.* addition

zu=tragen u a to report; (sich) to occur

zu=trauen to believe a person capable of; be confident

zuversichtlich confident, reliable; trustworthy

zuvor' before, previously

zuvor'kommend politely

zuwei'len at times

zu=wenden a a to devote, direct

zuwi'der werden to become repellent

zuzei'ten at times

zu=ziehen (sich) o o bring down upon oneself

Zwang *m.* force

zwar (I) admit, indeed, to be sure; und — that is to say

Zweck *m.* purpose

zweideutig ambiguous

Zweifel *m.* doubt; in — stellen to leave in doubt; sonder — without a doubt

zweifelhaft doubtful, dubious, suspicious

Zweifler *m.* skeptic, cynic

Zweig *m.* twig, branch

Zweittapferste *m.* next to the bravest

Zwickel *m.* beard, goatee

zwingen a u to force

Zwirn *m.* thread